S0-BYL-807

Zu diesem Buch

Welche religiöse Bedeutung hat das Schöpfungshandeln Gottes? Nach der bisher gängigen Anschauung ist "die Schöpfung" ein abstrakter Gedanke, der neben oder unter die anderen christlichen Glaubensinhalte gestellt wird. Doch entspricht das der Bibel? Die vorliegende Abhandlung, die das Schöpfungshandeln Jahwes im breiten Strom von Klage und Lob durch das Alte Testament untersucht, kommt zu einem anderen Ergebnis: Hier gibt es einen einlinigen Begriff "Schöpfung" noch nicht, sondern nur zwei grundverschiedene Weisen des Schöpfungshandeln Jahwes in konkreten, von einander geschiedenen Lebenssituationen: Die Weltschöpfung gehört in das beschreibende Lob (Hymnus), d.h. in die Gottesdienste der grossen Volksgemeinde. Sie dient dazu, die weltüberlegene Macht Jahwes zu preisen. Die Menschenschöpfung gehört in die Klage des Einzelnen und das Heilsorakel, d.h. in die kleine, kasuelle Bittzeremonie im Kreis der Familie. Sie dient dazu, die Zuwendung Jahwes zu seinem Geschöpf zu beschwören. Jahrhunderte lang laufen beide Traditionen getrennt nebeneinander her und werden erst seit dem Exil in Beziehung zueinander gebracht.

Dieses Ergebnis hat Konsequenzen für die neutestamentliche und systematische Theologie: Wenn Weltschöpfung und Menschenschöpfung je verschiedene Funktionen in konkreten Lebenssituationen haben, dann drücken sie eigenständige religiöse Erfahrungen aus. Dann ist z.B. die enge Parallelisierung von "Schöpfung" und "Erlösung", die Karl Barth und seine Nachfolger vollzogen haben, nicht mehr möglich.

RAINER ALBERTZ, geb. 1943, studierte Theologie in Berlin und Heidelberg. Er ist seit 1969 Wissenschaftlicher Assistent bei Prof. C. Westermann in Heidelberg.

Calwer Theologische Monographien

Herausgeberkreis:
Jörg Baur, Martin Brecht, Horst Bürkle, Leonhard Goppelt,
Georg Kretschmar, Manfred Seitz, Claus Westermann

Reihe A: Bibelwissenschaft
Herausgegeben von Leonhard Goppelt und Claus Westermann

Band 3:
Rainer Albertz
Weltschöpfung und Menschenschöpfung

RAINER ALBERTZ

WELTSCHÖPFUNG
UND
MENSCHENSCHÖPFUNG

Untersucht bei Deuterojesaja, Hiob
und in den Psalmen

CALWER VERLAG STUTTGART

BS
651
.A47
1974

2/3
Al14
204191

ISBN 3-7668-0452-9
© 1974 by Calwer Verlag Stuttgart
Printed in Germany
Alle Rechte vorbehalten. Wiedergabe, auch auszugsweise, nur mit
Genehmigung des Verlags. Fotokopieren nicht gestattet.
Einband: Gerh. Kurt Hofmann
Schreibsatz: Calwer Verlag Stuttgart
Druck: Anton Hain KG. Meisenheim

Gedruckt mit Unterstützung der deutschen Forschungsgemeinschaft
D 16

In freundschaftlicher Erinnerung an

Ronald L. Douglas

1934 - 1968

Er verunglückte tödlich, bevor er seine
Dissertation über die Schöpfung im Alten
Testament fertigstellen konnte.

INHALTSVERZEICHNIS

A. SCHÖPFUNG BEI DEUTEROJESAJA IM LICHTE DER FORSCHUNG

B. ZWEI SCHÖPFUNGSTRADITIONEN BEI DEUTEROJESAJA ? 7

   I. Die erste Gruppe der Schöpfungsaussagen bei Deuterojesaja 7

      1. Die Schöpfungsaussagen in den Bestreitungen 7
      (Disputationen)

      2. Die hymnische Herkunft 13

      3. Die Schöpfungsvorstellungen 21

   II. Die zweite Gruppe der Schöpfungsaussagen bei 26
      Deuterojesaja

      1. Die Schöpfungsaussagen im Heilsorakel 26

      2. Die Schöpfungsaussagen in der Klage des Einzelnen 33
      Exkurs: Jes 1,2; Dtn 32

      3. Die Schöpfungsvorstellungen 44

   III. Das Verhältnis der beiden Schöpfungstraditionen
      zueinander 51

C. WELTSCHÖPFUNG UND MENSCHENSCHÖPFUNG? ZWEI
VERSCHIEDENE TRADITIONEN ? 54

   I. Die These C.Westermanns 54

   II. Das religionsgeschichtliche Vergleichsmaterial 55

      1. Welt- und Menschenschöpfung in der sumerisch-
      babylonischen Gebetsliteratur 55

      2. Welt- und Menschenschöpfung in der ägyptischen 66
      Gebetsliteratur

      3. Welt- und Menschenschöpfung in den Gebeten der 72
      primitiven Kulturen

   III. Menschenschöpfung und Erschaffung des Einzelnen 81

D. WELTSCHÖPFUNG UND MENSCHENSCHÖPFUNG IN DEN PSALMEN 90

   I. Ort und Funktion der Weltschöpfung in den Psalmen 91

      1. Die Weltschöpfung im beschreibenden Lobpsalm 91

      a) Die Weltschöpfung als Beschreibung der 92
      Majestät Gottes
            Exkurs: Zwei verschiedene Typen des be-
            schreibenden Lobes in Israel (F.Crüsemann)?

b) Weltschöpfung und Bewahrung der Schöpfung 107

2. Urzeitlicher Kampf und Weltschöpfung in der Klage des Volkes 110

3. Die Weltschöpfung in anderen Zusammenhängen 116

II. Ort und Funktion der Menschenschöpfung in den Psalmen 118

1. Die Menschenschöpfung in der Klage des Einzelnen 118

2. Der 139. Psalm 118

3. Die Menschenschöpfung im beschreibenden Lob 121

4. Der 8. Psalm 122
   Exkurs: Vergänglichkeitsklage und
   Zuwendung Gottes (Ps 144)

5. Anhang: Ps 94 126

III. Das Verhältnis von Welt- und Menschenschöpfung in den Psalmen 127

1. Welt- und Menschenschöpfung in ein- und demselben Psalm 127

2. Überschneidungen in der Gattung 129

3. Berührungspunkte in der Funktion 130

E. WELTSCHÖPFUNG UND MENSCHENSCHÖPFUNG IM BUCHE HIOB 132

I. Welt- und Menschenschöpfung im Dialogteil 132

1. Welt- und Menschenschöpfung im Munde Hiobs 132

2. Welt- und Menschenschöpfung im Munde der Freunde 136
   Exkurs: Sonstige Anspielungen
   auf die Schöpfung

II. Die Weltschöpfung in der Gottesrede 140

III. Welt- und Menschenschöpfung in den Elihureden 146

1. Die Menschenschöpfung in den Elihureden 146

2. Die Weltschöpfung in den Elihureden 148

F. DIE GESCHICHTE DER MENSCHEN- UND WELTSCHÖPFUNGS-TRADITION IN DEN PSALMENGATTUNGEN 150

I. Die Tradition der Menschen- und Weltschöpfung in vorexilischer Zeit 151

1. Die Menschenschöpfungstradition 151

2. Die Weltschöpfungstradition 157

II. Die Tradition der Menschen- und Weltschöpfung in exilischer Zeit — 161

   1. Die Menschenschöpfungstradition — 161

   2. Die Weltschöpfungstradition — 162

   3. Die Möglichkeit einer Verbindung beider Schöpfungstraditionen — 164

III. Die Tradition der Menschen- und Weltschöpfung in nachexilischer Zeit — 165

   1. Die Menschenschöpfungstradition — 165

   2. Die Weltschöpfungstradition — 167

   3. Die Verbindung von Welt- und Menschenschöpfungstradition — 170

G. SCHLUSS — 173

ANMERKUNGEN zu A u. B — 176

              C — 205

              D — 215

              E — 236

              F — 245

              G — 251

ABKÜRZUNGSVERZEICHNIS — 252

LITERATURVERZEICHNIS — 253

Vorwort

Die vorliegende Arbeit wurde im Frühjahr 1972 von der Ev.-theol. Fakultät
der Universität Heidelberg als Dissertation angenommen. Für den Druck
wurde sie gekürzt und an einigen Stellen geringfügig ergänzt.
Ich möchte an dieser Stelle noch einmal allen denen Dank sagen, die am Ge-
lingen dieser Arbeit beteiligt waren. Mein Dank gilt vor allem meinem
"Doktorvater" Prof. D.C. Westermann. Er hat mir die entscheidenden exegetischen Impulse in meinem Studium gegeben, durch seine Beobachtungen
an den Schöpfungserzählungen der Genesis wurde ich zu dieser Arbeit ange-
regt, und er hat mir während ihrer Fertigstellung immer wieder mit seinem
Rat geholfen. Ich danke auch dem Korreferenten Prof. Dr. R. Rendtorff für
seine weiterführenden Hinweise. Herrn Prof. Dr.G. Pettinato (jetzt Turin)
und Herrn Univ.-Doz. J. Assmann (Heidelberg) verdanke ich viele Hinweise im Bereich der sumerisch-babylonischen bzw. der ägyptischen Religion.
Schließlich sei der Deutschen Forschungsgemeinschaft für die freundliche
Gewährung eines Druckkostenzuschusses gedankt.

Mai 1974   R. Albertz

A. Schöpfung bei Deuterojesaja im Lichte der Forschung

Seit den dreißiger Jahren kreist das Interesse der alttestamentlichen Forscher, die sich mit dem Thema Schöpfung beschäftigen, in eigentümlicher Weise um die Prophetie Deuterojesajas. (1) Den entscheidenden Anstoß zu dieser Entwicklung hat G.v.Rad in seinem Aufsatz: "Das theologische Problem des alttestamentlichen Schöpfungsglaubens" gegeben. (2) Gegenüber der betonten Vorordnung der "Schöpfung" vor die "Offenbarung" in einem Teil der damaligen lutherischen Dogmatik, die gerade mit Gen 1 begründet wurde, erweist v.Rad von den Psalmen, vor allem aber von Deuterojesaja her seine gegenteilige These, "daß innerhalb des genuinen Jahweglaubens der Schöpfungsglaube zu keiner Selbständigkeit und Aktualität kam. Wir fanden ihn durchweg in Bezogenheit, ja, Abhängigkeit von dem soteriologischen Glaubenskreis". (3) v.Rads Fragestellung nach dem Verhältnis von "Schöpfungs- und Heilsglaube" hat die weitere Forschung über die Schöpfung im AT bis in jüngste Zeit fast ausschließlich geleitet, und sein Ergebnis wurde immer wieder bestätigt. (4) Erst in jüngster Zeit werden kritische Einwände laut. (5)

Bei solcher Lage der Dinge könnte man annehmen, daß alle wesentlichen mit der Schöpfung zusammenhängenden Probleme bei Deuterojesaja zu allgemeiner Zufriedenheit gelöst wären. Doch ist dem nicht so. Deutlichstes Anzeichen hierfür ist eine noch unausgetragene Kontroverse über den ursprünglichen formgeschichtlichen Ort der Schöpfungsaussagen: Auf der einen Seite steht die Auffassung, die u.a. von R. Rendtorff vertreten wird: Die Schöpfungsaussagen stammen aus dem Hymnus (6), auf der anderen Seite behauptet H.Graf Reventlow: Die Schöpfungsaussagen haben im Heilsorakel ihren Ursprung. (7) Wie konnte es zu so unterschiedlichen Auffassungen kommen?

Die Meinung, daß Deuterojesaja in größerem Maße hymnische Stücke in seine Verkündigung übernommen hat, ist schon sehr alt. H. Gunkel weist schon 1895 in "Schöpfung und Chaos" nebenbei darauf hin und nennt - lange vor seiner formgeschichtlichen Arbeit an den Psalmen - das bis heute gültige Merkmal: das Partizip. (8) In einer breit angelegten literarkritisch-formgeschichtlichen Untersuchung hat dann H.Greßmann den Nachweis geführt, "daß für Deuterojesaja die Hymnen in der Tat charakteristisch sind" (9), allerdings nur als Begleitwort der prophetischen Heilsbotschaft. Er findet hymnische Elemente in den prophetischen und göttlichen Einleitungs- und Schlußformeln. (10) Die Verschiedenartigkeit der Stellen, die er unter den beiden Gruppen zusammenordnet (11), zeigt, daß die Bestimmung recht grob und im einzelnen unsicher ist, die Grundthese aber, daß Deuterojesaja hymnisches Material und mit ihm den "Schöpfungsgedanken" übernommen habe, wurde seitdem als gesichertes Ergebnis der alttestamentlichen Forschung weithin anerkannt. (12) Einen ausführlichen Nachweis hat zuletzt B.J.van der Merwe 1956 vorgelegt: Aufgrund einer Untersuchung des Stils (Partizip) und der Motive kommt er zu dem Ergebnis, "dat Deuterojesaja in die weergawe van die skeppingsdedagtes sowel wat sy styl as wat sy taal en gedagtes betref, aansluit by hymniese gedeeltes in die O.T.". (13)

Wenn H.Graf Reventlow diese alte weithin übernommene These bestreitet und an ihre Stelle eine andere setzen will, erscheint das als ein fast wahnwitziges Unterfangen. So ist es zu einer echten Auseinandersetzung mit ihm seither nicht gekommen. Doch ist immerhin die Frage zu stellen, ob hier nicht ein Problem aufgedeckt wird, das vorher übersehen worden ist.

Schon R.Rendtorff hatte, von der These der hymnischen Herkunft der Schöpfungsaussagen ausgehend, eine wichtige, differenzierende Beobachtung gemacht: Von Schöpfung wird bei Deuterojesaja in zwei verschiedenen Zusammenhängen gesprochen: im Disputationswort (14) und im Heilsorakel. (15) Dazu kommen weitere Unterschiede: zwar herrschen in beiden Gruppen die Partizipien vor, doch sind sie im Heilsorakel mit einem Suffix versehen, meist das der zweiten Person sing., der Inhalt der Aussagen ist verschieden und auch ihre Funktion. "Die hymnische Prädikation Jahwes des Schöpfers, die der Heilsaussage Nachdruck verleiht, ist hier entscheidend verändert. Es ist gar nicht mehr von Jahwe als dem Weltschöpfer die Rede, sondern vom Schöpfer Israels". (16) Es ist das Verdienst R.Rendtorffs, aufgewiesen zu haben, daß die Schöpfungsaussagen bei Deuterojesaja nicht alle auf einer Linie liegen, sondern sich deutlich auf zwei Gruppen aufteilen. (17)

Ist aber erst einmal dieser Tatbestand erkannt, so drängt sich die Frage auf, ob sich beide Gruppen von Schöpfungsaussagen aus der hymnischen Tradition ableiten lassen. Für die Partizipialketten in den Disputationen steht das für Rendtorff von vornherein fest (18), er konstatiert nur eine auffällige Aktualisierung der alten Glaubenstradition. (19) Bei den suffigierten Partizipien in den Einleitungen der Heilsorakel scheint das nicht so eindeutig zu sein. Rendtorff fragt in einer Anmerkung: "Es entsteht die Frage, ob der Hinweis auf den Schöpfer schon im kultisch gebundenen Heilsorakel seinen Platz hatte". (20) Zwar verneint er die Frage, aus Gründen, die weiter unten interessieren werden (21), er muß aber bei dieser zweiten Gruppe, da er sie in den Bahnen der Forschungstradition von den Hymnen erklären will, schwerwiegende Abwandlungen durch Deuterojesaja annehmen: "Der Glaube an Jahwe den Schöpfer (hat) einen völlig neuen 'existentiellen' Bezug auf die Hörer der Verkündigung bekommen". (22) So ist seit Rendtorff die Position, daß a l l e Schöpfungsaussagen bei Deuterojesaja dem Hymnus entstammen, keineswegs mehr so sicher.

H. Graf Reventlow (13) geht - herkommend von Jer 1,5 - gerade von der zweiten Gruppe, die Rendtorff erkannt hatte, aus: von den Schöpfungsaussagen in den Einleitungen der Heilsorakel. Diese erhalten damit zum ersten Mal ein besonderes Gewicht. Auch wenn man geteilter Meinung sein kann, ob die Einleitungen ein so fester Bestandteil der Orakel sind, wie es Reventlow im Anschluß an H.E.v.Waldow vertritt (24), so gelingt es ihm doch überzeugend, die Schöpfungsaussagen aus der Situation des Heilszuspruches selbst voll zu erklären: "In der Partizipialformel wird die Gewißheit der Erhörung daran ge-

knüpft, daß Jahwe der S c h ö p f e r d e s B e t e r s ist, 'der dich von
Mutterschoß (mibbætæn) gebildet hat', und er als solcher auch der natürliche
Helfer seines Geschöpfes ist". (25) Dann ist es aber unnötig und unwahrschein-
lich, daß eine Übertragung aus dem hymnischen Lob des Schöpfers vorliegt.
Sehr viel näher liegen einige Vertrauensaussagen in den Klagepsalmen, die Re-
ventlow anführt. (26)

An dieser Stelle muß an Äußerungen erinnert werden, die J. Begrich schon in
seiner Arbeit, in der er das Heilsorakel "entdeckte", gemacht hat, die aber
seither in Vergessenheit geraten sind. (27) Obwohl er die Einführungsformeln
für sekundär hält (28), bestimmt er die darin vorkommende Erweiterung des
Gottesnamens keineswegs als hymnische Form: "Ihre Form ist das Partizip,
ihren Stoff entnimmt sie dem Inhalte des Heilsorakels".(29) Wie die eigentlichen Teile des Heilsorakels ihre sachlichen Entsprechungen in den Klageli-
dern haben, so auch die Erweiterungen der Einleitung: Begrich führt aus:
"Hält der Beter Jahwe vor, daß er selbst ihn geschaffen und kunstvoll bereitet
habe und deshalb doch sein eigenes Werk nicht zerstören noch preisgeben könne, so erkennt das Orakel diesen Gedanken ausdrücklich an: 'so spricht Jahwe,
dein Schöpfer ... dein Bildner', 'der dich von Mutterleib her gebildet'". (30)
Dann haben aber diese Aussagen ihre nächsten Entsprechungen nicht im Hymnus, sondern in den Vertrauensmotiven der Klagen des Einzelnen. (31)

Auf dem Hintergrund dieser Beobachtungen Begrichs erreicht Reventlows The-
se doch einen hohen Grad an Wahrscheinlichkeit. Man wird nur neben dem
Heilsorakel auch die Klage des Einzelnen als Ursprungsort dieser Gruppe von
Schöpfungsaussagen nennen müssen.

Doch beschränkt Reventlow seine These nun nicht auf diese Gruppe von Stellen,
von denen er ausgegangen war, sondern weitet sie auf a l l e Schöpfungsaussagen bei Deuterojesaja aus. Er wagt abenteuerliche kultische (Bundesfest)
und alle Formgeschichte vergessende literarische (Jes 44,24ff) Konstruktionen, um zu zeigen, wie die "Schöpfertat Jahwes an dem einzelnen Beter" zum
"hymnischen Lobpreis Jahwes als des Schöpfers der Welt" wurde. (32) Ja, er
scheut nicht davor zurück, daß Partizip, das fast ein Jahrhundert lang als
sicheres Kennzeichen für "hymnisches Gut" angesehen wurde, genauso pauschal für das Heilsorakel zu beanspruchen. (33) Kein Zweifel, es sind diese
maßlosen Ausweitungen, die eine positive Aufnahme seiner Ergebnisse bisher
verhindert haben. (34)

Doch haben nicht auch die Forscher, die a l l e Schöpfungsaussagen bei Deuterojesaja vom Hymnus her erklären wollten, methodisch den gleichen Fehler
gemacht? Dort war man von den Stellen in den Disputationen ausgegangen, die
ohne Zweifel zu ihrem größten Teil dem Lobpreis des Schöpfers entstammen;
diesen hatte man das Reden vom Schöpfer Israels in den Heilsorakeln einfach
beigeordnet. Reventlow hat nur das gleiche, wenn auch in umgekehrter Richtung
getan.

Ausgangspunkt war die Alternative gewesen: Schöpfung aus dem Hymnus oder aus dem Heilsorakel. Das Ergebnis kann nach der ersten Sichtung nur lauten: Wahrscheinlich war die Alternative falsch gestellt. Es scheint bei Deuterojesaja offensichtlich zwei Gruppen von Schöpfungsaussagen zu geben, die in zwei verschiedenen Gattungen beheimatet sind: die eine im Hymnus, die andere im Umkreis von Klage und Heilsorakel.

Hat diese Unterscheidung auch inhaltliche Konsequenzen? Spielt sie etwa dort, wo von der Bedeutung und der Funktion des Schöpfungsglaubens bei Deuterojesaja gesprochen wird, eine Rolle? Man möchte auf den ersten Blick die Fragen verneinen. Hatte nicht G. v. Rad das Reden von Schöpfung insgesamt unter dem einen Begriff der "Soteriologie" verstehen gelehrt, und waren ihm nicht hierin die meisten Ausleger gefolgt? (35)

Sieht man genauer hin, ändert sich das Bild: G. v. Rad war in seinem Aufsatz von einigen Hymnen ausgegangen und gelangt zu der Bestreitung (Disputation) Jes 40,27ff. Hier bestimmt er die Funktion des Schöpfungsglaubens folgendermaßen: "er (der Prophet) hat mit Kleinglauben zu kämpfen, und um Vertrauen zu der u n e i n g e s c h r ä n k t e n M a c h t seines Gottes zu erwecken, greift der Prophet zurück auf die Tat der Weltschöpfung". (36) In diesem Kreis von Stellen hat der Schöpfungsglaube "unterbauende Funktion", er ist die "großartige Folie, von der sich die Heilsworte um so mächtiger und vertrauenswürdiger abheben". (37) Doch ist für v. Rad diese Beziehung zwischen Schöpfungs- und Heilsglauben nicht die einzige, ja, noch nicht einmal die wesentliche: er schreitet fort zu der "Koordination von Schöpfungs- und Heilsglauben", wie er sie vor allem in den Einleitungen der Heilsorakel findet. (38) Die Funktion der Schöpfungsaussagen in dieser Gruppe bestimmt er damit deutlich anders: "Wenn Deutjes sagt: 'So hat Jahwe, dein Erlöser, gesprochen, der dich von Mutterleib an gebildet hat' (44,24), so denkt er wirklich an das Wunder der Schöpfung und nicht an die geschichtliche Erwählungstat, aber dieser Rekurs auf die Schöpfung ... bleibt ganz i n n e r h a l b d e s s o t e r i o l o g i s c h e n Gedankenkreises". (39) Es ist kein Zweifel, daß es vor allem die Schöpfungsaussagen in den Heilsorakeln sind (40), die das Herz der v. Rad'schen These vom "soteriologische(n) Verständnis des Schöpfungswerkes" (41) bilden. So kommt es dazu, daß er, obgleich er die Differenzierung der Funktionen bis in die Schlußzusammenfassung durchhält (42), ihr doch keinerlei theologische Bedeutung beimißt und letztlich a l l e Schöpfungsaussagen einlinig dem "soteriologischen Glaubenskreis" zuordnet.

Ein ganz ähnlicher Vorgang läßt sich in der Auslegung von R. Rendtorff beobachten: Es ist nicht verwunderlich, daß er, dem es gelungen war, zwei Gruppen von Schöpfungsaussagen bei Deuterojesaja formgeschichtlich zu unterscheiden (43 auch zu einer klareren Bestimmung ihrer unterschiedlichen Funktionen kommen konnte: "Daß Jahwe der Schöpfer der W e l t ist, begründet - nach dem Disputationswort - seine Macht, auch mit dieser Welt nach seinem Gutdünken zu verfahren. Daß er aber der Schöpfer I s r a e l s ist, daß er sich dieses sein Volk selbst geschaffen hat, stellt diese Macht in den Dienst seines Willens, dies

4

Volk zu erhalten, ihm treu zu bleiben und seinen Weg zum Heil zu lenken". (44) Und auch wenn in beiden Gruppen das Schöpfungshandeln auf das Heilshandeln bezogen ist, so ist die Art dieser Beziehung hier und dort ganz verschieden: Im Heilsorakel "werden nicht Behauptungen über Jahwes Macht damit gestützt, sondern die Zusage der Hilfe und des Heils wird dadurch gestärkt und glaubhafter gemacht". (45) Hat R. Rendtorff hier mit erstaunlicher Genauigkeit die verschiedenen Funktionen der beiden Gruppen erkannt, so zeigt der Fortgang seiner Arbeit, daß er - ganz in der Linie v.Rads - ausschließlich an den Schöpfungsaussagen in den Heilsorakeln interessiert ist. Die Erweise der Macht des Weltschöpfers in den Disputationen verweist er in den Bereich des traditionellen hymnischen Redens (46), seinen eigentlichen Ausdruck hat der Schöpfungsglaube in den Heilsorakeln gefunden, in denen Deuterojesaja die völlige Verschmelzung von Schöpfung und Erlösung vollzogen hat. (47)

Halten wir einen Augenblick inne! Rendtorff wie v.Rad haben beide, wenn auch in unterschiedlicher Deutlichkeit, zwei klar zu unterscheidende Funktionen der Schöpfungsaussagen herausgestellt. Diese decken sich mit den zuvor erarbeiteten, formgeschichtlich zu unterscheidenden Gruppen: In den hymnischen Prädikationen der Disputation soll gegen Israels Kleinglauben die grenzenlose Macht Jahwes begründet werden; in den Einleitungen der Heilsorakel soll die heilvolle Zuwendung Jahwes glaubhafter gemacht werden. Dennoch war bei beiden Forschern die Tendenz zu beobachten, die Schöpfung als eine Weise der heilvollen Zuwendung Jahwes so zu betonen, daß demgegenüber das machtvolle Handeln des Weltschöpfers fast verschwand. Ein einlinig "soteriologisches Verständnis des Schöpfungswerkes" war m.E. nur aufgrund dieser Inkonsequenz möglich.

Solche Inkonsequenz läßt sich nun auch bei einer ganzen Reihe von Forschern nachweisen: So kann etwa E.Beaucamp die Funktion der Schöpfung bei Deuterojesaja einerseits bestimmen: "Ainsi chez le Second Isaïe, la fondation de la terre et l'établissement des cieux scellent et achèvent la souveraineté absolue du Maître de l'histoire" (48), andererseits kann er sie folgendermaßen zusammenfassen: "La geste créatrice... vient affirmir la confiance dans le salut prochain, mettant en lumière les attributs essentiels du Dieu de l'histoire". (49) Nur mit Hilfe eines völlig abstrakten Geschichtsbegriffes ist es Beaucamp möglich, zwei so divergierende Aussagen unter einen Hut zu bekommen. Th.Boman geht von der Feststellung aus: He (Deuterojesaja) proclaims that the Creator has unconditional power over nature" (50), um dann - an sich ganz richtig - fortzufahren: "Creation ... is an expression not only of God's power, but also of his kindness and help ..." (51), aber in der abschließenden Zusammenfassung heißt es dann nur noch: "When we consider the content of the concept of creation, creation and salvation are synonyms". (52) Ähnliche Argumentationsgänge lassen sich bei H.A.Brongers (53), J.Muilenburg (54), C.Stuhlmueller (55), L.Legrand (56), R.W.Gleason (57) und Ph.B.Harner (58) beobachten. (59)

Ordnet diese Gruppe von Forschern die Schöpfungsaussagen generell dem Begriff "Rettung" unter, so kommt vereinzelt auch die andere Möglichkeit vor: alle Schöpfungsaussagen unter den Begriff "Majestät" zu fassen. Da C. Westermann die partizipialen Erweiterungen des Jahwenamens in den Einleitungen der Heilsorakel mit der Mehrzahl der Ausleger für hymnisch hält, ist es eigentlich nur konsequent, daß er auch die Schöpfungsaussagen vom Lob des Schöpfers her zu verstehen sucht. Wie in den beschreibenden Lobpsalmen (Hymnen) die Schöpfung eine Entfaltung der Majestät Gottes ist, die seiner Zuwendung polar gegenübersteht (60), so ist sie es auch hier: "Es ist der majestätische Gott, der Schöpfer und Lenker alles Geschehenden, der Israels Erlöser ist". (61) Zwar würde schaffendes und erlösendes Handeln in engster Verbindung stehen, beides jedoch zu identifizieren wäre ein Mißverständnis der Absicht des Propheten, "der mit dieser Polarität seine Hörer immer wieder daran erinnern will, daß das von ihm verkündigte Heilshandeln Gottes an seinem Volk in dem gewaltigen Horizont seines Schöpferwirkens steht". (62) Daß diese Funktionsbestimmung nicht stimmt, so richtig sie auch vom formgeschichtlichen Ausgangspunkt her ist, macht Westermanns Einzelauslegung selbst deutlich: da ist nichts mehr von dem "gewaltigen Horziont" zu spüren, sondern der intime, Vertrauen erweckende Klang dieser Stellen wird mit erstaunlicher Feinheit nachgezeichnet. (63) In kleinerem Rahmen begegnet diese Art von Inkonsequenz noch bei einigen anderen Auslegern. (64) Verblüffend bleibt aber, daß sonst keiner von der großen Zahl der Forscher, die alle Schöpfungsaussagen für hymnisch hielten (65), zu Westermanns Lösung gelangt ist. Das spricht einmal dafür, wie stark gedanklich und wenig formgeschichtlich diese gearbeitet haben (66), das spricht zum anderen dafür, wie stark die Eigenart dieser Texte ist, die sich selbst gegen falsche Voraussetzungen durchsetzen konnten.

Gerade die aufgezeigten Inkonsequenzen in beiden Richtungen sind ein indirekter Beleg dafür, daß die beiden Gruppen von Schöpfungsaussagen wirklich verschiedene Funktionen in der Verkündigung Deuterojesajas haben. Die oben geäußerte Vermutung wird damit bestätigt.

Es gibt bei Deuterojesaja wahrscheinlich zwei Gruppen von Schöpfungsaussagen, die sich nicht nur in ihrer formgeschichtlichen Herkunft, sondern auch in ihrer Funktion deutlich unterscheiden.

Doch wenn der Tatbestand so klar ist, wie es jetzt den Anschein haben möchte, wie war es möglich, daß er bisher nicht erkannt worden ist? Wie wird die grosse Einhelligkeit der Ausleger erklärlich, mit der sie darüber hinweggingen?

Wir konnten in beiden Durchgängen dieses Forschungsabrisses eine erstaunliche Tendenz zur Vereinheitlichung beobachten: Wurde nun behauptet: Die Schöpfung stammt aus dem Hymnus oder die Schöpfung stammt aus dem Heilsorakel, die Schöpfung ist Zuwendung Gottes oder die Schöpfung ist Macht erweis Gottes, überall war sie am Werk. Auf diese Weise wurden die zumeist ja durchaus richtig beobachteten Unterschiede alle wieder verdeckt. Aber was trieb die Ausleger zu solch pauschalen Bestimmungen, was zwang sie, eigene

6

Beobachtungen wieder durchzustreichen? Möglicherweise ein aus der Dogmatik stammender, einlinig gedachter Schöpfungsbegriff? Weil hier von Schöpfung gesprochen wird und da von Schöpfung gesprochen wird, mußten beide Texte einfach gleich sein. Nun sind sie das aber nicht. Folgt dann nicht daraus, daß Schöpfung nicht gleich Schöpfung ist?

Diese Frage kann nur eine Durchsicht der Texte selber beantworten.

B. Zwei Schöpfungstraditionen bei Deuterojesaja?

Nachdem der Überblick über die Forschung gezeigt hat, daß die bisherige Tendenz, alle Schöpfungsaussagen bei Deuterojesaja auf einer Linie zu sehen, zu Unstimmigkeiten, Inkonsequenzen, ja, sogar zu Widersprüchen geführt hat, ist es geboten, die Beobachtungen der Exegeten weiter zu verfolgen, die auf eine Differenzierung hinauslaufen. Die wichtigste von ihnen ist die Erkenntnis von R. Rendtorff, daß die Schöpfungsaussagen bei Deuterojesaja in zwei verschiedenen Gattungen auftauchen. (1) Ihr soll weiter nachgegangen werden.

I. Die erste Gruppe von Schöpfungsaussagen bei Deuterojesaja

Die erste Gruppe von Schöpfungsaussagen ist nach Rendtorff durch ihre Zugehörigkeit zum Disputationswort konstituiert. Dieses Kriterium erweist sich aus einer Reihe von Gründen als problematisch und bedarf der Nachfrage.

1. Die Schöpfungsaussagen in den Bestreitungen (Disputationsworten)
Bei seiner Zuordnung der Schöpfungsstellen zu den Disputationsworten hatte R. Rendtorff die formgeschichtlichen Ergebnisse J. Begrichs (2) hierzu einfach übernommen: Dementsprechend nennt er folgende Texte: 40, 12-17. 18-20 +25f. 21-24. 27-31; 44, 24-28; 45, 9-13. 18-21;. 48, 12-15. (3) Es fehlen notgedrungen 42, 5; 45, 7 und 51, 13. 15. (16) (4), die nicht in die von J. Begrich bestimmten Disputationen fallen. B. J. van der Merwe zieht daraus die Konsequenz, neben den Disputationen noch die Jahweprädikationen als Ort der Schöpfungsaussagen anzunehmen (5), doch fällt eine gegenseitige Abgrenzung offensichtlich schwer. (6) Hier ist eine weitere Klärung vonnöten.

Nun hat C. Westermann J. Begrichs Ergebnis einer Nachprüfung unterzogen. (7) Er macht darauf aufmerksam, daß es sich gar nicht um "Disputationen" im eigentlichen Sinne, also mit Rede und Gegenrede handelt, sondern daß in allen Fällen nur ein Einwand oder Zweifel gegen den hier Sprechenden bestritten wird. Westermann hat darum die viel genauere Bezeichnung "Bestreitung" vorgeschlagen, die von jetzt ab gebraucht werden soll. Aber gerade weil die Gegenposition nur stark verkürzt, oft sogar nur angedeutet, zur Sprache kommt, ist eine sichere Gattungsbestimmung nicht immer möglich: "Es ist fraglich, ob man hier im eigentlichen Sinn von einer Gattung sprechen kann" (8), Westermann möchte darum den weniger exakten Begriff der "Redeform" vorziehen. Damit scheint das Kriterium, das Rendtorff für die erste Gruppe von

Schöpfungsaussagen genannt hatte, einigermaßen fragwürdig geworden zu sein.
Es wäre aber möglich, daß sich auf diese Weise einige Schwierigkeiten, die
sich bei Rendtorff hinsichtlich der Textabgrenzung und der damit zusammenhängenden Funktionsbestimmung der Schöpfungsaussagen ergeben, als auch
das unausgeglichene Nebeneinander von Bestreitung und Prädikation bei
B.J.van der Merwe überwinden lassen.

Zuerst zu den Abgrenzungen der Einheiten: R.Rendtorff verteilt die Schöpfungsaussagen von Kap 40, auch hierin Begrich folgend, auf vier verschiedene Bestreitungen. (9) Das führt dazu, daß sie ganz verschiedene Zielrichtungen bekommen: 40,18-20.25f stelle den Götzenherstellern den Schöpfer des Himmels-
heeres gegenüber, 40,12-17 und 21-24 leiteten vom Schöpfungsglauben Gottes
Überlegenheit in der Geschichte ab und 40,27-31 begründe eine Zusage der Hilfe an die Exilierten. (10) Der Grund für diese Textabgrenzung liegt in der Anwendung der nach Begrichs Meinung festen Gattungsstruktur: Frage - Antwort.
So faßt er etwa die Frage: "Und mit wem wollt ihr Gott vergleichen?" (11) als
eine echte auf, "die den Streitgegenstand in den Mittelpunkt des Gespräches
rücken" soll. (12) Darauf antworte der Prophet mit dem Hinweis auf Jahwes
Schöpfertätigkeit (V 26), den Schluß solle der Gegner dann selber ziehen: Gott
ist mit den Götzenhandwerkern unvergleichbar. Aber ist eine solche Auseinandersetzung überhaupt denkbar? Wer sollte Gegenteiliges behauptet haben? Ganz
offensichtlich ist die Frage rhethorisch, dann bricht aber das starre Frage -
Antwort Schema zusammen.

C.Westermann hat gute Gründe angeführt, die dafür sprechen, 40,12-31 als
Einheit zu fassen. (13) Er hat darauf hingewiesen, daß die einzig echte Frage
in V 27 vorliegt, in der Jahwe die verzweifelte Klage der Exilierten zitiert.
Nur in V 27-31 liegt darum eine wirkliche Bestreitung vor: gegen die Anklage,
er könne und wolle nicht helfen, weist Gott auf seine Macht als Schöpfer (V 28)
und sein Erbarmen mit den Schwachen (29f). Die anderen Fragen sind rhethorisch und haben den Zweck, die Frage Israels, ob Gott den überhaupt noch helfen kann, auf drei mögliche Anfechtungen zu beziehen: die Völker (12-17), ihre
Fürsten (18-24) (14) und ihre Gestirnsgötter (25-26). Diesen gegenüber erinnert Deuterojesaja die Verzweifelten an die Majestät des Schöpfers (22.26)
und des Herrn der Geschichte (15ff.23f), beides Themen des altvertrauten
Gotteslobes. Selbst die Struktur des beschreibenden Lobpsalms (Hymnus), der
Gott in seiner Majestät und seiner Güte preist, bildet sich noch im Aufbau
ab (15) und wird damit ein starkes Argument für eine bewußte Komposition.
Über diese von Westermann genannten Argumente hinaus, kann noch eine weitere Beobachtung diesen Eindruck verstärken: Es läßt sich eine Zuspitzung
der Fragen auf die eigentliche Frage V 27 hin erkennen: Die Komposition beginnt mit fast "sachlichen" Fragen in der 3.P. (11-14), erst ab V 18 wird
überhaupt jemand angeredet und zwar in der 2.P.plur.; dieselbe Frage wird
V 25 noch einmal aufgenommen, sie erhält aber eine größere Direktheit, da
sie von Jahwe selber gestellt wird. Doch den vollen, persönlichen Klang erreicht die Anrede erst in V 27, da sie in die 2.P.sing. übergeht. Die mehrma-
ligen Anläufe des Propheten lassen sich in ihrer Abfolge von Er- Ihr- und Du-

Fragen gut aus der Situation des Überzeugen-Wollens verstehen: der auf der Straße vorbeilaufende Israelit wird mit scheinbar unverfänglichen aber provozierenden Fragen zum Zuhören gereizt und in immer persönlicher werdendem Ton bis zu der eigentlichen, ihn marternden Frage geführt. Damit ist ein wichtiges Argument, das gegen die Einheitlichkeit zu sprechen schien, entkräftet. (16)

Ist aber 40,12-31 als Einheit zu verstehen, hat das für die Schöpfungsaussagen folgende Konsequenzen: Sie zielen nicht auf Vielerlei, sondern allein darauf, den Verzweifelten die unermeßliche Größe und Macht ihres Gottes vor Augen zu malen. (17) Sie begründen nicht direkt die Zusage der Hilfe, sondern nur indirekt, indem sie die Überlegenheit Jahwes über alle feindlichen Mächte herausstreichen. Das Herrsein Gottes in der Geschichte ist keine Schlußfolgerung aus dem Schöpfungsglauben, sondern beide Themen stehen argumentativ wie auch in ihrer formgeschichtlichen Herkunft parallel.

Dazu kommt eine ganz andersartige Konsequenz, die einen alten exegetischen Streit beenden könnte: Wenn man die Frage in 40,12:

> Wer mißt mit hohler Hand das Meer ... (18)

als echte Frage versteht, dann lautet die Antwort: Jahwe (19), und der Vers wird ganz überwiegend, so auch von Rendtorff, auf die Schöpfung bezogen. (20) Wenn aber V 12-31 eine Einheit ist, dann ist die Frage mit Sicherheit rhethorisch aufzufassen, die Antwort ist: niemand natürlich. Dann fällt aber 40,12 als Beleg für die Schöpfung fort.

Auch die Abgrenzung von 45,9-13, die R.Rendtorff angibt, macht Schwierigkeiten. Die Verse sind überhaupt nur dann als einheitliche Bestreitung zu verstehen, wenn man mit J.Begrich die Wehe-Worte (9f) in Satzfragen umwandelt (21); aber auch dann bleibt der Neueinsatz v 11 schwierig. Hinzu kommt ein weiteres Hindernis: V 9-10 wenden sich gegen Israel, und zwar in so schroffer Form, daß einige Exegeten die Verse Deuterojesaja ganz absprechen wollen (22), V 11-13 aber richten sich - jedenfalls nach der gängigen Konjektur des sicher verderbten Versteiles 11b (23) - an die Fremdvölker oder ihre Götter. (24) Jahwe würde dann gegen deren Einwand, er habe sein eigenes Volk fallen lassen und damit seine eigene Machtlosigkeit erwiesen auf sein Schöpferhandeln und seine Berufung des Kyros hinweisen. Diese Frontstellung rückt aber die "Bestreitung" 45,11-13 in die Nähe der Gerichtsreden gegen die Völker, sie nimmt damit eine deutliche Sonderstellung ein.

Ebenfalls fraglich ist die Einheit 45,18-21, die Rendtorff im Anschluß an J.Begrich anführt. Begrich schwankt selber, ob er auch noch die Verse 22-25 hinzunehmen soll (25), und eine Trennung nach V 21 ist auch wirklich kaum zu verstehen. Sie läßt sich höchstens aus dem Formzwang erklären, jedenfalls eine einzige Frage (V 21), nach Begrich eines der wesentlichen Merkmale der Bestreitung (26), im Text zu haben. Doch haben die V 20-25 deutlich die Struktur der Gerichtsreden gegen die Völker (27), denen C.Westermann sie auch zuordnet. (28) So verbleiben die V 18f, sie haben zwar keine Frage mehr, doch durch ihr dreimaliges lo durchaus einen bestreitenden Charakter; weniger klar ist, worauf sich dieser bezieht, aus den beiden Versen selbst läßt sich das nicht entnehmen. Sieht man sich in der Umgebung um, so ist kaum ein Bezug nach hinten, wie B.Duhm es vorschlägt (29), wohl aber einer nach vorne zu erkennen. Die pointierte Aussage von V 18, daß Jahwe die Erde nicht zur Öde, sondern zum Bewohnen geschaffen habe, ließe sich als eine Zurückweisung möglicher Einwände gegen das universale Heilsangebot von V 20-25 verstehen. Dazu paßt V 19 gar nicht (30), gut dagegen zu 46,1-13, er wäre dann wie 40,27 zu deuten. So spricht einiges für die Lösung C.Westermanns, in den beiden Versen eine Art Einleitung zu den größeren Abschnitten 45,20-25 und 46,1-13 zu sehen. (31) Von einer Bestreitung im Sinne einer Gattung kann nicht mehr gesprochen werden.

Ein anders gearteter Fall liegt Jes 51,9-16 vor. Der Text fehlt in der Aufzählung von Rendtorff. Das hat einen ganz einfachen Grund: J.Begrich hatte gemeint, hier ein direktes Beispiel für die von ihm sonst nur postulierbare Abfolge von Klage des Einzelnen und Erhörungsorakel gefunden zu haben. (32) Deswegen konnte er den Text nicht als Bestreitung bestimmen. Doch handelt es sich bei der Klage um eine Klage des Volkes (33) und die Gottesantwort hat zwar Züge der sonst bei Deuterojesaja vorkommenden Heilsorakel (34), ist aber von diesen doch so verschieden, daß man nur noch von einer freien Nachahmung der Gattung sprechen kann. So enthält die Gottesantwort deutlich Elemente, die wir sonst in bestreitenden Texten fanden (35), zu ihnen gehören auch die zwei prädikativen Erweiterungen des Jahwenamens (V 13.15). (36) Jahwe hält den verzagten Israeliten, die vor ihren übermächtigen Feinden zittern, sein majestätisches Schöpferhandeln und Herrschen über die Natur vor Augen. Dann ist aber die Funktion ganz ähnlich wie in 40,12-31, obgleich formgeschichtlich ganz andere Verhältnisse vorliegen: dort konnte man von einer Bestreitung reden, hier nur von bestreitenden Elementen in einem Heilswort. So hatte die Fixierung auf die Gattung der Bestreitung nicht nur bei der Textabgrenzung, sondern auch bei der Textauswahl unsachgemäße Folgen.

Kommen wir nun zu dem Nebeneinander von Bestreitung und Prädikation. Handelt es sich etwa um das Gegenüber zweier Gattungen?

Auf den ersten Blick will es fast so scheinen. R.Rendtorff ordnet wie J.Begrich den Text 44,24-28 unter die Bestreitungen. Nun könnte das einzige Gattungsmerkmal höchstens in der Frage: "Wer mit mir?" V 24 gesehen werden, doch ist der Text nicht einmal ganz sicher (37), und es sich sicher nur eine rhethorisch gesteigerte Majestätsaussage gemeint. (38) Gegen Begrichs Gattungsbestimmung hatte schon W.Zimmerli eingewandt, daß der Text "formal ein Wort reiner hymnischer Selbstprädikation Jahwes (ist)". (39) C.Westermann hat darüber hinaus diese Selbstprädikation scharf von W.Zimmerlis "Selbstvorstellungsformel" getrennt (40) und als eine besondere Form des Hymnus erwiesen, die im Selbstpreis der Götter in der babylonischen Umwelt ihr Vorbild hat. (41) Der Aufbau entspricht dem beschreibenden Lobpsalm (42), nicht etwa der Bestreitung, nur ist das Lob Gott selber in den Mund gelegt, die Partizipien sind Apposition zu anoki jhwh. Also eine Alternative: Selbstpreis oder Bestreitung?

Nun hatte J.Begrich seine Gattungsbestimmung darauf begründet, daß von einer unbestrittenen Tat Gottes in der Vergangenheit (Schöpfung) her auf seine strittigen Taten in der Gegenwart hin (Heimkehr, Berufung des Kyros) argumentiert wird. (43) Wie ist das zu beurteilen? Sicher, der Aufbau des Textes rührt aus dem Gotteslob her und ist nicht eigentlich argumentativ, darin ist C.Westermann zuzustimmen, aber zweifellos soll die Hineinnahme der neuen, ganz unglaublichen Taten Jahwes in das altvertraute Gotteslob dazu dienen, diese glaubwürdiger zu machen. Der weite Horizont des Schöpferhandelns hat auch den Zweck, jedem möglichen Einwand die Luft zu nehmen, das hat J.Begrich ganz richtig gespürt. Dann ist 44,24b-28 eine Selbstprädikation Jahwes und dient damit seiner Verherrlichung, aber sie ist ad hominem gerichtet (44) und hat dadurch eine gewisse "bestreitende Tendenz". Gerade in dieser Funktion wird sie als Einleitung zum Kyrosorakel verständlich. (45) Ihr entspricht die Selbstprädikation Jahwes am Schluß des Orakels (45,6b.7) genau. (46) Die Unsicherheit der Begrichschen Gattung "Disputationswort" zeigt sich auch daran, daß er 44,24bff, nicht aber 45,6bf dazu rechnet. Ihm folgt R.Rendtorff, obgleich die Funktion der Schöpfungsaussagen hier wie dort gleich ist. Doch ist offensichtlich eine scharfe Abgrenzung unsachgemäß. Man wird vielmehr mit Prädikationen zu rechnen haben, deren Zielrichtung mehr oder minder deutlich bestreitend sein kann.

Die Übergänge sind offenbar fließend. Die Ich-Prädikation kann so sehr Argument werden, daß sie Teil anderer Redeeinheiten wird und die Struktur des Gotteslobes in den Hintergrund tritt. Das ist etwa in 48,12-17 der Fall. (47) Auch hier wird eine voranstellte Ich-Aussage Jahwes entfaltet, aber mit finiten Verben (13.15) und unterbrochen von Aufrufen an Israel (12.14.(48)16), die dem Ganzen von vornherein ein mehr kämpferisches Gepräge geben: Wie ich Himmel und Erde geschaffen habe - so habe ich Kyros berufen. Ganz offensichtlich sollen so Einwände entkräftet werden, die gegen die Erwählung eines Heiden zum Gesalbten Jahwes erhoben worden sind. Gegenüber dieser Abzweckung tritt die Lobstruktur deutlich zurück (49), manches erinnert vielmehr an die Gerichtsreden gegen die Völker. (50) Aus diesem Grunde wird man zwar die eindeutige Zuordnung des Textes zur Gattung der Bestreitung, die Begrich vornimmt, nicht aufrecht erhalten können, klar ist jedoch, daß die Ich-Prädikation der bestreitenden Abzweckung untergeordnet worden ist. Noch einen Schritt weiter geht 45,12-13, hier kann man gar nicht mehr von Ich-Prädikationen, sondern nur noch von betonten Selbstaussagen Jahwes sprechen. (51)

Das oben Gesagte gilt nun noch mehr für die anderen hymnischen Erweiterungen des Jahwenamens, die sogenannten "Fremd- oder Er-Prädikationen". (52) Sie treten gar nicht mehr als selbständige Form des Lobes auf, sondern stets als Teile anderer Einheiten. So zielte auch die prädikative Erweiterung des Jahwenamens in 45,18 direkt auf eine bestreitende Aussage, ohne daß eine formgeschichtlich klare Zuordnung des Textes möglich gewesen wäre. In 51,13 war sie ein bestreitendes Element in einer Heilsantwort Jahwes. Abseits steht nur die sehr breit ausgeführte Prädikation 42,5. Im Unterschied zu allen anderen Schöpferprädikationen hat diese keine bestreitende Tendenz mehr, sondern nur noch eine begründende: Wahrscheinlich ist der Sinn der, aus der Erschaffung der Menschen zu begründen, daß Israel zum Lichte für die Völker eingesetzt wird. (53) Doch bestehen gerade gegen diesen Text bezüglich seiner Authentizität erhebliche Bedenken. (54)

Fassen wir zusammen: Ausgangspunkt war Rendtorffs erste Gruppe von Schöpfungsaussagen. Er hatte gemeint, diese vor allem der Gattung der Bestreitung zuordnen zu können.

Unsere Nachprüfung hat gezeigt, daß sich die These Rendtorffs so nicht halten läßt. Eine feste Gattung der Bestreitung, wie sie Rendtorff noch im Anschluß an B egrich angenommen hatte, ließ sich nicht nachweisen; vielmehr hatte die zu starre Gattungsbestimmung zu falschen Textabgrenzungen (55) und Textausgrenzungen (56) geführt.

Dagegen gibt es eine bestreitende Tendenz oder Zielrichtung. Es gibt auch Texte, in denen sie so beherrschend ist, daß man sie weiter unter dem Begriff "Bestreitung" zusammenfassen kann (57), doch muß man immer im Auge behalten, daß es sich nicht um eine feste Textstruktur handelt; es waren Elemente der Gerichtsrede zu beobachten (58), es konnten Formen des Heilsorakels dazutreten (59), der Aufbau des beschreibenden Lobes, aus dem ein großer Teil der "Argumente" genommen waren, konnte strukturbildend wirken. (60)

Damit kommen wir auf das Verhältnis von Bestreitung und Prädikation. Die Prädikation ist eine abgewandelte Form des Gotteslobes: es sind lobende Prädikate, die dem Jahwenamen angehängt, oder aber von Jahwe selber zu seiner Verherrlichung aufgenommen werden. Nur zweimal begegnete solche Selbstverherrlichung als selbständige Redeform (61), sonst war die Ich- wie die Er-Prädikation ein Formelement in anderen Zusammenhängen (62), hier sind sie mehr oder minder bestreitende Argumente, aber sogar in der reinen Selbstverherrlichung haben sie einen bestreitenden Nebenton. "Prädikation" ist ein hymnisches Formelement, "Bestreitung" ist eine Funktionsbestimmung. Der Grund für das Ineinander so verschiedener Kategorien liegt darin, daß Deuterojesaja seine bestreitenden Argumente vor allem aus dem Hymnus bezieht. (63) Einmal überwiegt die hymnische Herkunft, ein andermal die bestreitende Abzweckung. So kann es zu völlig verschiedenen Textganzheiten kommen.

Bei der formgeschichtlichen Vielfalt ist es um so erstaunlicher, daß wirklich alle (64) Schöpfungsaussagen der von Rendtorff erstellten Gruppe eine bestreitende Funktion haben: Der Verzagtheit Israels (65), seinen möglichen (66) und tatsächlichen Einwänden (67) gegen den so fremdartigen Heilsplan, aber auch den Anschuldigungen der Fremdgötter (68) stellt Deuterojesaja die weltüberlegene Majestät des Schöpfers der Welt gegenüber. Bei Rendtorff war es ein

Vielerlei von Funktionen geblieben (69), gerade weil er fälschlich von einer festen Gattung der Bestreitungen ausgegangen war.

So wird man die These Rendtorffs dahingehend modifizieren müssen, daß diese Gruppe von Schöpfungsaussagen zwar nicht durch die Zugehörigkeit zur Gattung der Bestreitung, wohl aber durch die durchgängige bestreitende Funktion konstituiert ist. Die Zusammenfassung dieser Schöpfungsstellen zu einer Gruppe behält ihr gutes Recht. Das gilt jetzt von ihrer einheitlichen "Verwendung" durch Deuterojesaja her. Die nächste Frage wird sein: gilt es auch von ihrer Herkunft her?

2. Die hymnische Herkunft

Die Frage, aus welchen Redeformen die Schöpfungsaussagen bei Deuterojesaja stammen, ist von der alttestamentlichen Forschung seit langem und fast einhellig beantwortet worden: aus dem Hymnus, oder, wie wir von jetzt ab in Aufnahme der Formulierung von C.Westermann sagen möchten, im beschreibenden Lob. (70) Als Kennzeichen war seit H.Gunkel und H.Greßmann das Partizip angegeben worden (71), es schien so charakteristisch für diese Gattung des Lobes, daß man den Begriff "Hymnenstil" dafür prägte.(72) Doch gab es in der Forschung auch deutliche Hinweise dafür, daß dieses Kriterium zu grob ist. (73) Man wird darum, will man nach der Deuterojesaja vorgegebenen Schöpfungstradition fragen, nach verfeinerten Kriterien suchen müssen.

Ein Stück weit hat diese Arbeit F.Crüsemann geleistet. (74) Er will "die hymnischen Partizipien" - seiner Meinung nach eine der beiden israelitischen Hymnentraditionen (75) - bei Deuterojesaja herausarbeiten. Hier ist es nun von großer Wichtigkeit, daß Crüsemann, obwohl er von der üblichen Gleichordnung aller partizipialen Wendungen bei Deuterojesaja ausgeht (76), dennoch die formale wie inhaltliche Besonderheit der partizipialen Erweiterungen in den Heilsorakeln erkennt (77) und sie bewußt ausklammert: "Nur dort also, wo reine, nicht suffigierte Partizipien stehen, kann mit dem Propheten vorgegebenem hymnischen Material gerechnet werden". (78) Dem kann, abgesehen von kleinen Korrekturen (79), zugestimmt werden. Ein zweites Kriterium ist inhaltlicher Art: auszuscheiden seien alle die Partizipien, in denen sich "unverkennbar deuterojesajanische Theologumena finden" (80). Beiläufig nennt Crüsemann den auch für andere poetische Texte konstitutiven parallelismus membrorum. (81) Aufgrund dieser Kriterien bestimmt er folgende Verse als Deuterojesaja vorgegebene hymnische Tradition: Jes 40,22-24.26b.28aßb.29f; 42,5; 43,16; 45,6b.7; 45,18; 51,15. (82) Sieht man von den hier nicht interessierenden geschichtlichen Aussagen 40,23f.29f und 43,16 ab und vergleicht die verbleibenden Stellen mit der oben herausgestellten Gruppe von Schöpfungsaussagen, so ergeben sich folgende Differenzen: 40,26a; 44,24b; 45,12; 48,13; 51,13 kommen bei Crüsemann nicht vor. Heißt das, daß diese Schöpfungsaussagen bei Deuterojesaja nicht dem beschreibenden Lob, oder um mit Crüsemann zu sprechen, dem partizipialen Hymnus entstammen? Nun Jes 51,13, eine rein partizipiale Schöpferprädikation, dazu noch im Parallelismus, hat Crüsemann wohl nur vergessen. Warum er 44,24bff nicht aufführt, ist ganz unverständlich.

Er scheidet den Text aus, weil er ein "deuterojesajanisches Theologumenon" enthält, nämlich die Beauftragung des Kyros und den Wiederaufbau Jerusalems, um ihn im gleichen Atemzug Deuterojesaja ganz abzusprechen. (83) Doch wenn Deuterojesaja oder ein Späterer seine Verkündigungsinhalte in einen hymnischen Zusammenhang einbaut (84), wird damit noch längst nicht der ganze Zusammenhang hinfällig, schon gar nicht unter formgeschichtlichem Gesichtswinkel. Schwieriger ist dagegen etwa die Frage für Jes 48,13 zu beantworten. Hier wird ein Partizip mit einem Imperfekt cons. weitergeführt; nun kann aber Crüsemann Jes 45,18, wo ein Partizip perfektisch weitergeführt wird, durchaus zur vorgegebenen hymnischen Tradition zählen. Wie ist das möglich, daß er sich einmal so, ein andermal so entscheidet?

Offentlichtlich reicht Crüsemanns allgemeine Feststellung, "daß die Partizipien des öfteren durch finite Verben weiter geführt werden" (85), nicht aus, um eine sichere Entscheidung zu treffen, welcher Text aus dem beschreibenden Lob zu erklären ist und welcher nicht. Hier sind genauere Kriterien notwendig:

Einigermaßen unproblematisch dürfte die Zuweisung derjenigen Verse zum beschreibenden Lob sein, die ganz von partizipialen Formen beherrscht sind: 44,24b; 45,6b.7; 51,13 und 42,5. Sie entsprechen dem formalen Kriterium voll und ganz und eine Durchsicht der überlicherweise (86) zum beschreibenden Lob gerechneten Schöpfungsaussagen läßt auch eine relativ große Gruppe rein partizipialer Konstruktionen hervortreten. (87) Dann ergibt sich für die Deuterojesaja vorgegebene Tradition, sieht man erst einmal von der Frage ab, wieweit er sie inhaltlichen Veränderungen unterworfen hat, folgender Bestand:

44,24b	(Ich, Jahwe),
	der alles schafft
	der den Himmel ausspannt, ganz allein,
	der die Erde breitstampft, wer mit mir? (88) ...

45,6b.7	(Ich, Jahwe und sonst keiner),
	der das Licht bildet
	und der die Finsternis schafft,
	der das Heil (89) macht
	und das Unheil schafft
	(Ich, Jahwe),
	der alles dies schafft.

51,13	(... Jahwe, deinen Schöpfer (90)),
	der den Himmel ausbreitet
	und der die Erde gründet

Einen stark erweiter en Eindruck macht Jes 42,5:

> (So spricht der Gott, Jahwe),
> der den Himmel schafft
> ja, der ihn ausbreitet
> der die Erde breitstampft
> und ihr Gewächs (91)
> der Atem gibt dem Volk auf ihr
> und Odem für die, die auf ihr wandeln

Erst in dieser ausladenden Form kann ein Suffix, aber nur eins der 3.P., an ein Partizip herantreten (wĕnōtēhæm); es soll das Objekt des ersten Partizips auch auf das explizierende zweite beziehen.

Nicht ganz so problemlos ist die formgeschichtliche Herleitung dort, wo eine partizipiale Wendung durch eine imperfektische Form weitergeführt wird: 40, 22.26.28; 44,27; 48,13; 51,15. Schaut man sich nach vergleichbaren Konstruktionen der Schöpfungsaussagen im beschreibenden Lob um, so trifft man sie vor allem in zwei Fällen: a) bei Subjektwechsel, b) bei Chiasmus.

a) Im ersten Fall stehen zwei Geschehensebenen nebeneinander, von denen die zweite aber nicht selbständig ist, sondern mehr oder minder deutlich eine Folge der ersten; um dies auszudrücken, steht die imperfektische Form (92), zuweilen kann das konsekutive Verhältnis durch ein impf. noch eindeutiger festgelegt werden. (93) Im Bereich des Schöpfungshandelns dient diese Konstruktion zur Darstellung zweier Themenkreise, die sich in ihrer Struktur noch dazu sehr ähnlich sind: des Herrseins des Schöpfers über seine Schöpfung (94), hier entspricht einer actio Gottes eine reactio der "Natur", und der "Schöpfung durch das Wort" (95), hier werden auf einen Befehl Gottes die Dinge ins Sein gerufen: allerdings steht gerade hierbei gerne die pf.-impf.-Folge. (96)

Aus beiden Themenkreisen liegt auch bei Deuterojesaja eine Stelle vor:

48,13b der ich ihnen zurufe - sie stehen da allzumal.

51,15 (Aber ich bin Jahwe, dein Gott),
> der das Meer erregt (97), daß seine Wellen brausen,
> Jahwe Zebaoth ist sein Name.

Allerdings ist 48,13b insofern verändert, als die Ich-Prädikation in die partizipiale Aussage selbst eingedrungen ist, und diese den perfektischen Aussagen der ersten Vershälfte angeglichen hat. (98) Jes 51,15 fällt durch die aus dem Kontext der Jahwerede herausfallende Schlußbemerkung auf. Hier konnte H.Crüsemann einen speziellen Typ des beschreibenden Lobes nachweisen, in welchem hymnische Prädikate anderer Götter betont für Jahwe in Anspruch genommen worden sind. (99)

b) Ergab sich im ersten Fall die imperfektische Fortführung aufgrund der Geschehensstruktur des Berichteten, so scheint im zweiten Fall nur ein poetisches

Stilmittel vorzuliegen, das grammatisch nicht zu erklären ist. Dieses ist dadurch gekennzeichnet, daß im Vordersatz ein partizipiales Prädikat, im Nachsatz Inversion mit imperfektischen Prädikat steht: der Vers ist somit chiastisch gebaut. (100) Diese rhethorische Figur ist nicht nur in hymnischen Schöpfungsaussagen (101), sondern auch sonst im beschreibenden Lon recht häufig. (102)

Damit finden folgende Schöpfungsstellen bei Deuterojesaja formal ihre Erklärung:

40,26 der herausführt nach der Zahl ihr Heer,
     sie alle bei Namen ruft
     (vor dem Kräftereichen und Machtgewaltigen bleibt
       keiner aus)

44,27 der zum Abgrund sagt: Versiege!
     und deine Ströme trockne ich aus.

Jes 44,27 ist die 1.P.sing. aus der Ich-Prädikation eingedrungen. (103) Die abschließende Feststellung in 40,26 in konstatierendem Perfekt, ist wohl am besten als eine Entfaltung anzusehen, die dem Traditionsstück eine bestreitende Spitze geben soll.

Es bleiben 40,28 und 40,22 übrig. Jes 40,28 gehört nur scheinbar in die Gruppe der pt.-impf.-Folge:

    ein ewiger Gott ist Jahwe,
    der die Enden der Erde schafft
    (nicht wird er müde, nicht wird er matt,
    unerforschlich ist seine Einsicht)

Die Schöpferprädikation soll hier das ʾælōhē ʿōlām entfalten; die letzte, im Imperfekt gehaltene Zeile, hat schon deutlich bestreitenden Charakter, wie das zweimalige lo zeigt, sie expliziert die Majestät des Schöpfers gegen die Klage der Israeliten, Gott könne nicht mehr helfen und wolle es auch nicht. Die Stelle gehört damit eigentlich zu den rein partizipialen Konstruktionen. (104)

Eine echte Schwierigkeit bereitet dagegen 40,22: hier wird ein Partizip durch ein an der Spitze stehendes impf.cons. fortgeführt, dessen Subjekt ebenfalls Jahwe ist:

    der den Himmel ausbreitet wie einen Schleier
    sodaß er ihn ausspannt wie ein Wohnzelt.

Diese Konstruktion ist mit keiner der beiden oben genannten Gruppen zu erklären, noch hat sie sonst eine formale Parallele in der Sprache des beschreibenden Lobes. Auch grammatisch ist sie nur schwer zu deuten: Beide Sätze sind inhaltlich fast völlig gleich, wie die genau parallelen Verben nata und matah zeigen (105), und sträuben sich daher gegen eine Subordination, wie obige

16

"Übersetzung" zu Genüge deutlich macht. Wenn aber der zweite Versteil sachlich keine Folge des ersten ist, dann bleibt nur die Möglichkeit, ihn als gedankliche Folge zu verstehen. Das impf.cons. ist dann explizierend. (106) Auch die Wiederaufnahme des einzigen Objektes durch ein Suffix der 3.P.plur. gibt dem zweiten Stichus den Charakter einer Erweiterung. (107) Bei dieser Lage der Dinge legt sich die Vermutung nahe, daß hier eine ursprünglich eingliedrige partizipiale Aussage sekundär verdoppelt worden ist, möglicherweise durch Deuterojesaja selber. Damit könnte sich schon hier zeigen, daß Deuterojesaja teilweise recht frei in das ihm vorgegebene hymnische Material eingegriffen hat, doch läßt sich eine völlige Sicherheit nicht erreichen.

Das sieht anders aus für die Stellen, in denen eine partizipiale Wendung perfektisch weitergeführt wird (45,18), oder in denen nur perfektische Formen begegnen (40,26; 48,13; 45,12). Weder das eine (108) noch das andere (109) läßt sich aus dem Reden von Schöpfung im beschreibenden Lobpsalm erklären.

Stattdessen läßt sich für 45,18 mit einiger Sicherheit nachweisen, daß die unvermittelt nach Partizipien einsetzenden perfektischen Formen in einer Interpretation der Tradition durch Deuterojesaja ihren Ursprung haben. Gliedert man den Aufbau (110) graphisch auf, so wird das sofort klar:

kō-ʾāmar jhwh		
I.	bōrēʾ haššāmajim	
1.		hūʾ hā ʾæ̆lōhīm
II.	jōṣēr hāʾ āræṣ	
1.	wĕ ʿōśāh	
2.		hūʾ kōnĕnāh
3.	lōʾ -tōhū bĕrʾāh	
	lāšæbæt jĕṣārāh	
		ʾǎnī jhwh wĕʾ ēn ʿōd

Der Grundstock dieser barocken Aussage, die jedes Metrum zu sprengen scheint, und der man deswegen zuweilen durch Streichungen Herr zu werden versuchte (111), ist eine schlichte zweigliedrige Er-Prädikation:

> der den Himmel schafft
> der die Erde bildet.

Noch im Rahmen des beschreibenden Lobes bewegt sich die erste Erweiterung des zweiten Gliedes: "ja, der sie macht" (112), das Partizip nimmt mit einem Suffix dessen Objekt wieder auf. Alle anderen Erweiterungen haben eine bestreitende Abzweckung: Das erste Glied, die Erschaffung des Himmels, zielt auf eine betonte Hervorkehrung der Gottheit Jahwes: "er ist Gott". Diese Linie geht weiter in der zweiten Erweiterung des zweiten Gliedes, der Erschaffung der Erde: "er" - und man muß hinzufügen "er allein" - "hat sie hergestellt" (113). Mit der hier erstmals auftauchenden perfektischen Form ist die Faktizität dieses Geschehens gemeint. Und diese Majestätsaussagen kommen in der beginnenden Jahwerede zu ihrem Höhepunkt: "Ich, Jahwe und keiner sonst".

Das zweite Glied wird aber nochmals erweitert und erhält gegenüber der Erschaffung des Himmels ein deutliches Übergewicht. Es ist die Erschaffung der Erde, an der Deuterojesaja hier im Grunde interessiert ist. Denn an ihr kann er seinen Zeitgenossen verdeutlichen, daß die Weltschöpfung nicht nur auf die grenzenlose, unnahbare Majestät Gottes, sondern auch auf den Menschen hinzielt. Eben das will die dritte Erweiterung sagen:

> nicht zur Öde hat er sie geschaffen,
> zum Bewohnen hat er sie gebildet.

Wieder geht es in den perfektischen Formen nicht um die Vorzeitigkeit der Schöpfung, sondern die Tatsächlichkeit dieses Geschehens. Deuterojesaja argumentiert, konstatiert: so ist es, und weil es so ist, daß die Erschaffung der Erde nicht auf Chaos, sondern auf menschliche Kultur hinzielt, kann auch das Schicksal der Völker letztlich nicht Vernichtung sein (45,20-25). Christlichen Ohren mag das nicht außergewöhnlich klingen; bedenkt man aber, daß das Schöpferlob sonst, auch sonst bei Deuterojesaja einzig dazu diente, Gottes Macht und seine Herrschaft über die Welt zu begründen, dann tritt einem das Gewagte dieser Neuinterpretation sofort vor Augen, dann wird verständlich, warum Deuterojesaja die hymnischen Formen verläßt und in das konstatierende Perfekt verfällt. So erklärt sich das Nebeneinander von partizipialen und perfektischen Verbformen aus dem Nebeneinander von Tradition und Interpretation.

Auf der Linie einer Umschmelzung des Gotteslobes in Argumentation lassen sich m.E. auch die anderen, rein perfektisch formulierten Schöpfungsaussagen bei Deuterojesaja verstehen.

Ganz deutlich ist das bei der Frage Jahwes in 40,26:

> Erhebet eure Augen nach oben und seht!
> Wer hat diese geschaffen?

Gemeint sind die Sterne, die in der babylonischen Religion die Götter verkörperten; die Antwort soll lauten: "Du, Jahwe" und damit eine ganz spezielle Anfechtung der Israeliten entkräften. Schon oben hatte es sich gezeigt, daß diese konkrete Frage unter den sonst rhethorischen Fragen von 40,12ff eine Sonderstellung einnimmt. (114) Ihre formale Entsprechung hat sie auch nicht in den "Bestreitungen", die sich fast ausschließlich an Israel richten, sondern in den Gerichtsreden gegen die fremden Völker und ihre Götter, wie etwa 41,4:

> Wer hat's getan, ja bewirkt ...?

Diese Fragen zielen auf ein geschichtliches Handeln, besonders auf die Erweckung des Kyros (115); sie sollen den Prozeßgegner zur Anerkennung der Überlegenheit Jahwes zwingen. Es geht dabei um die Faktizität des Geschehens. Analog ist dann die Frage 40,26 zu verstehen: Wie Jahwe von den fremden

Göttern die Anerkennung des Faktums verlangt, daß er Kyros berufen hat, so
verlangt er hier von Israel, sein Schöpferhandeln zu konstatieren. Eben das
soll die perfektische Verbform ausdrücken. Wohl hat Deuterojesaja das Schöpferlob im Ohr, wie der weitere Fortgang von V 26 zeigt, doch ist die Frage,
die ja nicht auf dieses, sondern eigene "Beobachtung" zielt, eine völlig neue
Anwendung der Tradition. Ganz ähnlich liegen die Dinge in den perfektisch formulierten Fragen in der bestreitenden Gottesantwort an Hiob. (116)

Auch in 48,12-17 scheinen die ehemals hymnischen Schöpfungsaussagen weitgehend in die bestreitende Argumentation aufgegangen zu sein. Zwar begegnet
noch eine mit einem Partizip einsetzende Konstruktion (13b) (117), doch herrschen die perfektischen Formen vor:

> 48,13 Ja, meine Hand hat die Erde gegründet
> und meine Rechte hat die Himmel ausgebreitet,
> der ich ihnen zurufe - sie stehen da allzumal!

Das ist, wie das af anzeigt, emphatische Rede. Sie richtet sich an ein störri-
sches Israel, das offenbar die Berufung eines Heiden zum Messias nicht wahr-
haben will. Diese wird nun, ebenfalls in bewegter Rede, in genau derselben
perfektisch-konstatierenden Sprachform aufgenommen:

> 48,15 Ich, ich hab's gesagt, ja, ich habe ihn gerufen,
> ich habe ihn gebracht und seinen Weg gelingen lassen.

Das bedeutet aber, daß Schöpfung und Berufung des Kyros syntaktisch bewußt
aneinander angeglichen worden sind: das Faktum der Weltschöpfung soll das
bezweifelte Faktum der Berufung des Kyros stützen. (118) Damit wird das
hymnische Reden von Schöpfung bewußt gesprengt. Dafür daß Deuterojesaja
hierbei wirklich von der Tradition des Gotteslobes herkommt, können kaum
noch stilistische Kriterien sprechen, sondern die Tatsache, daß hinter dem
Aufbau des ganzen Abschnittes noch die Struktur des beschreibenden Lobes
durchblickt, wie sie C.Westermann bestimmt hat (119): Das vorangestellte
"Ich bin es" (V12) wird in den drei durch Imperative eingeleiteten Teilen (120)
mit den Themen entfaltet, die auch Themen des beschreibenden Lobes sind: des
Schöpfers (V 13) und des Herrn der Geschichte (V 14-17), wobei die Polarität
von Gottes Majestät (12-15) und Güte (16f) noch spürbar nachklingt.

Ähnlich könnte man auch die letzte Stelle, Jes 45,11-13, interpretieren. Auch
hier betonte Ich-Aussagen Jahwes, auch hier Schöpfung und Berufung des Kyros
parallel in konstatierendem Perfekt:

> 45,12 Ich habe die Erde gemacht
> und den Menschen auf ihr habe ich geschaffen.
> Ich, meine Hände (121) haben die Himmel ausgebreitet
> und all ihr Heer habe ich unter Befehl.
> 13 Ich habe ihn in Wahrheit erweckt
> und alle seine Wege mache ich gerade ...

Auch hier also ist die Schöpfung ganz Argument für Jahwes außerordentliches geschichtliches Tun, wahrscheinlich (122) gegen fremde Völker oder ihre Götter gerichtet: Weil ich die Macht habe, die Erde und den Menschen zu schaffen, so steht es ganz in meiner Vollmacht, den "Menschen" Kyros für meine Pläne einzusetzen; weil ich die Scharen der Sterne am Himmel befehlige, so lenke ich ihn, und ihr könnt mir überhaupt keine Vorschriften machen (V 11).

Aber die argumentative Ausrichtung ist so weitgehend, daß weder vom Stil, noch vom Aufbau (123) her eine Herkunft aus dem beschreibenden Lob begründet werden kann. Die Verse stehen einem Selbstpreis Jahwes erheblich ferner als 48,12ff, sie könnten nur betonte Ich-Aussagen sein. Wenn man dennoch zögert, sie aus einer anderen Tradition als der der Psalmen herzuleiten (124) oder in ihnen eine reine Eigenbildung des Propheten zu vermuten, dann hat das zwei Gründe: Inhaltlich entsprechen Terminologie und Vorstellung von Jes 45,12 ganz den anderen hymnischen Schöpfungsaussagen (125), und formal scheint – läßt man die Erweiterungen einmal beiseite – in den beiden Sätzen:

> Ich habe die Erde gemacht ...
> Ich, meine Hände haben die Himmel geschaffen ...

noch der Parallelismus durch, in welchem die Erschaffung von Himmel und Erde im beschreibenden Lob zu stehen pflegt. So wird man auch Jes 45,12 mit einiger Vorsicht als Nachhall der Tradition des beschreibenden Lobes interpretieren dürfen. Ein sicherer Nachweis ist nicht möglich, dazu ist der Umgang mit dem Material hier zu frei, freier jedenfalls, als an allen anderen Stellen.

Ausgangspunkt war die Frage nach der formgeschichtlichen Herkunft der von R.Rendtorff herausgestellten ersten Gruppe von Schöpfungsaussagen gewesen. Das Ergebnis bestätigt vor allem aufgrund stilistischer Beobachtungen die alte These, daß die Schöpfungsaussagen bei Deuterojesaja aus dem beschreibenden Lob stammen, allerdings nur mit einer zweifachen Einschränkung: sie gilt höchstwahrscheinlich nur für d i e s e Gruppe von Schöpfungsaussagen, nicht für die andere Gruppe (Heilsorakel) (126), und sie gilt nur, wenn man beachtet, daß Deuterojesaja das vorgegebene Material mehr oder minder starken Veränderungen unterworfen hat. Die erste Veränderung ist oft bemerkt worden: Deuterojesaja legt in Anlehnung an die Form des Selbstpreises der Götter seiner Umwelt das Gotteslob Jahwe selber in den Mund. (127) Damit entstehen natürlich auch grammatische Veränderungen. (128) Die zweite Veränderung ist bis jetzt nicht wahrgenommen worden: Die neue Funktion, die Deuterojesaja den Schöpfungsaussagen gegeben hat, verändert die Tradition stilistisch und substantiell. Man wird zwischen Schöpfungsaussagen, die genauso in jedem beschreibenden Lobpsalm stehen könnten (129), und solchen, die zum Teil (130) oder ganz (131) verändert worden sind, zu unterscheiden haben. Die grammatischen Veränderungen entsprechen der durchgehenden bestreitenden Funktion, wie sie im vorigen Kapitel herausgearbeitet worden ist: die Partizipien werden ins konstatierende Perfekt umgeschmolzen. (132)

Gerade aber auf dem Hintergrund dieser Differenzierung hebt sich die homogene formgeschichtliche Herkunft dieser Gruppe von Schöpfungsaussagen um so deutlicher ab. Ihre Berechtigung erhält damit von der Tradition her eine weitere Bestätigung. Wie sieht es aber mit ihrem Inhalt aus?

3. Die Schöpfungsvorstellungen

Bis jetzt waren bei der Bestimmung der Deuterojesaja vorgegebenen Tradition inhaltliche Momente weitgehend beiseitegelassen worden. Doch wird eine Tradition nicht nur durch einen mehr oder minder einheitlichen Vorstellungskreis bestimmt. (132) Dieser war bisher nur vage mit dem vorläufigen Begriff "Schöpfungsaussage" umrissen worden. Doch welche konkreten Vorstellungen sind damit gemeint? Stützen sie die Annahme einer einheitlichen Tradition, wie sie sich bis jetzt von der gemeinsamen hymnischen Herkunft und gemeinsamen Funktion her nahegelegt hatte? Den Fragen soll anhand der Schöpfungsverben und ihrer Objekte nachgegangen werden; dabei ist die im vorigen Kapitel herausgearbeitete Differenzierung zwischen vorgegebener Tradition und prophetischer Interpretation zu berücksichtigen und gegebenenfalls zu modifizieren.

1. Gehen wir aus von den Verben, die ein handwerkliches Tun des Schöpfers bezeichnen: Von den allgemeinen Schöpfungsverben begegnet bārā (134) recht häufig, etwas seltener ʿāśā (135), eine spezielle Tätigkeit Jahwes ist hier nicht zu erkennen, zuweilen deutet die Erwähnung der Hand Jahwes (136) auf "handwerkliches" Tun. Dazu kommen die Verben, die eine ganz spezifische Tätigkeit meinen und darum besondere Schöpfungsvorstellungen erkennen lassen: nāṭā meint ursprünglich das Ausspannen des Zelttuches (137) und wird, übertragen auf die Schöpfung, nur für die Erschaffung des Himmels benutzt (138); expliziert ist die Vorstellung Jes 40,22:

> der den Himmel ausspannt wie einen Flor (dōq)
> und so ihn ausbreitet wie ein Zelt zum Wohnen (ʾōhæl lāšæbæt).

Wird der Himmel also wie ein Zelt vorgestellt, so zuweilen die Erde als Bauwerk: jāsad ist ein Baufachausdruck; wie der Baumeister die Fundamente eines Gebäudes legt (139), so gründet Jahwe die Erde. (140) Ebenso ausschließlich auf die Erde bezogen wird rāqaʿ (141), eigentlich ein metalltechnischer Ausdruck, ist es hier aber nicht in dem völlig abgeblaßten Sinn "ausbreiten" zu nehmen, wie die Lexika angeben (142), sondern in einem konkreteren: "feststampfen, breitstampfen" (143), so wie man etwa den Lehmboden einer Hütte stampft. Weniger spezifisch ist einmal kūn bei der Erschaffung der Erde gebraucht (144), es kann sonst allerdings konkret das Feststellen des Erdkreises über der Urflut bezeichnen (145). Auch jāṣar, das eigentlich das Formen von Lehm meint, ist abgeblaßt gebraucht. (146)

Bei dieser Fülle von Verben ist es um so erstaunlicher, daß keines von ihnen für Deuterojesaja spezifisch ist: Ob bārāʾ (147) oder ʿāśā (148), ob nāṭā (149), ob jāsad (150) oder rāqaʿ (151), ob kūn (152) oder jāṣar (153), sie alle begegnen auch im beschreibenden Lob. Die erste Folgerung aus diesem Tatbestand ist die: Alle Vorstellungen dieser Gruppe von Schöpfungsaussagen, soweit sie sich jedenfalls auf ein handwerkliches Tun des Schöpfers beziehen, sind fest in der Tradition des beschreibenden Gotteslobes verwurzelt. (154) Damit erhält die formgeschichtliche Analyse eine weitere Stütze. Die zweite Folgerung ist die: bei den Verben hat Deuterojesaja kaum verändernde Eingriffe in die Tradition vorgenommen; er bewegt sich auch dort, wo er stilistisch umformt, terminologisch durchaus in der traditionellen Sprache. (155) Nur das Hapaxlegomenon māṭaḥ schein ziemlich sicher auf sein Konto zu gehen. Es ist mit nāṭā gleichbedeutend und wahrscheinlich deswegen gebraucht, weil Deuterojesaja die eingliedrige Erschaffung des Himmels (40,22) über zwei Glieder zerdehnen wollte (156), ohne dasselbe Verb wiederholen zu müssen. Für das gleichbedeutende Hapaxlegomenon ṭāfaḥ (48,13) ist das nicht sicher auszumachen; man muß damit rechnen, daß Deuterojesaja eine sehr viel breitere Lobtradition vorlag als uns heute bekannt ist.

Was für die handwerkliche Weise des Erschaffens galt, stimmt auch für die sogenannte "Schöpfung durch das Wort". Zwar kommen die Verben von 48,13, qārāʾ und ʿāmad, in dieser Weise nicht mehr vor, wohl aber gibt es eine Reihe hymnischer Belege, in denen einem göttlichen Sagen (Befehlen) ein In-Erscheinung-Treten des Geschaffenen folgt. (157)

Schon mehr auf die Seite des Regierens Jahwes über seine Schöpfung gehört das allabendliche Herausführen der Sterne (40,26) (158). Auch dieses Motiv hat im beschreibenden Lob sachliche Parallelen. (159)

Ähnliches gilt auch von den beiden Motiven, die die absolute Souveränität des Schöpfers über seine Schöpfung vor Augen stellen wollen: 44,27 das Trockenlegen der Urfluten (156) und 51,15: das Erregen des Meeres. (157) Beides gehört in die Nähe der urzeitlichen Kampfmotive, die wohl ursprünglich in den Rückblicken der Klagen des Volkes beheimatet waren, aber auch ins beschreibende Lob gewandert sind. (158)

2. Etwas anders stellt sich die Lage dar, wenn man nach den Objekten des schöpferischen Handelns Jahwes fragt: Ein erster Überblick zeigt eine recht bunte Folge: Alles, Himmel, Erde, Licht, Finsternis, Pflanzen, Menschen, Heil und Unheil, dazu die Herrschaft über die Sterne und Fluten. Sind alle diese Objekte ursprünglich in der Tradition verankert, oder läßt sich bei einem oder anderen die interpretierende Arbeit Deuterojesajas erkennen?

Gehen wir von den Stellen aus, die durch ihre stilistischen Merkmale der hymnischen Tradition zugewiesen werden konnten. (159) Nicht mehr zu interessieren brauchen uns die Herrschaftsmotive, da ihre Verwurzelung in der Psalmentradition schon erwiesen wurde. (160) Als Objekte des erschaffenden Handelns Jahwes begegnen dann noch:

Himmel und Erde	(Jes 40,24; 51,13.(16); 42,5)
Alles	(Jes 44,24; 45,7)
Licht-Finsternis	(Jes 45,7)
Heil-Unheil	(Jes 45,7)
Pflanzen	(Jes 42,5)
Menschen	(Jes 42,5)

Am häufigsten begegnet die Erschaffung von Himmel und Erde im Parallelismus. Nimmt man noch den Grundbestand der erweiterten Prädikation 45,18 hinzu und die Traditionssplitter in 40,22 und 40,28, in denen nur von der Schöpfung des Himmels bzw. der Erde allein geredet wird, dann verstärkt sich der Eindruck, daß hier ein festes Thema der hymnischen Schöpfungstradition bei Deuterojesaja vorliegt. Er bestätigt sich vollends bei einem Blick über die Schöpfungsaussagen des beschreibenden Lobes insgesamt. (161) Auch die perfektischen Uminterpretationen Jes 48,13 und 45,12 stehen, jedenfalls in ihrem Grundbestand, in dem gleichen hymnischen Vorstellungskreis. (162)

Man könnte nun meinen, daß der Selbstpreis Jahwes, er sei der, der alles (kol) macht (163), demgegenüber nichts anderes sagte. Doch ist es sonst nirgends zu dieser letzten Zusammenfassung der Erschaffung von Himmel und Erde unter einen Begriff gekommen. (165) Darum liegt der Verdacht nahe, daß Deuterojesaja hier, obgleich im traditionellen Partizipialstil, selber formuliert hat. Er verstärkt sich nun durch zwei Beobachtungen: Die besagte Formulierung steht am Anfang und am Schluß des Kyrosorakels, ist daher deutlich kompositorisch und außerhalb des Parallelismus, ist damit der hymnischen Tradition nicht wirklich eingefügt. (165) Als kompositorische Klammer will sie aber alles Handeln Jahwes, das sie umspannt, zusammenfassen, dh. nicht nur sein Schöpfungshandeln, sondern auch sein Geschichtshandeln, besonders die Erwählung des Kyros. Dann ist sie aber gar nicht mehr als Schöpfungsaussage zu werten, sondern als eine kühne Neuinterpretation Deuterojesajas, die in dem aufregenden und oft beobachteten Tatbestand ihre Entsprechung findet, daß er das erwartete, wunderbare Handeln Gottes in der Geschichte mit Schöpfungstermini umschreibt. (167)

Aus dem entschlossenen Versuch des Propheten, das erschaffende und geschichtliche Handeln Gottes in eins zu sehen, entspringen auch die Formulierungen in Jes 45,7. Auch sie sind partizipial formuliert, unterscheiden sich also formal nicht von den Schöpfungsaussagen des beschreibenden Lobes; mit Absicht möchte man sagen: die vertraute Form soll eine ungeheure Aussage eingängiger machen, die im ganzen Alten Testament keine Parallele hat. Als Schöpfer erschafft Jahwe nicht nur das Licht, sondern auch die Finsternis, wie er als Herr der Geschichte nicht nur das Heil, sondern auch das Unheil bewirkt. Daß Jahwe das Licht schafft, ist noch als mögliche Abstraktion der Tradition zu verstehen, in der Jahwe Sonne und Mond macht und ihre Ordnung festgesetzt (168) - eine solche begegnet später noch einmal bei P (196) - doch die Erschaffung der Finsternis ist völlig ohne Beispiel. (170) Sie wird nur als ein Versuch verständlich, alles Geschehen bis zu seinem äußersten Horizont, in der Geschichte wie in der Schöpfung, als Handeln des einen Gottes zu begreifen. Die Außerordentlichkeit der Berufung des Kyros läßt Deuterojesaja zu einer Letztaussage vorstoßen, die die Schöpfungstradition des beschreibenden Lobes in zweifacher Hinsicht sprengt: das Handeln des Schöpfers wird auch auf die Geschichte übertragen (Heil-Unheil) und es bezieht das Chaotische, Nichtige mit ein. Dann fallen aber folgende Objékte "alles", Licht-Finsternis, Heil-Unheil für die Deuterojesaja vorgegebene hymnische Schöpfungstradition aus. An dieser Stelle sind die von formalen Kriterien gemachten Entscheidungen zu korrigieren.

Von den oben genannten Objekten schaffenden Handelns bleiben dann neben den beherrschenden Himmel und Erde noch die Pflanzen und die Menschen.

Die Pflanzen begegnen nur in Jes 42,5. Und zwar enthält das Verb raqa neben dem Objekt hā'āræṣ noch ein zweites, das sich zudem durch ein Suffix der 3.P.fem.sing. auf das erste zurückbezieht: wěṣæ' ǽṣā'ǽhā "und ihre Sprößlinge". Nun paßt die Bedeutung des Verbes "breitstampfen" wohl zur Erde, nicht aber zu diesen, so daß man vermuten könnte, daß es sich hierbei um eine nicht ganz glückliche Erweiterung handelt. (171) Dennoch läßt sie sich aus der Schöpfungstradition des beschreibenden Lobes erklären. Hier begegnet auch sonst die Erschaffung der Pflanzen und zwar überall in der eigenartigen Vorstellung, daß Jahwe wohl das Sprossen der Pflanzen veranlaßt, die eigentlich Schöpferin aber die Erde bleibt. (172) Diese urtümliche Vorstellung von der "Mutter Erde" (173) erklärt auch das Mißverhältnis zwischen Verb und Objekt und den seltsamen Ausdruck ṣæ'ǽṣā'īm für die Pflanzen in Jes 42,5: Das Schöpfungshandeln bezieht sich nur auf die Erde, die Pflanzen werden dagegen von der Erde 'geboren'. (174)

Die Menschen kommen in der eben behandelten Er-Prädikation 42,5, dann noch einmal in der recht freien perfektischen Abwandlung 45,12 vor:

42,5   der die Erde breitstampft ...
        der Odem gibt allem Volk auf ihr
        und Atem denen, die auf ihr wandeln.

45,12   Ich habe die Erde gemacht,
        und den Menschen auf ihr habe ich geschaffen.

Die Menschen werden in beiden Fällen auf die zuvor genannte Erde zurückbezogen, ihnen fehlt ein eigenes Schöpfungsverb, ihre Erschaffung scheint offenkundig nicht die gleiche Eigenständigkeit zu haben, wie die Erschaffung der Erde, sondern eine Erweiterung zu sein. Zwar ist Jes 42,5 partizipial konstruiert, sodaß auch diese Erweiterung dem beschreibenden Lob zu entstammen scheint. Doch stehen dem zwei Beobachtungen entgegen: Einmal begenet die Erschaffung der Menschen sonst im beschreibenden Lob nur sporadisch (175), ein andermal ist die in Jes 42,5 wie in 45,12 eng argumentativ auf den Kontext bezogen: So steht in Jes 42,5 nicht etwa 'ādām, sondern ᶜām. Dieser im Zu-

24

sammenhang des Redens von Schöpfung völlig ungewöhnliche Begriff ist wahrscheinlich deswegen gewählt worden, um mit dem librit am V 6 zu korrespondieren. Der Ausdruck ist schwierig und umstritten. (176) Es könnte aber gemeint sein: Weil Gott "alles Volk" auf Erden belebt hat, will er Israel zum "Bundesheil" und Licht für die Völker machen. (177) In Jes 45,12 soll wahrscheinlich die Tatsache, daß Jahwe den Menschen geschaffen hat, als Argument dafür dienen, daß er auch die Machtvollkommenheit hat, den "Menschen" Kyros nach seinem Gutdünken zu berufen. (178) So ist es keineswegs ausgemacht, daß die Erschaffung der Menschen zur Tradition des beschreibenden Lobes gehört. (179) Es ist gut möglich, daß hier eine Erweiterung vorliegt, die Deuterojesaja oder ein Späterer (180) aus aktuellem Anlaß gebildet hat. (181) Die Frage kann erst von einem größeren Überblick aus endgültig entschieden werden.

Aber auch wenn in diesem letzten Fall eine befriedigende Klärung ausbleibt, kommt doch im Ganzen gesehen die inhaltliche Untersuchung der ersten Gruppe von Schöpfungsaussagen zu einem erstaunlich eindeutigen Ergebnis. Sie bestätigt zum größten Teil die Ergebnisse der formgeschichtlichen Untersuchung. Nicht nur nach formalen, sondern auch nach inhaltlichen Kriterien kann nun die Herkunft aus der Schöpfungstradition des beschreibenden Lobes als erwiesen gelten. Uneingeschränkt gilt der Nachweis für die Weisen des Erschaffens. Auch da, wo Deuterojesaja selber formuliert, bleibt er in den traditionellen Vorstellungen. Eingeschränkt hat das auch für die Objekte des Erschaffens seine Gültigkeit. Hier war eine Differenzierung anzubringen: Eine Reihe von ihnen erweisen sich als recht kühne Neubildungen Deuterojesajas (182), obgleich sie in partizipialen Konstruktionen stehen. Hier mußten einige Ergebnisse der formgeschichtlichen Untersuchung korrigiert werden. (183) Aber gerade wenn man diese Neuinterpretation abhebt, bekommt die verbleibende Tradition eine erstaunliche Einheitlichkeit: sie kreist fast ausschließlich um die Erschaffung von Himmel und Erde (184), ein einziges Mal kommen die Pflanzen hinzu (185), dagegen mußte die zuweilen vorkommende Erschaffung des Menschen in ihrer Zugehörigkeit unsicher bleiben. (186) Zur Schöpfung von Himmel und Erde gehört auch das Herrsein des Schöpfers über seine Welt: er lenkt die Sterne (187) und gebietet den Fluten. (188)

Damit ist der erste Gang der exegetischen Untersuchung vorläufig abgeschlossen. Ausgangspunkt war R. Rendtorffs Beobachtung gewesen, daß sich die Schöpfungsaussagen bei Deuterojesaja auf zwei große Gruppen verteilen. (189) Von diesen wurde die erste in drei Anläufen untersucht: Es hat sich ergeben, daß sie nicht nur eine einheitliche Funktion in der Verkündigung Deuterojesajas, sondern auch eine einheitliche formgeschichtliche Herkunft hat. Jetzt ließ sich für sie auch noch ein relativ geschlossener Vorstellungskreis nachweisen. Damit kann die Einheitlichkeit der Gruppe und die Berechtigung ihrer Bildung als bewiesen angesehen werden. Nur ist Rendtorffs Kriterium für die Zugehörigkeit zu modifizieren: er gab das gemeinsame Vorkommen im "Disputationswort" an (190), also eine Redeform auf der Ebene der Verkündigung Deuterojesajas. Auch abgesehen davon, daß sich eine feste Gattung der Bestreitung nicht nachweisen ließ, konstituiert sich die Einheitlichkeit der Gruppe eine traditionsgeschichtliche Stufe tiefer, auf der Stufe des von Deuterojesaja aufgenommenen beschreibenden Lobes. Denn erst hier bekamen die Schöpfungsaussagen ihre formale und thematische Geschlossenheit. Dann handelt es sich aber nicht nur um eine mehr oder minder lockere Stellengruppe, sondern um eine Tradition im eigentlichen Sinne: Soweit sie sich in dem von Deuterojesaja aufgenommenen Material erkennen läßt, kann sie wie folgt charakterisiert werden: Ihr Ort ist das beschreibende Lob, ihr Inhalt ist ganz überwiegend die Erschaffung von Himmel und Erde, ihre Funktion ist es, wie aus der bestreitenden Anwendung durch Deuterojesaja zu erheben, die unvergleichliche Hoheit und Macht Jahwes zu illustrieren. Gilt das über Deuterojesaja hinaus? Gibt es möglicherweise eine hymnische Tradition vom Schöpfer der Welt?

Das bedürfte einer Untersuchung in sehr viel größerem Rahmen die erst später gegeben werden kann. Zuvor muß die zweite Gruppe von Schöpfungsaussagen, die Rendtorff genannt hat, und das Verhältnis beider Gruppen zueinander untersucht werden.

II. Die zweite Gruppe von Schöpfungsaussagen bei Deuterojesaja

1. Die Schöpfungsaussagen im Heilsorakel

Neben der eben behandelten Gruppe von Schöpfungsaussagen, die sich bei genauerer Durchsicht als Ausschnitt einer hymnischen Tradition vom Schöpfer Himmels und der Erde entpuppt haben, nennt R.Rendtorff eine zweite (191): Die Schöpfungsaussagen, die in den Heilsorakeln begegnen, teils in ihrer Einleitung (192), teils in ihrem Korpus. (193) Allerdings lassen sich nicht alle der von ihm genannten Stellen dieser Gattung zuweisen, was uns weiter unten beschäftigen wird. (194) Schon in der Forschungsgeschichte konnte aufgezeigt werden, daß Rendtorff mit erstaunlicher Genauigkeit die Besonderheit dieser Schöpfungsaussagen erkannt hat: die auffallend "persönliche Anrede", die durch die fast überall begegnenden Suffixe der 2.P.sing. zustandekommt (195), der durchgängige Bezug auf Jakob/Israel (196) und die ganz auf das Rettungshandeln Gottes zielende Funktion. (197) Trotzdem ebnet er diese Besonderheiten wieder weitgehend ein. Schuld daran sind die auch in dieser Gruppe vorkommenden weitgehend partizipialen Konstruktionen (198), die Rendtorff veranlassen, auch diese Schöpfungsaussagen unter die Er-Prädikationen zu subsumieren (199) und dem beschreibenden Lob zuzurechnen. (200) Natürlich bleiben dennoch die Unterschiede zur ersten Gruppe bestehen. Rendtorff erklärt sie aus einer eingreifenden Interpretationsarbeit Deuterojesajas. (201) Doch ist das richtig? Für F.Crüsemann, der ganz von Rendtorff's Beobachtungen herkommt, sind die Veränderungen, die diese Gruppe von Partizipien erfahren hat, doch so gewichtig (202), daß er deren Herkunft immerhin offenläßt. (203) Darüberhinaus gibt es die weitreichende These H.Graf Reventlows, alle partizipialen Schöpfungsaussagen ursprünglich im Heilsorakel verankert zu sehen (204), deren Stichhaltigkeit für einen begrenzten Bereich jedenfalls aufgrund ähnlicher Beobachtungen J.Begrichs (205) soweit gestützt werden konnte, daß sie einer ernsthaften Überprüfung bedarf. Damit ist aber die weitere Aufgabe vorgezeichnet: Es ist zu fragen: Sind die Schöpfungsaussagen aus dem beschreibenden Lob von Deuterojesaja in das Heilsorakel übertragen worden, oder sind sie in diesem ursprünglich zuhause? Im ersten Fall wären die Unterschiede der beiden Gruppen von Schöpfungsaussagen nur die Differenz zwischen Tradition und Interpretation, im zweiten Falle zeigten sie das Nebeneinander zwei verschiedener Traditionen an.

Zur Beantwortung dieser Frage empfiehlt es sich, von den Schöpfungsaussagen auszugehen, die in der Einleitung des Heilsorakels stehen:

43,1   Aber nun, so spricht Jahwe,
                    der dich geschaffen, Jakob,
                    und der dich gebildet, Israel ...

44,1   Aber nun, höre, Jakob, mein Knecht
                    und Israel, den ich erwählt habe!
    2   So spricht Jahwe,
                    der dich geschaffen,
                    und der dich gebildet von Mutterleib an
                    dir hilft ...

Ganz ähnlich lautet 44,24a, auch wenn hier kein Heilsorakel sondern das Kyrosorakel mit den es umgehenden Ich-Prädikationen eingeleitet wird:

44,24   So spricht Jahwe,
                    der dich erlöst,
                    und dich gebildet von Mutterleib an ...

Und schließlich ist noch die Einleitung zu dem speziellen Orakel zu vergleichen, das der Gottesknecht erhalten hat, und von dem er den Völkern berichtet:

49,5   Aber nun, 'so' (206) spricht Jahwe,
                    der mich gebildet von Mutterleib an,
                    ihm zum Knecht ...

Ungeachtet der erwähnten Unterschiede, weisen alle Schöpfungsaussagen die gleichen, von R.Rendtorff zutreffend beschriebenen Charakteristika auf: Es sind alles Partizipien, die mit einem Suffix der 2.P.sing. versehen sind (207) und den Jahwenamen der Botenformel attributiv erweitern.

Nun hatte R.Rendtorff in einer Anmerkung immerhin die Möglichkeit erwogen, "ob der Hinweis auf den Schöpfer schon im kultisch gebundenen Heilsorakel seinen Platz hatte". (208) Er kohnt sie aber schon deswegen ab, weil die Einleitungsformeln "wohl nicht ursprünglich zum Heilsorakel gehören". (209) Diese Auffassung geht auf J.Begrich zurück. Dieser hatte die Einleitungen zu den Erweiterungen der Grundform des Heilsorakels gerechnet: Ursprünglich sei es ohne Einleitung gewesen, weil aus der Situation der auf die Klage gegebenen Antwort klar war, daß Gott es ist, der hier redet. Es sind vor allem die "typisch prophetischen Einleitungsformeln" (210), die ihm, der aus guten Gründen mit einer priesterlicher. Herkunft des Heilsorakels rechnet, suspekt erscheinen müssen. Dagegen möchte H.E.v.Waldow die Einführungen zum Heilsorakel als dessen Bestandteil verstehen ("Eröffnungsformel") und gerade aufgrund des kō-ʾāmar jhwh den prophetischen Ursprung des Orakels erweisen. (211) Darauf stützt sich auch H.Graf Reventlow. (212)

Diese Alternative in der Forschung macht eine genauere Überprüfung des Verhältnisses der Einleitungen zu den Heilsorakeln selber unumgänglich. Eine wichtige Rolle in der Argumentation hatte die Botenformel kō-ʾāmar jhwh gespielt. Daß sie ursprünglich zum Prophetenspruch gehört, ist seit den wegweisenden Arbeiten L.Köhlers (213) und J.Lindbloms (214) unbestritten. Sicher ist jedoch auch, daß sie bei Deuterojesaja schon in so abgeflachter Bedeutung vorliegt, daß sie ganz verschiedene, mit der klassischen Prophetie nichts gemein habende Redeformen einleiten kann. (215) Das hat aber zwei Konsequenzen: Die erste richtet sich gegen H.E.von Waldow: Von einer besonderen Verankerung der Botenformel im Heilsorakel kann man bei dieser freien Verwendung, die sie erfahren hat, wirklich nicht sprechen, um so weniger als sich in mindestens zwei von ihnen keine Spur davon findet. (216) Man kommt nicht umhin, mit J.Begrich zu vermuten, daß die Botenformel durch Deuterojesaja zu einigen Heilsorakeln gelangt ist, wie zu einer ganzen Reihe anderer Redeformen. Die zweite Konsequenz richtet sich gegen eine Vermutung von R.Rendtorff, aufgrund der prophetischen Herkunft der Formel, die gesamte Einleitung aus prophetischer Rede herzuleiten. (217) Zwar hat die Botenformel auch in der klassischen Prophetie Erweiterungen erfahren, doch sind diese ganz anderer Art (218): entscheidend ist nicht so sehr der Unterschied, daß es nur nominale Appositionen sind, die hier begegnen: "der Gott Israels" (219), "Herr Jahwe" (220), "Jahwe Zebaoth" (221) und dazu mannigfache Kombinationen (222), sondern daß Suffixe der 2.P.sing. so gut wie ganz fehlen. (223) Damit entfällt aber die Möglichkeit, die Erweiterungen des kō-ʾāmar jhwh aus prophetischer Rede zu erklären. Die prophetische Herkunft der Botenformel sagt über die Herkunft ihrer Erweiterungen gar nichts aus. Nach dieser muß gesondert gefragt werden.

Nun könnte man entsprechend dem freien Gebrauch der Botenformel durch Deuterojesaja vermuten, daß auch die Erweiterungen generell Neubildungen des Propheten sind. Dagegen spricht aber eine Beobachtung, die man machen kann, wenn man die Erweiterungen der Botenformel bei Deuterojesaja im Ganzen untersucht: Es gibt bei ihm Appositionen, die mehr oder minder denen der klassischen Prophetie entsprechen. (224) Daneben stehen die für ihn so charakteristischen partizipialen Erweiterungen. Hier sind wieder zu unterscheiden: die reinen Partizipien mit Objekt (225), daß sind die oben behandelten hymnischen Fremdprädikationen, dann Partizipien mit einem Suffix der 2.P.sing. (22 und einige wenige mit einem der 3.P.sing. (227) Das erstaunliche ist nun, daß alle Erweiterungen der Botenformel mit Suffixen der 2.P.sing., und das gilt nicht nur für die Partizipien, sondern auch für die Nomina (228), ausschließlich zum Heilsorakel oder dessen Abwandlungen gehören. Wenn aber ein so auffälliges Merkmal, immer wieder nur im Zusammenhang einer bestimmten Gattung auftaucht, dann kann das nicht auf Deuterojesajas Konto gehen. Es legt sich vielmehr die Vermutung nahe, daß der Prophet, auch wenn er die Botenformel dem Heilsorakel frei hinzufügt, in der Formulierung ihrer Erweiterungen an eine bestimmte Sprachform gebunden war. "Die Anrede des Hilfesuchenden in der zweiten Person" ist aber, wie J.Begrich formuliert (229), die Sprachform des Heilsorakels. Damit ist so gut wie sicher, daß zwischen den Suffixen der 2.P.sing. der partizipialen Erweiterungen der Botenformel und dem anredenden Charakter des Heilsorakels ein deutlicher Zusammenhang besteht. Die Übergänge von der Einleitung zur Anrede sind noch dazu fließend: In 43,1 geht die partizipiale Erweiterung direkt in die Anrede Jakob/Israels über, 44,2 steht sie vor der Botenformel.

Es lassen sich nun noch mehr Anzeichen finden, die die eben gemachte Beobachtung einer großen Nähe von Einleitung und Orakel stützen. So begegnet das in 44,2 neben den Schöpfungsverben stehende ᶜazar allein drei mal (230), das 44,24 auftauchende gāʾal vier mal (231) im Korpus des Heilsorakels. Das kann kein Zufall sein ganz offensichlich schöpfen die Einleitungen z.T. ihren Stoff aus dem Orakel selber. (232) Einen ganz anders gearteten Hinweis gibt das in drei von vier Einleitungen (233) vorgestellte adversative wĕᶜattā dem das wĕʾattā der stark erweiterten Anrede 41,8 entspricht. H.E.von Waldow (234) hat mit Recht darauf hingewiesen, daß es dem, was wir von der Komposition des Deuterojesajabuches wissen, widersprechen würde, wollte man das waw-adversativum auf den vorangehenden Kontext beziehen. (235) Zudem beschränken sich beide Formen bei Deuterojesaja fast ganz auf die Heilsorakeleinleitungen. (236) Nun markiert wĕᶜattā in 49,5 die Wende zwischen der Klage des Knechtes und der an ihn ergehenden Gottesantwort. Es liegt dann sehr nahe, die anderen Vorkommen entsprechend zu verstehen. Dann gehört aber das wĕᶜattā in die Situation des Heilsorakels, wie sie J.Begrich beschrieben hat, mit hinein. (237)

So ergibt die Überprüfung des Verhältnisses der Einleitungen zu den Heilsorakeln ein ambivalentes Bild. Wohl verbietet die Botenformel kō-ʾāmar jhwh, die Einleitungen in der jetzt vorliegenden Form als ursprüngliche Bestandteile des Heilsorakels anzusehen, dennoch konnte, abgesehen von dieser Formel, fast jedes ihrer Elemente formal wie inhaltlich aus dem Heilsorakel selber erklärt werden. Man wird daher entweder, wie J.Begrich mit einer zwar von Deuterojesaja stammenden, aber "in Bezug auf das Heilsorakel freilich stilgemäßen Erweiterung" (238) zu rechnen haben, oder aber annehmen müssen, daß die Einleitungen der Heilsorakel schon jeher die Möglichkeit boten, auf das Verhältnis zwischen Gott und dem Angeredeten einzugehen und darauf die neue Heilszusage zu gründen, auch wenn sich dafür eine feste Form nicht mehr rekonstruieren läßt. (239) Doch wie immer man sich entscheiden mag, ganz sicher ist, daß Rendtorffs Argument, die Schöpfungsaussagen könnten schon deswegen nicht zum Heilsorakel gehören, weil sie "nur" in dessen Einleitungen

stünden, von diesem Ergebnis her nicht mehr zu halten ist. Seine Vermutung
am Rande, eher könne man an eine Herkunft aus prophetischer Tradition denken, entbehrt jeder Grundlage.

Nun stützt R.Rendtorff seine Annahme einer Herkunft der Schöpfungsaussagen
aus dem beschreibenden Lob auf die Form des Partizips. Dieses Merkmal war
bis jetzt bewußt ausgeklammert worden. Es wäre an sich schon merkwürdig,
wenn die Schöpfungsaussagen allein aufgrund dieses Kriteriums aus dem Gotteslob stammen sollten, während ihre Suffixe, die Parallelverben und das
wĕ ʿattā aus dem Heilsorakel selber zu erklären sind. Wenn sich aber nachweisen läßt, daß auch innerhalb des Heilsorakels Partizipien begegnen, die
ein Suffix der 2.P.sing. nicht erst aufgrund einer postulierten Uminterpretation erhalten, sondern von Hause aus besitzen, dann verliert Rendtorffs Argument überhaupt jede Grundlage. Das ist nun wirklich der Fall: C.Westermann
hat erkannt, daß sich die Begründung des "Füchte dich nicht" in zwei grammatisch verschiedene Konstruktionen aufteilen läßt: in Nominalsätze und perfektische Verbalsätze. (240) Es kommen aber einige partizipiale Konstruktionen
vor, die sich weder in die eine, noch ganz in die andere Gruppe einordnen lassen, entsprechend der Zwischenstellung des Partizips zwischen Verb und Nomen.

Zum Teil sind die Partizipien Prädikat in einem Nominalsatz:

41,14   Ich habe dir geholfen (241) - Spruch Jahwes (242) -
         und dein Erlöser ist der Heilige Israels (wĕgōʾălēk).

43,3   Denn ich, Jahwe, bin dein Gott,
         der Heilige Israels ist dein Retter (mōšī ʿækā).

54,5   Denn dein Hochzeiter ist dein Schöpfer ... (243) (ʿōśajik)
         und dein Erlöser der Heilige Israels (wĕgōʾălēk).

Zum Teil vertritt es einen perfektischen Verbalsatz:

41,13   Denn ich, Jahwe bin dein Gott.
         der deine Rechte faßt (maḥăzīq)... (244)

Daß das wirklich der Fall ist, zeigt der Vers 10, in dem ein ganz ähnlicher
Satz tatsächlich perfektisch formuliert ist:

41,10   ja, ich habe dich mit meiner heilsamen Rechten gehalten ...

Doch stehen beide Gruppen sich recht nahe, man könnte etwa im Falle von
43,3 schwanken, ob ein Nominalsatz oder eine Apposition gemeint ist, die an
Stelle eines Verbalsatzes steht. Wie fest solche partizipialen Konstruktionen
im Heilsorakel verankert sind, läßt sich bei der geringen Zahl der Belege,
über die wir verfügen, nicht sagen. (245) Wenn H.Graf Reventlow alle Partizipien vom Heilsorakel herleiten will, so ist das sicherlich absurd. (246)
Doch läßt sich zumindest so viel sagen, daß im Heilsorakel Partizipien vor-
30

kommen können, die sicher nicht aus dem beschreibenden Lob stammen, und daß diese den Partizipien der Orakeleinleitungen formal genau entsprechen. Damit verliert aber das Partizip als Kriterium für "hymnisches Gut" jede Signifikanz. Wenn dann im Fall von gā᾽al etwa auch noch eine inhaltliche Entsprechung hinzukommt (247), liegt es sehr viel näher, die Partizipien der Einleitungen vom Heilsorakel selber zu erklären. An ihrer Stelle könnten übrigens genausogut perfektisch konstruierte Relativsätze stehen. (248)

Ist damit die Form der Schöpfungsaussagen in den Einleitungen der Heilsorakel voll aus diesen selber erklärt, so läßt sich das m.E. auch für ihren Inhalt erreichen. Immerhin zweimal kommen Schöpfungsaussagen auch im Korpus eines Heilsorakels vor. Der erste Beleg (54,5) wurde schon erwähnt, der zweite ist 44,21. Die Schwierigkeit liegt aber darin, daß in beiden Fällen die Heilsorakel nur in einer veränderten Form vorliegen.

54,4-6 ist jetzt Teil einer größeren Komposition: 54,1-10 (249), in der die Zuwendung Jahwes ganz auf dem Hintergrund der Klage der kinderlosen Frau gestaltet ist. Daher erfährt auch das Heilsorakel eine ganze Reihe von Veränderungen: Es ist auf die Wende der Schande des Leides bezogen (250), auf die Schmähungen, welche die kinderlose Frau von anderen erfahren muß, und die zum Leid als seine soziale Seite unlösbar hinzugehören. So wird der Heilszuspruch "Fürchte dich nicht" aufgenommen mit den Worten "Schäme dich nicht!", anstelle der nominalen oder perfektischen Begründung, in der immer Jahwe Subjekt ist, wird sofort die imperfektische Folge angeführt: "Denn du wirst nicht zuschanden ...". (251) Erst danach folgt die nominale (V 5) und die perfektische (V 6) Begründung. In ersterer steht die Schöpfungsaussage:

54,5   Denn dein Hochzeiter ist dein Schöpfer,
             Jahwe Zebaoth ist sein Name
       Und dein Erlöser ist der Heilige Israels,
             Gott der ganzen Erde wird er genannt.

Gar nicht ins Heilsorakel gehören die beiden Erweiterungen, die stolz Jahwes weltüberlegene Majestät darstellen. Sie erinnern vielmehr an die bestreitenden Motive, die bei Deuterojesaja zum großen Teil aus dem beschreibenden Lob stammen. (252) Ihre Zufügung wird aus der besonderen thematischen Ausrichtung dieses Heilsorakels erklärlich: Gott ist mächtig über die Feinde, die Israels Schmach und Schande verursachen.

Auch die nominale Begründung selbst ist ganz gefärbt vom Bild der verlassenen Frau: Der die Kinderlose in die eheliche Gemeinschaft aufnimmt, der sie von der Schmach des Verlassenseins erlöst, ist kein anderer als der, der sie geschaffen hat. Die Erschaffung Israels ist gleichsam eine urtümliche Zuwendung Gottes, welche seine neue Rettungstat begründet und durch diese jenen heilvollen Anfang wieder bestätigt. Ihre ursprüngliche Verankerung im Heilsorakel selber, wäre also inhaltlich durchaus möglich; formal fällt allerdings das Reden Jahwes von sich in der 3.P.sing. auf (253), sodaß, nimmt man noch die anderen Veränderungen hinzu, mit einer stärkeren Umbildung des Orakels gerechnet werden muß.

Noch schwerer fällt eine sichere Beurteilung von 44,21-22. Die Verse haben einen bruchstückhaften Charakter: Die einleitende Mahnung: "Denke daran, Jakob ...!" weist auf etwas Vorhergehendes. (254) Die Götzenpolemik 44,9-20 kann nicht gemeint sein, gut würde dagegen der letzte Vers der Gerichtsrede 44,6-8 passen. So hat B.Duhm vorgeschlagen, 44,21f zu 44,6-8 hinzuzunehmen und andere sind ihm gefolgt. (255) Diese Annahme hat einiges für sich: Der letzte Vers des Prozesses gegen die Völker und ihre Götter wendet sich an die Zeugen, an Israel. Das kommt auch sonst vor. (256) Einzigartig ist dagegen, daß das Argument der Einzigkeit Jahwes Israel gegenüber entfaltet wird und daß dies in Anspielung an die Sprache des Heilsorakels geschieht: die Zeugen sollen sich nicht fürchten, denn es gibt keinen Fels, keinen Gott, der vertrauenswürdig wäre außer dem ihrigen (V 8). Die Rede von Jahwe als dem Felsen stammt eindeutig aus dem Bekenntnis der Zuversicht (257), das wiederum mit den nominalen Begründungen des Heilsorakels korrespondiert. (258 An diese Anspielung auf das Heilsorakel - mehr ist es nicht - sind die Verse 21f angeschlossen worden, offenbar in der Absicht, die Züge des Heilszuspruches zu verdeutlichen, ihnen aber gleichzeitig durch rahmende Mahnungen eine neue Richtung zu geben: Israel soll dessen gedenken, daß Gott sein einziger Vertrauensgrund ist (259); hat er es doch zu seinem Knecht (260) gemacht, hat ihm vergeben und hat es erlöst; deswegen soll es zu ihm zurückkehren. (261) Eine solche an ein Heilswort anschließende Mahnung ist für Deuterojesaja ganz undenkbar und entspringt dem Versuch seine Botschaft für eine gewandelte Situation weiterzubilden. (262) Auch sonst ist die Verbindung zum Vorhergehenden nicht zu fest, daß die Verse 21f. von dem selben Verfasser sein müßten wie die Gerichtsrede 44,6-8: der Verfasser von 44,21 fällt vielmehr vom Plural der Gerichtsrede in den Singular zurück, wie er im Heilsorakel üblich ist. (263) Aber gerade diese Inkonsequenz könnte darauf hindeuten, daß er vorgeformtes, möglicherweise deuterojesajanisches Material verwendet hat. Folgende Sätze könnten durchaus einmal Begründungen eines vollständigen Heilsorakels gewesen sein:

a) nominal   denn mein Knecht bist du ...
                    ... Knecht bist zu mir
b) perfektisch   ... ich habe dich geschaffen ...
                    denn ich habe dich erlöst.

Dafür spricht das begründende kī und die Tatsache, daß alle Formulierungen ziemlich genaue Entsprechungen in den vollständigen Heilsorakeln haben. (264) Unter diesen Sätzen befindet sich nun auch eine Schöpfungsaussage in der 1.P. sing.perf. + suff. 2.P.sing.. (265) Sie steht so problemlos mitten unter den übrigen Begründungen, daß man mit einigem Recht vermuten kann, daß sie wirklich hier ihren Ort gehabt habe. Doch ist wegen des unvollständigen und sekundären Charakter des Stückes Vorsicht geboten.

So mag man bezweifeln, daß die Belege hinreichten, den Nachweis dafür zu tragen, daß die Schöpfungsaussagen im Korpus des Heilsorakels ursprünglich ihren Platz gehabt hätten, sei es nun in der nominalen (54,5) oder perfektischen
(44,21) Begründung des "Fürchte dich nicht!", von wo aus sie in die Orakeleinleitungen gewandert wären. Ein solcher Vorgang war zwar für die 43,1 bzw.
44,24 parallel auftauchenden Verben gāʾal und ʿāzar einigermaßen wahrschein-
lihc gemacht worden, doch muß immerhin beachtet werden, daß die Schöpfungsverben ja nicht die Heilszuwendung selber ausdrücken, sondern sie vielmehr
stützen und begründen können. So viel aber läßt sich mit Sicherheit sagen: auch
inhaltlich sind die Schöpfungsaussagen kein Fremdkörper in der Gattung des
Heilsorakels. Sie fügen sich vielmehr in diese - den Zusagen der Rettung kor-
respondierend - mühelos ein. Das gilt selbst dann, wenn die Schöpfungsaussagen an beiden Stellen erst nachträglich ins Heilsorakel hineingekommen sein
sollten. Von einer kühnen Uminterpretation Deuterojesajas, wie sie R.Rend-
torff annehmen muß (266), lassen die Stellen aber auch gar nichts verspüren:
keine Brüche, Inkongruenzen, Stilwechsel, sollte das ein Zufall sein?

Nach den bisherigen Ergebnissen, läßt sich die partizipiale Form der Schöpfungsaussagen samt ihrem Suffix der 2.P.sing. eindeutig aus dem Heilsorakel
herleiten; inhaltlich war eine Verankerung im Heilsorakel zumindest möglich,
wenn nicht wahrscheinlich. Damit erscheint aber die These, die Schöpfungsaussagen stammten aus dem beschreibenden Lob, doch im höchsten Maße fraglich. Nun stützt R.Rendtorff seine Entscheidung auf ein letztes Argument, daß
nämlich "die Klagelieder und vor allem die Aussagen der Erhörungsgewißheit,
von denen aus Rückschlüsse auf das Heilsorakel möglich sind, keine Spur davon
(sc. von Schöpfungsaussagen) zeigen". (267) Rendtorff sieht methodisch ganz
richtig, daß eine Untersuchung dessen, was einmal Inhalt des Heilsorakels gewesen ist, sich weder auf die wenigen überlieferten Texte von Heilsorakeln beschränken braucht noch kann. Denn nach J.Begrich antwortet das Orakel auf
die Klage des Einzelnen und korrespondiert mit dieser Gattung in mannigfacher
Weise. (268) Wenn also die Schöpfungsaussagen im Heilsorakelt fester verankert wären, müßten sich auch entsprechende Vorstellungen in der Klage des
Einzelnen finden lassen.

2. Die Schöpfungsaussagen in der Klage des Einzelnen

Schon in der Forschungsgeschichte wurde erwähnt (269), daß J.Begrich bereits 1934 auf einige den Schöpfungsaussagen in den Heilsorakeln bei Deuterojesaja entsprechende, Stellen in der Klage des Einzelnen hingewiesen hat. (270)
Er nennt schon den ausführlichsten Beleg, den es überhaupt gibt: Hi 10.

Hi 10,3   Ist es etwa von Nutzen für dich,
            daß du so gewalttätig bist,
            daß du das Werk deiner Hände verwirfst? ...
      8   Deine Hände haben mich doch gebildet
            und haben mich geschaffen -
            'danach dann anderen Sinnes' (271) tilgst du mich.

Hi 10,9	Denk doch daran, daß du 'aus' (272) Ton mich schufst! -
	Doch zum Staub läßt du mich zurückkehren.
10	Hast du mich denn nicht wie Milch hineingegossen,
	und mich wie Käse gerinnen lassen?
11	Mit Haut und Fleisch hast du mich überkleidet,
	mit Knochen und Sehnen mich durchwirkt.
12	Ein glückliches Leben (273) hast du mir bereitet,
	und deine Hut bewahrte mich. (274)
13	Aber (all) dies (275) hast du in deinem Herzen verborgen ...

Daß das ganze 10. Kapitel eine Klage Hiobs ist, wird von den meisten Auslegern anerkannt. (276) Gleich zweimal kommt Hiob in dieser Klage auf seine Erschaffung zu sprechen: Sofort zu Beginn hält er Gott in einer anklagenden Frage den schreienden Widerspruch in seinem Tun vor: Wie kann er, der ihn mit so viel Mühe (277) bereitet hat, jetzt verwerfen? Der Gegensatz wird V 8-12 breit entfaltet: Es sind dieselben Hände Gottes, die damals schufen und jetzt vernichten (V 8). Fast beschwörend erinnert er Jahwe an sein früheres heilvolles Handeln: zĕkār-nāʾ, denk doch daran, daß du aus Ton mich (278) schufst! und muß doch anklagend konstatieren: Gott tötet mich. (279) Mit liebevoller Sorgfalt wird das erschaffende Handeln Jahwes nachgezeichnet, alle "wissenschaftlichen" Erkenntnisse, die man in dieser Zeit von der Entstehung eines Embryos hatte (280), werden dazu aufgeboten (10-11), ja, die in der Erschaffung Hiobs gesetzte huldvolle Zuwendung Gottes fand ihre Fortsetzung in seiner Bewahrung (V 12). Umso schärfer sticht davon Jahwes jetziges Handeln ab, der ihn hinterlistig wie ein Löwe oder ein Prozeßgegner zu Fall bringen will (13-17).

Die Schöpfung ist hier eindeutig ein Kontrastmotiv zur Anklage Gottes (281). Hiob klammert sich in seiner Todesbedrohung an Gottes früheres gnädiges Tun, das mit seiner Erschaffung begann, um ihn zu rühren und zu bewegen, von seinem jetzigen tötenden Handeln abzulassen. Damit steht aber das Schöpfungsmotiv genau da, wo es nach den Heilsorakeln bei Deuterojesaja zu erwarten war: in einer Art "Rückblick auf Gottes früheres Heilshandeln" in der Klage des Einzelnen.

Sieht man sich nach weiteren, den Schöpfungsaussagen der Heilsorakel korrespondierenden Belegen um, so stößt man auf zwei Verse des Ps 22, die schon von H.Graf Reventlow (282) und H.Gese (283) in diesem Zusammenhang angeführt worden sind:

Ps 22,10	Ja, du zogst (284) mich aus dem Mutterleib,
	bargst mich an meiner Mutter Brust.
11	Auf dich bin ich geworfen von Mutterleib an,
	vom Schoß meiner Mutter an bist du mein Gott.

Auch diese Verse stehen im Kontrast zur Klage. Hatte der Beter des 22. Psalms seiner Gottverlassenheit (V 2-3) die Erfahrungen seiner Väter gegenübergestellt, die gerettet wurden, wenn sie zu Gott schrien (V 4-6), so blickt er nach der Klage über sein Leid (V 7-9) auf seine eigenen Erfahrungen mit Jahwe zurück: Wie anders hatte Gott damals an ihm gehandelt! Gleich einer Hebamme hatte er ihn ins Leben geholt und ihn, die neugeborene Kreatur, mit aller Fürsorge umgeben. Wie kann er ihm jetzt in seiner Not so ferne sein? V 11 führt die Erfahrung dieses gnädigen Geborgenseins in ein das ganze Leben bestimmendes Bekenntnis der Zuversicht über: "Von Mutterleib an bist zu mein Gott." So sind sich in Ps 22,10f der Rückblick auf Gottes früheres gnädig-erschaffendes, Handeln und das Bekenntnis der Zuversicht sehr nahe; so nahe, daß ihre Charakterisierung durch die Exegeten zwischen beidem hin- und herschwanken kann. (285) Man könnte das Verhältnis vielleicht so bestimmen: Das Bekenntnis der Zuversicht, das sie Summe der heilvollen Erfahrungen zusammenfaßt, die Generationen von Menschen in ihrem Leben mit Gott gemacht haben, kann unter äußerster Bedrohung bis an die Grenzen der menschlicher Existenz, bis hin zur eigenen Erschaffung durch Gott ausgezogen werden. Noch auf dem Weg dorthin könnte das Bekenntnis der Zuversicht in Ps 71,5-8 sein:

71,5   Denn du, Herr, bist meine Hoffnung,
         Jahwe, mein Vertrauen von meiner Jugend an.
6   Auf dich bin ich gestützt von Mutterleib an,
         vom Leib meiner Mutter an bist du 'meine Stärke' (286) ...

Hier klammert sich ein Beter in der Not des Alters (V 9) an den Schutz, den Jahwe ihm von frühester Jugend an gewährt hat. Die Erschaffung kommt noch nicht, oder, wenn man den Text anders liest, nur am Rande in den Blick.

Schon Ps 22,10f konnte der Hinweis auf die eigene Erschaffung eine Bitte um Zuwendung begründen (V 12). So verwundert es nicht, daß er zu einem Motiv der Bitte wird, das Gott zum Eingreifen bewegen soll:

Ps 119,73   Deine Hände haben mich geschaffen und bereitet;
             gib mir Einsicht, daß ich deine Gebote lerne!

Ps 138,8   Laß nicht fahren 'das Werk' (287) deiner Hände!

Daß es sich bei Ps 119,73 um eine Bitte aus der Klage des Einzelnen handelt, hat H.Gunkel gezeigt; er weist auch mit Recht darauf hin, daß das Schöpfungsmotiv dem "Trostgedanken", d.h. dem Bekenntnis der Zuversicht, recht nahe steht (288); nur ist die Bitte selber, dem ganzen Ps 119 entsprechend abgewandelt, es geht ihr nicht mehr um Rettung, sondern um Einsicht in Jahwes Gebote. Ps 138 ist eigentlich ein Lobpsalm, der schon deutliche Kennzeichen der Gattungsmischung enthält. (289) Ihm ist eine Bitte angehängt, was zuweilen begegnet. (290) Ihr ursprünglicher Ort ist sicher in der Klage des Einzelnen zu suchen. Das Schöpfungsmotiv ist hier ganz in die Bitte selber hineingenommen.

In die Nähe dieser beiden Stellen gehört ebenfalls Hi 14,13-15. Der unter Gottes Schlägen leidende Hiob wünscht sich, Gott möge ihn im Totenreich bergen bis sein Zorn vorüber ist. V 13b-15 malt sich Hiob aus, wie sich Jahwe ihm wieder zuwenden (zākar) wird:

Hi 14,15   Dann würdest du rufen, und ich würde dir antworten,
            nach dem Werk deiner Hände sehntest du dich.

Dann würde also genau das geschehen, was das Schöpfungsmotiv in der Bitte Ps 119,73; 138,8 erreichen will: Jahwe würde sich rühren lassen, weil er an seinem Geschöpf hängt. Die Funktion ist also den Kontrastmotiven Hi 10,8-12; Ps 22,10f durchaus ähnlich, auch wenn die Erschaffung längst nicht so breit ausgeführt ist wie dort.

Die Annahme einer relativ festen Verankerung des Schöpfungsmotives in der Klage des Einzelnen, sei es nun als Kontrast zur Anklage, sei es als Beweggrund der Bitte, hat damit schon eine recht gesicherte Grundlage gewonnen. Von dieser Basis aus, lassen sich nun auch einige Schöpfungsaussagen der Klage zuordnen, die in andere gattungsmäßige Zusammenhänge geraten sind und z.t. dabei einige Abwandlungen gegenüber der ursprünglichen Form erfahren haben:

So konnte das Motiv in eine Klage des Volkes übernommen werden, in der auch sonst Anklänge an die Klage des Einzelnen auftauchen (291): Jes 63,7-64,11. Damit wird es auf eine Mehrzahl übertragen:

Jes 64,7   Aber nun, Jahwe, unser Vater (292) bist du,
            wir sind der Ton und du bist unser Bildner,
            das Werk deiner Hand sind wir alle.

Doch auch hier hat die Schöpfungsaussage weitgehend die Stellung und die Funktion, die sie einmal in der Klage des Einzelnen hatte, bewahrt: Auf die Klage (63,17-19a) war die eindringliche Bitte gefolgt, Gott möge wie in den alten Zeiten der Epiphanien seinem Volk machtvoll zur Hilfe kommen (63,19b-64,4a), doch steht dagegen die Sünde des Volkes, die Gottes Zorn verschuldet hat (V 4b-6). (293) In dieser verzweifelten Lage wagt es die Gemeinde, ihr Vertrauen auf den zu setzen, der sie geschaffen hat (V 7). Trotz Gottes Zorn, trotz ihrer Schuld bleibt doch das urtümliche Vertrauensverhältnis, das durch die Schöpfung gesetzt ist, bestehen, egal was inzwischen passiert ist. Das leitet zur Bitte über, die in dieser Lage eine Bitte um Vergebung sein muß (V 8). Die Schöpfungsaussage steht also wiederum in einer Art Bekenntnis und Zuversicht (294), das hier allerdings nicht nur im Kontrast zur Anklage Gottes, sondern auch im Kontrast zum eigenen Sündenbekenntnis steht. Die doppelte Blickrichtung hat zur Folge, daß nicht nur das erschaffende Handeln Jahwes, sondern auch das Erschaffensein der Gemeinde hervorgehoben wird. Diese Motivverschiebung ändert aber nichts daran, daß die Schöpfungsaussagen hier nicht etwa das Verfügungsrecht des Schöpfers über seine Schöpfung beschreiben wollen, wie einige Exegeten meinen (295), sondern wie auch sonst in der Klage des Einzelnen an sein Erbarmen zu seinem Geschöpf appellieren. Nur

36

bei diesem Verständnis können sie die Bitte um Vergebung V 8 motivieren.
Dann kann aber auch Jes 64,7 als indirekter Beleg für das Schöpfungsmotiv in
der Klage des Einzelnen gewertet werden.

Ein anderer Fall der Verbindung von Volks- und Einzelklage begegnet in einem späten Beleg des 4. Esrabuches (8,4-14). Eigentlich wird das sinnlose
Schicksal des Volkes beklagt, doch das wird ausgezogen in eine Schilderung
des Schicksales aller Menschen: V 8-12 beschreiben die Mühe und Sorgfalt,
die sich Gott mit jedem seiner Geschöpfe macht, von der kunstvollen Erschaffung im Mutterleib an über die Fürsorge mit dem Neugeborenen bis hin zur
Bewahrung durch weisheitliche Erziehung. V 13 scheint dem Schöpfer demütig
das totale Verfügungsrecht über sein Geschöpf einräumen zu wollen, doch
bricht V 14 die Anklage gegen Gott durch, die schon bei der breiten Beschreibung des gütigen Schöpfungshandelns Jahwes im Hintergrund gelauert hat:

> Wenn du aber, was unter so vielen Mühen gebildet ist,
> durch deinen Befehl mit einem raschen Wort zu nichte machst,
> wozu ist es dann überhaupt entstanden? (296)

Das tötende Handeln Gottes steht im schreienden Widerspruch zu all dem, was
Gott mit der Erschaffung seines Geschöpfes begonnen hat. Zwar ist die Sprache distanzierter und allgemeiner geworden (297), doch atmet auch noch diese
späte Stelle etwas von dem wilden Geist, den die Schöpfung als Kontrastmotiv
in der Klage des Einzelnen einmal gehabt hatte. (298, 299)

Auf dieses Motiv wird höchstwahrscheinlich auch an zwei Stellen angespielt,
die in einem formgeschichtlichen ganz anderen Zusammenhang stehen: Die erste ist eine Anklage (300) Jeremias, welche eine Gerichtsankündigung gegen
"die vom Hause Israel" (Jer 2,26) begründet:

> Jer 2,27   Die zum Baum sagen: "Mein Vater bist du"
> und zum Stein: "du hast mich doch geboren".
> Denn sie wenden mir den Rücken zu und nicht das Gesicht.
> Aber zur Zeit des Unglücks sprechen sie:
> "Steh auf und hilf uns!"

Klar ist, daß Jeremia hier Worte der Israeliten zitiert (301), ebenfalls deutlich ist, daß er im zweiten Zitat eine zweigliedrige Bitte um Zuwendung und
Rettung aufnimmt (302), unklar ist dagegen, was mit dem ersten Zitat gemeint sein könnte, das Jeremia die Israeliten zu fremden Göttern (303) sprechen läßt. Die Ausleger werten es meist negativ: Israel sei in einen primitiven
Fruchtbarkeitskult zurückgefallen.(304) H.W.Wolff etwa hält das "Gebet" für
so unwahrscheinlich, daß er es für eine übertreibend-enthüllende Eigenbildung
Jeremias ansieht. (305) Doch ist hier die Alternative zwischen einer legitimen
und illegitimen Weise der Gottesbeziehung gemeint? Dagegen spricht schon die
Tatsache, daß sich auch für Jeremia das heile Verhältnis zwischen Jahwe und
Israel darin ausdrückt, daß dieses wieder "mein Vater" zu ihm sagt. (306)

Der Satz "Mein Vater bist du", den die Israeliten zu den fremden Göttern sprechen, ist dann ebenfalls als positive Vertrauensaussage zu werten. Jeremias
Anklage richtet sich allein dagegen, daß sie sich in einer Weise an die Götzen
wenden, die eigentlich Jahwe zukommt. Doch wo sollte eine solche Vorstellung,
Jahwe sei der Vater eines Jeden und habe ihn geboren im Jahweglauben ihren
Platz gehabt haben? Da es sich bei dem zweiten Zitat um einen Teil der Klage
handelt, liegt es nahe, auch hier einen Teil der Klage zu vermuten. Die Du-Anrede weist auf eine Klage des Einzelnen. (307) Da bietet sich die oben herausgearbeitete Form des Bekenntnis der Zuversicht an (308), in welcher der Beter Gott auf das vertrauensvolle Verhältnis, das mit seiner Erschaffung begann,
hin anspricht. Dadurch sollen die fremden Götter zum gnädigen Eingreifen in
den persönlichen Nöten bewegt werden (V 28), und eben damit haben die Israeliten Jahwe den Rücken gekehrt (V 27). Erst bei nationalen Katastrophen be-
sinnen sie sich wieder auf Jahwe. (309) Auch die zugegebenermaßen sehr urtümliche Schöpfungsvorstellung spricht nicht gegen die hier vorgelegte Deutung. (310)

Die zweite Stelle ist Hi 35,10; sie steht in den weisheitlichen Entgegnungen
Elihus an Hiob, die sekundär in das Hiobbuch eingefügt worden sind (311):

Hi 35,9   Vor großer Bedrückung (312) schreien sie
          sie rufen um Hilfe wegen der Gewalt der Großen (313)
     10   aber man (314) sagt nicht:
          "Wo ist Gott, der mich geschaffen (315)
          der (mir) Lobgesänge gibt (316) in der Nacht"
          ...
     12   Da schreien sie, aber er antwortet nicht ...

Stellung und Abgrenzung des Abschnitts 35,9-14 sind einigermaßen unklar. (317)
Auch wenn damit die Zielrichtung der Argumentation Elihus recht unbestimmt
bleiben muß, so ist doch deutlich, daß es in diesem Abschnitt um das Klagege-
bet geht (318) und daß in V 10 auch das Stück eines Gebets zitiert wird, das
sich darüber hinaus durch die inkongruenten singularischen Formen als das
Gebet eines Einzelnen erweist. (319) Um welchen Teil eines individuellen Gebetes es sich handelt, läßt sich nun mit einiger Sicherheit bestimmen: Es gibt
eine Reihe von Stellen, die zeigen, daß mit den ᵓajjē-Fragen nicht eine mehr
oder minder allgemeine Hinwendung zu Gott gemeint ist, sondern eine ganz
spezielle Hinwendung zur Zeit der Not: nämlich das Sich-Klammern an Gott in
den Rückblicken auf Gottes früheres Heilshandeln in der Klage des Volkes. (320)
Analog dazu ist dann auch in Hi 35,10 nicht ein unspezifisches "Gott-Suchen"
gemeint, wie die meisten Ausleger glauben machen möchten (321), sondern
der Rückblick des Einzelnen auf seine gnädige Erschaffung durch Jahwe, wie
wir ihn als Form der Klage des Einzelnen herausgearbeitet haben. (322) Das
Ungewöhnliche liegt nun darin, daß Elihu dieses Kontrastmotiv zur Anklage
offensichtlich gegen die Klage ausspielen will. (323) Das könnte darauf hindeuten, daß in einer Zeit, in der die Anklage Gottes nicht mehr gewagt wurde
(324), sondern wie durch Elihu in V 11 als unvernünftig abgetan werden konnte,

das Schöpfungsmotiv der Klage sich als Ausdruck der vertrauensvollen Hinwendung zu Gott verselbständigen und durchhalten konnte. Doch weist noch die Tatsache, daß es überhaupt in einer Auseinandersetzung um die Klage auftaucht auf seine ehemalige Verankerung in der Klage des Einzelnen zurück.

Hinzu kommt schließlich noch ein Beleg, bei dem das Schöpfungsmotiv im Munde Gottes auftaucht, aber nicht etwa wie bei Deuterojesaja in einem Heilswort, sondern in einer Anklage gegen Israel:

Hos 8,14 ist ein knappes, aber vollständiges prophetisches Gericht swort:

Anklage:	Israel vergaß seinen Schöpfer und baute Paläste.
	Und Juda vermehrte die befestigten Städte.
Gerichtsan-kündigung:	Aber ich schicke Feuer auf seine Städte,
Folge:	daß es ihre Wohntürme frißt.

Gegen seine Authentizität sind zwar einige Bedenken laut geworden (325), doch hat H.W.Wolff gezeigt, daß sich zumindest die Anklage sehr gut in die prophetische Verkündigung Hoseas einfügt. (326) Allerdings ist der Zusammenhang zu der voraufgehenden Komposition von Gerichtsworten (8,1-13) nicht allzu fest. (327) Ein Argument gegen die Verfasserschaft Hoseas ist auch die Schöpfungsaussage gewesen, die so eben erst bei Deuterojesaja begegnet und bei Hosea einigermaßen singulär ist. (328) Doch könnte gerade das darauf hindeuten, daß Hosea in diesem Vers einmal, einen ihm sonst fremden, in eine bestimmte Tradition gehörigen Sprachgebrauch aufgenommen hat. Wie ließe er sich erklären?

Das Schöpfungsmotiv steht im Kontrast zur prophetischen Anklage: Israel hat den vergessen, der es geschaffen hat und stattdessen sein Vertrauen auf großartige und militärisch sichere Bauten gesetzt. Die Schöpfungsaussage steht damit an der Stelle einer Erweiterung der Anklage, die gerade bei Hosea sehr häufig begegnet: die Erinnerung an Gottes früheres Heilshandeln. (329) C.Westermann hat schon auf die Nähe dieser Erweiterung zu dem Teil der Klage "Rückblick auf Gottes früheres Heilshandeln" hingewiesen (330), sodaß man eine Herkunft der Schöpfung aus der Klage immerhin vermuten könnte.

Nun hat H.W.Wolff tatsächlich gezeigt, daß "die Einführung echter Klagesätze inmitten von Strafandrohungen und Anklagen" zu den Besonderheiten der hoseanischen Prophetenworte gehört. (331) Da ist vor allem die Klage Gottes. Einmal erhebt sie sich über die schon beginnende Zerstörung seines Volkes; diese Klage gehört zur Gerichtsankündigung und begegnet in unserem Zusammenhang V 8. (332) Zum andern klagt Gott über den Abfall seines Volkes; hier ist es die prophetische Anklage die zur Klage des gekränkten Gottes führt. (333) Dieser Typ der Klage kommt nach Wolffs Meinung in Kapitel 8 allein drei mal vor: in V 3.5 (334) und 12. (335)

Auch wenn der etwas lockere Anschluß des Verses 14 vorschnelle Paralleli-
sierungen verbietet, so stellt sich doch die Frage, ob nicht auch hier eine in
die Klage Gottes ausgezogene prophetische Anklage vorliegt. (336) Dafür sprechen eine ganze Reihe von Beobachtungen: Der Satz: "Israel vergaß seinen
Schöpfer" ist fast genauso gebaut wie die konstatierende Anklage V 3a, er hebt
sich gegenüber der konkreten Beschreibung des Abfalles Israels (Palast- und
Festungsbau) ab wie der von H.W.Wolff als Klage Gottes bestimmte Schluß-
satz von Hos 2,15 (337), und schließlich begegnet das Verb sakah häufig in
den Klagepsalmen (338), zuweilen auch in anderen Klagen Gottes. (339) Dann
hat aber die Annahme, daß auch im Beginn von V 14 die prophetische Anklage
in eine Klage Gottes umgeschlagen ist, eine recht hohe Wahrscheinlichkeit.

Nun hat schon der bisherige Nachweis deutlich gemacht, daß sich die besondere Form der Klage Gottes sehr weitgehend an die Sprache der bekannten Kla-
gegattungen, besonders der Klage des Einzelnen anlehnt. Es ist dann aber
recht anheliegend, auch für die Schöpfungsaussage eine Herkunft aus der Klage des Einzelnen zu vermuten. Das bestätigt sich auf zweierlei Weise: Einmal
ist ihre Funktion hier und dort die gleiche: Wie etwa Hiob Gott vorwerfen
konnte, er verwerfe sein eigenes Geschöpf (10,3), so klagt Gott darüber, daß
Israel seinen Schöpfer vergessen hat. Beidemale ist der Widerspruch, der
Kontrast bestimmend, beidemale bezeichnet die Schöpfung die frühere Zuwendung Gottes. Zum andern sieht Hosea den Abfall Israels vor allem darin, daß
es sich nicht mehr in der Not zu seinem Gott wendet. (340) Damit klammert
es sich auch nicht mehr in den Rückblicken der Klage an Jahwes frühere Heilstaten, sondern vergißt sie. (341) Darüber klagt Gott in Hos 8,14. Er klagt darüber, daß Israel in seinen Klagen nicht mehr seine Existenz auf den setzt, der
es geschaffen hat. Dann zielt aber die Schöpfung als Kontrastmotiv in der Klage Gottes in sehr unmittelbarer Weise auf das uns bekannte Motiv in der Klage
des Einzelnen, das ja als Rückblick oder Bekenntnis der Zuversicht eben diese Funktion hat. Dann wird es aber auch mit einem hohen Grad an Wahrscheinlichkeit von dort stammen.

Auf dem Hintergrund der vorgelegten Interpretation von Hos 8,14 wäre immerhin die Frage zu stellen, ob die Lesart von LXX in Jes 1,2 wirklich so unwahrscheinlich ist, wie von den Auslegern durchweg angenommen wird. Sie lautet:

Söhne habe ich gezeugt (342) und großgezogen,
sie aber lehnten sich auf gegen mich ...

Auch Jes 1,2f ist eine Klage Gottes; die Zeugung Israels und die Fürsorge,
die Gott an es gewandt hat, stehen im scharfen Kontrast zur Anklage, zum Un-
gehorsam Israels. Eine Erklärung von den Schöpfungsmotiven der Klage her
würde also durchaus passen. Allerdings müßte eine Umsetzung in den plur. angenommen werden. Ob eine generelle Verbindung zwischen den Schöpfungsmotiven der Klage und den Vorstellungen, in denen Israel Jahwes Sohn ist, besteht, muß offen bleiben. (243)

Ebenfalls ist fraglich, ob die Schöpfungsaussagen in Dtn 32 noch etwas mit dem Vorkommen in der Klage zu tun haben. Das fängt damit an, daß Dtn 32 in jeder Hinsicht ein umstrittener Text ist. Weder über seine Datierung (344), noch über seine Einheitlichkeit (345), noch über seine Gattung (346), konnte in der bisherigen Forschung auch nur annähernd Übereinstimmung erzielt werden. Wichtig ist immerhin das negative Ergebnis, daß kein Forscher das "Lied" in seiner jetzigen Gestalt erklären kann; alle müssen mit Hinzufügungen rechnen. (347) Es ist darum von vornherein eine Traditions- und Gattungsmischung anzunehmen. Darauf deuten möglicherweise auch die vielen Stilwechsel. (348) Eine einigermaßen klare Struktur läßt sich meiner Meinung nach nur für die Verse 5-25 erkennen. Sie lassen sich als weit ausgebautes prophetisches Gerichtswort begreifen:

Dtn 32   5-18 A n k l a g e   (Wort des "Sängers")
          5.6 Anklage mit Kontrastmotiv
          7-14 Kontrastmotiv: Erinnerung an Gottes früheres
               Heilshandeln
          15-18 Anklage mit Kontrastmotiv
          19-25 G e r i c h t s a n k ü n d i g u n g   (Wort Jahwes) (349)

Auffallend ist das starke Hervortreten der Kontrastmotive, welche die Anklage fast sprengen. Manches erinnert dabei an Hosea, z.B. die auch bei ihm begegnende "Fundtradition". (350) Israel wird als kleines Kind von Gott in der Wüste gefunden, gehegt und gepflegt und mit allen Gütern des Kulturlandes verwöhnt. Daneben begegnen unter den Kontrastmotiven allein drei mal Schöpfungsaussagen: einmal im Bericht des Abfalls:

V 15   Als Jakob aß und satt wurde ... (351),
        da verwarf er Gott, seinen Schöpfer
        und achtete gering den Fels seines Heils.

Zweimal eindringlich an Israel gerichtet:

V 6   Ist er denn nicht dein Vater, dein Schöpfer?
        Hat er dich nicht gemacht und bereitet?
V 18   Den Fels, der dich geboren 'täuschtest du' (352)
        und vergaßt den Gott, der dich unter Wehen geboren.

Die Schöpfungsmotive sind nicht wie bei Hosea Klage Gottes, sondern vom "Sänger" an Israel gerichtetes Wort, dennoch könnte ihre Hineinnahme in die prophetische Anklage, die Hosea vollzogen hat, auch die Motivauswahl in Dtn 32 beeinflußt haben. Aber auch wenn das nicht der Fall sein sollte, bleibt doch die auch bei Hosea erkennbare Nähe zwischen den Kontrastmotiven der prophetischen Anklage und dem Teil der Klage in dem auf Gottes früheres Heilshandeln zurückgeblickt wird. (353) Dafür daß es sich im Falle der Schöpfungsaussagen um Teile der Klage des Einzelnen handelt, könnte noch die Rede von Israel im Singular in sonst pluralischer Umgebung sprechen. (354)

Daß es sich dabei um Bekenntnisse der Zuversicht handelt, könnte das im Zusammenhang vorkommende ṣūr als Gottesbezeichnung belegen. (355) Auch
die Funktion einer kreatürlichen Zuwendung ist hier wie dort die gleiche, der
intime Ton der Du-Anrede erinnert zumindest von Ferne an die Heilsorakel
bei Deuterojesaja. Doch läßt sich der Nachweis, daß die Schöpfungssusagen
von Dtn 32 n u r aus der Klage des Einzelnen hergeleitet werden können,
nicht führen, dazu ist die Traditionsmischung zu komplex. Doch spricht kein
Argument gegen eine solche Herleitung, vielmehr würde sie einige Besonderheiten der Schöpfungsaussagen, welche sie gegenüber ihrem Kontext haben,
recht einleuchtend erklären. So wird man mit einiger Vorsicht auch Dtn 32 zu
den weiteren Abwandlungen des Schöpfungsmotivs der Klage des Einzelnen
hinzuziehen dürfen.

Damit ist auch der äußerste Kreis dessen abgeschritten, was noch trotz
mannigfacher Veränderungen mit einiger Wahrscheinlichkeit zum Vorkommen
der Schöpfung in der Klage des Einzelnen gerechnet werden kann. Auch wenn
man bei der einen oder anderen Stelle zweifeln kann, ob die vorgelegte Herleitung aus der Klage tragfähig ist, so kann man sich doch des Gesamtein-
drucks schwerlich entziehen, daß die Annahme einer relativ festen Verankerung der Schöpfungsaussagen in dieser Gattung dadurch eine nochmalige
Stütze erhält. Ja, es spricht für die Ausstrahlungskraft des Motives, daß es
in Zusammenhängen auftauchen kann, die von der Prophetie (356) zur Weisheit (357) und von der späten Königszeit (358) bis weit in die nachexilische
Zeit (359) reichen.

Nach diesem weiten Ausflug, der von den Texten her geboten war, ist zu der
leitenden Fragestellung zurückzukehren:
R. Rendtorff hat keine Belege für ein Vorkommen von Schöpfungsmotiven in
der Klage des Einzelnen gefunden und darum auch ihre Ursprünglichkeit in den
Heilsorakeln bei Deuterojesaja bestritten. (360) Dagegen standen schon vereinzelte Beobachtungen von J.Begrich, H.Graf Reventlow und H.Gese. (361)
Ihre Belege konnten nun noch erheblich vermehrt werden. Es hat sich gezeigt,
daß Schöpfungsaussagen sehr wohl in Klagegebeten des Einzelnen vorkommen,
noch dazu nicht irgendwo oder mit verschiedenen Zielrichtungen, sondern an
ganz bestimmten Stellen und mit einer ganz bestimmten Funktion: Sie stehen
in einer Art Rückblick des Klagenden auf seine eigene Erschaffung durch Gott,
der dem "Rückblick auf Gottes früheres Heilshandeln", wie er in der Klage
des Volkes begegnet, in etwa entspricht. (362) Dieser Rückblick steht wiederum den in der Klage des Einzelnen sonst begegnenden Bekenntnissen der
Zuversicht ganz nah. Man könnte genauso sagen, die Schöpfung habe hier ihren
Ort, allerdings lasse sich in diesem besonderen Fall eine mehr oder minder
deutlich zeitliche Dimension des Bekenntnisses erkennen. (363) Und wie auch
sonst die Vertrauensmotive zum Beweggrund der Bitte werden können, so
auch die Schöpfungsaussagen. (364) Ob nun im Rückblick, im Bekenntnis oder
als Beweggrund der Bitte, in jedem Fall haben die Schöpfungsaussagen die
gleiche Funktion: sie stellen Gottes jetzigem feindlichen Handeln am Klagenden sein früheres so ganz anders geartetes Handeln gegenüber, das eben in

der Erschaffung und Bewahrung des Betenden zum Ausdruck kam. Dieser Kontrast zur Klage bleibt selbst dann erhalten, wenn Gott zum Klagenden wird. (365) Kennzeichnend für diese Schöpfungsaussagen ist, daß sie ganz in der Ich-Du-Beziehung zwischen Gott und Mensch bleiben. (366) Dann ist aber kein Zweifel mehr möglich: Die Schöpfung kommt nicht nur zufällig hier und da in der Klage vor, sondern bildet in ihr eine feste und ursprüngliche Motivgruppe unter den anderen Vertrauensaussagen.

Die Folgerungen, die sich damit für die Beurteilung der Schöpfungsaussagen in den Heilsorakel bei Deuterojesaja ergeben, wurden oben schon angedeutet. (367) Auch dem letzten Argument Rendtorffs, das ihren sekundären Charakter in diesem Zusammenhang beweisen wollte, ist die Basis restlos entzogen. Nachdem schon die partizipiale Form der Schöpfungsaussagen samt ihren Suffixen aus dem Orakel selbst erklärt werden konnte, so wird nun ihr "Inhalt" aus dem Vorgang des Heilszuspruches verständlich: dieser ist die heilvolle Gottesantwort auf Klagen: hatte der Klagende Jahwe sein eigenes, früheres Schöpfungshandeln vorgehalten, um ihn zum rettenden Eingreifen zu bewegen, so nimmt dieser, da er sich hat rühren lassen, in seiner Heilsantwort das Schöpfungsmotiv wieder auf:

Jes 44,1f   Aber nun höre Israel ...
   so spricht Jahwe, der dich geschaffen und der dich gebildet
      von Mutterleib an, dir hilft ...

Jahwe wirbt um das Vertrauen des Verzweifelten, er weist selber auf die ihm vorgehaltene kreatürliche Verbundenheit mit seinem Geschöpf, um die Verlässlichkeit seiner Zuwendung nach so langer Zeit der Trennung zu untermauern. Die Funktion entspricht also vollständig der des Motives in den Klagen. Auch die Stellung der Schöpfung im Heilsorakel und der Klage ist deutlich aufeinander bezogen: Was auf der einen Seite die Einleitung ist, ist auf der anderen der Rückblick (368), was hier Begründung des "Fürchte dich nicht!", ist dort Bekenntnis der Zuversicht. (369) Wie Rückblick und Bekenntnis nur zwei Seiten derselben Sache sind, so unterscheiden sich auch die Erweiterungen der Orakeleinleitungen nicht von den Begründungen des Heilszuspruches selber. Hinzu kommt die Übereinstimmung, daß auch im Heilsorakel die Schöpfung ganz in der persönlichen Beziehung zwischen Gott und dem Angeredeten bleibt.

Entsprechen sich aber die Schöpfungsaussagen in der Klage und im Heilsorakel formgeschichtlich in einer so exakten Weise, dann handelt es sich nicht um zwei Motivkomplexe, sondern um einen einzigen. Dann ist aber die von der Mehrzahl der Exegeten, so auch von R.Rendtorff, vertretene Herleitung der Schöpfungsaussagen des Heilsorakels aus dem beschreibenden Lob, nicht nur unnötig, sondern so gut wie ausgeschlossen.

Alle Gründe, die R.Rendtorff zu seiner jetzt als falsch erwiesenen formgeschichtlichen Bestimmung geführt haben, konnten entkräftet oder widerlegt werden. Die These von H.Graf Reventlow dagegen, daß die Schöpfungsaussagen ihren ursprünglichen Ort im Heilsorakel haben, hat sich bestätigt, allerdings mit zwei nicht unerheblichen Modifikationen: sie gilt nur für einen Teil der Schöpfungsaussagen, nämlich nur für die, die bei Deuterojesaja in dieser Gattung vorkommen; und das Vorkommen im Heilsorakel ruht auf der sehr viel breiter belegten Verankerung in der Klage des Einzelnen.

Ausgangspunkt war die Frage nach der ursprünglichen formgeschichtlichen Herkunft der zweiten Gruppe von Schöpfungsaussagen gewesen, die R. Rendtorff herausgestellt hatte. Das Ergebnis kann nur lauten: Diese Gruppe ist nicht nur dadurch konstituiert, daß ihre Schöpfungsaussagen aufgrund deuterojesajanischer Interpretation im Heilsorakel begegnen, sondern dadurch, daß sie hier und in den korrespondierenden Teilen der Klage ihren ursprünglichen Ort haben. Damit aber unterscheidet sich diese Gruppe in formgeschichtlicher Hinsicht ganz erheblich von der zuvor im beschreibenden Lob lokalisierten Schöpfungstradition. Haben wir es möglicherweise mit einer zweiten, von dieser zu trennenden Tradition zu tun?

3. Die Schöpfungsvorstellungen

Inhaltliche Momente waren bei der bisherigen Untersuchung der zweiten Gruppe von Schöpfungsaussagen bei Deuterojesaja fast vollständig außer Acht gelassen worden. Das galt sowohl für die Schöpfungsmotive der Heilsorakel selbst, wie auch für die ihnen korrespondierenden der Klage des Einzelnen. Doch mögen sich gerade aufgrund dieses Vorgehens Zweifel angemeldet haben: Kann man die angeführten Belege der Klagepsalmen wirklich so eng zu den Schöpfungsaussagen hinzunehmen? Wird die formgeschichtlich postulierte Einheitlichkeit der Gruppe nicht durch die inhaltlichen Differenzen gesprengt? Was in den Klagen als "Schöpfung" gewertet wurde, ist damit im Grunde nicht Geburt gemeint? Andererseits: Wenn Deuterojesaja von der Erschaffung Israels spricht, meint er damit nicht eigentlich eine geschichtliche Aussage?

Diese Fragen sind insofern nicht nur rhethorische, weil es wahrscheinlich diese inhaltlichen Differenzen waren, die der Forschung weitgehend den Blick für die doch so offen zu Tage liegende formgeschichtliche Übereinstimmung verbaut haben. (370) Sie machen eine inhaltliche Untersuchung unumgänglich. Erst wenn auch ein inhaltlich einigermaßen einheitlicher Vorstellungskreis nachgewiesen werden kann, werden die formgeschichtlichen Überlegungen ihre volle Überzeugungskraft bekommen. Erst dann wird der Schluß auf eine besondere Schöpfungstradition unausweichlich. Wie schon bei der inhaltlichen Untersuchung der ersten Gruppe von Schöpfungsaussagen wird dabei die ursprüngliche Vorstellung von den interpretatorischen Veränderungen Deuterojesajas abzuheben sein.

Fragt man zuerst nach den vorkommenden Verben, so ergibt sich folgendes Bild: Es sind zum größten Teil die "normalen" Verben, die auch sonst für die erschaffende Tätigkeit Jahwes verwendet werden; das gilt für die Heilsorakel genauso wie für die Klage. Von den Verben, die keine spezifische Weise gött-

lichen Fertigens erkennen lassen, überwiegt bei weitem ᶜāśā (371), zuweilen
sind die Hände Gottes Subjekt (372), häufiger bezeichnet sich das Geschöpf
als "Werk deiner Hände" (373), selten ist demgegenüber bārā᾽ (374). Fast
ebenso häufig wie ᶜāśā ist von den spezifischen Schöpfungsverben jāṣar (375),
es bezeichnet das Bilden eines Menschen aus Lehm, der als Material auch zuweilen genannt wird. (376) Diese Vorstellung scheint eine ganz besondere
Affinität zu dieser Gruppe von Schöpfungsmotiven zu haben. Daneben begegnet
nur noch auch schon in abgeflachter Bedeutung kūn. (377)

Es sind eben diese "Schöpfungsverben", welche seit G.v.Rads wegweisender
Arbeit die Entscheidung begründet haben, daß die Aussagen in den Heilsorakeln mit unter den Begriff "Schöpfung" zu fassen sind, ohne daß dieses besonders betont werden mußte. (378) Jeder, der dagegen einen uneigentlichen,
etwa einen geschichtlichen Gebrauch der Schöpfungstermini annehmen möchte (379), wird erklären müssen, warum sie überhaupt verwendet worden
sind. Das ist schon bei Deuterojesaja kaum möglich, muß aber erst recht
bei den Klagen des Einzelnen scheitern. (380)

Ist damit die Entscheidung G.v.Rads noch einmal bestätigt worden, daß es
sich bei dieser Gruppe tatsächlich um Schöpfungsaussagen handelt, dann fallen doch zwei Besonderheiten auf, die unser landläufiges Verständnis von
Schöpfung zu sprengen scheinen: Die Schöpfung ist erstens nicht auf einen
einmaligen Akt beschränkt, und sie wird zweitens nicht als Ereignis in ferner
Vorzeit vorgestellt, sondern hängt mit der jeweiligen Geburt eines Menschen
aufs engste zusammen.

Die erste Besonderheit drückt sich grammatisch darin aus, daß jasar bei
Deuterojesaja an einigen Stellen den Zusatz mibbæṭæn erhält: "der dich gebildet von Mutterleib an". (391) Es wird also die ganze Lebenszeit von der
Geburt, das Wachsen und Gedeihen unter das Schöpfungsverb gefaßt. Daß es
sich bei dieser eigentümlichen Vorstellung nicht etwa um eine Besonderheit
Deuterojesajas handelt, zeigen eine Reihe von Klagen des Einzelnen: auch dort
geht der Rückblick auf die eigene Erschaffung unmerklich auf den Schutz und
die Fürsorge über, die Jahwe ihm seitdem gewährt hat. (392) Man könnte es
auch umgekehrt formulieren: Die Erfahrung vom Mitsein Gottes im Leben eines Menschen wird bis an die Grenzen seiner Existenz hin ausgezogen, bis
hin zur Erschaffung durch Jahwe, in dieser gnädig-kreatürlichen Zuwendung
hat sie ihren eigentlichen Grund. (393) Was für uns in die zwei Begriffe
"Schöpfung" und "Erhaltung" auseinanderfällt, gehört nach dieser Vorstellung
ganz eng zusammen.

Die zweite Besonderheit deutet sich ebenfalls in dem mibbæṭæn an: Die Erschaffung durch Gott hängt mit der Geburt durch die eigene Mutter zusammen.
Die Weise, wie beides zusammenkommen soll, wird aus der Formulierung in
den Heilsorakeln nicht ersichtlich; es bleibt aber festzuhalten, daß die sehr
viel plastischeren Vorstellungen der Klagen immerhin im Heilsorakel ihren
Niederschlag gefunden haben und keineswegs auf die Gattung der Klage be-

schränkt sind. Hi 10, 8-11 kann zeigen, wie die Erschaffung scheinbar unproblematisch in den Geburtsvorgang übergeht: war noch V 8f davon die Rede, daß Gott Hiob aus Ton geschaffen habe, so wird ab V 10 das Handeln Gottes ganz analog den Vorgängen beschrieben, wie man sich damals die Entstehung eines Embryos im Mutterleib vorstellte:

V 10   Hast du mich nicht wie Milch hineingegossen (nātan)
        und mich wie Käse gerinnen lassen?
V 11   Mit Haut und Fleisch hast du mich überkleidet,
        mit Knochen und Sehnen mich durchwirkt (sākak).

Diese barock anmutende Ausformung hat an anderer Stelle durchaus schlichtere Parallelen:

Ps 139, 13 Ja, du bist es, der meine Nieren geschaffen, (qānā)
            hast mich gewoben (sakak) im Leib meiner Mutter (bĕbaetaen)(394
Hi 31, 15   Hat nicht der, der mich geschaffen,
            auch ihn (sc. meinen Sklaven) im Mutterleib geschaffen
            (ʿāśā babbaetaen)
            und einer uns (395) bereitet im Mutterschoß
            (kūn bāraehaem)?

Allen drei Stellen ist die Vorstellung gemeinsam, daß Gott den Menschen i m Mutterleib schafft; dabei werden z.t. durchaus die Schöpfungsverben gebraucht, die ein handwerkliches Tun Gottes bezeichnen, z.t. wird aber die Wortwahl dem Geburtsvorgang angeglichen, wie es beispielhaft sākak zeigen kann; es soll in diesem Zusammenhang die kunstvolle Herstellung des "menschlichen Gewebes" bezeichnen.

Etwas anderes wird das Ineinander von Schöpfung und Geburt Ps 22, 10 vorgestellt:

Ps 22, 10   Du zogst mich aus dem Mutterleib ... (gāhā mibbaetaen);

Ganz ähnlich, aber mit dem gebräuchlicheren Verb jāṣāʾhif klingt

Hi 10, 18   Warum führtest du mich aus dem Mutterleib
            (hōṣīʾ mēraehaem)?

Gott ist hier der, der die Geburt einleitet, er leistet sozusagen Hebammendienste. Wie eng aber diese Vorstellung wieder mit der vorhergenannten zusammenhängt, kann ein Satz aus der Berufung Jeremias verdeutlichen, in der beide nebeneinander stehen:

Jer 1, 5   Bevor ich dich bildete im Mutterleib (jāṣar babbaetaen),
            habe ich dich erkannt,
            und bevor ich dich herausführte aus dem Mutterschoß
            (hōṣīʾ mēraehaem),
            habe ich dich geheiligt ...

So wird man die Erschaffung im Mutterleib und das Herausführen aus dem Mutterleib nicht gegeneinander ausspielen können, sondern als verschiedene Ausformung des Ineinanders von Schöpfung und Geburt gelten lassen müssen.

Es war nötig, die Belege über den Kreis der behandelten Stellen auszuweiten, um den breiteren vorstellungsmäßigen Zusammenhang, in dem sie stehen, in den Blick zu bekommen. Auch wenn die traditionsgeschichtliche Herkunft und das Alter dieser eigentümlichen Vorstellungen an dieser Stelle der Untersuchung noch nicht bestimmt werden können (396), so liegt es doch schon jetzt auf der Hand, daß wir es bei ihnen nicht mit einmaligen ad hoc gebildeten Anschauungen zu tun haben. Vielmehr ist mit einer, hinter dem mibbæṭæn der Heilsorakel und den "Geburts-Erschaffungen" von Hi 10,10f; Ps 22,10 stehenden, einigermaßen verbreiteten Schöpfungsvorstellung zu rechnen, in der das, was wir mit den Begriffen "Schöpfung" und "Geburt" weit voneinander trennen (397), ineinander übergeht, so fremdartig uns das auch erscheinen mag.

Wenn das aber anerkannt ist, wird man auch die Vorstellung einer Geburt des Geschöpfes durch Gott selber als echte Schöpfungsvorstellung zu werten haben. Erschaffung durch Geburt eines Gottes begegnet in der Umwelt Israels häufig, besonders in Sumer und Ägypten (398); in Israel ist sie aus theologischen Gründen weitgehend zurückgedrängt. Doch scheute man sich nicht, auch diese Vorstellung zu übernehmen, wenn es galt, die vertrauensvolle Zuwendung Gottes zu seinen Geschöpfen, dann übertragen zu seinem Volk, stark hervorzukehren. Hier können dann die Verben jālad (399) und hīl (400) den Schöpfungsvorgang bezeichnen; auch qānā (401) hat möglicherweise noch einen sexuellen Unterton. In den gleichen Vorstellungskreis gehört die Bezeichnung Gottes als Vater des Klagenden. (402) Auch wenn diese drastischen Vorstellungen einer leiblichen Abstammung von Gott in den Heilsorakeln Deuterojesajas keine und in den Klagen nur vereinzelte Aufnahme gefunden haben, wird man sie doch von den oben genannten Schöpfungsvorstellungen nicht allzu weit trennen dürfen.

Damit sind die Differenzen, die auf den ersten Blick die Vergleichbarkeit der aus formgeschichtlichen Gründen zusammengestellten Gruppe von Aussagen in Zweifel ziehen mochten, aus verschiedenen Arten des Schöpfungsvorganges zu erklären. Sei es nun das Bilden aus Ton, die Erschaffung im Mutterleib oder die Schöpfung als Geburt, es ist doch in jedem Fall eine Schöpfungsvorstellung gemeint. Geburt und Schöpfung voneinander zu trennen, erwies sich gerade bei dieser Gruppe von Schöpfungsaussagen als unsachgemäß. Gerade das Ineinander muß, sowenig es an dieser Stelle schon erklärt werden kann, als das charakteristische, die verschiedenen Vorstellungen integrierende Merkmal dieser Gruppe angesehen werden.

Fragen wir weiter nach den Objekten, auf die sich die Verben dieser Gruppe von Schöpfungsaussagen beziehen, so ergibt sich auf den ersten Blick ein recht buntes Bild:

1. Jakob/Israel (Kollektiv in der Einzahl)
   Jes 43,1; 44,2.21.24; 54,5; Hos 8,14; (Dtn 32,6.15.18)
2. Die Israeliten (Kollektiv in der Mehrzahl)
   Jes 64,7; (Jes 1,2)
3. Der einzelne Klagende
   Hi 10,3.8-12; Ps 22,10f; 119,73; 138,8(cj); Hi 14,15; 35,10
4. Der Gottesknecht
   Jes 49,5; vgl 42,6; 49,8; vgl Jer 1,5
5. Der Mensch allgemein
   Ps 89,48; 4.Esr 8,8-14

Doch dieser Eindruck trügt: Die Heilsorakel sind zwar bei Deuterojesaja an das Volk Israel gerichtet, es wird aber von der Mehrzahl der Ausleger, welche sie überhaupt formgeschichtlich bestimmen, mit Recht angenommen, daß diese Anrede erst aufgrund der Übertragung der Gattung durch den Propheten entstanden ist. (403) Wenn dagegen H.E.v.Waldow einwendet, die Heilsorakel gehörten in die exilischen V o l k s klagefeiern und seien daher von Hause aus an das "Gesamtvolk" gerichtet (404), so kann das nicht überzeugen: Er geht einmal von der falschen Voraussetzung aus, die daß Übertragung einer Gattung notwendigerweise den Verlust des Sitzes im Leben nach sich ziehe. (405) Doch läßt sich, wie wir später zeigen werden, die Übertragung Deuterojesajas gut im Zusammenhang einer Umschichtung gottesdienstlicher Vorgänge im Exil erklären und bedeutet nicht, daß damit das Heilsorakel den Bezug zu einer aktuellen kultisch gebundenen Verkündigungssituation verloren hätte. (406) Zum andern vermag der Nachweis, daß viele "Themen" in den Heilsorakeln sich nicht auf ein Einzel-, sondern auf das Volksschicksal beziehen, die ganz sicheren stofflichen Beziehungen, die J.Begrich zwischen dem Heilsorakel und der Klage des Einzelnen aufgezeigt hat, in gar keiner Weise außer Kraft setzen. (407) Er kann nur eine deuterojesajanische Aktualisierung der alten Form des Heilsorakels zeigen, mehr nicht. Mit Recht stellt C.Westermann fest, "daß der Hauptteil des Erhörungsorakels ... überhaupt nichts für die Situation Israels im Exil Spezifisches, Konkretes zu enthalten braucht außer eben den Heilszuspruch als solchen ... hier zeigt sich am deutlichsten, daß dem Heilsorakel eigentlich die Antwort an einen einzelnen auf die Klage des einzelnen hin zugrundeliegt". (408)

Eine ähnliche Übertragung der kreatürlichen Beziehung zwischen Schöpfer und seinem Geschöpf auf das Verhältnis Jahwes zu Israel liegt in der Klage Gottes Hos 8,14 und wahrscheinlich auch im Kontrastmotiv der prophetischen Anklage Dtn 32,6.15.18 vor. Zuweilen konnte sie auch auf eine Mehrzahl von Menschen ausgedehnt werden. (409)

Dann fallen aber die unter 1 und 2 genannten Objekte unter die dritte Gruppe: Überall ist ursprünglich der einzelne, sich in seiner Not an Gott wendende Mensch gemeint. Sieht man einmal von der fünften Gruppe ab (410), dann bleibt daneben nur noch ein zweites Objekt des erschaffenden Handelns übrig: der Gottesknecht.

Hier ist nun eine Differenzierung nachzuholen, die im formgeschichtlichen Teil aus Gründen der besseren Übersicht übergangen worden war: Die Einleitung zur Beauftragung des Gottesknechtes war mit zu den anderen Heilsorakeleinleitungen gestellt worden:

Jes 49,5   Aber nun, 'so' (411) spricht Jahwe,
            der mich gebildet von Mutterleib an
            zu seinem Knecht,
            Jakob zu ihm zurückzubringen
            und Israel 'zu sammeln'. (412)

Das hatte gute Gründe, denn der Anfang von V 5 entspricht den Einleitungen der Heilsorakel genau; das suff. der 1.P.sing. ist nur dadurch verursacht, daß sich der Gottesknecht an die Völker wendet (V 1) und damit das an ihn ergangene Jahwewort im "Eigenbericht" referiert. (413) Unterschieden von den anderen Orakeleinleitungen ist nur V 5 durch die Zielbestimmungen: die erste, le ͨæbæd lō, bezeichnet das besondere Amt des Mittlers, in das Jahwe ihn eingesetzt hat (V 3), die zweite beinhaltet den damit verbundenen Auftrag, nämlich Israel zu Jahwe zurückzubringen. Die Erschaffung umgreift schon beides, sie ist auf die besonderen Pläne, die Jahwe mit diesem einzelnen Menschen hat, ausgerichtet. Wie die Heilsorakel, so antwortet auch dieses Orakel auf eine Klage, aber es ist die besondere Klage des Mittlers über die Erfolglosigkeit seines Auftrages (V 4). (414) Damit hängt zusammen, daß sich die Erweiterungen der Einleitung zu diesem Orakel, in welchem Jahwe den Auftrag des Knechtes nun universal ausweitet, nicht direkt auf das Kontrastmotiv zur Anklage in den Klagen des Einzelnen, sondern auf die frühere Berufung beziehen:

Jes 49,1b   Jahwe hat mich von Mutterleib an berufen,
            vom Schoß meiner Mutter an hat er meines Namens gedacht.

Doch hat diese Berufungszusage eine gewisse Nähe zu den Begründungen des Heilsorakels und den damit korrespondierenden Vertrauensaussagen der Klagen. (415) Auch hier wird das besondere Verhältnis Jahwes zu seinem Mittler bis an die Grenzen der Existenz verlängert; im Berufungsbericht Jeremias sogar bis vor die Geburt. Gerade dieser aber, dessen Ähnlichkeit zu Jes 49, 1-6 seit langem erkannt ist (416), kann zeigen, wie die Erwählung zu einem Amt die Schöpfung umschließen konnte:

Jer 1,5   Bevor ich dich gebildet im Mutterleib,
            habe ich dich erkannt,
            und bevor ich dich aus dem Mutterschoß herausführte,
            habe ich dich geheiligt,
            zum Propheten für die Völker habe ich dich gemacht.

Ähnlich wie in Jes 49,5 ist die Erschaffung ganz auf die Berufung bezogen. Die Funktion ist ähnlich den Schöpfungsmotiven in den allgemeinen Heilsorakeln:

das besondere Vertrauensverhältnis des Propheten zu Jahwe soll durch den Hinweis auf die Erschaffung gestützt und begründet werden. Noch deutlicher klingen dann die Zusagen des Schutzes für Jeremia an die bekannten Formen des Heilsorakels an. (417) Man wird wohl H.Graf Reventlow, auch wenn man seine These eines kultisch gebundenen prophetischen "Berufungsformulars" ablehnt (418), insoweit zustimmen können, daß wie die Klage des Mittlers ein Spezialfall der allgemeinen Klage ist, so auch die Erwählung des Mittlers den sonstigen Heilsorakeln recht nahe steht. (419) Dann ist auch der Hinweis auf die Erschaffung des ʿæbæd als ein Sonderfall des sonst in Klage und Heilsorakel verwurzelten Motives zu werten. Der besondere, von Gott herausgehobene Mensch als Objekt der Schöpfungsverben, ist durch diese Spezialform hinreichend erklärt. (420)

So führt die Untersuchung, welche Objekte in dieser Gruppe von Schöpfungsaussagen auftreten können, zu einem überraschend einheitlichen Ergebnis: Immer ist der einzelne Mensch gemeint, der sich in seiner Klage zu Gott werdet; zuweilen kann dieser ein besonderer Mensch, der von Jahwe erwählte Mittler, sein. Dieses Ergebnis entspricht der wichtigen formgeschichtlichen Beobachtung, daß das Reden von Schöpfung so gut wie nirgends (421) aus der personalen Ich-Du-Beziehung des Klagenden zu Gott heraustritt.

Nimmt man dieses Ergebnis zu dem was über die Arten der Schöpfung erhoben werden konnte hinzu, so ist damit wohl die aus formgeschichtlichen Gründen erfolgte Zusammenordnung der Stellengruppe voll und ganz bestätigt.

Anhangsweise sei noch auf eine Reihe von Stellen hingewiesen, die zwar inhaltlich den Schöpfungsaussagen der Heilsorakel entsprechen (Jahre erschafft Israel), sich aber von ihnen grundlegend dadurch unterscheiden, daß sie aus der persönlichen Du-Anrede herausgetreten und zu objektiven Aussagen geworden sind. (422) Es handelt sich dabei nicht um eine feste Gruppe von Stellen, sowohl ihre grammatische Konstruktion (423) als auch die formgeschichtlichen Zusammenhänge, in denen sie begegnen (424), sind ganz verschieden. Das macht es ganz unwahrscheinlich, daß wir es hier mit einem ursprünglichen Sprachgebrauch zu tun hätten. Vielmehr erklären sich diese Stellen am einfachsten als freie Abwandlungen Deuterojesajas: Nachdem er erst einmal die Schöpfungsaussagen der Heilsorakel auf Israel bezogen hatte, konnte er diesen Sprachgebrauch zuweilen auch in andere Zusammenhänge übertragen und zu verschiedenen Zwecken verwenden: um klarzustellen, daß die Zuwendung Jahwes letzten Endes auf das Lob der Geretteten zielt (425) oder um Israel vor den Angriffen der Völker in Schutz zu nehmen. (426) Demgegenüber ist die ursprüngliche Funktion stark verblaßt. Doch zeigt sich die Lebenskraft des alten Motivs darin, daß es selbst in diesen Abwandlungen immer ein Vertrauensverhältnis bezeichnet. (427)

Damit sind wir am Ende des zweiten exegetischen Ganges angelangt. Wir waren ausgegangen von der zweiten Gruppe von Schöpfungsaussagen, die R.Rendtorff bei Deuterojesaja beobachtet hatte. Für ihn war sie dadurch konstituiert

50

gewesen, daß Deuterojesaja Schöpfungstraditionen des beschreibenden Lobes in die Heilsorakel aufgenommen, ihnen dann aber einen charakteristischen "'existentiellen' Bezug auf die Hörer der Verkündigung" gegeben hatte. (428) Diese Sicht ließ sich nicht bestätigen. Vielmehr konnte in einem formgeschichtlichen Abriß - in Anlehnung an Beobachtungen von J.Begrich und H.Graf Reventlow - mit einer an Sicherheit grenzenden Wahrscheinlichkeit nachgewiesen werden, daß diese Gruppe von Schöpfungsaussagen ursprünglich im Heilsorakel oder in den ihnen korrespondierenden Teilen der Klage des Einzelnen verankert ist. In einer inhaltlichen Untersuchung ließ sich darüber hinaus noch eine erstaunlich hohe Einheitlichkeit der Schöpfungsvorstellungen erkennen, weniger nach ihren Arten als nach ihren Objekten: es handelt sich in jedem Fall um die Erschaffung eines einzelnen Menschen, der sich in seiner Klage an Gott wendet oder gewendet hat. Dabei konnte ein häufiger Übergang zwischen Erschaffung und eigener Geburt beobachtet werden.

Mit diesem Ergebnis ist aber die Berechtigung, hier eine eigene Gruppe von Schöpfungsaussagen anzunehmen, um ein Vielfaches verstärkt: Handelt es sich nämlich um eine formgeschichtlich und inhaltlich so einheitliche Gruppe von Schöpfungsaussagen, dann kann man mit gutem Recht von einer Schöpfungstradition im vollen Sinne sprechen.

Wie verhält sich aber nun diese Schöpfungstradition zu der anderen bei Deuterojesaja die wir im ersten Gang der Untersuchung im Ausschnitt gefunden hatten?

III. Das Verhältnis der beiden Schöpfungstraditionen zueinander

In zwei exegetischen Durchgängen konnte erwiesen werden, daß es sich bei den durch R.Rendtorff herausgestellten beiden Gruppen von Schöpfungsaussagen um zwei Schöpfungstraditionen im vollen Sinne des Wortes handelt, die durch formgeschichtlichen Ort, Inhalt und Funktion konstituiert sind:

Die erste Tradition hat - soweit das von Deuterojesaja aus beurteilt werden kann - vor allem die Erschaffung von Himmel und Erde sowie Jahwes Herrsein über seine Schöpfung zum Inhalt. Der Ort ihrer Überlieferung ist das beschreibende Lob, ihre Funktion, die weltüberlegene Macht Jahwes zu preisen, die bei Deuterojesaja immer bestreitend gegen mannigfache Einwände gewandt wird.

Die zweite Tradition hat die Erschaffung des einzelnen Menschen zum Inhalt, der sich klagend an Gott wendet. Ihr formgeschichtlicher Ort ist die Klage und das Heilsorakel, in welchen sie die Funktion erfüllt, im Kontrast zu dem zerbrochenen Verhältnis zwischen Gott und Mensch auf die innige Gemeinschaft zwischen dem Schöpfer und seinem Geschöpf hinzuweisen. Bei Deuterojesaja - meist auf das Verhältnis Jahwe-Israel übertragen - dient das Motiv dazu, Vertrauen für die neue Zuwendung Gottes zu seinem Volk zu schaffen.

Stellen wir die Frage nach dem Verhältnis beider Traditionen, so kann die Antwort nur lauten: die Schöpfungstraditionen sind grundlegend verschieden. Sie sind in ganz verschiedenen Gebetsgattungen zuhause, haben darin gegensätzliche Funktionen und beziehen sich auf völlig verschiedene Objekte. Gemeinsam ist ihnen nur ein Großteil der Schöpfungsverben; das ist der Grund dafür, daß wir von zwei S c h ö p f u n g s traditionen sprechen, nimmt ihnen aber nichts von ihrer Unterschiedlichkeit. Das ist ein klares und eindeutiges Ergebnis.

Angesichts dessen fragt man sich, warum die alttestamentliche Forschung nicht früher darauf gestoßen ist. Das hat wahrscheinlich zwei Hauptgründe: der eine liegt im Textbestand, der andere im Vorurteil der Exegeten.

Obgleich nämlich Deuterojesaja die beiden Schöpfungstraditionen seiner Verkündigung in ganz verschiedener Zielrichtung nutzbar macht und sie in der überwiegenden Mehrzahl der Fälle nicht zusammen in derselben Redeeinheit verwendet, ist es an einigen wenigen Stellen zu einer Verbindung beider gekommen. (429) Es sind nun gerade diese Stellen, welche die Exegeten, selbst die, welche einen Unterschied der Schöpfungsaussagen zuvor erkannt hatten, dazu geführt haben, alle Unterschiede zu verwischen. So sieht etwa H. Graf Reventlow in Jes 44,24ff seine Vermutung bestätigt, "daß vom H eilsorakel her, in dem die Schöpfungstat Jahwes an dem einzelnen Beter die entscheidende Basis für dessen Vertrauen zu der nun angekündigten Hilfe darstellt, eine enge Verbindung zu der allgemeinen Schöpferherrlichkeit bestanden hat". (430) Die Stelle soll somit die Beweislast dafür tragen, daß "die Schöpferat Jahwes an dem einzelnen Beter" und die "allgemeine Schöpferherrlichkeit" eng zusammengehören und nur verschiedene Ausformungen ein und derselben Sache sind.

Es ist nun aber höchst fraglich, ob Jes 44,24ff und die anderen genannten Stellen das leisten können. Ihre vergleichsweise geringe Häufigkeit wurde schon erwähnt. Zudem handelt es sich in allen drei Fällen um keine reinen Gattungen, sondern um Mischgebilde, die eo ipso zum Aufweis einer ursprünglichen Zusammengehörigkeit kaum tauglich sein dürften und schließlich läßt sich in mindestens zwei Fällen klar zeigen, daß die Vermischungen konkreten Bedürfnissen der Verkündigung Deuterojesajas entspringen und darum mit großer Wahrscheinlichkeit auf das Konto des Propheten gehen.

Die Zusammenordnung der Heilsorakeleinleitung mit ihrem vertrauensvollen Appell Jahwes an sein Geschöpf (44,24a) und der Ich-Prädikation mit ihrer Selbstverherrlichung des Schöpfers Himmels und der Erden (44,24b; 45,7) erklärt sich daraus, daß Deuterojesaja Israel die Erwählung des Kyros zum Messias anzukündigen hatte (45,1ff): Sie bedeutet für Israel Rettung aus dem Exil, darum die zu H erzen sprechende Einleitung des Heilsorakels, sie bedeutet aber auch Anfechtung: sollte es möglich sein, daß Jahwe einen Heiden zu seinem Gesalbten macht? Darum die bestreitende Hervorkehrung der weltüberlegenen Macht des Weltschöpfers.

Das unvermittelte Nebeneinander, beider Schöpfungstraditionen in Jes 51,13 erklärt sich daraus, daß in Jes 51,12-16 eine Komposition aus Teilen des Heilsorakel und bestreitenden Elementen vorliegt. Den Nachweis hat C.Westermann geführt, er kann sogar noch ergänzt werden. (431) Dabei unterliegt es keinem Zweifel, daß "dein Schöpfer" auf die Seite des Heilsorakels, "der den Himmel ausbreitet und die Erde gründet" dagegen auf die Seite des beschreibenden Lobes gehört. Der Grund für diese Verbindung liegt darin, daß der Prophet hier einem Israel Heil ansagen muß, das aus lauter Angst vor seinen Feinden jede Hoffnung auf Rettung aufgegeben hat. Um seine Macht den Feinden gegenüber zu demonstrieren, weist Jahwe auf sein Handeln als Weltschöpfer und seine Verfügungsgewalt über die Elemente.

In der letzten Stelle, Jes 45,11-12, ist zwar der Grund der Verbindung nicht mehr klar zu bestimmen, es liegt aber eine so weitgehende Auflösung aller Formen vor (432), daß man auf sie gar keine Rückschlüsse bauen kann.

So zeigen die drei Texte, daß es bei Deuterojesaja zu Verbindungen beider Schöpfungstraditionen kommen kann (433), daß diese aber sehr wahrscheinlich auf den Propheten selbst zurückgehen. Das braucht nicht zu verwundern, bedenkt man, daß Deuterojesaja beide Schöpfungstraditionen zur Verfügung standen, und er sie auch sonst z.T. einschneidenden Veränderungen unterworfen hat. Doch ändert das nichts an der ursprünglichen Verschiedenheit beider Schöpfungstraditionen. Vielmehr machen die methodischen Fehler, die Reventlow unterlaufen, klar, daß es nicht möglich ist, in dieser Stellengruppe eine gemeinsame Basis für das Reden von Schöpfung hier und dort zu finden. (434) Es bleibt bei einem unausgleichbaren Nebeneinander zweier ganz verschiedener Schöpfungstraditionen. (435)

Nun kann man fragen, warum Reventlow u.a. gerade diese Mischgebilde in das Zentrum ihrer Argumentation gerückt haben. Damit kommen wir zu dem zweiten Grund, der die Exegeten bisher gehindert hat, zu diesem klaren Tatbestand vorzustoßen: Für sie war Schöpfung ein allgemeiner und einliniger Begriff. Diese Voraussetzung hat sie immer wieder verleitet, selbst erkannte Unterschiede schnell wieder zu nivellieren. Doch für die untersuchten Texte bei Deuterojesaja gab es einen solchen allgemeinen, von den konkreten Vorgängen abstrahierten Begriff "Schöpfung" noch nicht. "Schöpfung" gab es hier nur als Verherrlichung des Weltschöpfers im Gotteslob oder als Vertrauensappell an den eigenen Schöpfer. Die Schwierigkeiten, in welche die Exegeten aufgrund dieser Diskrepanz gerieten, sind oben in der Forschungsgeschichte dargestellt worden. (436) Heißt das, daß die Voraussetzung der Exegeten generell falsch war, daß wir im Reden von "Schöpfung" überhaupt zwei verschiedene Traditionen unterscheiden müssen? Um diese Frage zu beantworten, ist die bisherige Textbasis zu schmal. Noch ist nicht ausgeschlossen, daß es sich bei unserem Ergebnis um eine Besonderheit Deuterojesajas oder der ihm vorliegenden Psalmentradition handelt. Es soll darum im Folgenden auf eine breitere Basis gestellt werden.

C. Weltschöpfung und Menschenschöpfung, zwei verschiedene Traditionen?

I. Die These C. Westermanns

Für unser Ergebnis von zwei verschiedenen Schöpfungstraditionen bei Deuterojesaja wird nun eine These wichtig, die C. Westermann in einem ganz anderen
Zusammenhang, nämlich im Rahmen seiner Auslegung der Schöpfungserzählungen der Genesis, aufgestellt hat. Sie lautet: "In der Geschichte der Gesamt-
gattung (sc. der Schöpfungserzählungen) (ist) die Einzelschöpfung älter als
die Gesamtschöpfung und speziell die Erschaffung des Menschen älter als die
Erschaffung der Welt". (1) Damit ist zweierlei gesagt: 1. Die Erzählungen,
die von der Erschaffung des Menschen berichten, sind von denen, die die Erschaffung der Welt zum Thema haben, zu unterscheiden. 2. Die Erschaffung
des Menschen ist älter als die Erschaffung der Welt. Westermann gründet seine These auf eine ganze Reihe religionsgeschichtlicher Beobachtungen: in den
primitiven Kulturen (J.G.Frazer) herrschen die Erzählungen von der Erschaffung des Menschen so gut wie ganz vor, besonders eindrucksvoll hat das
H.Baumann für die afrikanischen Schöpfungsmythen belegt (2); ganz im Gegensatz dazu stehen die kosmogonischen Systeme der Hochkultur Ägyptens,
hier ist Schöpfung faktisch mit Weltschöpfung identisch. (3) Sieht man auf den
mesopotamischen Raum, so fällt auf, daß die beiden großen babylonischen
Epen einmal um die Welt- ein andermal um die Menschenschöpfung kreisen (4):
In Enūma elîš geht es vor allem um die Erschaffung der Welt, die nach hefti-
gem Götterkampf von Marduk aus den beiden Hälften der erschlagenen Tiamat
erstellt wird; die Menschenschöpfung ist daran nur lose und unbetont angehängt. (5) Im Gilgameš-Epos geht es dagen zentral um den Menschen, um seine Erschaffung, seine mannigfachen Möglichkeiten und sein Begrenztsein. (6)
Auch das erst jetzt einigermaßen vollkommen rekonstruierte Atramḫasīs-Epos (
dreht sich ganz um den Menschen, indem es die polaren Aussagen von der Erschaffung und der Vernichtung der Menschen umgreift. (8) Diese religionsgeschichtlichen Beobachtungen sieht C.Westermann in dem Nebeneinander der
Schöpfungserzählungen Gen 1 und Gen 2 bestätigt: In Gen 2 liegt eine Erzählung von der Erschaffung des Menschen zugrunde, in Gen 1 eine Weltschöpfungs-
erzählung, die allerdings im Laufe der Tradition die Menschenschöpfung an sich
gezogen hat, ohne sie jedoch völlig integriert zu haben. (9)

Was bedeutet diese These für die von uns an Hand der Schöpfungsaussagen bei
Deuterojesaja gewonnenen Ergebnisse? C.Westermann hat schon selber die
Möglichkeit einer über den Rahmen der Schöpfungserzählungen hinausgehenden
Bedeutung seiner Beobachtungen angedeutet. (10) Und in der Tat scheinen wir
in unseren exegetischen Untersuchungen auf einen recht ähnlichen Tatbestand
gestoßen zu sein: Auch hier wies alles auf die Existenz zweier, weitgehend voneinander getrennter Schöpfungstraditionen. Auch hier stand einmal die Erschaffung von Himmel und Erde, also das Handeln des Weltschöpfers, ein andermal die Erschaffung des sich an Gott wendenden Menschen, also das Handeln
des Menschenschöpfers im Mittelpunkt. Hat dann nicht die These C.Westermanns

eine erstaunliche Bestätigung erfahren? Haben unsere exegetischen Beobachtungen nicht eine über den engen untersuchten Bereich weit hinausgehende Bedeutung bekommen?

Nun, man wird sich vor einer zu schnellen Identifizierung hüten müssen, und
zwar aus zwei gewichtigen Gründen: Der erste ist grundsätzlicher Natur:
Man wird davon auszugehen haben, daß das Reden von Schöpfung in so verschiedenen Gattungen, wie es die Erzählung auf der einen und das beschreibende Lob
bzw. die Klage auf der anderen Seite sind, auch unterschiedliche, wenn auch
nicht völlig unabhängige Wege gegangen ist. Das hat zur Folge, daß die religionsgeschichtlichen Beobachtungen, auf die Westermann seine These stützt, nicht
einfach für die Psalmen übernommen werden können. Der zweite Grund beruht
auf einem inhaltlichen Unterschied: Die Erschaffung des Menschen in der Urzeit, wie es die Schöpfungserzählungen berichten, ist nicht einfach mit der
durch und durch personal gefärbten Erschaffung des je einzelnen Menschen in
der Gegenwart zu identifizieren. Das hat zur Folge, daß untersucht werden
muß, ob es sachlich gerechtfertigt ist, auch im zweiten Fall von Menschenschöpfung zu sprechen. Damit ist die doppelte Aufgabe vorgezeichnet: Es ist
1. zu fragen, ob sich in den Gebetsgattungen außerhalb Israels Bestätigungen
für unsere Beobachtungen analog zur These C.Westermanns finden lassen und
ob 2. sich dabei Anhaltspunkte ergeben, wieweit die Schöpfung des Menschen
allgemein und die Erschaffung des je einzelnen Menschen zusammenhängen.
Erst dann wird sich klären lassen, wieweit die These Westermanns auch für
die Psalmengattungen Bedeutung hat und welche Tragweite damit die von uns
bei Deuterojesaja gemachten Beobachtungen haben.

II. Das religionsgeschichtliche Vergleichsmaterial

Es soll nach dem religionsgeschichtlichen Vergleichsmaterial sowohl im engeren Umkreis Israels, also vor allem im sumerisch-babylonischen und ägyptischen Kulturkreis (11), also auch im Bereich der primitiven Kulturen gefragt
werden. Unser Vorhaben wird aber dadurch erheblich erschwert, daß in allen
Gebieten eine systematische Aufarbeitung der Gebetsliteratur so gut wie ganz
fehlt. Das gilt insbesondere für eine formgeschichtliche Bearbeitung des Materials, die allein einen methodisch gesicherten Vergleich zu den alttestamentlichen Psalmen möglich machen würde. Die fehlenden Vorarbeiten hier zu
leisten, ginge weit über den Rahmen dieser Untersuchung hinaus. So können
die nachfolgenden Beobachtungen nicht mehr als ein von vielen Zufälligkeiten
belasteter Versuch einer ersten Orientierung sein.

1. Welt- und Menschenschöpfung in der sumerisch-babylonischen Gebets-
    literatur
In den sogenannten sumerischen "Hymnen" ist soweit ich sehe von Weltschöp-
fung im strengen Sinn gar nicht die Rede. Vielmehr wird das segnende und die
Kultur fördernde Handeln der Götter gerühmt. (12) Eher scheint schon die
Menschenschöpfung eine Rolle zu spielen, so in dem Adab-Lied auf die alte
Muttergöttin Baba:

Z 6   Herrin, Großärztin der 'Schwarzköpfigen',
        die die Menschen belebt,
        die die Menschen erschaffen hat. (13)

Diese Erschaffung und Belebung der Menschen, bei der man im Zweifel sein
kann, ob hier die Schöpfung am Anfang oder die jeweiligen Geburten gemeint
sind (14), zielt ganz eindeutig auf die gnädige Fürsorge für die Menschen.
Damit ist immerhin eine entfernte Parallele zu dem biblischen Reden von
Menschenschöpfung gegeben. Nicht erkennen läßt sich diese Funktion bei Menschenschöpfungsmotiven in einem Paukenlied auf Enki (15) und in der Hymne
auf den E'engurra Tempel (16), hier handelt es sich mehr um "lehrhafte" Anspielungen auf die Vorstellungen der Schöpfungserzählungen. Eine sehr viel
größere Rolle als die Menschenschöpfung spielt die Göttererschaffung oder
Götterzeugung (17), wie überhaupt in den sumerischen "Hymnen" das Verhältnis der Götter untereinander den Hauptteil der rühmenden Prädikate ausmacht.

Einen anderen Eindruck bekommt man, wenn man die akkadischen Hymnen und
'Gebetsbeschwörungen' durchsieht. In den Hymnen begegnet die Weltschöpfung
relativ häufig. Die Aussagen machen aber z.T. einen recht abstrakten Eindruck.
Recht konkrete Schöpfungsaussagen liegen noch vor, wenn Assurbanipal Ansar
lobt als

        Schöpfer derer im Himmel, der die Berge gebildet hat (18)

oder Marduk als den,

        der allen Wohnstätten Bestand gibt, den Gesamtumfang des Firmaments
        und der Erdfeste umfaßt. (19)

Doch sehr allgemein klingen Wendungen wie:

        Hocherhabener Richter, Schöpfer des Oberen und des Unteren (20)

        Schöpfer von allem und jedwedem im Himmel und auf der Erde (21)

        Schöpfer von allem. (22)

Man könnte aufgrund dieser Kennzeichen fast vermuten, daß diese Weltschöpfungsaussagen erst am Ende eines langen Prozesses abstrahierender Zusammenfassung zustandegekommen sind. Das würde sich mit der Beobachtung
C.Westermanns zu den Schöpfungserzählungen decken, daß die Erschaffung
des Ganzen erst am Ende der Entwicklung des Redens von Schöpfung steht.
Doch verbieten die sporadischen Belege, einen solchen Traditionsverlauf nachzuweisen, so wird man es bei der Vermutung belassen müssen. Doch bleibt
die Weltschöpfung auch in den akkadischen Texten recht blaß.

Sehr viel farbiger ist dagegen die allgemeine Erschaffung der Menschen belegt,
nun aber, soweit ich sehe, weniger in den Hymnen, sondern in den "hymnischen Einleitungen" der 'Gebetsbeschwörungen', d.h. in Klage und Bittgebe-

ten Einzelner, die mehr oder minder stark mit Reinigungs- oder Abwehrriten verbunden sind. Hier einige Beispiele:

> Marduk ...
> Weiser, Erstgeborener des Enanki,
> der die Menschen in aller Welt geschaffen hat:
> Du bist der Herr, bist, wie die Menschen sagen,
> gleich Vater und Mutter ...
> Dem Entrechteten und Mißhandelten schaffst du täglich
> wahrhafte Gerechtigkeit ...
> Die Krankheit, die über mich kam, beseitige ...! (23)

> Ellilbanda (Ea) ...
> (In den Schilfdickichten) und Flußmarschen lässest du die
> Fülle sprießen,
> (in den) Fluren riefest du das Leben des Menschen ins
> Dasein ... (24)

> Ellil ...
> Auf dein Befehlswort hin werden die Menschen geboren;
> von König und Statthalter nennst du die Namen.
> Weil die Erschaffung von Gott und König bei dir steht
> und du den Schwachen dem Starken gleich machen kannst,
> habe ich unter der Fülle der Sterne des Himmels o Herr,
> zu dir Vertrauen gefaßt. (25)

Die Beispiele ließen sich noch um einige vermehren. (26) In allen genannten Fällen kommt die Menschenschöpfung alleine, ohne jeden sichtbaren Zusammenhang mit der Weltschöpfung vor. Sollte das ein Zufall sein? Ich kenne nur einen Beleg aus der hymnischen Literatur, wo beides zusammen vorkommt: Es ist ein Bruchstück eines Hymnus an Ninurta:

> Dein Kopf ist Adad, der Himmel (und) Erde wie ein Werk-
> meister (bildet) ...
> Deine Kehle ist Ssarpinitu, die Schöp(ferin der Men-)
> schen, die ... (27)

Das ist aber ganz sicher Folge einer bewußten theologischen Konstruktion: Die verschiedenen Teile des Leibes Ninurtas werden mit anderen Göttern identifiziert und damit deren verschiedene Taten und Fähigkeiten ihm zugeschrieben. (28)

Doch wird man einen grundsätzlich verschiedenen Traditionsweg des allgemeinen Menschenschöpfungsmotives aus dieser Beobachtung kaum ableiten können. Das hat eine ganze Reihe von Gründen: Die gattungsmäßige Unterscheidung von Hymnen und den "hymnischen Teilen" der 'Gebetsbeschwörungen' ist heute noch längst nicht geklärt. Einigermaßen sicher ist nur, daß die in Israel recht streng geschiedenen Gattungen, beschreibendes Lob und Klage,

in Babylon doch sehr stark ineinander übergehen. (29) Das zeigt sich z.B.
auch daran, daß gelegentlich Weltschöpfungsaussagen in den 'Beschwörungen'
vorkommen. (30) Erschwerend kommt hinzu, daß die Funktion der Menschen-
bzw. Weltschöpfung aufgrund des mehr lockeren, weil additiven Aufbaues der
"akkadischen Psalmen" längst nicht so deutlich wird wie in Israel. Wahrscheinlich ist wohl, daß mit den Weltschöpfungsaussagen vor allem die Majestät des Gottes gerühmt werden soll. Bei den Menschenschöpfungsaussagen
ist demgegenüber wohl eine Tendenz zu spüren, die auf ein gnädiges Handeln
des Gottes hinzielt, doch wird sie von dazwischen stehenden Herrschaftsmotiven so neutralisiert, daß eine eindeutige Entscheidung nicht immer möglich
ist. In einem Gebet an Ištar kann die Menschenschöpfung so sehr von Majestätsbezeichnungen umrahmt werden, daß man wirklich zweifeln kann, wohin
sie gehört:

Z 1   ... Hohe Ištar, Schöpferin der Menschen,
Z 2   die den 'Ordnungskräften' Dauer verleiht,
                  auf Hochsitzen thront!
Z 3   Majestätische Ištar, prächtigste der Igigu,
Z 4   Schöpferin aller Menschen, die die Lebewesen in Ordnung hält. (31)

Ganz anders ist das in der Klage der Ištar nach der Vernichtung der Menschen
durch die Flut, wie sie die XI. Tafel des Gilgameš-Epos überliefert:

Z 120   Wie konnte in der Schar der Götter ich Schlimmes gebieten,
Z 121   Den Kampf zur Vernichtung meiner Menschen gebieten!
Z 122   Erst gebäre ich meine lieben Menschen,
Z 123   Dann erfüllen sie wie Fischbrut das Meer! (32)

Hier ist die Geburt der Menschen durch die Muttergöttin eindeutig Kontrastmotiv zur Klage; es steht in schreiendem Widerspruch zu dem Vernichtungs-
beschluß der Götter. Daß es gerade Ištar ist, die auf dem Höhepunkt der Katastrophe in diese Klage ausbricht, kann vielleicht deutlich machen, daß die
Erschaffung des Menschen auch in Babylon ein urtümliches Vertrauensverhältnis zwischen Gott und Mensch, zwischen der Muttergöttin und ihren Geschöpfen bezeichnen konnte ("meine lieben Menschen"), wie wir es in den israelitischen Klagen gefunden haben.

Fassen wir das bisherige Ergebnis zusammen: In den sumerischen Götterliedern hatten wir keine Weltschöpfung gefunden und nur vereinzelt Menschenschöpfungsmotive. Für diesen Bereich ist kaum eine Schlußfolgerung möglich.
In den akkadischen Hymnen und 'Gebetsbeschwörungen' fanden wir beides, sowohl die Erschaffung der Menschen insgesamt, als auch die Weltschöpfung.
Über das Verhältnis beider Aussagen zueinander ließen sich nur Vermutungen
anstellen: Nach den von mir überschauten Belegen, kommen beide so gut wie
nie miteinander vor. Möglicherweise gehört die Weltschöpfung mehr zu dem
Hymnus, die Menschenschöpfung mehr zu den 'Gebetsbeschwörungen'. Doch
sagt das nicht allzu viel, weil sich diese "Gattungen" sehr nahe stehen. Die

Weltschöpfung ist eine Majestätsaussage, die Menschenschöpfung zielt z.T. mehr auf eine Zuwendung Gottes. Neben diesen recht uneindeutigen Befunden konnte in einer innerhalb einer erzählenden Gattung überlieferten Klage einer Göttin die Menschenschöpfung in ganz ähnlicher Funktion gefunden werden, wie wir sie von den israelitischen Klagen her kannten. Allerdings war in allen bisher untersuchten Fällen, nicht von der Erschaffung eines einzelnen Menschen, sondern ihrer Gesamtheit die Rede.

Nun gibt es aber auch im babylonischen Kulturbereich eben diese ganz persönliche Zuspitzung der Menschenschöpfung auf einen Einzelnen. Besonders eindrücklich sind dazu die neubabylonischen Königsinschriften, deren Ähnlichkeit mit den Schöpfungsaussagen in den Heilsorakeln bei Deuterojesaja der alttestamentlichen Forschung schon seit langem aufgefallen ist. (33) Hier begegnet, besonders in den Inschriften des eine reiche Bautätigkeit entfaltenden Königs Nebukadnezar, das Motiv, daß der König von Gott, in diesem Fall von Marduk geschaffen worden ist. Es kommt an zwei Stellen vor: einmal zu Beginn der Bauinschriften und einmal in angehängten Gebeten am Schluß. Zu dem ersten Vorkommen gibt es eine ganze Fülle von Belegen, es seien hier nur einige genannt:

Als Marduk, der große Herr mich rechtmäßig erschuf, das Land in Ordnung zu halten, das Volk zu hüten ..., da war ich dem Marduk ... gehorsam ... (34)

Seit der Zeit, da Marduk, der große Herr, zur Herrschaft des Landes mich erhob, ... habe ich dem Marduk, meinem göttlichen Erzeuger in Ehrfurcht Gehorsam erwiesen ... (35)

Nachdem mich erschaffen der Herr (und) Irúa, der Gott Marduk, vorbereitet meine Erschaffung im Mutterleibe und ich dann geboren und auf die Welt gekommen war, hatte ich mein Sinnen auf die heiligen Stätten der Götter (gerichtet) ... (36)

In allen Fällen berichtet Nebukadnezar in einer Art Rückblick über seine grossen und frommen Taten von seiner Inthronisation an. Das hier begründete besondere Vertrauensverhältnis zwischen ihm und Marduk, dem er besonders durch den Bau von Tempeln gerecht zu werden versucht, wird aber nun ausgeweitet bis zur eigenen Geburt, bis zur eigenen Erschaffung. Alles drei wird in einer eigentümlichen Schau ganz ineinander gesehen, die Geburt, die Erschaffung und die Bestimmung zum König. Das erinnert schon an das Reden von "meiner Erschaffung" im Bekenntnis der Zuversicht der israelitischen Klage und im Heilsorakel, noch direkter ist die Beziehung zu der herausgestellten Sonderform einer Erschaffung des Mittlers und Bestimmung zum Amt, wie sie Jes 49,5 und Jer 1,5 begegnete.

Diese Parallele wird noch klarer, wenn man berücksichtigt, daß das Schöpfungsmotiv nicht nur in dem mehr im Stil eines Berichtes gehaltenen Rückblick, sondern auch in den Schlußgebeten vorkommt; ja, hier wird seine Funktion erst richtig klar:

O Marduk, Herr der Götter,
Gott, der mich erschaffen hat,
vor dir mögen meine Taten rein sein!... (37)

O Marduk, weiser Gebieter,
erlauchter, großmächtigster Gott!
Du hast mich erschaffen,
die Königswürde über die Gesamtheit der Völker hast du mir anvertraut. (38

Daß solche Gebete auch sonst im Leben des Königs eine Rolle spielten, zeigt
der Bericht Nebukadnezars von einem früheren Gebet, das von Marduk erhört
wurde:

Ich bin der Fürst, der Dir dienstwillig ist,
das Geschöpf deiner Hand.
Du hast mich geschaffen,
die Königswürde über die Gesamtheit der Völker hast Du mir anvertraut ...
Laß deine erhabene Herrlichkeit sich barmherzig stimmen ...
schenke, was vor Dir gut ist,
denn mein Leben hast ja Du erschaffen ... (39)

Der Hinweis auf die eigene Erschaffung, die wieder mit der Bestimmung zum
Königtum zusammenfällt, hat in diesen Gebeten eindeutig die Funktion, Marduk
zu einer barmherzigen Zuwendung zu bewegen. Sie ist der Funktion, die das
Motiv in den israelitischen Klagen hat, ganz überraschend ähnlich. Die Nähe
zu den berichtenden Einleitungen der Inschriften ist ebenfalls ganz offensichtlich. Wenn man auch nicht direkt nachweisen kann, daß diese aus der vertrauensvollen Anrede in den Bittgebeten des Königs herausgewachsen ist, wird man
doch einen sehr engen Zusammenhang beider Stellengruppen annehmen dürfen.

Dieses auf den König bezogene Menschenschöpfungsmotiv ist zwar bei Nebukadnezar in ganz erstaunlicher Dichte belegt, aber keineswegs auf ihn beschränkt.
Wie S.M.Paul gezeigt hat, läßt sich das Motiv auch für andere neubabylonische
und assyrische Könige bis zu Aššur-rēš-iši (1130-1116) nachweisen; (40)
allerdings keineswegs durchgängig und mit erheblich geringerer Bedeutung.
Auch wird z.t. nur von der Erwählung im Mutterleib, nicht aber von der Erschaffung im strengen Sinn gesprochen. (41) Greifen wir uns Aššurbanipal
heraus. Ein den Inschriften Nebukadnezars entsprechender Bericht von Erschaffung und Erwählung findet sich auf dem Rassam-Zylinder. (42) Dafür daß
diese Motive wirklich eine Rolle für das religiöse Leben dieses Königs gespielt
haben, spricht ein hochinteressanter Text, in dem einmal Bitten Aššurbanipals
und Antworten des Gottes Nabu gesammelt sind, denn einer dieser Antworten
nimmt der Gott auch das Menschenschöpfungsmotiv auf:

Z 15ff   Deine Gestalt, die ich gebildet habe,
wendet sich immer wieder an mich,
um in Emaschmasch stehen zu dürfen;

deine Erscheinung, die ich schuf,
wendet sich immer wieder an mich
(und sagt): "Rechte Pflege bringe mir in Egaschankalamma! (43)

Aššurbanipal hatte sich an Nabu gewendet, wahrscheinlich mit der Bitte, ihm im Tempel der Ištar beizustehen. (44) Möglicherweise hatte er seine Bitte mit dem Hinweis auf seine Erschaffung motiviert, auf die Nabu jetzt direkt Bezug nimmt. Zwar ist im jetzigen Kontext dieses spezielle Gebet nicht mehr überliefert, man könnte sich aber vorstellen, daß es ganz ähnlich gewesen ist, wie wir es in den Inschriften Nebukadnezars gefunden hatten.

Die Verankerung des Menschenschöpfungsmotivs in der mesopotamischen Königstheologie ist aber erheblich älter, als die bisher angeführten Belege ahnen lassen. Es taucht etwa schon in einem sumerischen Kultlied auf Samsu iluna, dem Sohn Hammurabis, auf, hier eine Fürbitte für den König verstärkend:

Z 24   Marduk, der Gott, der dich geschaffen hat,
         möge dein Haupt inmitten aller Herren und Fürsten erheben! (45)

Es ist auch sonst in der Hammurabi-Zeit belegt (46), taucht davor z.B. in einer semitischen Inschrift von Kudur-Mabuk, dem Vater von Warad-Sîn (19.Jh v.Chr) auf (47) und geht tief in die sumerische Zeit zurück. Ein ausdrückliches Zeugnis dafür gibt die sogenannte "Geierstele" Eannatums (um 2500 v.Chr):

Obv.IV,9ff   Nin-Girsu(k) implanted the seed of E-Anna(k)-
             tum in the womb and Nin-hursaga(k) bore him.
             Over E-Anna(k)-tum Nin-hursaga(k) rejoiced,
             In-anna(k) took him on the arm and named him
             E-Anna-In-anna(k)-Ib-gal-(a)kaka-tum (i.e.
             "Worthy of E-Anna(k) of In-anna(k) of Ib-gal")
             she sat him down on Nin-hursaga(k) 's knee
             for her and Nin-hursaga(k) suckled him... (48)

Hier wird sehr drastisch die göttliche Zeugung und Geburt des Königs, sowie die göttliche Fürsorge, die ihm zuteil wurde, geschildert. Auch wenn die Schöpfungsvorstellungen andere sind ("Einpflanzen in den Mutterleib"), so kann doch kein Zweifel sein, daß damit sachlich das gleiche gemeint ist wie bei der Erschaffung Nebukadnezars "im Mutterleib". Eine kultisch noch handgreiflichere Vorstellung findet sich in einem Text, in dem Šulgi von der en-Priesterin unter Mitwirkung von Enlil geboren wird. Hier liegt Geburt und Inthronisation genauso in eins wie in den assyrischen und neubabylonischen Inschriften. (49) In die gleiche Richtung scheinen auch eine Fülle von Epitheta sumerischer Könige zu weisen, insbesondere der 3. Dynastie von Ur und der Isindynastie. (50) Ob sie wörtlich oder nur im übertragenen Sinn zu verstehen sind, darüber gehen freilich die Meinungen der Orientalisten auseinander. (51) Doch auch wenn es wahrscheinlich in Sumer nicht zu einer so festen Ausbildung des Dogmas von der göttlichen Abstammung des Königs gekommen ist wie in Ägypten, so scheinen mir doch die Epitheta ganz im Sinne der "Geierstele" als echte Schöpfungsaussagen zu werten sein. Dann ist aber die sumerische Königstheologie der Wurzelboden für alle späteren Bezugnahmen der Könige auf ihre eigene Erschaffung. Nicht ganz deutlich ist, welche Rolle das Menschenschöpfungsmotiv in sumerischer Zeit für die Gottesbeziehung des Königs gespielt hat, da echte Gebete fehlen. Man wird aber vermuten dürfen, daß es insbesondere das Vertrauensverhältnis zwischen ihm und seinem Gott ausdrücken sollte. (52)

Zusammenfassend kann man sagen, daß die Erschaffung eines Einzelnen seit sumerischer Zeit in der mesopotamischen Königstheologie einen festen Platz hatte und wenn auch nicht durchgängig, so doch je und je aufgegriffen und verwendet werden konnte. Das geschah in ganz besonderem Ausmaß in der neubabylonischen Inschriften Nebukadnezars.

Dennoch wird man trotz dieser eindrücklich dichten Bezeugung das personal bezogene Menschenschöpfungsmotiv nicht ganz auf die Königstradition einschränken dürfen. Daß diese jetzt im Vordergrund steht, ist bei dem weithin offiziellen Charakter des Tradierungsprozesses im Zweistromland nicht weiter verwunderlich. Dennoch gibt es eine ganz Reihe von Anzeichen dafür, daß es in Mesopotamien auch die Erschaffung des einzelnen, ganz normalen Menschen gegeben hat, und zwar in der von A.L.Oppenheim zum ersten Mal programmatisch von königlicher und priesterlicher Religion abgehobenen "religion of the common man". (53)

Der erste Beleg führt uns wieder in die sumerische Zeit: S.N.Kramer hat unter dem Titel "Man and His God" 1960 einen Text veröffentlicht (54), der wegen seiner Anklänge an das Hiobbuch als "weisheitlich" klassifiziert wurde. Es ist jedoch zum größten Teil die Klage eines einzelnen, unbenannten Mannes (Z 26-116), die allerdings durch einen rahmenden Bericht von seiner Not und Rettung (10-20+117-131) und eine vorangestellte Aufforderung zum Gotteslob beispielhaften Charakter bekommt. Hier heißt es:

Z 96   My god, you who are my father who begot me,
         lift up (?) my face!
Z 97   Like (?) an innocent cow, in pity (?) ... the groan ...
Z 98   How long will you neglect me, leave me unprotected?

Wegen der Textzerstörung kann man nicht mehr mit letzter Sicherheit entscheiden, ob Z 96 eine Bitte oder eine Klage ist; sicher ist jedoch, daß der Beter seinen Gott als "seinen leiblichen Vater" bezeichnet und zwar eindeutig mit dem Ziel, ihn an das vertrauensvolle Verhältnis zwischen ihnen zu erinnern und ihn zur Rettung zu bewegen. Das entspricht genau der Stellung des Motivs in den Klagen des Alten Testaments und ist für "die sumerische Religion" sehr erstaunlich. Der Terminus (a-a)-ugu wird nämlich sonst in literarischen Texten nur dazu verwandt, das Verhältnis zwischen den Göttern oder auch einmal zwischen König und Menschheit zu beschreiben. (55) Wenn man weiter bedenkt, wie massiv in sumerischer Zeit die Erschaffung des Einzelnen für den König in Anspruch genommen worden ist, dann kann man dieses Phänomen nur erklären, wenn man annimmt, daß in "God and His Man" einmal zufällig eine Schicht religiösen Lebens in die offizielle Tradition geraten ist, die sonst weitgehend unberücksichtigt blieb. Dieser Eindruck verstärkt sich, wenn man die sumerischen Personennamen hinzuzieht: gerade mit "Vater" und "Mutter" gibt es eine ganze Fülle theophorer Namen. (56) So darf man wohl trotz der Isoliertheit des Beleges schließen, daß in der sumerischen Volksfrömmigkeit die Vertrauensbeziehung zwischen dem einzelnen Menschen und seinem Schöpfer eine Rolle gespielt hat.

Weitere Hinweise gibt es von der altbabylonischen Zeit an: So taucht die Erschaffung des Einzelnen in einigen Briefen dieser Zeit auf:

Marduk, der dich lieb hat, hat dich in Wahrheit (dazu) geschaffen, daß du dem Rechte zum Siege verhelfest. (57)

Du, mein Herr, findest auf Geheiß Marduks, der dich erschuf, wo du auch befiehlst, Beifall ... (58)

Es handelt sich beidemal um private Bittbriefe. Der Bittsteller will den Adressaten rühren und redet ihn deswegen auf sein besonderes Gottesverhältnis hin an. Im ersten Beleg wird die Liebe Marduks und die Erschaffung durch ihn ausdrücklich nebeneinandergestellt, beides, so meint der Absender, zielt geradewegs auf die Rechtshilfe für ihn. Im zweiten Fall schmeichelt der Bittsteller den Adressaten damit, daß er dessen besonderes soziales Ansehen hervorhebt. Auch dieses ist die Folge des Vertrauensverhältnisses zu Marduk, das mit der Erschaffung begann. Es ist durchaus im Bereich des Wahrscheinlichen, daß solche Anspielungen auf die Funktion des Schöpfungsmotives in Privatgebeten zurückgehen. Das gilt wohl auch für einige Grußformeln dieser Zeit:

May the friendly face of Adad, your creator, turn toward you. (59)

Samas, Marduk et Enzin, ton créateur
à cause de moi pour l'éternité des jours
te fassent vivre. (60)

Daß es solche wirklich gegeben hat, dafür sprechen nun auch einige Siegel aus kassitischer Zeit, die also etwas jünger sind. Hier haben wir es mit recht direkten Zeugnissen für ein Vorkommen der individuellen Menschenschöpfung in den Gebeten Einzelner zu tun, denn des handelt sich bei den Texten dieser Siegel um regelrechte kleine Wunschgebete:

Oh Nineanna,
thou hast created, thou hast given him a name.
Have mercy, love,
protect, have compassion
and deliver
the worshipful servant, thy worshipper! (61)

Das Schöpfungsmotiv steht zwischen Anrede und Bitte; es hat die Funktion, das vertrauensvolle Verhältnis, das zwischen dem Beter und der Muttergöttin besteht, zur Unterstützung der Bitte zu aktualisieren. Die abweichende Konstruktion (3.P.sing.) kommt durch die besondere Gebetsform zustande, in welcher der Beter, der ja der Benutzer des Siegels ist, in der 3. Person genannt wird.

Auf diesem Hintergrund müssen nun auch eine Reihe von akkadischen Gebeten gesehen werden, in welchen von dem "Gott, der mich geschaffen hat" gesprochen wird. Ganz überwiegend handelt es sich dabei um Gebete von Privatpersonen, nur ein einziges ist Bestandteil eines königlichen Reinigungsrituals, doch wird selbst hier die Erschaffung nicht auf die Inthronisation bezogen, wie es für die Königsinschriften charakteristisch war:

> Der Gott, der mich geschaffen, möge mir zur Seite treten;
> dann ist mein Mund gereinigt, meine Hände in rechtem
> Zustand! (62)

Ganz ähnlich klingt es in den Privatgebeten, so in einem an den persönlichen Schutzgott, dessen Namen sich jeder Beter selbst einsetzen kann:

> ... Mein Gott, mein Herr, Schöpfer meines Namens,
> Schützer meines Lebens, der mir Nachkommen schafft!
> Mein ergrimmter Gott, dein Herz beruhige sich gegen mich ... (63)

Diese Stellung und Funktion des Motives entspricht genau dem, was wir in den kassitischen Siegeltexten gefunden hatten. Allerdings ist nicht ganz sicher, ob hier wirklich die eigene Erschaffung gemeint ist. (64) Die übrigen Belege sind über diesen Zweifel erhaben, doch ist bei diesen wiederum die Stellung im Ganzen nicht so fest. So kann des Schöpfungsmotiv einmal in der Bitte eines Fürbittepriesters an Marduk auftauchen:

> Cause (him) to beam (...), entrust him to the god who
> fashioned him (65)

Offensichtlich war also der Schöpfergott eines jeden Einzelnen auch in ganz besonderer Weise für dessen Schutz verantwortlich. In einem Gebet an den Schutzgott, kann ein Beter bekennen, daß er sich seinem Schöpfergott gegenüber vergangen hat:

Was dem Gott, der mich schuf, ein Greuel ist, 'nahm ich
zu mir'
betrat freventlich Unbetretbares, tat immer wieder Böses. (66)

Eine besondere Beziehung zu seinem Schöpfergott wird auch in einer an das
Salz gerichteten Beschwörung vorausgesetzt:

Tue ab meine Behexung, Salz,
löse meine Verzauberungen, nimm die Machenschaften von mir!
Dann will ich dich wie den Gott, der mich geschaffen hat,
immer verehren. (67)

Wer mit diesem seltsam unbestimmt benannten Gott gemeint ist, bleibt offen.
Man könnte an den persönlichen Schutzgott denken. Doch ist das nicht sicher. (68)
Die unbestimmte Form ergäbe sich dann daraus, daß jeder Mensch seinen eigenen Schutzgott hat. Trotz der recht lockeren Aufnahme, die das Schöpfungsmotiv in die akkadischen 'Beschwörungen' gefunden hat, wird man es doch als
Beleg dafür werten dürfen, daß auch in Babylon eine vertrauensvolle Hinwendung zu seinem Schöpfergott für jeden Menschen möglich war.

Indirekt bezeugen das wieder eine ganze Reihe akkadischer Namen wie "Ea hat
geschaffen", "Sein Gott hat ihn geschaffen", "Mein Gott (oder mein Herr) hat
mich geschaffen" und "Mein Gott hat geschaffen". (69) Natürlich ist auch bei
den Formen, in denen ein direkter Bezug auf den Namensträger fehlt, eben
dieser gemeint.

Nimmt man alle angeführten Belege zusammen, so wird es doch einigermaßen
unwahrscheinlich, die persönliche Zuspietzung der Menschenschöpfung auf den
Einzelnen, allein aus der Königstheologie ableiten zu wollen. Dazu ist das
Vorkommen außerhalb der Königstradition doch zu breit und auch relativ alt.
Was aber noch wichtiger ist: das Reden vom Schöpfer eines jeden Menschen
ist so unproblematisch, zeigt so gar keine Spuren eines Traditionsbruches, daß
eine Uminterpretation aus der Königstheologie entweder gar nicht oder schon
sehr viel früher stattgefunden hat. Meiner Meinung nach mutet die Menschenschöpfung der Königstheologie eher wie eine Spezialisierung der allgemeinen
Tradition an. Es lägen dann ähnliche Verhältnisse vor, wie wir sie in Israel
gefunden hatten: auch dort gab es neben der Erschaffung jedes Menschen zu auch
die Erschaffung des besonders herausgehobenen Menschen zu einem Amt. Wenn
diese Schlußfolgerungen richtig sind, dann wird es trotz der z.T. recht nahen
formgeschichtlichen Parallelen sehr unwahrscheinlich, daß die Menschenschöpfungsaussagen bei Deuterojesaja aus den neubabylonischen Königsinschriften
übernommen worden sind. (70) Dagegen steht nicht nur die Tatsache, daß es
offenbar eine eigene Tradition in Israel gab (71), sondern auch die Schwierigkeit, daß man annehmen müßte, der Prophet habe die königlichen Prädikate
"demokratisiert". Doch ist das überhaupt denkbar, wenn wir wissen, daß es
in Babylon auch eine vom Königtum unabhängige Menschenschöpfungstradition
gegeben hat? Wenn man überhaupt an eine Beeinflussung denken will (72), dann

bietet diese eine viel näher liegende und exaktere Parallele. Man darf sich den Blick nicht dadurch verstellen lassen, daß in der auf uns gekommenen Überlieferung die Menschenschöpfung in der Königstheologie stark vorherrscht. Was wissen wir schon über das vielfälitge religiöse Leben in Mesopotamien, insbesondere das der unteren sozialen Schichten?

Auch wenn die Menschenschöpfung in der individuellen Frömmigkeit weitgehend in den Hintergrund gedrängt worden ist, so läßt sich immerhin so viel davon erkennen, daß ihr Ort das Bittgebet des Einzelnen, ihr Inhalt die Erschaffung des einzelnen Beters und ihre Funktion die Aktualisierung eines vertrauensvollen Gottesverhältnis gewesen sind. (73) Das genügt, um zu sehen, daß die bei Deuterojesaja erhobene zweite Schöpfungstradition keineswegs auf Israel beschränkt war. Für diesen, auf den einzelnen Menschen bezogenen Typ der Menschenschöpfung waren sogar klarere Konturen in der sumerisch-babylonischen Gebetsliteratur zu erkennen als für die allgemeine Menschenschöpfung und die Weltschöpfung. Die Erschaffung des einzelnen Menschen hatte noch weniger als die Erschaffung ihrer Gesamtheit etwas mit der Weltschöpfung zu tun.

2. Welt- und Menschenschöpfung in der ägyptischen Gebetsliteratur (74)
In der vor allem im Neuen Reich breit überlieferten ägyptischen Hymnenliteratur nimmt das Thema Schöpfung ohne Zweifel einen festen Platz ein. Das gilt sowohl für die Weltschöpfung wie für die Erschaffung und Erhaltung der Menschheit; hinzu kommt noch die Erschaffung der Götter, z.T. in der für Ägypten besonders charakteristischen Ausprägung der Selbsterschaffung eines Gottes. Alle drei Themen begegnen z.B. in dem "Tura-Hymnus" auf Amon-Re:

> (9) Hail to thee, who shines in his disk ...
> Who comes forth from the primeval waters to illume the lands,
> Him of (ever) existing emanations, (10) who created his (own) limbs,
> Who made his body and fashioned himself with his hands ...
> While the earth was still in the primeval waters (12), in the midst
> of chaos,
> He began indeed to make his land,
> To establish what was going to come forth (13) from his mouth.
> Thou hast lifted up the sky and pushed back the soil,
> In order to widen this land for thy ...
> (16) Thou hast made the poeple, the small and big cattle,
> that which comes into existence and that all exists,
> Everyone beholds (17) his fellow,
> They jublilate for thee and they rejoice for thee.
> They make praises for (18) thy ka,
> They adore thee because thou hast made them ... (75)

Selbsterschaffung des Gottes, Weltschöpfung nud Erschaffung von Mensch und Vieh (76) folgen so selbstverständlich nacheinander, daß eine traditionsgeschichtliche Scheidung nicht mehr möglich ist; die Anordnung hat offensichtlich mehr sachliche Gründe: Nachdem der Schöpfergott sich selbst erschaffen hat, macht er die Erde, worauf sich die Erschaffung der Menschen, die auffällig unbetont zwischen der von Groß- und Kleinvieh zu stehen kommen, einfach anschließt. Ja, man kann sagen, daß auch die Erschaffung der Erde, die ja zugleich die Erschaffung Ägyptens ist, ganz auf die lebendige Kreatur bezogen ist, sodaß eine sichere Scheidung verschiedener Funktionen nicht mehr möglich ist: nicht nur die Schöpfung der Kreatur, nein, die ganze Kette des erschaffenden Handelns kommt im Lobpreis der Geschöpfe zu ihrem Ziel.

Für dieses weitgehende Ineinander von Welt- und Menschenschöpfung in den ägyptischen Hymnen dieser Zeit ließen sich eine Vielzahl von Belegen anführen. Hier seien nur noch zwei charakteristische Beispiele genannt:

6   Du bist der Herr des Himmels, der Herr der Erde,
     Schöpfer der Oberen und der Unteren,
     Einziger Gott, der im Anbeginn (zp tpj) entstand,
     Schöpfer der Länder, Hervorbringer der Menschheit,
10   Schöpfer des Urwassers, Hervorbringer des Nils,
     Schöpfer der Flut, Erhalter dessen, was ist,
     Der die Berge 'knüpft', Der die Menschen und das Vieh
                    entstehen läßt. (77)

     Hail to thee!
     Great art thou, revered art thou,
4   O Tatenen, father of the gods, great god of the first time,
                    former of men, maker of gods,
     beginning that became the first primeval being,
     after whom happened all that came to pass,
     who made the sky after the conception of his mind,
5   who suspended it by the elevation of the atmosphere,
     who founded the earth by that which he himself did,
     who surrounded it with Nun, and the sea:
     who made the nether world...
6   lord of life, who fills the throat and gives breath to every
                    nostril;
     who preserves alive all men by his sustenance... (77a)

Nach diesen Beispielen, die noch vermehrt werden könnten (78), wird man wohl für die ägyptischen Hymnen des Neuen Reiches mit einer weitgehenden Gleichordnung von Welt- und Menschenschöpfung zu rechnen haben. Wir haben es offenbar schon mit einer Verbindung von Welt- und Menschenschöpfungstradition zu tun; aber wieweit diese erst im Laufe einer langen Traditionsgeschichte entstanden ist oder auf eine alte, spezifisch ägyptische Ausformung der Schöpfungsvorstellungen zurückgeht, ist nur sehr schwer zu entscheiden. Es sei nur darauf hingewiesen, daß es in Ägypten schon sehr früh zur Ausbildung kosmogonischer Systeme gekommen ist (79), sodaß jedenfalls potentiell schon lange

die Möglichkeit der Angliederung der Menschenschöpfung bestand. (80) Für
den Bereich der Hymnen fehlen leider weiterhelfende form- und traditionsgeschichtliche Vorarbeiten so gut wie ganz. (81) Sie waren hier in gar keiner
Weise zu leisten. Es sei immerhin darauf verwiesen, daß es durchaus Texte
gibt, in denen Welt- und Menschenschöpfung getrennt voneinander vorkommen.
Von besonderem Interesse ist hier der wahrscheinlich einmal selbständig ge-
wesene 4. Hymnus des Papyrus Boulaq 17, der zwar erst in der 18. Dynastie
geschrieben worden ist, aber nachweislich auf ältere Vorlagen, möglicherweise bis in die Hyksoszeit zurückgeht:

> Hail to thee, O Re, lord of truth!...
> Who gave commands, and the gods came into being.
> Atum, who made the people,
> Distinghuished their nature, made their liefe,
> And separated colors, one from another.
> Who hears the prayer of him who is in captivity,
> Gracious of heart in the face of an appeal to him.
> Saving the fearful from the terrible of heart,
> Judging the weak and the injured... (82)

Dieser Hymnus an Amon-Re setzt zwar nach einigen Epitheta wie gewöhnlich
mit der Göttererschaffung ein, kreist aber im Folgenden ausschließlich um
die Menschenschöpfung. Auffällig ist dabei, daß das erschaffende Handeln des
Gottes ganz in sein gnädiges und fürsorgliches Handeln an seinen Geschöpfen
einmündet: er erhört das Gebet des Gefangenen und er schafft den Schwachen
und ungerecht Behandelten Recht. (83) Die Menschenschöpfung steht damit
eindeutig auf der Seite der Zuwendung Gottes, wie wir das von Israel, aber
auch von Sumer und Babylon her kennengelernt haben. Es erhebt sich die Frage, ob dieser Beleg auf eine ursprünglich noch selbständige Menschenschöpfungstradition in Ägypten hinweisen könnte. Doch wäre es ebenso denkbar, daß
man hier zufällig einmal - es ist etwa die gleiche Zeit, in der auch die Lehre
für Merikarê entstand - aus den gegebenen Schöpfungsthemen die Menschenschöpfung besonders hervorheben wollte. (84)

Nun könnte man gerade aufgrund des Hinweises auf die Gebeterhörung vermuten, daß das Menschenschöpfungsmotiv, möglicherweise in seiner besonderen
Ausformung der Erschaffung eines Einzelnen, auch in Ägypten im Zusammenhang von Klagen oder Bittgebeten eine Rolle gespielt haben könnte. (85) Geht
man dieser Vermutung nach, trifft man auf einen eigentümlichen Tatbestand:
Es gibt in Ägypten nur sehr wenige Zeugnisse einer "persönlichen Frömmigkeit". (86) Wie ist er zu bewerten? Hat es eine persönliche Beziehung des
einfachen Ägypters zu Gott gar nicht, jedenfalls nicht vor der Amarnazeit gegeben, oder ist der Eindruck nur, wie z.T. schon in Babylonien durch den
offiziellen Charakter der Überlieferung verzerrt? Die Entscheidung fällt aus-
serordentlich schwer und ist wohl auch in dieser alternativen Form nicht möglich. Ganz ohne Zweifel waren auf die zentrale Institution des ägyptischen Kö-
nigtums in ganz hervorragender Weise eine Vielzahl religiöser Vorgänge kon-

zentriert; doch daß sie damit dem privaten Leben restlos entzogen waren, kann man sich eigentlich kaum vorstellen.

Bei der Quellenlage wird man zuerst in dem Dogma der göttlichen Zeugung (87) des Pharaos nach Menschenschöpfungsmotiven suchen. Und wirklich findet sich die Erschaffung des Königs in vertrauensvollen Absichtsbekundungen zwischen dem Gott und dem König in recht breiter Bezeugung: So kann es z.B. in einer Bauinschrift Amenophis III heißen:

... I made another monument for him who begot me ...

darauf antwortet der Gott:

My son, of my body, my beloved, Neb-maat-Re,
My living image, whom my body created,
Whom Mut, Mistress of Ishuru in Thebes, the Lady of the Nine Bows,
bore to me,
And (she) nursed thee as the Sole Lord of the people -
My Heart is very joyful when I see thy beauty ... (88)

Es gibt auch die umgekehrte Form, in der ein König, hier Ramses II, auf eine umfassende Segenszusage des Gottes, hier Ptahs, antwortet:

I am thy son whom thou hast placed upon thy throne.
Thou hast assigned to me thy kingdom,
thou hast fashioned me in thy likeness and thy form,
which thou hast assigned to me and hast created. (89)

Darauf zählt Ramses II einige große Taten für den Gott auf. In beiden angeführten Belegen begründet die Erschaffung, die ganz eng mit der Inthronisation zusammenhängt, ein besonderes Vertrauensverhältnis zwischen Gott und König, das sich in wechselseitigen Wohltaten manifestiert. Doch anders als in den neubabylonischen Königsinschriften ist dieses Vertrauensverhältnis so ungebrochen, daß die Erschaffung des Königs nicht ein Argument wird, auf das er sich in seinen Gebeten beruft. Möglicherweise zeigt sich aber an der Tatsache, daß jetzt im neuen Reich dieses Vertrauensverhältnis immer wieder ausgesprochen wird, eine gewisse Brüchigkeit des seit der 5. Dynastie bestehenden Dogmas: Was lange Zeit offensichtlich selbstverständlich war, muß jetzt gegenseitig versichert werden. Diese Vermutung erhält dadurch eine Stütze, daß kurze Zeit später, bei Ramses III, die Erschaffung des Königs ein Motiv der Bitte werden kann:

Thou art my august father, who createdst my beauty,
that thou mightest look upon me, and choose me to be lord of the
Nine Bows.
Let thy hand be with me, to slay him that invades me,
and ward off every enemy that is in my limbs. (90)

Was hier die Bitte um Schutz des sich im dauernden Abwehrkrieg befindenden Ramessiden begründet, kann an anderer Stelle die Fürbitte für eine gesicherte Erbfolge motivieren: So stehen im Papyrus Harris jeweils am Schluß der langen Listen von Gaben, die Ramses III den Heiligtümern Theben und Heliopolis hat zukommen lassen, zwei weitausladende Bittgebete:

Hear my petition! O my father, my Lord,
I am alone among the gods who are at thy side.
Crown my son as king upon the throne of Atum...
Thou art the one who didst create him,
confirm his kingdom to the son of his son... (91)

Thou art the one who createdst him, when he was a child;
thou didst appoint him to be hereditary prince upon the
double throne of Keb;
thou didst say: "Let him become king upon the throne of him
who begat him."
Give him a great and prolonged reign... (92)

Daß diese Fürbitte an diesem geschichtlichen Ort auftaucht, ist nicht zufällig. Ramses III war einer Verschwörung zum Opfer gefallen. Sein Sohn Ramses IV konnte aber dennoch den Thron an sich reißen und begründet seinen legitimen Anspruch mit diesem als "Rechenschaftsbericht" seines Vaters stilisierten Papyrus. Die Folge dieser Konstruktion ist, daß zwar Ramses III die Bitten ausspricht, sich aber auf die Erschaffung seines Sohnes bezieht; im Grunde sind es Bitten und Ansprüche Ramses IV.

Nach diesen ausgewählten Belegen wird man wohl sagen können, daß das Motiv der eigenen Erschaffung in der ägyptischen Königstheologie zuhause war. Obgleich die göttliche Zeugung des Königs schon seit der 5. Dynastie gängige Vorstellung ist, wird sie doch erst relativ spät in reicher Bezeugung zum ständigen Inhalt der Königsinschriften. Zuerst finden wir sie in gegenseitigen Vertrauensäußerungen zwischen Gott und König, in welchen jeder dem anderen sagt, was er für ihn getan hat, bzw. noch tun wird. Erst am Ende des Neuen Reiches wird die Erschaffung des Königs zuweilen ein Argument in königlichen Bittgebeten. Die Verankerung des Motives in der Gebetssprache scheint also nicht allzu fest zu sein. Doch kann auch dieser Eindruck durch eine Selektion der Quellen bedingt sein.

Bei der zentralen Bedeutung, die das Königtum in der ägyptischen Religion gehabt hat, wird man annehmen, daß das Menschenschöpfungsmotiv weitgehend von ihm absorbiert worden ist. (93) Um so erstaunlicher ist die Tatsache, daß es zumindest einige Hinweise dafür gibt, daß in Ägypten sich auch ein "Privatmann" auf seine Erschaffung berufen konnte. Da ist einmal der Eigenname aus dem Alten Reich: ir w n-pth "den Ptah gemacht hat", der wieder eng mit dem Namenstyp "mein Vater ist NN" zusammengehört. (94) Aus dem Neuen Reich: ist der Name "Isis ist es, die sie gemacht hat", aus der Spätzeit "den der Mond gemacht hat" belegt. (95) Zugegeben, diese Namensform ist selten; häufiger wird ausgedrückt, daß ein Gott das Kind gegeben hat, dennoch könnte

sie ein Hinweis auf eine jetzt weitgehend verschwundene persönliche Frömmigkeit sein, in der die Erschaffung eines einzelnen Menschen ein Rolle gespielt
hat. Nun ist aus der 18. Dynastie an verschiedener Stelle wirklich ein Gebet
überliefert, das diese Vermutungen stützen könnte: Hier bittet ein Beamter
den Totenrichter um Leben im Jenseits:

> O Osiris, großer Gott
> und ihr Herren der Totenstadt!
> Höre mich, denn ich rufe zu dir:
> Wende dein Herz dem zu, der zu dir fleht,
> denn es gibt keinen Gott, der vergißt, was er geschaffen hat,
> sodaß dein Lebensodem in meinen Leib eintrete
> und dein sanfter Nord(wind) an meine Nase gelange...

Es folgt ein langes Unschuldsbekenntnis, das typisch das Wohlverhalten eines
Hofbeamten nachzeichnet. (96) Das paranthetisch in die Bitte um Zuwendung
eingeschobene Schöpfungsmotiv ist zwar etwas allgemein formuliert, aber
zweifellos auf den Sprechenden selbst zu beziehen: Osiris soll sich ihm zuwenden, weil kein Gott sein Geschöpf und darum Osiris auch ihn nicht vergessen kann. Die Erschaffung ist hier etwas, was ein besonderes Verhältnis
zwischen Gott und Mensch begründet. Hier sind wir dem Reden von der Erschaffung des Einzelnen in den Klagen der Bibel doch ganz erstaunlich nahe.
Leider steht der Beleg recht vereinzelt da. Es läßt sich darum nicht mit
Sicherheit ausmachen, ob wir es hier mit einer vereinzelten Erscheinung der
überhaupt aufs Individuelle zielenden Amarnazeit vor uns haben (97), oder
einen Beleg für eine ehemals breitere Tradition individueller Privatgebete.
Nimmt man noch die oben erwähnten Eigennamen hinzu, so wird man auch
für Ägypten zumindest die Möglichkeit offen halten müssen, daß es auch
außerhalb der Königstheologie ein Reden von der Erschaffung des Einzelnen
gegeben hat.

Schließlich taucht das Motiv von der Erschaffung des einzelnen Menschen in
einer ganz anderen Rederichtung auf. Es handelt sich um Grabinschriften aus
Amarna, in denen es der Pharao ist, der von Privatleuten als Schöpfer gepriesen wird:

> Anbetung dir, mein Gott,
> > der mich baute,
> > der mir Gutes bestimmte;
> > mein Erhalter, der mir Nahrung gibt,
> > der meinen Unterhalt durch seinen Ka (Speisen?) versorgt.
> Du Herrscher, der mich zum Menschen machte,
> > der mich unter seine Gelobten versetzt,
> > der jedes Auge mich erkennen ließ
> > da ich von dem Ende (niedrigsten Stand?) erhoben war;
> > der mich mächtig werden ließ, obwohl ich gering ge-
> > > wesen war,
> > sodaß alle meine Angehörigen sich freuten,
> > da ich ein Gelobter ihres Schöpfers geworden war... (98)

Hierbei handelt es sich um ein typisches Beispiel der Amarna-Frömmigkeit. Hinter diesem hymnenartigen Gebet steht die Erfahrung einer Generation von Menschen, die meist aus niederem Stande kommend dem eigenwilligen König (Echnaton) in seine neue Residenz folgten und hier eine so erstaunliche Karriere machten, daß sie diese in Kategorien der Schöpfung beschrieben. Das mit "Schöpfung" Gemeinte war aber nicht nur auf die materiellen Vergünstigungen sondern auch auf die neue "Lehre" des Königs bezogen. (99) An dieser Einengung der Beziehung Schöpfer - Geschöpf auf das Verhältnis König - Untertan manifestiert sich ein Widerspruch, der die gesamte Religionsreform Echnatons durchzieht: "Die in der Zeit liegende Möglichkeit eines persönlichen Verhältnisses zu Gott wird durch die despotische Ich-Bezogenheit der Religion Echnatons zunächst zurückgeschlagen. Der Weg zum Gott von Amarna führt ausschließlich durch die Person des Königs". (100) Wieweit hier das Reden von Menschenschöpfung in der Königsideologie verlängert, wieweit an die Spuren gefundene allgemeine Gebetstradition angeknüpft wird, soll hier nicht entschieden werden.

Die überschauten Belege der Welt- und Menschenschöpfung in der ägyptischen Gebetsliteratur hinterlassen einen völlig widersprüchlichen Eindruck. Einerseits ist wohl festzuhalten: In den Hymnen des Neuen Reiches sind Welt- und Menschenschöpfung so völlig gleichgeordnet, daß eine Unterscheidung zweier Traditionen nicht mehr möglich ist. Die an Hand der Schöpfungsaussagen bei Deuterojesaja gemachten Unterscheidungen, die z.T. auch in den sumerischbabylonischen Parallelen ihre Entsprechung fanden, lassen sich von diesem ägyptischen Material her überhaupt nicht stützen. Andererseits gibt es auch in Ägypten einige Anzeichen dafür, daß diese im Vordergrund stehende Vereinheitlichung ein traditionsgeschichtliches Spätstadium darstellt: so kreist ein Hymnus aus der zweiten Zwischenzeit ganz um die Menschenschöpfung, so gibt es die Ausformung der Tradition zu einer Erschaffung des Einzelnen, die vor allem in der Königstheologie, allerdings erst spät in Bittgebeten, möglicherweise daneben auch in individuellen Gebeten vorkommt. Hier findet sich also durchaus etwas mit dem bei Deuterojesaja erhobenen Befund Vergleichbares.

3. Welt- und Menschenschöpfung in den Gebeten der primitiven Kulturen
Es war bis jetzt nur nach religionsgeschichtlichen Parallelen im engeren Umkreis Israels, nämlich in den beiden großen Hochkulturen des Vorderen Orients gefragt worden. Diese beiden Blickrichtungen auf Mesopotamien und Ägypten haben wegen der historischen und kulturellen Verflochtenheit Israels in diesem Raum durchaus ihre vorrangige Bedeutung, doch wird man ernsthaft fragen müssen, ob eine Beschränkung auf sie methodisch zulässig ist. In Israel ist es nie zu einer vergleichbaren Ausbildung einer Hochkultur gekommen, es hat vielmehr erstaunlich zäh an Lebensformen einer vorbäuerlichen Kulturstufe festgehalten (101), das hat wirtschaftliche, soziologische und nicht zuletzt religiöse Gründe. Was aber für die gesamte kulturelle Entwicklung gilt, gilt auch für die israelitischen Gebetstraditionen. So hat vor allem C.Westermann

auf den eigentümlichen Tatbestand hingewiesen, daß die israelitischen Klagen traditionsgeschichtlich ein älteres Stadium vertreten als die chronologisch älteren Gebete aus Babylon und Ägypten. (102) Eng damit zusammen hängt die Beobachtung, daß in den alttestamentlichen Klagen der "kleine Mann" zu Wort kommt, dessen religiöse Äußerungen in den offiziellen Überlieferungen der Hochkulturen weitgehend in den Hintergrund gedrängt worden sind. (103) Ein direkter Rückgang hinter diese Überlieferungen war aufgrund der Quellenlage nur bedingt möglich, wo es möglich war, konnten erstaunliche Parallelen zum Alten Testament aufgewiesen werden. Dann stellt sich aber die Frage, ob wir nicht über die primitiven Kulturen in ein Stadium der Gebetsüberlieferung kommen können, das den alttestamentlichen Psalmen m.E. näher steht als das der offiziellen Überlieferung der Hochkulturen. Der Einwand, daß wir bei der oft großen räumlichen Distanz nicht mit einer gegenseitigen Beeinflussung rechnen können, fällt nicht allzu schwer ins Gewicht, da es durchaus bei ähnlichen wirtschaftlichen und kulturellen Bedingungen zu unabhängigen aber parallelen Entwicklungen kommen kann. (104)

Unternimmt man es nun, nach den Schöpfungsmotiven in "primitiven" Gebeten zu fragen, so stellen sich sogleich erhebliche methodische Schwierigkeiten entgegen: Eine erste betrifft die Auswahl der Überlieferung. Sie kann, da Quellensammlungen so gut wie ganz fehlen, nur eine mehr oder minder zufällige sein. Eine zweite betrifft die Beurteilung der Überlieferung. Da sorgfältige Untersuchungen über den Aufbau der Gebete und ihre Funktion im Kontext des jeweiligen religiösen Lebensvollzuges nicht vorhanden sind, ist auch eine sichere Beurteilung eines einzelnen Textes oft nicht möglich. (105) Eine dritte Schwierigkeit betrifft schließlich die Weise der Überlieferung. Sie ist nur durch "Fremde", durch Missionare und Ethnologen fixiert worden und dadurch zu uns gekommen. Es ist damit zu rechnen, daß sich im Einzelnen Fehler aufgrund Verständigungsschwierigkeiten und eines abendländisch-christlichen Vorverständnisses eingeschlichen haben können. Nun, diese Schwierigkeiten sind erheblich, sie dürfen aber nicht als Vorwand benutzt werden, von einem methodisch notwendigen Vorhaben abzuhalten. Allerdings sind sie bei der Tragweite der Ergebnisse ständig zu berücksichtigen.

Kommt man von den Hochkulturen des Vorderen Orients her, so ist man erstaunt, in welcher Vielfalt in den primitiven Kulturen Klage- und Bittgebete vorkommen, die eines "offiziellen Charakters" noch ganz entbehren. Die Menschen erheben ihre Klagen meist noch in unmittelbarer Reaktion aus einer Notsituation heraus und bitten einfach um das, was sie konkret benötigen. Und tatsächlich scheinen sich die Vermutungen, die aufgrund der wenigen Zeugnisse "privater Frömmigkeit" in den orientalischen Hochkulturen gewagt werden konnten, in ganz erheblichem Ausmaß zu bestätigen: In diesen "primitiven" Gebeten begegnen Menschenschöpfungsmotive recht häufig, während auf die Weltschöpfung nur sehr selten Bezug genommen wird. Doch ist im Unterschied zum AT und den vergleichbaren Texten aus dem Zweistromland und Ägypten der

Bezugspunkt seltener ein einzelner Mensch als eine Gemeinschaft von Menschen. Das hat darin seinen Grund, daß in den primitiven Kulturen die Gebete der Gemeinschaft überwiegen. Seltener wird dagegen, soweit ein solcher Schluß bei einer mehr oder minder zufälligen Textbasis erlaubt ist, von der Erschaffung der Menschen oder der Menschheit allgemein gesprochen.

Beginnen wir mit der persönlichen Ausformung des Menschenschöpfungsmotivs. Ein sehr eindrückliches Beispiel findet sich bei dem afrikanischen Kondestamm am Njassa-See:

> Mbamba! Kiara! Du hast uns Regen verweigert, schenke uns Regen,
>   daß wir nicht sterben!
> Rette uns vor dem Hungertod!
> Du bist ja unser Vater und wir sind deine Kinder,
> und du hast uns geschaffen; weshalb willst du, daß wir sterben?
> Gib uns Mais, Bananen und Bohnen!
> Du hast uns Beine gegeben zum Laufen, Arme zum Arbeiten
>   und Kinder auch,
> gib uns auch Regen, daß wir ernten können! (106)

Hart setzt das Gebet mit einer Anklage gegen Gott ein. Dagegen wird dem Gott das Vater-Kind-Verhältnis und die Tatsache, daß sie doch durch ihn geschaffen worden sind, vorgehalten. In aller Schärfe weisen die Betenden den Gott auf den Widerspruch hin, der in seinem Handeln liegt: "Du hast uns geschaffen - weshalb willst du, daß wir sterben?" Sie nageln ihn angesichts der gegenwärtigen Todesbedrohung auf sein früheres gnädig-erschaffendes Handeln fest. Steht hier das Schöpfungsmotiv im Kontrast zur Anklage, so wird es im Folgenden Motiv der Bitte: Wenn du uns schon kreatürlich zur Arbeit ausgerüstet hast, so schaffe jetzt die Möglichkeit, daß wir sinnvolle Arbeit leisten können! Schöpfung und Arbeit gehören wie in Gen 2,15 ganz eng zusammen. Sei es nun als Kontrast zur Anklage oder als Motiv der Bitte, die Menschenschöpfung taucht an genau den gleichen Stellen auf, wie in den alttestamentlichen Klagen. Ebenso ist die Funktion die gleiche: Indem an die kreatürliche Zuwendung des Schöpfers zu seinen Geschöpfen appelliert wird, soll der Gott zur Rettung bewegt werden. Auch wenn das Motiv ganz verschiedene Ausformungen erfahren hat, bleibt doch die Funktion immer die gleiche: So etwa in der einleitenden Bitte eines langen Gebetes der Galla in Nordostafrika:

> Humba, humba, o Gott!
> Humba, humba, o Gott!
> Der du uns geschaffen, verwirf uns nicht!
> Humba, humba, o Gott!
> Der du uns begünstigst, verlaß uns nicht!
> Humba, humba, o Gott!
> Vater, der Väter höchster, wir sind dein armes Volk,
> Nachdem wir gefleht haben,
> werden wir Gnade sehen? (107)

Ganz kurz kann das Motiv anklingen in der Selbstbezeichnung der Betenden, wie wir es auch im AT gefunden hatten; so in einem Gebet zur Abendmahlzeit der Bewohner der Samoa-Inseln, es ist mit einer Opfergabe verbunden:

> Hier ist Ava für euch, ihr Götter!
> Blicket freundlich auf diese Familie;
> lasset sie wachsen und gedeihen;
> und erhaltet uns alle bei guter Gesundheit!
> Lasset unsere Pflanzungen fruchtbar sein;
> lasset Futter wachsen;
> und möge Überfluß herrschen an Nahrung für uns, Eure Geschöpfe!... (108)

Sehr ausführlich ist die Motivierung dagegen in einem längeren Gebet der Khonds von Orissa, die dem Gott ein richtiges Stück Urgeschichte erzählen:

> Du, o Boora Pennu!
> erschufst uns und legtest uns die Eigenschaft des Hungers bei;
> daher war Getreidenahrung notwendig für uns,
> und daher waren notwendig für uns fruchttragende Felder.
> Du gabst uns einen jeden Samen,
> Du befahlst uns Rinder zu gebrauchen,
> und Pflüge zu machen und zu pflügen...
> Desshalb erinnere Dich dessen... und erfülle die Gebete,
> die wir jetzt an Dich richten.
> Am Morgen... besorgen (wir) die Saaten...
> Beschütze uns vor dem Tiger...!
> Laß das Korn plötzlich hervorschießen...!
> Laß unsere Pflüge durch die Furchen fliegen...! (109)

Die Menschenschöpfung und die eng damit zusammenhängende Gabe der Kultur werden direkt dazu benutzt, den Gott zum Gelingenlassen einer aktuellen Kulturverrichtung zu veranlassen.

Die konkrete Abzweckung des auf die Gemeinschaft bezogenen Menschenschöpfungsmotives ist natürlich so variabel wie der Anlaß der Gebete. In einem Schamanengebet der Saora in Indien geht es z.B. darum, den Gott zu bewegen, darüber Auskunft zu geben, wo und in welcher Weise er eine Frau angefallen hat, damit die richtigen Beschwörungsriten eingeleitet werden können:

> Jammasum, Uyungsum, Darammasum,
> you made our hands, our feet, our bones, our bodies.
> When you attacked this old woman,
> did you take the form of men or did you come as spirits?
> What mistake have we made, that you should trouble her...? (110)

Die Funktion der vertrauensvollen Anrede ist hier allerdings nicht mehr so deutlich. Klarer wird sie in einem öffentlichen Gebet der Luos, die am Dyur, einem Nebenfluß des weißen Nils leben. Hier wird der Menschenschöpfer um Kindersegen gebeten:

> Du Dyuok, unser Vater, der du uns alle geschaffen hast:
> Du weißt, daß das eine von unseren Frauen ist.
> wir wünschen, daß sie Kinder habe:
> Gib ihr Kinder!
> Wenn wir morgen sterben,
> so bleiben keine Kinder nach uns zurück... (111)

Schließlich kann sich das Schöpfungsmotiv zu einer Vertrauensaussage verselbständigen, doch beruht der Eindruck zum Teil aus einer selektierenden Überlieferung. Ein Text, der von den Algonkin-Indianern überliefert worden ist, und wie eine Vertrauensaussage klingt, war einmal ein Teil eines Gebetes, das leider nicht überliefert worden ist. Wir dürfen wohl annehmen, daß die Funktion eine ähnliche war, wie in den übrigen Belegen:

> Du hast diesen See gemacht,
> und Du hast uns, Deine Kinder geschaffen.
> Du kannst auch veranlassen, daß das Wasser ruhig bleibt,
> während wir sicher hinüber fahren. (112)

Doch mischt sich die Menschenschöpfung hier mit einem anderen Motiv, das möglicherweise aus der Weltschöpfung stammt: Gott hat den See gemacht, er hat darum auch die Macht, ihn für seine Geschöpfe ruhig zu halten. Eine Vertrauensaussage, deren eventuellen Ort wir nicht mehr kennen, liegt auch bei den Akanstämmen an der Goldküste vor:

> Gott, du bist der Älteste und Größte,
> du hast uns erschaffen;
> du läßt für uns regnen;
> du bist unser Vater. (113)

In die Nähe eines berichtenden Lobes kommt ein Text, der von den Waldlandindianern Nordamerikas berichtet wird, so sagen die zurückkehrenden Jäger:

> Und es ist wunderbar, daß er Mitgefühl mit uns hat,
> er unser Vater, auch unser Schöpfer,
> in diesen Waldtieren, die er uns gegeben hat. (114)

Doch ist eine exakte Formbestimmung nicht mehr zu geben, die seltsame Rede vom Gott in der 3. Person scheint wohl durch die Frage des Forschers veranlaßt zu sein.

Zu nennen ist noch eine Klage, die von Kongonegern überliefert worden ist. Hier wird zwar recht allgemein von der Schöpfung gesprochen, doch ist damit nicht, wie aus dem Folgenden ersichtlich wird, die Schöpfung insgesamt, sondern konkret die eigene Erschaffung gemeint:

O du großer Nzambi, deine Schöpfung ist gut,
aber Elend bereitest du uns durch den Tod!
Du hättest statt dessen es so machen sollen,
    daß wir nie sterben müßten! (115)

Der Grund für dieses allgemeine Reden ist deutlich: Es ist nicht mehr eine einzelne Not, die hier beklagt wird, sondern das allgemeine Todesschicksal des Menschen. Der Widerspruch zwischen dem gnädig-erschaffenden und dem feindlich-tötenden Handeln des Gottes wird bis ins Grundsätzliche ausgeweitet: der Mensch muß sterben, obgleich er geschaffen. (116) Diese Ausweitung des Redens von der eigenen Erschaffung geht offensichtlich der verallgemeinernden Tendenz der Klage zur Vergänglichkeitsklage parallel. (117)

In den primitiven Kulturen herrschen zwar die Gebete einer Gemeinschaft und damit die Beziehung des Menschenschöpfungsmotivs auf eine Vielzahl von Menschen vor, dennoch gibt es einige Belege von Klagen, in denen es ein Einzelner ist, der sich auf seine eigene Erschaffung beruft: In einer Sage der Sagaier, einem Stamm der Abakan-Tataren, fleht ein kleines Kind aus höchster Todesnot:

Tjajan, mein Schöpfer, Kudai!
Was lässest du mich so martern?

Und es darf bei der Vielzahl märchenhafter Motive nicht erstaunen, daß auch das Füllen, das mit dem Kind flüchtet, eine Klage anstimmt:

Meiner, des jungen fliehenden Tieres,
Des trefflichen Schöpfers Inneres,
Warum erbarmt er sich nur nicht?
Mir, dem Zitternden,
Kudai, der mich geschaffen,
Was hilft er mir nicht?

In beiden Belegen steht die Erweiterung der Anrede, in der der Gott an sein erschaffendes Tun erinnert wird, im Kontrast zur Anklage. Daß das Motiv wirklich dazu dienen soll, an die Fürsorgepflicht des Schöpfers zu appellieren, kann eine "Fürbitte" belegen, die ein Füllen in einer anderen Sage in ganz ähnlicher Situation für ein vom Hungertode bedrohtes Kind ausspricht:

Meinen eigenen Herrn muß ich ernähren,
Zum Säugen hat er keine Mutter,
Zum Ernähren hat er keinen Vater.
Wer anders als ich soll ihn ernähren?
Wenn ein Gott, der ihn erschaffen, da ist,
Mag er Wild geben, ihn zu ernähren! (118)

Diese Beispiele mögen ausreichen, um zu zeigen, daß zwischen dem Schöpfungsmotiv, das auf eine Vielzahl bezogen ist und dem, das auf einen einzelnen Menschen abzielt, kein wesentlicher Unterschied besteht. Stellung und Funktion des Motives sind in beiden Fällen gleich. Dann darf man wohl auch die pluralische Ausformung ohne größere Abstriche als Parallelen zu der singularischen Form in den alttestamentlichen Klagen des Einzelnen und den ihnen korrespondierenden Heilsorakeln werten. Und wirklich ergeben sich abgesehen von diesem Unterschied ganz verblüffende Ähnlichkeiten: Bei aller Vielfalt, in der wir diesen Typ der Menschenschöpfung in "primitiven" Gebeten gefunden haben, so begegnet er doch fast ausschließlich in den gleichen Gattungen wie im Alten Testament: in der Klage und im Bittgebet (Flehen zu Gott). (119) Wie im AT trat das Motiv darüber hinaus an vergleichbaren Stellen innerhalb der Gebete auf: Im Kontrast zur Anklage und als Motiv der Bitte. Und wie im AT so hatte auch in den Gebeten primitiver Kulturen der Hinweis auf die eigene Erschaffung die Funktion, den Gott an sein Zusammengehören mit seinem Geschöpf zu erinnern und damit zu Rettung und Schutz zu bewegen. Bei aller Zurückhaltung, die aufgrund der erwähnten methodischen Unzulänglichkeiten geboten ist, wird man aus den angeführten Belegen doch den Schluß ziehen dürfen, daß es in "primitiven" Klage- und Bittgebeten ein Reden von Menschenschöpfung gegeben hat, das dem in alttestamentlichen Klagen und Heilsorakeln ganz erstaunlich ähnlich ist. Von daher erhalten auch die vereinzelten Belege individueller Frömmigkeit im Zweistromland und Ägypten ein ganz anderes Gewicht. Diese persönliche Ausformung der Menschenschöpfung als Spätform zu charakterisieren, sie etwa vom Königskult abzuleiten, mag im Einzelfall, am ehesten noch für Ägypten, zutreffen, generell gesehen ist das doch höchst unwahrscheinlich geworden. Es spricht vielmehr einiges dafür, daß wir es hier mit einer recht urtümlichen Frühform zu tun haben. Weltschöpfungsmotive konnten im Zusammenhang dieses Typs von Menschenschöpfung höchstens in einem einzigen Fall nachgewiesen werden. (12o)

Neben diesem Typ, bei dem es immer um "unsere" oder "meine Erschaffung" ging, gibt es in den Gebeten der primitiven Kulturen ein Reden von der Erschaffung des Menschen oder der Menschheit. Diese Form ist, soweit sich das von der überschauten Textbasis her sagen läßt, weit weniger häufig. Zum Teil sind sich beide Typen noch sehr nahe, Stellung und Funktion ist praktisch gleich. Konnte es in dem oben zitierten Gebet der Luos am Oberlauf des Nils heißen:

Du Dyuok, unser Vater, der du uns alle geschaffen... (121)

so lautet es in einem Morgengebet desselben Stammes:

Du Dyuok, der du alle Menschen geschaffen hast,
Meine Familie sei glücklich immerdar!...
Laß uns zufrieden sein mit allen Leuten meines Hauses! (122)

In dem oben zitierten Galla-Gebet war am Anfang davon gesprochen worden, daß Gott uns geschaffen habe. (123) In einem anderen Gebet desselben Stammes kann es heißen:

... O Gott, du hast gemacht Tiere und Menschen alle,
die auf der Erde sind,
das Getreide auf der Erde auch, daß wir davon leben.
Du hast es gemacht, wir haben es nicht gemacht.
du hast uns Stärke gegeben,
du hast uns Vieh und Getreide gegeben,
wir hast unserem Vieh Stärke gegeben,
wir haben gearbeitet.
Das Getreide ist uns gewachsen:
Du hast uns das Getreide wachsen lassen,
die Menschen wurden satt.

Das Getreide im Haus verbrannte.
Den, der das Getreide verbrannte, du kennst ihn...
Ein böser Mensch hat alle Menschen aus ihrem Haus vertrieben...
Dies alles hast du so geschehen lassen.
Warum tatest du so? (124)

Das klingt doch schon anders als die persönlich gewendeten Schöpfungsmotive.
Der Text endet mit einer krassen Anklage Gottes. Die Situation ist klar, aus
der sie entspringt: die Feinde haben das Getreide verbrannt und die Bewohner
aus ihren Häusern vertrieben. Der Gott weiß, wer es getan hat und hat es doch
geschehen lassen. Zu dieser Klage stehen die Schöpfungsmotive durchaus in
einem ähnlichen Kontrast, wie wir ihn bei den persönlich formulierten Schöpfungsaussagen kennengelernt haben: Der Gott hat Mensch, Tier und Getreide
geschaffen, dennoch sind die Menschen vertrieben und das Getreide verbrannt.
Doch ist der Bezug auf die Klage längst nicht mehr so direkt, die Erschaffung
der Tiere z.B. hat in ihr keinerlei Entsprechung. Das erschaffende Handeln
und das daraus entspringende Segenshandeln hat sich doch schon stark verselbständigt. Man hat den Eindruck, daß es sich zum hymnischen Lobpreis
hin entwickelt (125), doch bleibt es noch auf die Notsituation der Gemeinschaft
bezogen.

Noch einen Schritt weiter in Richtung auf eine hymnische Prädikation geht die
Menschenschöpfung in einem Gebet eines "gebildeten Peruaners":

O Pachacammac, der Du von Anfang an warst
und bis zu(m) Ende sein wirst;
mächtig und mitleidig,
der du die Menschen schufst,
indem du sagtest: lasset Menschen sein;
der du uns vor dem Übel behütest
und uns Leben und Gesundheit bewahrst,
bist Du im Himmel oder auf der Erde,
in den Wolken oder in den Tiefen?
Höre die Stimme dessen, der dich anfleht
und gewähre ihm seine Bitten...! (126)

Hier steht die Menschenschöpfung im Rahmen einer ausgeführten lobenden Einleitung, die aber noch auf eine Bitte hinführt. Deutlich ist noch, daß die Menschenschöpfung auf die Seite der Zuwendung Gottes gehört, folgt doch gleich darauf der Hinweis auf seine Hut und seinen Schutz. Doch ist gewissermaßen das, was bei dem Reden von "meinem Schöpfer" Funktion des Motivs im Vollzug des Gebets war, jetzt zu einem Thema des Gotteslobes geworden. (127)

Schließlich kann die Erschaffung des Menschen neben andere lobende Prädikate treten, zu denen dann auch die Weltschöpfung gehören kann. So heißt es in einem Schamanengebet der Altai-Tataren:

> ...Du Ülgän hast Pferde zum Reiten geschaffen
> Du hast zahlreiches Vieh geschaffen,
> Du hast das Weib mit langen Haarflechten geschaffen,
> Du hast die Erde mit Frieden erfüllt.
>
> Du hast sie aus dem Abgrund zurückgebracht,
> Aus dem nie eine Flintenkugel geflogen kam,
> Aus dem nie ein Schall herkam.
> Du hast die Erde am richtigen Platz befestigt.
>
> Du hast die prächtige Seele des Menschen geschaffen.
> Großer Vater,
> Geschmückt mit der geheimnisvollen dreibebänderten Mütze.
> Wir hoffen auf dich,
> Wir opfern dir irdische Leidenschaften,
> Durch die Vernunft erheben wir uns. (128)

Der Text ist im Einzelnen schwer zu deuten. Doch wird man konstatieren müssen, daß die Erschaffung von Vieh, der Frau, der "prächtigen Seele" des Menschen neben der Erschaffung der Erde steht, die offensichtlich über einem grenzenlosen Abgrund hängend vorgestellt wird. Verschiedene Funktionen von Welt- und Menschenschöpfung sind nicht mehr mit Sicherheit zu erkennen.

In einem Hymnus der Inkas ist dann die Menschenschöpfung wie die Weltschöpfung ein völlig gleichgeordnetes Epitheton geworden:

> O Uiracocha, Herr des Alls...
> Vom Himmel hoch oben, in dem Du sein magst;
> Vom Meer tief unten, in dem Du sein magst;
> Erschaffer der Welt, Schöpfer aller Menschen; Herrscher
>   über alle Herrscher,
> Meine Augen versagen vor Sehnsucht, Dich zu sehen... (129)

Wir befinden uns hier aber schon eindeutig im Bereich der Hochkultur, die ganze Vorstellungswelt atmet den reflektierenden Geist einer Spätzeit.

Damit ist die Kette von Abstufungen abgeschlossen, die für das Motiv von der allgemeinen Erschaffung der Menschen aus den mehr oder minder zufällig gefundenen Belegen erkennbar sind. Sie läuft von einem Kontrastmotiv der Klage und Bitte bis zu einer lobenden Prädikation, von einem Vertrauensmotiv zu einer Herrlichkeitsaussage. Sie ist hinsichtlich ihres formgeschichtlichen Ortes wie hinsichtlich ihrer Funktion nicht eindeutig zu bestimmen und kann sogar in Verbindung mit der Weltschöpfung treten. Allerdings taucht das Lob des Weltschöpfers in den überblickten Belegen der "primitiven" Gebete nur ganz am Rande auf, als selbständiges Motiv ist es überhaupt nicht nachweisbar. (130)

Doch wie ist das Nebeneinander zweier Arten von Menschenschöpfung zu verstehen?

III. Menschenschöpfung und Erschaffung des Einzelnen

Schon angesichts der These C. Westermanns, daß Welt- und Menschenschöpfung in den Mythen der Völker ursprünglich voneinander geschieden gewesen, war das Problem aufgetaucht, wie sich denn zu den hier vorliegenden Vorstellungen von der Erschaffung der Menschheit jenes ganz auf die Erschaffung jedes einzelnen Menschen bezogene Schöpfungsmotiv verhalte, das wir in den Heilsorakeln bei Deuterojesaja und in einer ganzen Reihe von Klagen gefunden hatten. Nun, schon der recht grobe Überblick über die Gebetsliteratur des Zweistromlandes, Ägypten und der verschiedensten primitiven Kulturen konnte zeigen, daß es auch hier beides gibt: Die Erschaffung der Menschheit und die Erschaffung einzelner Menschen. Diese Beobachtung läßt nun wiederum im Rückblick erkennen, daß wir auch bei Deuterojesaja neben dem persönlich zugespitzten auch ein allgemeines Reden von der Erschaffung des Menschen angetroffen hatten: Letzteres war in zwei, formgeschichtlich nicht nanz eindeutigen Stellen ganz in den Bann der Weltschöpfung getreten (131) und hatte einen recht unspezifischen Eindruck gemacht. Wir haben also in den Gebetsgattungen selber zwei zu unterscheidende Typen von Menschenschöpfung zu konstatieren. Wie ist der Unterschied zwischen beiden zu werten? Ja, ist er vielleicht so groß, daß die Zusammenfassung unter einem Begriff irreführend wäre? Läßt sich noch irgendetwas darüber ausmachen, wie sich beide Typen zueinander verhalten? Die Beantwortung dieser Fragen soll auf zwei Wegen, einem mehr form- und traditionseschichtlich und einem mehr vorstellungsmäßig orientierten, versucht werden.

Von unserem Denken her erscheint die persönliche Erschaffung eine abgeleitete, ja, uneigentliche Schöpfungsvorstellung zu sein. Denn es ist ja nicht mehr von der Erschaffung eines ersten Menschen oder der Menschheit in ferner Urzeit die Rede, sondern von der Geburt eines einzelnen Menschen oder einer Mehrzahl von ihnen. Man könnte daraus folgern, daß die persönliche Frömmigkeit das urzeitliche Reden von der Erschaffung des Menschen aufgesogen habe, um es zu einem Ausdruck für das gegenwärtige, individuelle

Gottesverhältnis zu machen. Als solches wäre es typisch für die individualisierenden Tendenzen, die allgemein Spätphasen der Religionen zu kennzeichnen pflegen. So einleuchtend eine solche Hypothese sein mag und so sehr sie auch auf einzelne Erscheinungen zutreffen mag (132), so sprechen doch eine ganze Reihe von Beobachtungen dagegen.

Die erste ist die relativ feste formgeschichtliche Verankerung der persönlich bezogenen Menschenschöpfung in Klage- und Bittgebeten. Das gilt insbesondere für den Bereich der primitiven Kulturen, auch noch für Mesopotamien, weniger allerdings für Ägypten. (133) Soweit ersichtlich, kam bei den "primitiven" Völkern diese Form des Menschenschöpfungsmotives fast ausschließlich in Klage- und Bittgebeten vor (134), in Sumer in einem paradigmatischen Bericht von Not, Klage und Rettung, in Babylon in gebetsartigen Siegeltexten und einigen Beschwörungen, sehr wahrscheinlich davon abgeleitet in Anrede- und Grußformeln. (135) Auch in den akkadischen und neubabylonischen Königsinschriften ließ sich die Nähe zum Bittgebet eindeutig erkennen. In Ägypten fehlte das individuelle Gebet fast ganz, für die Königsinschriften war erst spät ein expliziter Bezug zum Bittgebet nachzuweisen.

Die zweite Beobachtung ist die überaus feste Funktion, die sich bei der persönlichen Hinwendung zu seinem Schöpfer trotz aller motivmäßigen Abwandlungen durchgehalten hat. Sie drückte immer, sei es nun bei den primitiven Völkern, bei babylonischen Privatleuten oder ägyptischen Königen ein besonderes Vertrauensverhältnis zum angesprochenen Gott aus. In Klage- und Bittgebeten diente das Motiv durchweg dazu, den Gott zur erbarmenden Zuwendung zu veranlassen.

Die dritte Beobachtung, die obiger Anschauung widerspricht, ist die traditionsgeschichtlich frühe Bezeugung des Motivs. Konnte man es in Ägypten zur Not noch als eine sekundäre "Demokratisierung" aus der Königsideologie ansehen (136), so reicht es im Zweistromland nachweislich bis in sumerische Zeit zurück und ist in den primitiven Kulturen doch so dicht bezeugt, daß eine grundsätzliche Spätdatierung nicht mehr möglich ist. Im Gegenteil, man wird bei aller Verschiedenheit, die für die Entwicklung im einzelnen Kulturbereich anzunehmen ist, eher damit rechnen müssen, daß wir es bei diesem Menschenschöpfungstyp mit einer eigenständigen Tradition aus einem recht frühen Stadium der Religionsgeschichte zu tun haben, das vor oder unterhalb der offiziellen Religionen der Hochkulturen liegt.

Betrachten wir demgegenüber das Reden von der allgemeinen Erschaffung des Menschen in der untersuchten Gebetsliteratur! Der formgeschichtliche Ort scheint nicht allzu fest zu sein, jedenfalls nicht im Stadium der primitiven Religionen: hier konnte dieser zweite Typ der Menschenschöpfung teils in Bittgebeten, teils in hymnischen Einleitungen von Bittgebeten, teils als lobende Prädikation stehen. (137) Im Zweistromland begegnete er meist in den langen hymnischen Einleitungen der Bittgebete ("Beschwörungen"), aber auch in Hymnen. In Ägypten herrschte dann das hymnische Vorkommen so gut wie ganz vor.

Ähnlich uneindeutig ist die Funktion dieser allgemeinen Form der Menschenschöpfung. Nur dort, wo sie noch in Bittgebeten vorkam, hatte sie eine mit
der Hinwendung zum eigenen Schöpfer identische Funktion. Zumeist war sie
jedoch zum Lob geworden und diente der Verherrlichung des Gottes. In einem
großen Teil dieser hymnischen Belege gehörte sie durchaus noch auf die Seite der Zuwendung Gottes. So schloß sich häufig an das Lob des Menschenschöpfers das des Bewahrers und Retters an. (138) Doch selbst diese Bestimmung war keineswegs immer eindeutig. Sie war einerseits für die ägyptischen Belege nicht allzu spezifisch (139), andererseits war sie in einigen
akkadischen Belegen so von Herrschaftsuassagen durchsetzt, daß eine eindeutige Funktionsbestimmung nicht mehr möglich war.

Hinzu kommt, daß in den überschauten Gebeten der primitiven Kulturen die
allgemeine Menschenschöpfung doch relativ selten belegt ist, häufiger ist sie
dagegen in den beiden Hochkulturen zu finden, z.T. mit der Weltschöpfung
verbunden. (140) Alles in allem keine Merkmale einer besonders frühen und
eigenständigen Tradition.

Den Eindruck einer alten und relativ festen Tradition macht nur die auf den
Beter oder die Betenden bezogene Erschaffung. Demgegenüber ist die Erschaffung der Menschheit lockerer und wahrscheinlich jünger. Formgeschichtlich, funktional und inhaltlich haben beide Vorstellungen durchaus Berührungspunkte. Sie sind darum zwar zu unterscheiden, aber doch nicht streng zu
trennen. Es ist deswegen wohl sachlich gerechtfertigt, sie als zwei Ausprä-
gungen einer Vorstellung unter dem einen Begriff Menschenschöpfung zusam-
menzufassen.

Wir hatten aufgrund form- und traditionsgeschichtlicher Erwägungen gerade
den Typ von "Menschenschöpfung" als urtümliche und feste Tradition innerhalb der Gebetssprache bestimmt, der nach unserem gängigen Verständnis
am wenigsten mit Schöpfung zu tun hat. Sind wir dennoch berechtigt, hier von
einer Menschenschöpfungstradition zu sprechen? Wir haben uns angewöhnt,
streng zwischen "Schöpfung am Anfang" und "Erhaltung" zu unterscheiden.
Nach dieser Klassifizierung fiele das Motiv von der eigenen Erschaffung wohl
eher unter das Stichwort "Erhaltung". Doch ist sehr fraglich, ob diese aus
dem dogmatischen und logischen Denken herstammende Unterscheidung den
Vorstellungen der Alten tatsächlich gerecht wird. (141)

Wir waren schon bei der Untersuchung der Vorstellungen der alttestamentlichen Klagen und Heilsorakel auf das eigenartige Ineinander von Schöpfungs-
und Geburtsvorgang gestoßen: (142) Da war einmal die Erschaffung im Mutterleib (143) gewesen, ein andermal das Herausführen aus dem Mutterleib (144),
einmal war das Erschaffen mit gängigen Schöpfungsverben ausgedrückt (145),
ein andermal mit Begriffen, die von der Entstehung des Kindes im Mutterleib
abgeleitet waren. (146) Sieht man das religionsgeschichtliche Material unter
diesem Gesichtspunkt durch, so finden sich durchaus Parallelen dazu: So begegnet die Erschaffung im Mutterleib z.B. in einer der angeführten neubabylonischen Königsinschriften:

Nachdem mich erschaffen der Herr (und) Irúa, der Gott Marduk,
vorbereitet meine Erschaffung im Mutterleibe,
und ich dann geboren und auf die Welt gekommen war... (147)

Ganz ähnlich ist die Vorstellung in einem sumerischen Götterlied, hier allerdings auf die Erschaffung eines Gottes bezogen:

Numuschda...
reiner Same, den die (Anunna-Gött)er geschaffen,
den Nin(gal im Mutterleib) geformt hat. (148)

Und breit ausgebaut ist sie in dem Sonnenhymnus aus Amarna:

Der du die (Knaben?) in den Frauen erschaffst,
und den Samen in den Männern bereitest!
Der du den Sohn im Leibe seiner Mutter ernährst
und ihn beruhigst, sodaß er nicht weint,
du Amme im Leibe!
Der Luft gibt, um alles, was er gemacht hat, am Leben zu erhalten. (149)

Man kann hier im Zweifel sein, was eigentlich gemeint ist, Schöpfung oder Geburt. Das gilt noch mehr für den Fall, in dem das "erschaffende" Handeln praktisch identisch ist mit der Entstehung der verschiedenen Körperteile des Kindes: so etwa in einem Gebet der Batak aus Indien:

Beschatte uns, Großvater, uns zu schirmen,
Mula djadi der Große, Ursprung der Macht, Ursprung der Schöpfung,
der breit schlägt den Scheitel,
aushöhlt das Ohr,
rund macht das Herz,
ausbreitet die Leber,
auseinanderspaltet die Finger.
O Gott, Asiasi, sei gnädig, schirme uns, die du auf die Erde gesandt
hast. (150)

Der Überblick soll genügen. Die Belege sind recht verschiedenartig, was ihre Vorstellung, ihre Gattung und ihr mutmaßliches Alter betrifft. Man wird deswegen kaum über die Ursprünglichkeit dieser Vorstellungen etwas ausmachen können, doch ist immerhin soviel deutlich, daß die biblischen Stellen mit ihren ähnlich gearteten Vorstellungen nicht alleine stehen. Man wird aus ihnen folgern müssen, daß eine grundsätzliche Geschiedenheit von Menschenschöpfung und Geburt nicht empfunden wurde. Es wäre sicherlich zuviel gesagt, wollte man behaupten, Schöpfung und Geburt seien im Denken dieser Menschen einfach identisch gewesen, doch wird man sagen dürfen, daß jede Geburt auf das erschaffende Handeln Gottes hin offen war und daß die Menschenschöpfung sich in jedem Geburtsvorgang aktualisieren konnte.

Es gibt noch ein anderes Indiz, das in die gleiche Richtung weist. Gemeint ist die auffällige Tatsache, daß recht häufig neben der vertrauensvollen Hinwendung zum eigenen Schöpfer ein zweites Motiv steht: die Bezeichnung des Gottes als "mein/unser Vater", dem die Selbstbezeichnung "dein/deine Kind(er)" entspricht. Eine ganze Reihe von Beispielen dafür finden sich in den Gebeten der primitiven Kulturen:

> Du bist ja unser Vater und wir sind deine Kinder
> und du hast uns geschaffen; weshalb willst du, daß wir sterben? (151)

> Du Dyuok, unser Vater, der du uns alle geschaffen hast. (152)

> Du hast diesen See gemacht,
> und Du hast uns, Deine Kinder geschaffen. (153)

> Du hast uns erschaffen;
> du läßt für uns regnen;
> du bist unser Vater. (154)

> Er, unser Vater, auch unser Schöpfer. (155)

Manchmal ist die persönliche Beziehung nicht besonders ausgedrückt, aber doch wohl impliziert, so wahrscheinlich in den Gebeten der Dinka am Oberlauf des Nils:

> Schöpfer Vater, Nhialic Vater, hilf mir!
> Dich bitte ich, du mein Vater! (156)
> Ich flehe zu dir, Vater!
> Ich flehe zu dir, Nhialic!
> Vater, Schöpfer, zu dir flehe ich! (157)

Die Funktion des Motives entspricht der der Menschenschöpfung genau, wie man am besten aus einem Gebet der Eweer erkennen kann, in dem es allein auftritt:

> Gib uns heute noch Regen!
> Wir sind ja deine Kinder!
> Verlaß uns nicht und gib nicht zu, daß der Durst uns quäle! (158)

Auch mit der Appellation an den eigenen Vater wird versucht, den Gott zu rühren und zum Eingreifen zu bewegen. Davon zu unterscheiden sind die Fälle, in denen der Vatername ein Ehrentitel ist, der die erhabene Stellung des Gottes angibt. (159)

Eine ganz besonders feste Ausprägung hat das Vater-Sohn-Verhältnis in der ägyptischen Königstheologie bekommen, auch hier wieder verbunden mit der Erschaffung des Königs durch den Gott. Die Vaterschaft ist sehr real konkretisiert. Der Gott zeugt mit der Königsmutter den zukünftigen Pharao. Vaterschaft wie Erschaffung sind die Grundlagen des engen Vertrauensverhältnisses zwischen Gott und König. So kann z.B. Ptah seine lange Segens- und Schutzzusage an Ramses II beginnen mit den Worten:

I am thy father, who begat thee as the gods,
all thy limbs are of gods.
I assumed my form as the Ram, lord of Mendes,
and begat thee in thy august mother,
since I knew that thou wouldest be /my champion... (160)

Darauf kann der König antworten:

I am thy son whom thou hast placed upon thy throne...
thou hast fashioned me... (161)

Was hier gegenseitige Vertrauensäußerung ist, kann in dieser Zeit auch Kontrastmotiv der Klage werden:

Was ist das nun, mein Vater Amon?
Hat denn ein Vater schon seines Sohnes vergessen? (162)

Allerdings fällt die allgemeine, mehr zu einem Vergleich hin tendierende Formulierung auf.

Auch im AT hatten wir den Appell an den eigenen göttlichen Vater in Parallele zu Berufung auf den eigenen Schöpfer in einer ganzen Reihe von Belegen gefunden. (163) Sieht man einmal von den kulturgeschichtlich bedingten Differenzen ab, wie sie etwa durch die Spezialisierung auf die Königstheologie zustandekommen, dann wird man doch sagen müssen, daß wir es mit einer relativ festen und breit bezeugten Motivverbindung zu tun haben. Das wird besonders daran deutlich, daß die Vaterbezeichnung im Zusammenhang der persönlich gewendeten Menschenschöpfung nie ein Autoritätsverhältnis, sondern immer ein Vertrauensverhältnis zwischen Gott und Mensch ausdrücken soll. (164) Wie ist die Verbindung der Motive zu erklären? Nun, man wird zwar nicht ausschließen können, daß das Vater-Sohn-Verhältnis nur im übertragenen Sinn auf das Gottesverhältnis bezogen worden ist, es spricht aber einiges dafür, daß ganz konkret die Zeugung jedes Menschen durch den Gott gemeint ist. (165) Dann erklärt sich die Parallelität aus der Identität der Sache: mit der Vaterbezeichnung ist ebenfalls eine Schöpfungsvorstellung gemeint: nämlich die urtümliche Vorstellung der Schöpfung als Zeugung und Geburt. (166) Der flehende Mensch appellierte dann an den Gott, mit dem er sich auf ganz kreatürliche Weise zusammengehörig fühlte. Wie auch immer man sich ein solches Gezeugtsein oder Geborenwerden durch den Gott vorgestellt hat, diese Weise des Erschaffens ließ sich doch sehr viel nahtloser mit der eigenen Geburt zusammendenken als etwa das Formen aus Ton, das in den Schöpfungserzählungen begegnet.

Über mögliche Wurzeln dieser Identifizierung, die sich im Nebeneinander von "meinem Vater" und "meinem Schöpfer" ausdrückt, läßt sich natürlich nichts genaues mehr ausmachen. Dennoch möchte ich eine Vermutung wagen: In einer Reihe von Religionen, besonders der ostafrikanischen Stämme, werden die Ahnen vorzugsweise mit Vater oder Großvater angeredet. (167) In der Ahnenreligion stammt der Beter von seinem nun vergöttlichten Vorfahren tatsächlich - mehr oder minder direkt - leiblich ab. In der Hinwendung zu seinem "Vater" in diesem Stadium der Religion wäre dann wirklich noch beides eines: die "Erschaffung", d.h. Zeugung und Geburt durch den Ahnen und die eigene Geburt. Hier hätte die Kombination von Vaternamen und Schöpfungsmotiven ihren guten Sinn. Allerdings ist ein solches Stadium nur schlecht bezeugt, meist hat sich über die Ahnen schon ein Hochgott geschoben. Das ist auch der Fall bei den Schilluk am Oberlauf des Nils, doch hat hier der Ahne Nyikang gegenüber dem Hochgott Dywok noch eine bedeutende Stellung behalten. So findet sich hier ein Gebet, daß sich an beide richtet:

> Wir preisen dich, der du Gott bist.
> Du warst es, der mir meinen Vater gab, der mich zeugte.
> Ich bete auch zu dir, mein Vater!
> Warum gingst du in die Erde und beobachtest Schweigen?
> War dies nicht früher dein Haus?
> Wenn Übel diesem Haus naht, warum betest du nicht zu Gott?
> Dein Haus ist den Menschen zum Spielzeug geworden... (168)

Sehr wahrscheinlich ist der Satz "der mich zeugte" nicht auf den Gott, sondern den Ahn zu beziehen, dessen Herkunft wieder auf den Gott zurückgeführt wird. (169) Wir könnten dann hier einen Beleg für den von uns angenommenen Zusammenhang von Zeugung durch den Ahn und Vateranrede vor uns haben, allerdings in schon veränderter Form. Das mag zur Erläuterung dieser Vermutung ausreichen, eine Absicherung ist sowieso in gar keiner Weise zu leisten. Immerhin wird man mit der Möglichkeit rechnen müssen, daß es Stadien in der Religionsgeschichte gegeben hat, in welcher das Reden von der eigenen Erschaffung und das Reden von der eigenen Geburt noch sehr viel näher beieinander standen, als wir uns das heute vorstellen können. Gott und Mensch standen sich damals noch erheblich näher, was in ganz anderer Weise auch die Urzeiterzählungen bezeugen. Dafür ist die Hinwendung zum eigenen, göttlichen Vater auch dann ein gewichtiges Indiz, wenn sich unsere Konkretisierung eines solchen Stadiums in der Ahnenreligion als völlig unhaltbar erweisen würde.

Wir hatten zuerst die Schöpfung und Geburt kombinierenden Vorstellungen als Argument dafür angeführt, daß ein von unserem Denken naheliegendes Ausspielen der verschiedenen Vorgänge: entweder Menschenschöpfung oder Geburt nicht sachgemäß ist. Nun konnte man durchaus der Meinung sein, daß es sich bei solchen Kombinationen um späte, rationalisierende Gedankengänge handelt, die etwas ausgleichen sollen, was ursprünglich nicht zusammengehört hat. Doch erscheinen sie von den zuletzt gemachten Überlegungen her in einem etwas anderen Licht. Die Beobachtung, daß die Hinwendung zu seinem eigenen Schöpfer oft zugleich eine Hinwendung zu seinem göttlichen Vater ist, macht es doch relativ wahrscheinlich, daß die hier angesprochene kreatürliche Zusammengehörigkeit mit dem persönlichen Gott in Zeugung und Geburt, und

und d.h. bei der eigenen Zeugung und Geburt ihr eigentliches Zentrum hatte. Dieser Typ der Menschenschöpfung stand wahrscheinlich von seinen Ursprüngen her dem Geburtsvorgang ganz nahe und ist nicht erst durch Applizierung urzeitlicher Menschenschöpfungsmotive auf den einzelnen Menschen entstanden. So bestätigen auch die Untersuchungen der Vorstellungen die Ergebnisse der form- und traditionsgeschichtlichen Überlegungen: In der Hinwendung zu seinem Schöpfer liegt ein selbständiger und urtümlicher Typ der Menschenschöpfung vor. Nicht entscheiden läßt sich, ob das Reden von der Erschaffung der Menschheit eine Verallgemeinerung des individuellen Typs ist, was jedenfalls z.T. zutreffen könnte (170), oder aber aus ganz anderen Zusammenhängen, etwa den Schöpfungserzählungen stammt.

Ausgehend von unseren Beobachtungen zweier Schöpfungstraditionen bei Deuterojesaja waren wir auf die These C.Westermanns gestoßen, daß Welt- und Menschenschöpfung zwei verschiedene Traditionen seien. Die These war vor allem religionsgeschichtlich begründet worden, aber eben nur für die Schöpfungserzählungen. Es legte sich darum die Aufgabe nahe zu fragen, ob sich unsere exegetischen Befunde in diesem von C.Westermann aufgewiesenen Horizont einordnen und verstehen lassen. Dafür war zweierlei zu leisten gewesen: Es mußte erstens nach dem Verhältnis von Welt- und Menschenschöpfung in der Gebetsliteratur außerhalb Israels gefragt werden. Dazu wurden Mesopotamien, Ägypten und der Bereich der primitiven Kulturen ausgewählt. Und es mußte zweitens gefragt werden, wie sich die in Klage und Heilsorakel erhobene Form der Hinwendung zu seinem eigenen Schöpfer zur Erschaffung der ganzen Menschheit verhält. (171) Die Antworten, die wir auf beide Fragen erhalten haben, sind teils uneinheitlich, teils auch recht eindeutig. Es hat sich gezeigt, daß wir für den Bereich des zu Gott hingewandten Redens mit drei Schöpfungsvorstellungen zu rechnen haben: mit der Weltschöpfung, der Erschaffung der Menschen allgemein und mit der auf einen Einzelnen oder eine Gruppe persönlich bezogenen Erschaffung.

Da ist einmal die Weltschöpfung. Von ihr wird in sumerischen Hymnen gar nicht, in akkadischen erst sehr spät gesprochen, und zwar, soweit ich sehe, nur selten in Verbindung mit beiden Typen der Menschenschöpfung. (172) In den ägyptischen Hymnen des neuen Reiches ist sie reich belegt, und zwar sehr häufig in Verbindung mit der allgemeinen Menschenschöpfung. (173) In den "primitiven" Gebeten taucht sie nur ganz am Rande auf, hier auch mit der Erschaffung der Menschheit zusammen. (174)

Da ist zum anderen die Erschaffung der Menschen insgesamt. Sie begegnet in sumerischen Götterliedern und recht häufig in den hymnischen Einleitungen akkadischer Gebetsbeschwörungen. (175) Nur selten kommt es hier zu Berührungen mit den Weltschöpfungsaussagen. In den ägyptischen Hymnen des Neuen Reiches ist sie fast immer an die Weltschöpfung mehr oder minder unbetont angehängt, möglicherweise kann sie in früheren Hymnen auch alleine vorkommen. (176) In "primitiven" Gebeten fanden wir diesen Typ von Menschenschöpfung relativ selten, meist in Texten, die sich unverkennbar von der Bitte weg auf das Lob hinbewegen, z.T. kann auch die Weltschöpfung hinzutreten. (177)

Da ist als drittes die personal auf den Sprechenden bezogene Menschenschöpfung. In den orientalischen Hochkulturen begegnet dieser Typ einmal in der Königstheologie, deutlich auf das Bittgebet bezogen in Babylon (178), mehr eine gegenseitige Vertrauenszusicherung zwischen Gott und König in Ägypten. (179) Zum andern ist er in Babylon noch deutlich in der persönlichen Frömmigkeit jedes Menschen zu eruieren (180), weniger deutlich in Ägypten. (181) In den Klage- und Bittgebeten der primitiven Völker ist die Hinwendung zum eigenen Schöpfer in großer Häufigkeit belegt, allerdings nicht auf den einzelnen Menschen, sondern auf die kleine Gruppe bezogen. Doch erwies dieser Unterschied sich als unwesentlich. Eine Verbindung mit der Weltschöpfung findet nirgends statt. (182)

Was haben wir aus diesen, noch einmal grob skizzierten Ergebnissen zu entnehmen? Eine der These C.Westermanns entsprechende klare Scheidung zwischen Welt- und Menschenschöpfung findet sich im Rahmen der Gebetsliteratur in Bezug auf die Welt- und die ins Persönliche gewendete Menschenschöpfung. Hier haben wir ein ganz eindeutiges Ergebnis. Es entspricht überdies den bei Deuterojesaja gemachten Beobachtungen sehr genau: Den Typ der Menschenschöpfung, den wir in den Heilsorakeln bei ihm und einer Reihe von alttestamentlichen Klagen herausgearbeitet hatten (183), finden wir in den primitiven Kulturen, in Babylon aber auch in Ägypten in ganz ähnlichen Gattungen und in exakt entsprechender Funktion, sodaß wir nicht umhin können, ihn als relativ feste, weit über Israel hinaus verbreitete Schöpfungstradition zu werten. Nicht ganz so sicher ist, wie wir die Zweigleisigkeit innerhalb dieser Tradition, zwischen persönlicher Frömmigkeit und Königsideologie, zu beurteilen haben. Doch ist es recht unwahrscheinlich, im altorientalischen Königsdogma den Ursprung der gesamten Tradition zu sehen, dafür ist die Bezeugung des Motivs in privaten Gebeten, gerade in den primitiven Kulturen, viel zu dicht. Aufs Ganze gesehen wird man eher umgekehrt ansetzen müssen: Es handelt sich um ein urtümliches Motiv allgemein-menschlicher Frömmigkeit, der gegenüber die Anwendung auf einen hervorgehobenen Menschen, besonders den König, eine Sondertradition darstellt. Das schließt nicht aus, daß im Einzelfall auch eine entgegengesetzte Entwicklung stattgefunden haben kann. Die Zweigleisigkeit der Tradition spiegelt sich ebenfalls im Alten Testament: auch hier fanden wir neben der Erschaffung des einzelnen Menschen auch die Erschaffung des Mittlers zu einem besonderen Amt. (184) Folgt man den religionsgeschichtlichen Überlegungen, dann wird man in letzterer eine Spezialisierung ersterer zu erblicken haben. So darf aufgrund des religionsgeschichtlichen Materials diese Schöpfungstradition Deuterojesajas, bei der es in der Hinwendung zu Gott um je meine Erschaffung geht, als selbständige und von der Weltschöpfung völlig geschiedene angesehen werden. Die exegetischen Ergebnisse ordnen sich insoweit mühelos in einen weit über Israel hinausgehenden Horizont ein und sind damit der Zufälligkeit so weit wie möglich enthoben.

Weit weniger eindeutig sind die Ergebnisse über die Erschaffung der Menschheit insgesamt. Zwar ist dieser Typ rein inhaltlich leichter mit dem in Deck-

kung zu bringen, was C. Westermann von den Erzählungen her mit Menschenschöpfung bezeichnet hat (185), doch konnte wahrscheinlich gemacht werden,
daß nicht er, sondern der Appell an den persönlichen Schöpfer das ursprüngli-
chere Reden von Menschenschöpfung im Bereich der Gebetssprache belegt. (186)
Im ganzen macht die Erschaffung der Menschheit gemgegenüber einen weit
lockereren Eindruck: sie kommt noch in Bittgebeten vor, doch bewegt sie sich
zusehends auf das Lob des Menschenschöpfers zu. Sie wird zum Thema des
Hymnus und gehört damit, wenn sie auch noch in Sumer und Babylon meist
alleine vorkommt, zu der gleichen Gattung wie die Weltschöpfung. So verwundert es auch nicht, daß es dieser Typ von Menschenschöpfung ist, der dann,
besonders häufig in ägyptischen Hymnen, an die Seite der Weltschöpfung treten kann. Oft zielt das Lob des Menschenschöpfers auf die Güte Gottes, das
thematisierend, was Funktion des Appells an den eigenen Schöpfer gewesen
war, doch kommt es auch hier zur Angleichung mit dem Lob des Weltschöpfers: sei es, daß auch die Menschenschöpfung mit Herrschaftsmotiven durch-
gesetzt wird (187) wie im Akkadischen, sei es, daß die Weltschöpfung selbst
schon auf Segen und Bewahrung hinausläuft, wie im Ägyptischen. (188) Man
hat es also mit einer lockeren Tradition zu tun, deren ursprünglich von der
Weltschöpfung getrennter Ausgangsort zwar noch sichtbar ist, die aber schon
weitgehend in der Weltschöpfung absorbiert worden ist. Möglicherweise in die
gleiche Übergangssituation gehört das Reden von der Menschenschöpfung im
Anschluß an die Erschaffung der Erde in Jes 42,5 und 45,12.

Aufgrund des recht blassen Eindrucks, den die Weltschöpfung in den akkadischen Hymnen macht, läßt sich durchaus noch die traditionsgeschichtlich späte und von der Menschenschöpfung getrennte Ausformung dieser Tradition er-
ahnen. Es ist aber bemerkenswert, daß wir sie etwa in Ägypten schon häufig
mit der Erschaffung der Menschheit verbunden finden. Die Weltschöpfung als
scharf abgegrenzte Tradition läßt sich darum von dem vorliegenden Material
nicht so deutlich erweisen, wie das vom exegetischen Befund bei Deuterojesaja her zu erwarten gewesen wäre. Möglicherweise treffen wir in Ägypten
auf ein traditionsgeschichtlich späteres Stadium, in dem es schon zu einer
weitgehenden Einverleibung der Menschenschöpfung in die Weltschöpfung gekommen ist. Die These C. Westermanns wird also in diesem Fall nicht so
sicher bestätigt, bietet sich aber dennoch als gute Erklärungsmöglichkeit an.
Von der Erschaffung des Einzelnen ist die Weltschöpfung durch Gattung
(Hymnus) und Funktion (meist Majestät) völlig getrennt. Mit dieser partiellen
Bestätigung der Westermann'schen These haben wir für unsere weiteren exegetischen Untersuchungen eine recht sichere Grundlage erarbeitet.

D. Weltschöpfung und Menschenschöpfung in den Psalmen

Wir hatten bei Deuterojesaja zwei verschiedene Schöpfungstraditionen herausarbeiten können. Dazu ließen sich nun z.T. weitgehende religionsgeschichtliche Entsprechungen aufweisen: Weltschöpfung und Menschenschöpfung, insbesondere deren personal bezogener Typ, traten in der "Gebetsliteratur" der

untersuchten Kulturbereiche an verschiedenem Ort und in unterschiedlicher Funktion auf, daß damit das exegetische Ergebnis bei Deuterojesaja der bloßen Zufälligkeit enthoben ist und zum einigermaßen gesicherten Ausgangspunkt einer Untersuchung der Schöpfungsaussagen in der übrigen Gebetsliteratur des Alten Testamentes gemacht werden kann.

Als erstes werden die Psalmen Gegenstand der Untersuchung sein, wobei es ratsam sein wird, auch die Belege aus den geschichtlichen und prophetischen Büchern hinzuziehen. Überblickt man alle in Frage kommenden Belege (1), so ergibt sich ein recht erstaunliches Bild: Weltschöpfung und Menschenschöpfung stehen fast immer je für sich (2) und sind nur selten miteinander verbunden. (3) Das ist schon ein gewichtiges Indiz dafür, daß die bei Deuterojesaja erarbeitete These auch für die Psalmen Gültigkeit hat. Wieweit diese reicht oder wieweit Modifikationen und Ergänzungen vorgenommen werden müssen, soll anhand der Texte untersucht werden. Der soeben erhobene vorläufige Befund legt es nahe, zunächst nach dem Ort und der Funktion der Welt- und Menschenschöpfung je gesondert zu fragen, um dann in einem dritten Schritt das Verhältnis beider zueinander zu bestimmen.

I. Ort und Funktion der Weltschöpfung in den Psalmen

Wie schon erwähnt wurde (4), hat es in der Psalmenforschung keine thematische Behandlung der Schöpfung gegeben. Wir können darum nur von einigen Einzelbeobachtungen ausgehen. So weisen etwa H.Gunkel/J.Begrich die Schöpfung ganz eindeutig dem "Hymnus" zu, d.h. nach C.Westermanns Terminologie dem beschreibenden Lob. (5) Es stellt sich natürlich sofort die Frage, welche Schöpfungstradition von ihnen damit angesprochen ist. Von Deuterojesaja her wird man am ehesten die Weltschöpfung vermuten. Das ist, wie schon eine flüchtige Übersicht über die von H.Gunkel/J.Begrich aufgeführten Stellen zeigt, auch weitgehend der Fall. (6) Man wird daher im beschreibenden Lob einen wichtigen Ort der Weltschöpfung in den Psalmen zu vermuten haben. Das soll eine Untersuchung der Texte erhärten.

1. Die Weltschöpfung im beschreibenden Lobpsalm
Die Beobachtungen Gunkel/Begrichs sind durch die Weiterführung der formgeschichtlichen Arbeit von C.Westermann präzisiert worden: Im israelitischen Hymnus (beschreibendes Lob) werden nicht einfach, wie zumeist in der Umwelt, lobende Prädikate summiert, sondern aus einer polaren Aussage entfaltet, wie sie etwa in der Mitte des 113. Psalms steht:

V 5b.6a der in der Höhe thront - der in die Tiefe sieht.

Jahwe wird in der Polarität seiner Majestät und seiner Güte gepriesen; sie bildet die - wenn auch verhältnismäßig lockere - Struktur dieser Gattung. (7) Die Polarität kann nun weiter durch den Preis des Schöpfers und des Herrn der Geschichte entfaltet werden. Doch während das Lob des Herrn der Geschichte "eigentümlich in der Mitte zwischen dem Loben der Majestät und dem

Loben der Gnade Gottes" steht (8), gehört das Lob des Schöpfers ganz auf die Seite der Majestät. (9) Damit ist uns zur Bestimmung der Funktion der Schöpfungsaussagen im beschreibenden Lob schon ein äußerst wichtiger Hinweis gegeben.

a) Die Weltschöpfung als Beschreibung der Majestät Gottes
In dieser Gruppe werden folgende Texte zu behandeln sein: Ps 33; 136; 135; 95A; 148; (103,20ff; 19,1-5a); 96; 24; 146; 1 Sam 2; - Jes 51,15; Am 4,13; 5,8; 9,5f; Jer 10,12-16; 33,2; 31,35f; (33,25f).

Ort und Funktion der Weltschöpfung läßt sich gut an Ps 33 verdeutlichen. Sein Aufbau ist folgender:

1 - 3: IMPERATIVISCHER AUFRUF ZUM LOB (erweitert)
    Jubelt, ihr Gerechten, in Jahwe...!
4 - 5: BEGRÜNDUNG: EINLEITENDE ZUSAMMENFASSUNG
    4 Wort und Tun Jahwes: denn gerade ist das Wort Jahwes und all sein Tun geschieht in Treue

	5 Polarität:	MAJESTÄT	GÜTE
		er liebt Gerechtigkeit	von Jahwes Gnade ist die Erde voll

6 - 11: ENTFALTUNG I: JAHWES MAJESTÄT
    6-9: D e r S c h ö p f e r d e r W e l t
    6.9 Wort: Durch das Wort Jahwes sind die Himmel gemacht...
    7 Tun: der wie im 'Schlauche' (10) faßt die Wasser des (Himmels-) Meeres
10 - 11: Der Herr der Geschichte
    10 Jahwe zerbricht (11) den Rat der Heiden
13 - 19: ENTFALTUNG II: JAHWES GÜTE
    13.19a: Jahwes Zuwendung in der Geschichte (12)
    vom Himmel blickt Jahwe herab...
    daß er vom Tod ihr Leben errette
    19b: Erhaltung: und sie erhalte in der Hungersnot.

Der Aufbau des Psalms ist recht klar: Die polare Aussage V 5 wird V 6 - 11 und V 13 - 19 entfaltet; beide Entfaltungen sind durch einen Makarismus (12) getrennt. (13) Neben Jahwes Handeln in der Geschichte, das die Pläne der Mächtigen dieser Welt zerbricht, ist es sein Schöpferhandeln, das seine Majestät rühmen soll. Es ist eindeutig das Handeln des Weltschöpfers, das hierbei im Blick ist: die Erschaffung des Himmels und seines Sternenheeres, das Bändigen der Himmelswasser, um sie zu seiner Verfügung zu haben, werden konkret angeführt. Entsprechend der zusammenfassenden Einleitung V 4 werden zwei ganz verschiedene Arten der Schöpfung direkt nebeneinander gestellt: die Erschaffung durch das Wort (6.9) und durch ein "handwerkliches" Tun (7). (Mit dieser Zusammenfügung soll die Totalität des erschaffenden Handelns Jahwes umschrieben werden. Wie stark der Ton auf dem gewaltigen, weltüberlegenen Handeln Gottes liegt, macht die Erweiterung V 8 klar, die den Eindruck schildert, den dieses Tun auf die Erdenbewohner macht: sie erstarren in Furcht und Zittern. In die gleiche Richtung zielt die "Wortschöpfung" V 9: Ein Befehl genügt, um etwas entstehen zu lassen. Um was es hier im einzelnen geht, wird nicht gesagt, wie ja überhaupt das Interesse gar nicht auf dem Ergebnis, der Weltschöpfung, sondern auf dem Erschaffen des Weltschöpfers liegt. Dieser demonstriert damit seine ungeheure, weltüberlegene Macht. Das ist aber nur die eine Seite, dieser mächtige Weltschöpfer und Herr der Geschichte ist zugleich der, der sich dem Menschen in seiner Todesnot zuwendet. An die Rettung schließt sich noch andeutungsweise die Bewahrung aus kreatürlicher Not an.

Ganz ähnlich ist Stellung und Funktion der Weltschöpfung im Ps 136, auch wenn im einzelnen erhebliche stilistische und inhaltliche Unterschiede bestehen. Dreimal wird der imerativische Lobruf wiederholt (1-3), der erste wird mit der Güte Jahwes begründet und zwar unter Verwendung einer liturgischen Formel (15), deren zweite Hälte litaneiartig nach jeder Zeile wiederholt wird. Der zweite und dritte Lobruf (V 2-3) wird mit der Majestät Jahwes begründet; so klingt in diesen Begründungen die Polarität des beschreibenden Lobpsalms schon an, beides wird zusammengefaßt in V 4. Zum Lob der Majestät gehört wieder die Weltschöpfung (V 5-9), das Thema "Herr der Geschichte" ist ganz von den Geschichtraditionen des Alten Testaments geprägt und leitet von den mächtigen Taten an Israels Feinden, zu deren Ziel, der Rettung Israels über (10-22). Nun zeigt der Psalm eine auffällige syntaktische Konstruktion, die besonders F.Crüsemann herausgestellt hat (15a): der "Hauptteil" Des Psalms wird von Partizipien beherrscht, denen das le der Lobrufe vorgefügt ist, damit wird er insgesamt eine Art Apposition zum Jahwenamen V 1. Das gilt auch für die Schöpfungsaussagen:

1 Lobet Jahwe...
5 den, der den Himmel mit Weisheit macht...
6 den, der die Erde feststampft über den Wassern...
7 den, der die großen Leuchten schafft...
8   die Sonne zur Herrschaft am Tage...
       den Mond '...' 'zur Herrschaft' (15b) bei Nacht.

Den weitreichenden Konsequenzen, die F.Crüsemann aus dieser Konstruktion zieht, wird man kaum zustimmen können (15c), vielmehr ist in Ps 136 etwas pedantisch verdeutlicht, was für alle beschreibenden Lobpsalmen gilt: die ganze Fülle des Handelns Jahwes wird allein deswegen aufgeboten, um ihn zu rühmen. Wie in Ps 33 so ist auch in Ps 136 die Erschaffung der Erde, des Himmels und der Sterne nicht um ihrer selbst willen aufgeführt, sondern um Jahwes Majestät zu preisen.

Ein ganz ähnliches Nebeneinander der Themen findet sich auch in Ps 135. Fast mit den gleichen Worten wird das Handeln Jahwes in der Geschichte anhand der Rettungserfahrungen Israels dargestellt, allerdings nicht partizipial, son-

dern in Relativsätzen konstruiert. Davor steht ein partizipial formuliertes (16)
Handeln des Weltschöpfers. Doch geht es hier weniger um die Schöpfung "am
Anfang", sondern um die Verfügungsgewalt des Schöpfers über seine Welt:

>   7   der Wolken heraufführt von den Enden der Erde,
>   Blitze für den Regen macht,
>   der den Wind herausläßt aus seinen Kammern. (17)

Auch dieses Handeln soll eindeutig die Größe Jahwes (V 5) erläutern, seine
Fähigkeit unter Beweis stellen, alles zu tun, was er will und zwar an jedem
Ort der dreistöckig gedachten Welt. (6) Doch ist der klare Aufbau des Psalms
durch eine Reihe von Überarbeitungen, die z.t. eine neue Verwendungsweise
des Psalms erkennen lassen, verdunkelt worden. (18)

Halten wir einen Augenblick inne: Alle Psalmen gehörten zur Gattung des beschreibenden Lobes, in allen war die Struktur dieser Gattung, die Polarität
von Jahwes Majestät und Jahwes Güte recht klar zu erkennen gewesen. In allen Fällen gehörten die "Schöpfungsaussagen" eindeutig auf die Seite des Lob-
preises der Majestät Jahwes. Dabei ging es ausschließlich um seine Welt-
schöpfungstaten, die Erschaffung des Menschen kam nicht vor. Nur einmal
werden im Zusammenhang der Weltschöpfung die Menschen genannt, aber nur
um die furchterregende Wirkung dieses machtvollen Handelns zu verdeutlichen.
Soweit entspricht dieser vorläufige Befund ganz und gar dem bei Deuterojesaja
herausgearbeiteten Ergebnis. Unterschiede scheinen auf dem Sektor des Stilistischen zu bestehen: Zwar ist auch in den Psalmen die partizipiale Konstruktion häufig, daneben aber konnten auch finite Verbformen auftreten.

Diese Beobachtungen lassen sich auch an den Abwandlungen und Sonderformen
der Gattung erhärten. Der ursprünglichen Form noch recht nahe steht eine
Gruppe von Texten, die C.Westermann unter der Bezeichnung "Imperativpsal-
men" zusammengefaßt hat. (19) Zu ihr gehört auch Ps 95,1-7a. (20) Der
Aufbau dieses Psalms ist klar: Er besitzt zwei Aufrufe, V 1f und V 6, die
beide begründend entfaltet werden:

V 1 - 2	Aufruf
V 3 - 5	Begründung:
	denn ein großer Gott ist Jahwe
	und '...' (21) König über allen Göttern
	'...' (22) in seiner Hand sind die Tiefen (23) der Erde
	und die Gipfel der Berge sind sein.
	'...' (22) ihm gehört das Meer, er hat es gemacht
	und das Trockene, seine Hände haben es gebildet.
V 6	Aufruf
V 7a	Begründung:
	denn er ist unser Gott und wir 'sein Volk'
	'Schafe seines Weidens' (24)

Die erste Entfaltung preist Jahwe in seiner Größe, die ihn über alle Götter erhebt, die zweite in seinem Zugewandtsein zu seinem Volk. Die polare Struktur des beschreibenden Lobpsalms, wie sie von C.Westermann herausgearbeitet worden ist, spiegelt sich also in den durch die beiden Aufrufe gegliederten Psalmenteilen und erhält damit eine weitere Bestätigung. Die Weltschöpfungsmotive gehören zur ersten Entfaltung und somit eindeutig auf die Seite der Majestät. Jahwes Herrscherstellung über die anderen Götter besteht darin, daß er über die Erde von ihren tiefsten Tiefen bis zu ihren höchsten Höhen, nicht nur über das Land, nein, auch über das Meer uneingeschränkte Verfügungsgewalt hat. Diese wiederum hat ihren Grund darin, daß er das Meer und das Trockene geschaffen hat. Die Herleitung der Verfügungsgewalt Jahwes über die Welt aufgrund der Weltschöpfung wird uns noch an anderer Stelle begegnen. (25)

In Ps 148 sind die Aufrufe zum Lob so beherrschend geworden, daß sie fast den ganzen Psalm füllen. Auch hier findet sich eine klare Zweiteilung des Psalms durch die Aufrufe, doch ist sie im Unterschied zu Ps 95A mehr sachlich bedingt: V 1-5a wird aufgerufen, Jahwe vom Himmel her, V 7-13a von der Erde her zu loben. So wird in zwei Durchläufen die ganze Fülle der Kreaturen zum Gotteslob gerufen, zuerst die des Himmels, dann die der Erde. (26) Die ganze Schöpfung soll in das Lob einstimmen, das Israel seinem Gott darbringt. Gegenüber diesen überbordenden Lobrufen sind die Begründungen sehr kurz:

V 5b.6   denn er befahl und sie waren geschaffen,
                  er ließ sie erstehen für immer und ewig.
                  Eine Grenze setzte er, daß es (27) sie nicht überschreite.
V 13a.14a   denn hoch erhaben ist sein Name allein,
                  seine Hoheit über Erde und Himmel;
                  so richtete er auf das Horn seines Volkes. (28)

Die erste Kette der Lobrufe wird also mit dem Schöpferhandeln Jahwes begründet. Es ist direkt auf die zuvor genannten Objekte zu beziehen, dabei ist wohl in den ersten beiden Sätzen ihre Erschaffung insgesamt, in dem letzten Satz speziell das Eingrenzen des Himmelswassers gemeint. Es handelt sich also eindeutig und ausschließlich um ein Weltschöpfungshandeln.

Allgemeinerer Art ist die Begründung der zweiten Kette von Lobrufen: Hier geht es um die Erhabenheit des Jahwenamens, und Jahwes Hoheit über die Welt. Erst dann folgt die andere Seite der Polarität des beschreibenden Lobes: Jahwe erbarmt sich seines Volkes.

So sind die beiden Teile von Ps 148 nicht völlig deckungsgleich mit den beiden Seiten des beschreibenden Lobes. Deswegen läßt es sich nicht mit der gleichen Evidenz wie im vorigen Beispiel zeigen, daß die Weltschöpfungsaussage V 5bf auf ein Lob der Majestät Jahwes zielt, doch ist das immerhin sehr wahrscheinlich. (29) Für unsere Fragestellung ist ferner es wichtig, daß in der Begründung des zweiten Lobrufes, der ja die menschennahe Welt und schließlich den Menschen selber in seinen sozialen, geschlechtlichen und altersmäßigen Differenzierungen nennt, das Thema Schöpfung ganz fehlt. Dabei hätte es von V 5bf her so nahe gelegen! Das ist doch ein starkes argumentum e silentio dafür, daß die Menschenschöpfung nicht zum traditionellen Themenkreis des beschreibenden Lobes gehörte.

Eine andere Abwandlung des beschreibenden Lobes liegt da vor, wo eine Verbindung mit Elementen anderer Gattungen stattgefunden hat. So konnte auch das Weltschöpfungsmotiv in neue Zusammenhänge wandern. So treffen wir es auch in dem Jahwekönigspsalm, Ps 96, an. Auch dieser Psalm ist stark von Aufrufen bestimmt: Der imperativische Aufruf zum Lob V 1-3 ist charakteristisch erweitert mit einem Aufruf zur Verkündigung unter den Völkern (30), er wird V 7-9 mit einem Aufruf an die Völker, Jahwe zu verehren fortgeführt und findet in den jussivischen Aufrufen zur Freude an Himmel und Erde V 11-13 sein Ziel. Zweimal werden diese Aufrufe begründet: V 4-6 nominal mit der Größe Jahwes, V 13 perfektisch mit dem endzeitlichen Kommen Jahwes. Dazwischen steht die Botschaft: Jahwe ist König geworden V 10. (31) An die Stelle des Lobes der Güte Jahwes tritt in diesem Psalm das Lob des noch ausstehenden Heilshandelns Jahwes. (32) Das Lob der Majestät Gottes V 4-6 könnte dagegen in jedem normalen beschreibenden Lobpsalm stehen:

> V 4f   denn groß ist Jahwe und hoch zu loben,
> furchtbar ist er über allen Göttern.
> Denn die Götter der Völker sind Nichtse,
> Jahwe aber hat den Himmel gemacht... (33)

Wie in Ps 95 wird die Größe Jahwes im Gegenüber zu den anderen Göttern entfaltet. Ps 96 geht darüber noch hinaus, indem er die Nichtigkeit der anderen Götter feststellt und sie mit der Allmacht des Weltschöpfers in Kontrast setzt. Das Thema Weltschöpfung war also in ganz besonderer Weise dazu geeignet, die unvergleichliche Majestät Jahwes auszudrücken.

Ganz anderer Art ist die Mischung der Elemente in Ps 24. V 3-6 ist eine Einzugstora, V 7-10 eine Ladeprozession. Ohne sichtbare Verbindung sind davor zwei Verse gestellt, in denen die Weltherrschaft Jahwes konstatiert und mit seinem Handeln als Weltschöpfer begründet wird:

> V 1f   Jahwe gehört die Erde und ihre Fülle
> der Erdkreis und die darauf wohnen,
> denn er hat sie auf die Meere begründet
> und auf den Strömen festgestellt. (34)

Den Psalm fehlt jede Einleitung, die Verse entbehren charakteristischer stilistischer Kennzeichen, sodaß eine formale Bestimmung der Gattung nicht möglich ist. Dennoch werden die Eingangsverse von den meisten Exegeten dem beschreibenden Lob zugerechnet, und zwar allein aufgrund ihres Inhalts. (35)

Das legt sich von den Parallelen her nun in der Tat nahe. (36) Man wird aber nicht sagen können, es handele sich hierbei um einen vollständigen beschreibenden Lobpsalm. (37) Vielmehr wurde hier nur ein Bruchstück aufgenommen und zwar, wie die Verbindung mit dem Motiv der Weltherrschaft zeigt, eindeutig aus dem Preis der Majestät Jahwes. Damit bekommen die nachfolgenden Psalmenteile einen machtvollen und universalen Hintergrund.

Nach den Abwandlungen der Grundform ist noch eine Sonderform des beschreibenden Lobpsalms nach Schöpfungsaussagen zu befragen: seine Aufnahme und Gestaltung durch einen Einzelnen. (38) Da ist zuerst Ps 146 zu nennen. Die freiere, durch Aufnahme von Elementen anderer Gattungen veränderte Form ist gleich zu Beginn des Psalms zu erkennen: er beginnt zwar mit einem imperativischen Aufruf zum Lob, dieses ist aber gleichsam umgebogen auf den Beter selbst. (38) In Konkurrenz dazu steht eine Selbstaufforderung im Kohortativ, entsprechend den Einleitungen zum berichtenden Lobpsalm (Danklied), welche aber durch die Näherbestimmungen bĕḥajjāi und bĕ ʿōdī eine über die Situation des Gerettetseins hinausgehende Stetigkeit bekommt, sich also deutlich auf das beschreibende Lob zubewegt. V 3f folgt eine Mahnung, eine dem beschreibenden Lob völlig fremde Redeform; auch sie könnte über das berichtende Lob hineingekommen sein, an dessen Ende sich gern weisheitliche Formen anhängen. (40) Die Mahnung, nicht auf Menschen zu vertrauen, ihre Begründung mit dem Hinweis auf die Vergänglichkeit des Menschen, in Kontrast gesetzt mit dem Makarismus auf den, dessen Hilfe Jahwe ist, findet inhaltlich eine Entsprechung im Bekenntnis der Zuversicht und der Vergänglichkeitsklage, beides Formen der Klage des Einzelnen. (41) Doch wenn neben dem Menschen auch die Fürsten, neben seiner Vergänglichkeit auch das Ende ihrer Pläne gesetzt wird, dann soll damit wahrscheinlich auf das Thema des beschreibenden Lobes: "Jahwe ist der Herr der Geschichte" angespielt werden. (42) Hier sieht man sehr deutlich, wie frei die urspüngliche Gattung gestaltet und mit Themen und Sprachformen aus der individuellen Frömmigkeit bereichert wird. Der die Mahnung kontrastierende Makarismus wird nun in einer langen partizipialen Kette doppelt entfaltet:

V 6a der Himmel und Erde schafft,
      das Meer und alles, was darin ist,
V 6b der Treue hält auf ewig...

Was V 6b zusammenfaßt, wird im Folgenden breit ausgeführt: Jahwe wendet sich gerade den schwachen, rechtlosen, kranken und hungernden Menschen zu, um ihnen zu helfen. V 8b.9b schließen mit einem Kontrast: Jahwe liebt die Gerechten, aber den Weg der Gottlosen krümmt er. (43) Fragt man nach der Struktur dieses Abschnittes, so erkennt man trotz aller Formfreiheit die Polarität des beschreibenden Gotteslobes wieder: Das unvermittelte Nebeneinander von Weltschöpfung und Rettungshandeln entspricht dem Gegenüber don Lob der Majestät und Güte Jahwes; rein sachlich läßt es sich überhaupt nicht erklären. So wird man von diesem Traditionshintergrund auch an dieser Stelle die Weltschöpfung als Majestätsaussage interpretieren dürfen. Doch ist

sie unmittelbarer auf das geschichtliche Erbarmen Gottes bezogen, als wir
das bis jetzt gefunden hatten. Man wird die Verbindung etwa so interpretieren
dürfen: Weil Jahwe so mächtig ist, Himmel, Erde und Meer zu schaffen, kann
er auch helfen. So zeigt die Weltschöpfungstradition trotz dieser Modifikation
grundsätzlich die gleiche Funktion, die wir für die anderen beschreibenden
Lobpsalmen herausgearbeitet haben.

In einer ganzen Reihe von Punkten ist mit Ps 146 das Lied der Hanna 1 Sam 2,
1-10 vergleichbar. Auch hier begegnen Elemente aus dem berichtenden Lob,
so könnte etwa die völlig vereinzelte Form des Psalmeneingangs aus dem Bericht von der Errettung dieser Gattung stammen (44), ja, der Psalm steht an
einer Stelle, an der man eigentlich einen berichtenden Lobpsalm erwarten
würde. Auch eine Mahnung findet sich in V 3f, sie richtet sich jedoch gegen
die Feinde; sie ist deswegen am ehesten mit der Anrede an die Feinde vergleichbar, die auf die Feindklage in der Klage des Einzelnen zurückgeht. (45)
V 2 hat Anklänge an das Bekenntnis der Zuversicht. Im Hauptteil des Psalms
V 4-8 geht es aber nicht mehr um das Lob aus der Erfahrung einer konkreten
Errettung - nur in V 5 taucht nebenbei die Wende des Schicksals der kinderlosen Frau auf - sondern hier wird Jahwe in der Gesamtheit seines Tuns gepriesen. Und es ist wieder unverkennbar die Struktur des beschreibenden Lobes, die das Ganze durchzieht: Der Umsturz aller natürlichen Ordnungen
(V4f) wird V 6-8 auf das umwandelnde Handeln Jahwes zurückgeführt:

V 6	Jahwe ist's, der tötet und der lebendig macht,
	der in die Scheol herabführt und der hinaufführt.
V 7	Jahwe ist's, der arm macht und der reich macht...

Mit fast den gleichen Worten wie in Ps 113 wird das Erbarmen Jahwes mit
den Geringen weiter entfaltet:

V 8a	der aus dem Staub den Geringen aufrichtet
	und aus dem Kot den Armen erhebt,
	daß er ihn setze neben die Fürsten,
	daß er sie den Ehrenthron erben lasse.
V 8b	Denn Jahwe gehören die Säulen der Erde,
	hat er auf sie doch den Erdkreis gesetzt.

Das Weltschöpfungsmotiv begegnet seltsam nachklappend. Es soll die Feststellung begründen, daß Jahwe die Verfügungsgewalt über "die Säulen der Erde", d.h. über die ganze Welt hat; eine Motivkombination, die wir schon früher angetroffen hatten (46) und die die Weltschöpfung eindeutig als Majestätsaussage charakterisiert. Diese Majestätsaussagen werden nun an Jahwes er-
barmendes Handeln in der Geschichte angehängt. Offenbar sollen sie sein so
wunderbares Handeln an den Geringen begründen: Jahwe kann sie so hoch erhöhen, weil ihm die Welt gehört, die er geschaffen hat. So wäre die Funktion
eine ganz ähnliche wie in Ps 146. Nun ist die Textüberlieferung ab V 8b recht
unsicher und es könnte sich um eine sekundäre Verbindung handeln. (47) So

wird man mit der Vermutung vorsichtig sein müssen, ob es sich bei dieser Funktion um ein Spezificum der individuell geformten beschreibenden Lobpsalmen handelt. Sonst begegnet jedenfalls diese direktere Verkoppelung von Weltschöpfung und geschichtlichem Rettungshandeln nicht mehr. Vergleichbar wäre höchstens Jes 40,12-31.

An dieser Stelle muß noch auf einen speziellen Typ des beschreibenden Lobpsalms eingegangen werden, den F.Crüsemann herausgearbeitet hat. (48) Er hat in den Psalter keine Aufnahme gefunden, begegnet aber in einer Reihe von Prophetenbüchern. (49) Seine Merkmale, die es auch gestatten, ihn aus den verschiedenen Zusammenhängen, in denen er eingestreut ist, herauszulösen, sind partizipiale Reihung und eine Art von "Unterschrift", die jhwh šěmō oder jhwh şěbā' ōt šěmō lautet. Dabei ist die Verbundung beider Elemente so stark, daß sie sich auch noch dann durchzuhalten vermochte, wenn es dadurch zu erheblichen Spannungen im Kontext kam. Ein Beispiel dafür war uns schon bei Deuterojesaja begegnet:

Jes 51,15   Der das Meer erregt, daß seine Wogen brausen:
Jahwe Zebaoth ist sein Name. (50)

Das Reden von Jahwe in der 3.P. fällt aus der Jahwerede 51,12-16 völlig heraus. Es wird nur verständlich, wenn man es aus dem Zwang einer vorgegebenen Form erklären kann. So ist die Verbindung von partizipialer Aussage und nominaler Unterschrift für diese Form der Lobpsalmen offensichtlich konstitutiv. (51) F.Crüsemann ist es gelungen, für sie eine einleuchtende Erklärung zu geben: "Die Form dieser Hymnen (ist) ein herausragendes Ergebnis des weiten und vielfältigen Übernahmeprozesses altorientalischen Traditions- und Formulierungsgutes durch Israel und seiner Reklamation für Jahwe: Typische Aussagen und Formulierungen von Hymnen der Umwelt wurden durch die Unterschrift für Jahwe gewonnen. Damit entstand ein völlig eigenständiger Typ des Hymnus". (52) Dieser "partizipiale Hymnus", wie ihn Crüsemann nennt (53), entstammt also der Auseinandersetzung Israels mit seiner Umwelt. Der Lobpreis der Taten fremder Götter wird von Israel übernommen und durch die Unterschrift für Jahwe vereinnahmt. Konkret handelt es sich dabei, wie F.Crüsemann feststellt, "nahezu ausschließlich" um "Schöpfungs- und Naturhandeln". (54) Da stellt sich für uns die Frage, welches Schöpferhandeln hier gemeint ist. Hat das, was über Inhalt und Funktion der Schöpfungsaussagen im beschreibenden Lob bisher gesagt worden ist, auch hier seine Gültigkeit?

Die wichtigsten Belege des "partizipialen Hymnus" sind die sogenannten "Amosdoxologien" (Am 4,13; 5,8.(9); 9,5f). Im Anschluß an F.Horst (55) hat F.Crüsemann unter eingehender Berücksichtigung der Forschung einen neuen Versuch ihrer text- und literarkritischen Rekonstruktion unternommen, dem ich bis auf eine einzige, gleich zu nennende Ausnahme zustimmen kann, und auf den ich der Kürze halber verweise. (56) Geht man den von ihm gebotenen Text durch, dann stößt man auf das erstaunliche Ergebnis, daß sich das Handeln Jahwes fast ausschließlich auf die beiden Themenkreise: Erschaffen der Welt und Herrschaft über die Welt verteilen läßt. Zum ersten gehört das Erschaffen der Berge und des Windes (57), der Sterne (58) und der Bau eines "Söllers" auf dem Himmelsgewölbe, das hier offensichtlich als feste Schale vorgestellt wird. (59) Zum zweiten gehört es, die Erde in Beben zu versetzen und die Himmelswasser zum Zwecke des Regens abzukommandieren. (60) In der Mitte zwischen Schöpfungshandeln und Herrsein über die Schöpfung steht das Erschaffen von Licht und Finsternis und der Wandel von Tag und Nacht. (61) Es ist eindeutig der Weltschöpfer, der hier gepriesen wird.

Nur zwei Halbverse von Am 4,13 wollen nicht recht dazu passen. Crüsemann übersetzt, weitgehend MT folgend:

> Der die Berge bildet und den Wind schafft
> und dem ,Menschen verkündet, was sein
> Sinnen,
> der Morgenröte 'und' Dunkel macht
> und der tritt auf die Höhen des Landes,
> Jahwe '...' ist sein Name!

H.W.Wolff versucht folgendermaßen einen Zusammenhang zu konstruieren: "Zunächst wird der mächtige Schöpfer gepriesen", doch dann führe die nächste Aussage "eindeutig zum Menschen: Gott wird gepriesen, weil er im Wort Kontakt mit ihm aufnimmt", die vierte Zeile "könnte direkt auch auf das Höhenheiligtum von Bethel bezogen werden." (62) Eine solche Verbindung von "Schöpfung und Offenbarung" wäre aber völlig singulär, auch stört das in der dritten Zeile genannte Schöpfungshandeln erheblich den Zusammenhang, der zwischen der zweiten und der vierten gezogen wird, sie wird nicht zufällig von H.W.Wolff geschichtlich uminterpretiert. Die konventionelle Deutung des zweiten Stichos auf die "Schöpfungsoffenbarung" wurde da dem Text gerechter, auch wenn sie für das Alte Testament unmöglich ist. (63) Die thematische Brücke zwischen so divergierenden Aussagen findet H.W.Wolff gar nicht im Hymnus selber, sondern in seiner konkreten Anwendung als Doxologie angesichts der Zerstörung des Bethel-Heiligtums durch Josia. Erst von da her bekommen Wertkontakt und Höhenheiligtum ihren Sinn. Es muß aber doch ernstlich gefragt werden, ob eine solche Interpretation methodisch zulässig ist, wenn man zugleich die literarische (F.Horst) und traditionsgeschichtliche (F.Crüsemann) Eigenständigkeit des Verses voraussetzt. (64)

Nun ist aber jedenfalls im vierten Stichos von 4,13 gar nicht von einen "Zugänglichwerden Gottes für die Menschen" (65) die Rede. Das zeigt der Vergleich mit ähnlichen Formulierungen, vor allem in dem auch sonst verwandten Hymnenstück Hi 9,5-9:

> Hi 9,8   und der tritt auf die Höhen des Meeres
> (auf die Rücken Jams) (66)

Höhenheiligtümer pflegt es auf dem Meer nicht zu geben. Der mit Am 4,13 identische Ausdruck dārak ᶜal-bāmŏtē xx meint gar keine Zuwendung, sondern eine Siegerpose. (67) Ganz deutlich wird das Dtn 33,29, wo es in einem Makarismus an Israel heißt:

> so müssen deine Feinde dir schmeicheln,
> du aber trampelst auf ihrem Rücken (ᶜal-bāmŏtēmŏ tidrŏk). (68)

M.H.Pope hat darum in Hi 9,8 eine Anspielung auf den Baal-Jam-Mythos gesehen (69), man vergleiche dazu auch, wie Marduk den Leib der Tiamat nach seinem Sieg zertrampelt. (70) Analog dazu interpretiert Pope Am 4,13: "Trampling the backs of the wicked earth". Es spricht dann doch sehr viel dafür, in der letzten Zeile von Am 4,13 einen Nachhall des Sieges Jahwes über die aufrührerische Erde zu sehen. Daß wir von einem solchen Mythos sonst nichts wissen, braucht bei unserer bruchstückhaften Kenntnis der kanaanäischen Mythologie kein Gegenargument sein. Aber auch wenn man diese spezielle Deutung ablehnt, wird man nicht umhin können, in diesem Versstück ein urzeitliches Herrschaftsmotiv zu sehen.

Ist damit eine Deutung der Zeile auf eine geschichtliche Zuwendung Gottes im Heiligtum abgewiesen, dann steht der zweite Stichos von 4,13 völlig isoliert da. Da er zudem sprachlich schwierig ist (71), wird man mit einer Gestörtheit des Textes zu rechnen haben. Von den angebotenen Konjekturen (72) scheint mir die von Th.H.Gaster die wahrscheinlichste zu sein: "der dem Erdboden sein Gesträuch wachsen läßt". (73) Auch sie hat eine kleine sachliche Schwierigkeit (74), fügt sich aber weitaus besser in das Reden von Weltschöpfung ein, ja, sie entspricht der traditionellen Vorstellung insofern, als es auch sonst eigentlich die Erde ist, die die Pflanzen hervorbringt, während Gott nur indirekt, meist kausativ, daran beteiligt ist. (75) Folgt man dieser Textänderung, dann bekommen die "partizipialen Hymnen" im Amosbuch eine erstaunliche Homogenität. Sie preisen ausschließlich den Weltschöpfer und Herrn seiner Schöpfung. (76) Doch auch wenn man meint, der Textgestalt des MT den Vorzug geben zu müssen, wird man daraus kaum eine so enge Verbindung zwischen Weltschöpfer und Mensch ableiten dürfen, wie H.W.Wolff es tut. (77)

Mit der Frage nach den Themen hängt die Frage nach ihrer Funktion zusammen. F.Horst hat gemeint, die Verse seien ursprünglich ein "Dankgebet für die Wohltat des Leben und Frucht schaffenden Regens" gewesen und dazu auf Ps 65,7ff verwiesen. (78) Doch wie anders der Ton hier und dort! Wenn der Hymnus davon spricht, daß Gott die Himmelswasser zusammenruft, um sie auf die Erde auszugießen, dann sind doch damit nicht die Segenswirkungen des Regens für die Menschen im Blick, sondern die Fähigkeit Gottes, daß er so etwas vermag. (79) Wenn daneben das Erbeben-Lassen der Erde, das Trampeln auf ihr, das Regieren über Tag und Nacht und die verschiedenen Schöpfungstaten stehen, dann wird man im Gegenteil sagen müssen, daß es dem partizipialen Hymnus ganz ausschließlich um die Majestät Jahwes geht, jedenfalls wenn man der vorgeschlagenen Textänderung folgt. Die Funktion der Weltschöpfungsaussagen im "partizipialen Hymnus" entspricht insofern der in den sonstigen beschreibenden Lobpsalmen genau. Der Unterschied liegt vor allem darin, daß dem Lob der Majestät kein Lob der Güte Jahwes entspricht. Er erklärt sich wahrscheinlich aus der Situation, in der diese Hymnen nach Crüsemann ihren Ort gehabt haben: In der Auseinandersetzung Jahwes mit den anderen Göttern wird es natürlicherweise darum gegangen sein, die Überlegenheit und den universalen Anspruch des Gottes Israels durchzukämpfen. Daß es darum die Majestätsprädikationen waren, die Israel von anderen Göttern aufnahm, um sie triumphierend Jahwe zuzuschreiben, ist nur zu verständlich. Was das Erbarmen Gottes betraf, hatte man seine eigenen starken Erfahrungen. Es kommt höchstens dadurch andeutungsweise hinein, daß es eben Jahwe war, dem man nun auch die Majestät des Weltschöpfers zuschrieb. Daß das Thema "Herr der Geschichte" fehlt (20), erklärt sich möglicherweise daraus, daß die Auseinandersetzung vor allem um die Herrschaft in der "Natur" ging (81); für den "Geschichtsgott" bestand hier einfach ein größerer "Nachholbedarf". So ist die vom beschreibenden Lob abweichende, mehr additive Struktur des "partizipialen Hymnus" gut aus der Situation der kämpferischen Rezeption zu verstehen. (82)

Weitere Belege für den "partizipialen Hymnus" finden sich im Jeremiabuch. (83) Auch hier gehören sie nicht zu den ursprünglichen Prophetenworten, aber anders als im Amosbuch sind sie eng mit anderen Redeformen verquickt worden.

In Jer 10,12-16 ist der "partizipiale Hymnus" eine Verbindung mit einer Götzenpolemik eingegangen. (84) Das ist insofern vertsändlich, als dieser Typ des beschreibenden Lobpsalms aus der Auseinandersetzung mit den anderen Göttern entstanden ist. Doch wird die ursprüngliche Form insofern gesprengt, als die Polemik schon voraussetzen muß, daß es die machtvollen Taten Jahwes sind, die hier genannt sind; die Identifizierung wird also nicht erst mit der Unterschrift V 16 vollzogen. (85)

Auch hier begegnen wir wieder ausschließlich dem Handeln Gottes als Weltschöpfer und Herr seiner Schöpfung:

Jer 10,12 Der die Erde schafft mit seiner Kraft,
der den Erdkreis feststellt durch seine Weisheit
und durch seine Einsicht den Himmel ausspannt.
13 'Der hören läßt' (86) das Brausen der Wasser im Himmel
und Wolken aufsteigen läßt vom Ende 'der' (87) Erde,
Blitze für den Regen macht er
und läßt den Wind aus seinen Kammern.

Es macht einen stark erweiterten Eindruck: Das Erschaffen der Erde wird gleich zweimal erwähnt und die einzelnen Schöpfungstaten sind mit erläuternden Beiworten geschmückt: Kraft, Weisheit und Einsicht Gottes (88) waren bei der Schöpfung zugegen. Damit soll wohl die Größe des Weltschöpfers noch einmal unterstrichen werden. V 13a will wohl wieder seine Herrschaft über die Himmelswasser demonstrieren, 13b sein machtvolles Handeln als Herr der "Natur"; letzteres stimmt mit Ps 135,7 wörtlich überein, macht hier aber durch die Formen im impf.cons. einen aufgelockerten Eindruck. (89) Die Auflösung der Form ist also überall spürbar. Der Majestät des Weltschöpfers wird die Ohnmacht des Menschen gegenübergestellt, angesichts dieser Größe muß er verstummen. Das gleiche gilt für die Götzenhersteller und ihre Machwerke, sie sind nichtig und werden zugrunde gehen. (90) Dem wird in V 16 abschließend noch einmal die Macht Jahwes entgegengesetzt, der "das alles gebildet hat". (91) Wenn Jahwe dabei als "Teil Jakobs" eingeführt wird, "dessen eigener Stamm Israel" ist, dann klingt damit die andere Seite der Polarität des beschreibenden Lobpsalms leise an.

In den beiden übrigen Belegen ist der "partizipiale Hymnus" zur Einleitung von Heilsworten geworden. Ein kleines, textlich nicht ganz sicheres Exemplar steht in Jer 33,2, zu Beginn eines sekundären Heilswortes über Jerusalem:

> Jer 33,2   So spricht Jahwe
> der 'die Erde' (92) macht,
> der sie bildet, um sie festzustellen:
> Jahwe ist sein Name.

Seine Unterschrift tritt hart neben die Botenformel und belegt damit seine ursprüngliche Selbständigkeit. Inhaltlich wird allein die Erschaffung der Erde genannt, doch bleibt die Häufung der Schöpfungsverben, die sich auf ein und dasselbe Objekt beziehen immerhin auffällig. (93) Eine sichtbare Funktion ist nicht mehr erkennbar, die Einfügung scheint wohl nur deswegen erfolgt zu sein, um die Autorität des hier Redenden zu erhöhen. Das weist auf eine späte Zeit. (94)

Anders ist das in Jer 31,35-37. Das Wort hat vielleicht einmal als Abschluß der Sammlung von Heilsworten Kap 30; 31 fungiert (95) und wird wie ihr größter Teil aus späterer Zeit stammen:

> Jer 31,35   So spricht Jahwe
> der die Sonne gibt als Licht für den Tag,
> der den Mond 'festsetzt' (96) als Licht für die Nacht,
> der das Meer erregt, daß seine Wogen brausen:
> Jahwe Zebaoth ist sein Name.
> 36   Wenn diese Ordnungen jemals vor mir weichen sollten, '...' (97)
> dann würde auch der Same Israels aufhören,
> ein Volk vor mir zu sein für alle Zeit. (98)

Einerseits wird die ursprüngliche Selbständigkeit des "partizipialen Hymnus" noch sehr deutlich: wie in Jer 33,2 stößt sich die Botenformel mit seiner Unterschrift und das Erregen des Meeres, das wörtlich Jes 51,15 entspricht, spielt im Folgenden keine Rolle mehr. Andererseits knüpft das Heilswort, im

Gegensatz zu Jer 33,2, deutlich an den Hymnus und sein Lobpreis des Weltschöpfers an: Dieser hat in seiner Machtvollkommenheit die Ordnungen von
Tag und Nacht festgesetzt. So sicher diese Ordnungen nicht vergehen - das
meint der irreale Bedingungssatz - so sicher wird auch Israel Jahwes Volk
bleiben. Damit hat sich die ursprüngliche Blickrichtung des Lobes verschoben: dieses sah ganz auf den Schöpfer der Welt, auf seine Größe; das Heilswort sieht auf das Ergebnis dieses Tuns, auf die "Naturgesetz". Erst durch
diese veränderte Blickrichtung, die von der Beständigkeit der Weltordnungen
ausgeht und sich diese durch die Macht des Weltschöpfers nur garantieren
läßt, kann die Weltschöpfung zu einem Vertrauensgrund dafür werden, daß
sich Jahwe letztenendes doch nicht von Israel abwenden kann. Daß hier eine
Neuinterpretation vorliegt, die das traditionelle Reden vom Weltschöpfer im
Gotteslob grundsätzlich verlassen hat, zeigt ein ganz ähnliches Wort Jer 33,
25-26:

> Jer 33,25 So spricht Jahwe:
> Wenn ich nicht 'Tag' und Nacht 'geschaffen' (99) hätte,
> die Ordnungen von Himmel und Erde nicht festgesetzt hätte,
> 26 dann würde ich auch den Samen Jakobs und Davids,
> meines Knechtes, verwerfen...

Hier ist das Handeln des Weltschöpfers in den irrealen Bedingungssatz einbezogen und damit ganz Argument für seine endgültige Zuwendung geworden.
Eine Beziehung zum Lob ist kaum noch zu spüren. Die Formfreiheit wird kein
Zufall sein, sie geht mit der Neuinterpretation der hymnischen Weltschöpfungstradition Hand in Hand. Diente die Weltschöpfung sonst immer dazu, die unbe-
grenzte Größe Jahwes zu preisen, so kann sie hier einmal zu einer Art Heilssetzung werden, an die sich eine an heilvollem Handeln Jahwes arme Zeit
klammern konnte. Diese Verkehrung der Funktion aber war erst in recht später Zeit möglich.

Damit ist der erste Duchgang durch das beschreibende Lob mitsamt seinen
Abwandlungen und Sonderformen abgeschlossen. Auch wenn ein abschließen-
des Urteil noch nicht gegeben werden kann, so wird man doch sagen dürfen,
daß allein die Weltschöpfung eine gewichtige Rolle in dieser Gattung spielt.
Die These C.Westermanns, daß die Schöpfung nicht planlos in beschreibenden Lobpsalm steht, sondern der Entfaltung der einen Seite der die Gattung
bestimmenden polaren Aussage dient (100), konnte weitgehend bestätigt werden; nur wird man genauer von Weltschöpfung reden müssen. Die Weltschöpfung ist es, die in besonderer Weise die allem überlegene Majestät Jahwes
beschreibt, es geht eigentlich nicht um sie, sondern um ihn, den Schöpfer
der Welt. Seine Größe steht im Mittelpunkt. Das folgt nicht nur aus der Psalmenstruktur, sondern läßt sich auch durch inhaltliche Beobachtungen stützen:
Es wird z.B. dadurch verdeutlicht, daß die Weltschöpfung dazu benutzt wird,
einmal seine Verfügungsgewalt über die Welt (101), ein andermal seine Überlegenheit über die Götter zu begründen. (102) Nie geht es darum, eine "vollständige" Schilderung der Erschaffung der Welt zu liefern, sondern es werden

immer nur einzelne Taten herausgegriffen. Jede von ihnen reicht aus, um die Größe Jahwes zu preisen. Dann tritt zu der Weltschöpfung an vielen Stellen die Herrschaft Jahwes über die "Elemente" hinzu. (103) Beides geht zuweilen so ineinander über, daß eine scharfe Trennung wohl nicht gemacht werden darf. So wird das Weltschöpfungsmotiv durch seinen Inhalt und seine Stellung klar als Majestätsaussage des beschreibenden Lobes ausgewiesen, man möchte fast sagen: als Majestätsaussage katexochen. Nur selten ist sie enger auf Jahwes rettendes Handeln in der Geschichte bezogen, aber auch hier nicht so, daß sie selber Rettung bedeutet, sondern so, daß sie zeigt, daß Jahwe auch mächtig genug ist, um auf so wunderbare Weise helfen zu können. (104) Nur an einer einzigen und dazu noch sehr späten Stelle wird die Weltschöpfung, nein, besser die durch sie bewirkte Weltordnung, zu einer Art von Heilssetzung. (105)

Die hier skizzierten Ergebnisse gelten auch für die Sonderform des "partizipialen Hymnus". In ihm sind die Themen Weltschöpfung und Herrschaft über die "Elemente" schlechthin beherrschend. Zwar dienen sie hier nicht der Entfaltung einer polaren Lobstruktur, doch darüber, daß es Majestätsaussagen sind, die Jahwe übereignet werden sollen, kann kein Zweifel bestehen. Die Unterschiede zum beschreibenden Lobpsalm ließen sich gut aus der besonderen Situation dieser Psalmenform erklären. Sie betreffen den Aufbau des Psalms, aber nicht Inhalt und Funktion der Schöpfungstradition.

Damit haben sich die Beobachtungen, die wir aufgrund der bei Deuterojesaja aufgenommenen Tradition des beschreibenden Lobpsalms machen konnten, weitgehend bestätigt. Soweit es das Thema Schöpfung betrifft, haben wir es bei dieser Gattung trotz einer Reihe von Differenzen mit einem erstaunlich einheitlichen Traditionskomplex zu tun: Es ist die Weltschöpfung, die hier die entscheidende Rolle spielt. Sie dient dem Lobpreis Jahwes in seiner Majestät.

Dieses recht einheitliche Bild von der Tradition des beschreibenden Lobes steht in Spannung zu der These, die F.Crüsemann kürzlich dazu vorgelegt hat. Er hat gemeint, zwei Grundtypen des israelitischen Hymnus unterscheiden zu müssen, die sowohl stilistisch als auch traditionsgeschichtlich erhebliche Differenzen aufwiesen: den "imperativischen Hymnus" und die "hymnischen Partizipien". Ursprünglich habe ersterer die Heilstradition Israels zum Inhalt, sei also die spezifisch israelitische Form des beschreibenden Lobes, letzterer dagegen das allgemeine Handeln Gottes in Schöpfung, Natur und Geschichte, sei daher aus der Umwelt übernommen. (106)

Nun waren wir schon auf den Tatbestand gestoßen, daß bei Deuterojesaja die partizipialen Konstruktionen so vorherrschend waren, daß sie zum Kriterium zur Herausarbeitung des Traditionsgutes gemacht werden konnten. Demgegenüber konnten im Psalter Weltschöpfungsaussagen partizipial (107), aber durchaus auch mit finiten Verbformen konstruiert sein. (108) Bestätigt dieser stilistische Unterschied nun Crüsemanns These? Müssen wir mit zwei Typen von beschreibenden Lobpsalmen rechnen? Müssen wir daraus zwei Typen hymnischer Weltschöpfungstradition folgern?

Ich meine, daß diese stilistischen Differenzen solche weitreichenden Folgerungen nicht tragen können. Nach der These Crüsemanns dürfte die Weltschöpfung nur in "hymnischen Partizipien" begegnen, jedes Vorkommen in einem Psalm mit imperativischen Aufruf wäre dagegen eine Ausnahme.

Davon gibt es nun eine ganze Reihe. (109) Crüsemann versucht das zu erklären, indem er diese Psalmen als späte Mischformen aus imperativischem und partizipialem Hymnus bestimmt. Daß darunter alle großen beschreibenden Lobpsalmen fallen, macht seine These nicht überzeugender. Wichtiger aber ist Folgendes: Es gibt eine ganze Reihe von Schöpfungsaussagen in diesen Psalmen, die nicht partizipial konstruiert sind und die auch nicht den Eindruck einer stilistischen Umgestaltung machen. (110) Zweitens: Die Weltschöpfungsaussagen machen in den beschreibenden Lobpsalmen mit imperativen Aufrufen keineswegs den Eindruck eines Fremdkörpers, der auf eine Traditionsmischung schließen ließe. Vielmehr haben sie im Ganzen des Psalms eine sinnvolle, überall gleichbleibende Funktion. Sie unterscheidet sich nicht von der in den rein partizipial konstruierten Traditionsstücken. Auf der anderen Seite gibt es Belege für Heilstraditionen in partizipialer Konstruktion. (111) Das alles spricht doch dafür, daß die Bindung bestimmter Inhalte an bestimmte Stilformen doch nicht so fest war, wie Crüsemann glauben machen will.

Damit soll nicht bestritten werden, daß die "hymnische" Weltschöpfungstradition zum großen Teil aus der Umwelt aufgenommen wurde; auch nicht, daß dort ein Ort dieser Übernahme der "partizipiale Hymnus" war, wie er uns im Amosbuch begegnete. Doch daß diese Übernahme generell an den Partizipialstil gebunden war, bleibt doch recht unwahrscheinlich. Crüsemann setzt mit dem "partizipialen Hymnus" die partizipialen Ketten bei Deuterojesaja und Hiob einfach gleich. Doch ist das so ohne weiteres möglich? Diesen fehlt die charakteristische Unterschrift, die den partizipialen Aussagen Sinn und Funktion gab. Nicht zufällig spricht Crüsemann nur noch von "hymnischen Partizipien" und nicht mehr von einem Hymnus. Er gibt damit selber zu, daß es sich bei diesem Typ nicht um eine abgeschlossene Textganzheit handelt. So, wie die Partizipialketten jetzt dastehen, sind sie unvollständig, es fehlt ihnen ihr Bezug auf Jahwe. Warum sollte nicht ein Aufruf zum Lob weggefallen sein? Das läßt sich nicht beweisen, sicher ist jedoch zweierlei: Zur Zeit, da Deuterojesaja diese meist partizipial konstruierten Hymnenstücke aufnimmt, sind sie nicht eine Neuheit, deren Stil und Inhalt der Umwelt erst abgerungen wurde. Vielmehr setzt die Funktion, die er diesen Stücken gibt, voraus, daß es das allgemein bekannte und anerkannte israelitische Gotteslob seiner Zeit war. Damit ist es vom "partizipialen Hymnur" klar zu unterscheiden, der Wegfall einer Unterschrift nicht zu vermuten. Zweitens: Crüsemanns rein stilistischer Analyse entgeht Folgendes: Auch wenn die partizipiale Prädikation einmal aus der Umwelt übernommen sein sollte (112), dann ist sie doch von Israel neu geprägt worden. Trotz der stilistischen Unterschiede zum beschreibenden Lobpsalm des Psalters findet sich auch in den partizipialen Ketten bei Deuterojesaja dieselbe Struktur wieder, die die Hymnen in Israel geprägt hat: Auf die Bestreitung aus der Majestät (40,12-26) folgt die Bestreitung aus der Güte Jahwes (40,27-31), die gleiche Polarität beherrscht

Jes 44,24-28 und begegnet implizit auch in anderen Texten. (113) Das unterscheidet aber diese Texte grundsätzlich von den "partizipialen Hymnen", die ausschließlich Majestätsprädikationen enthalten. Man sieht daran, wie stilistisch gleichartige Texte einen ganz verschiedenen Aufbau haben und stilistisch verschiedenartige Texte von der gleichen Struktur geprägt werden konnten. Auf die Verschiedenheiten hingewiesen zu haben, ist das Verdienst Crüsemanns. Doch wird eine einfache Alternative nicht ausreichen, die Vielfalt der Möglichkeiten zu erklären. Eine einlinige Zuordnung der Weltschöpfung zum Partizipialstil läßt sich nicht aufrecht erhalten. Wichtiger als die stilistischen Differenzen ist die Tatsache, daß Inhalt und Funktion des Schöpfungsthemas im beschreibenden Lob über alle Wandlungen hinweg gleich geblieben sind. Von der Untersuchung der Schöpfungsaussagen jedenfalls läßt sich eine form- und traditionsgeschichtliche Zweiteilung des beschreibenden Lobes in Israel nicht stützen.

b) Weltschöpfung und Bewahrung der Schöpfung

Mit dem bisher Ausgeführten ist zwar das Wesentliche, aber noch nicht alles zur Weltschöpfung im beschreibenden Lob gesagt. Es gibt nämlich einige Stellen, an denen ein Schöpferhandeln begegnet, das nicht in die bisher kennengelernte Weltschöpfungstradition eingeordnet werden kann:

Ps 136,25   der Brot gibt allem Fleisch.

Ps 145,15   alle Augen warten auf dich, aber du gibst '...' (114)
            ihre Spreise zur rechten Zeit.

Ps 147,8f   der den Himmel mit Wolken bedeckt,
            der der Erde Regen bereitet,
            der die Berge Gras hervorbringen läßt
            (und Saatgrün für die Feldarbeit des Menschen) (115),
            der dem Vieh seine Speise gibt,
            den jungen Raben, die (danach) krächzen.

In Ps 136 und 147 begegnet auch das "normale" Lob des majestätischen Weltschöpfers (116), doch schließt sich das eben zitierte Schöpferhandeln in beiden Fällen nicht daran an, sondern steht weit davon getrennt. Schon dieser Tatbestand verhindert, dieses einfach aus jenem abzuleiten. Hinzu kommt folgendes: in allen drei Belegen gehört dieses Schöpferhandeln nicht zum Preis der Majestät, sondern der Güte Gottes und steht damit auf der anderen Seite der polaren Lobstruktur. (117) Schließlich zeigt sich die andere Funktion auch in der anderen Art der Schöpfungsmotive: Jahwe bereitet Regen für die Erde, läßt die Saat sprießen und gibt damit der hungrigen Kreatur Nahrung. Hier geht es nicht um die großen Ursetzungen der Schöpfung, sondern um die nahe Umwelt von Mensch und Tier. Zwar gibt es Berührungspunkte mit dem bekannten Motivkreis: der Weltschöpfer ist Herr über seine Schöpfung (118), doch wie verschieden ist die Zielrichtung! Ging es dort ausschließlich um den Schöpfer, um seine Größe, so geht es hier um seine Geschöpfe: Der Schöpfer kümmert sich um seine Kreatur und sorgt für ihre Bedürfnisse. Damit unterscheidet sich diese Gruppe von Schöpfungsaussagen formgeschichtlich, inhaltlich und funktional klar von der bisher herausgearbeiteten Weltschöpfungstradition des beschreibenden Lobes.

An Gewicht gewinnen die bisher genannten Stellen durch Ps 104, einem der beiden "klassischen" Schöpfungspsalmen im Alten Testament. Im ersten Teil des Psalms (V 1-9) wird der mächtige Schöpfer Himmels (V 2b) und der Erden (V 5) gepriesen. Beide Schöpfungstaten sind stark erweitert (119), doch abgesehen davon entsprechen sie genau der gängigen Weltschöpfungstradition, die wir in einer Vielzahl beschreibender Lobpsalmen gefunden hatten. Ganz eindeutig geht es um das Lob des machtvollen, weltüberlegenen Gottes (V 1a-2a).

Ganz anders ist das im zweiten Teil des Psalms (V 10ff). Die Atmosphäre scheint wie verwandelt: vorher Düsternis urzeitlichen Kampfesgeschehens, jetzt eine lichte, idyllische Welt: Da schlängeln sich Bäche zwischen den Bergen und tränken die Tiere, da sättigt sich die Erde vom Regen. Jahwe läßt Gras sprießen für das Vieh und bringt Wein, Brot und Öl hervor, die den Menschen erquicken und erfreuen (V 15). Wie in der zuvor erwähnten Stellengruppe ist das Schöpferhandeln Gottes hier auf seine Kreatur hin ausgerichtet (120), sein Zweck ist eindeutig ein wohltätiger. So wird man diesen Teil des Psalms als einen weiteren Beleg für das fürsorgende und bewahrende Handeln des Schöpfers hinzuzunehmen haben, auch wenn es hier viel breiter ausgeführt und durch mancherlei Nebenmotive erweitert zu sein scheint. (121) Das Gegenüber von machtvoller Weltschöpfung und Bewahrung der Schöpfung von Ps 104 entspricht in etwa der Polarität des beschreibenden Lobes. (122)

Nimmt man alle Belege zusammen (123), dann wird man wohl neben dem Hauptstrom der Weltschöpfungstradition des beschreibenden Lobes noch eine schmale zweite Schöpfungstradition annehmen müssen. Auch sie redet vom Weltschöpfer, nicht vom Menschenschöpfer - der Mensch begegnet nur beiläufig als Objekt göttlicher Wohltaten im Kreis der übrigen Kreaturen -, auch sie begegnet im beschreibenden Lob, aber sie gehört auf die Seite der Zuwendung Gottes, und sie hat nicht die Macht, sondern die Fürsorge des Weltschöpfers zum Inhalt. Insofern steht sie der Menschenschöpfungstradition erheblich näher. (124) In ihrer Atmosphäre erinnert sie am ehesten an ägyptische Hymnen des Neuen Reiches. Dabei meine ich nicht primär die direkten Abhängigkeiten, die zwischen dem Atonshymnus Echnatons und einem Teil des 104. Psalms bestehen, sondern die oben gemachte Beobachtung, daß in einer Reihe ägyptischer Hymnen das Handeln des Weltschöpfers eine deutliche Bewegung auf die Kreatur hin zeigt. (125) Die schroffe Hervorhebung der Macht des Weltschöpfers könnte dagegen eher auf den kanaanäisch-phönizischen Raum weisen. Doch auch wenn man sich vor einer zu glatten religionsgeschichtlichen Aufteilung hüten muß (126), so könnte man vermuten, daß die Tradition von der Fürsorge des Weltschöpfers überwiegend auf ägyptische Einflüsse zurückgeht. Ihre Abweichungen von der "Normalform" fänden dann in der speziellen Ausformung, welche die Weltschöpfung in der ägyptischen Hymnentradition erfahren hat, ihre Erklärung. Doch gibt es auch wichtige Unterschiede (127), sodaß man die Beziehung nicht zu eng sehen darf.

Von dem fürsorgenden Handeln des Weltschöpfers ist das Segenshandeln Jahwes an Israel zu unterscheiden: Jer 5,20-25 und Ps 65 wird dem machtvollen Handeln des Weltschöpfers ein "wohltätiges Naturhandeln" Jahwes gegenüber gestellt, sodaß eine dem beschreibenden Lob entsprechende Polarität entsteht. Doch während ersteres beidemal ganz sicher zur Tradition vom majestätischen Weltschöpfer gehört (128), läßt sich letzteres nicht aus der Tradition des fürsorgenden Weltschöpfers erklären: In Jer 5,24 spricht für das beschreibende Lob zwar das Partizip, doch geht es sehr konkret um die Gabe für des die rechtzeitige Ernte notwendigen Früh- und Spätregens, und diese Gabe ist noch dazu personal auf Israel bezogen (lānū). In Ps 65,10-14 paßt weder der Stil (129) noch die überschwengliche Sprache (130) zur Schöpfungstradition. Von der Fürsorge des Weltschöpfers wird ungleich nüchterner gesprochen, sie bleibt immer universal auf alle Kreaturen bezogen und steht in deutlicher Distanz zum geschichtlichen Gotteshandeln. Demgegenüber ist das Segenshandeln Jahwes, obgleich es nach unseren Kategorien ebenfalls zum "Naturhandeln" gehört, eng mit der Geschichte Gottes und seinem Volk verbunden, es gehört unmittelbar in den Wechsel von Not und Rettung aus der Not mit hinein, der die Geschichte Israels wie ein roter Faden durchzieht. (131) Als solche konkreten Segenszuwendungen erklären sich auch Jer 5,24 und Ps 65,10-14. (132)

Ebenfalls nicht eindeutig einer der beiden Schöpfungstraditionen zuzuordnen ist Ps 147,12-20. Zu keiner von ihnen gehört V 14, hier liegt wieder eine konkrete Segenszuwendung vor. (133) Doch auch das folgende Naturhandeln gehört weder eindeutig zur Herrschaft des Weltschöpfers über die Schöpfung, noch zur Bewahrung der Schöpfung. Möglicherweise steht das Bewirken des Frostes (15-17) mehr auf der Seite des Herrschens, das Bewirken des Tauwetters (18) mehr auf der Seite des Bewahrens. Dann hätte sich das ursprünglich polare Gegenüber der Traditionen zu einem Nebeneinander von freundlichen und unfreundlichen Naturerscheinungen gewandelt. (134) Doch sicher ist diese Erklärung nicht, sodaß offen bleiben muß, ob Ps 147,15-18 überhaupt aus den Schöpfungstraditionen des Gotteslobes erklärt werden kann. (135)

Damit ist das Vorkommen der Weltschöpfung im beschreibenden Lob abgeschritten. Die zweite Durchsicht hat einmal weitere Belege für das Lob des majestätischen Weltschöpfers hinzugebracht (136) und damit die Ergebnisse der ersten bestätigt und weiter verstärkt. Zum anderen hat sie zur Annahme einer zweiten Tradition von der Fürsorge des Weltschöpfers geführt, die aber viel geringer belegt und weit lockerer Natur ist. (137) Wir werden darum, das Ergebnis der ersten Durchsicht modifizierend, sagen müssen: Ganz überwiegend gehört die Weltschöpfung zum Preis der Majestät Gottes im beschreibenden Lob, das ist die feste und breite Weltschöpfungstradition im Reden zu Gott, daneben gibt es auch noch die Tradition von der Fürsorge des Weltschöpfers, doch hat diese keine auch nur annähernd vergleichbare Bedeutung im Gotteslob Israels bekommen.

Bevor die Frage nach der Beziehung zur Menschenschöpfung gestellt werden kann, müssen zuvor noch einige weniger wichtige Vorkommen der Weltschöpfung in anderen Gattungen untersucht werden.

2. Urzeitlicher Kampf und Weltschöpfung in der Klage des Volkes

Eine zweite Gattung, in der wir neben dem beschreibenden Lob dem Reden von Weltschöpfung in den Psalmen begegnen, ist die Klage des Volkes. Auf diesen Tatbestand hat vor allem E.Beaucamp hingewiesen. (138) Es handelt sich um folgende Texte:

Ps 74,12 Aber Gott ist mein König (139) von alters her,
der Rettungstaten vollbringt auf Erden.

13 Du hast durch deine Kraft aufgescheucht das Meer (jām),
du hast zerbrochen die Köpfe der Drachen (tannīnīm)
über den Wassern.

14 Du hast zerschmettert die Köpfe Leviathans (liwjātān)
gabst ihn zur Speise 'den Haifischen'. (140)

15 Du hast gespalten Quelle und Bach,
du hast ausgetrocknet nie versiegende Ströme.

16 Dir gehört der Tag, ja, dir die Nacht,
hast du doch festgestellt Leuchte (141) und Sonne.

17 Du hast befestigt alle Grenzen der Erde,
Sommer und Winter, du hast sie gebildet.

Ps 89,10 Du bist Herrscher über das Aufbegehren des Meeres,
wenn seine Wellen brausen (142), du besänftigst sie.

11 Du hast zerstückelt Rahab (rahab) wie Aas,
mit deinem starken Arm hast du deine Feinde zerstreut.

12 Dir gehört der Himmel, ja, dir die Erde,
die Erde und was sie füllt, du hast sie gegründet.

13 Nord und Süd, du hast sie geschaffen,
Tabor und Hermon jubeln über (143) deinen Namen.

Hinzu kommt ein Text aus dem Deuterojesajabuch, den wir bisher zurückgestellt hatten. Daß es sich hier um den Teil einer Volksklage handelt, ist seit langem bekannt. (144)

Jes 51,9 Reg dich, reg dich, ziehe Kraft an, du Arm Jahwes,
Reg dich, wie in den Tagen der Vorzeit vergangenen Geschlechtern!

10 Warst du es nicht, der Rahab (rahab) 'zerschmetterte' (145),
den Drachen (tannīn) durchbohrte?
Warst du es nicht, der das Meer austrocknete,
die Wasser der großen Flut?
Der die Tiefen des Meeres 'zum Weg' (146) machte,
daß die Befreiten hindurchzogen?

Wie verhalten sich diese Texte zu dem Reden von Weltschöpfung im beschreibenden Lob? Der Frage soll nach ihrem formgeschichtlichen, inhaltlichen und funktionalen Aspekt nachgegangen werden.

H.Gunkel/J.Begrich führen in der oben erwähnten Aufzählung die zitierten Texte unter den "Hymnen" auf (147), trotz ihrer Gegensätzlichkeit hätten sich Klage und "Hymnus" angezogen, wie es auch in den hymnischen Einleitungen der babylonischen Klagen ersichtlich wird. Ganz auf deren Linie bestimmen die Verfasser auch die Funktion: "ehe man es wagt, ihm (sc. Gott) mit Bitten zu kommen, hat man ihn zu preisen". (148)

Andere haben sich dieser Gattungsbestimmung angeschlossen. (149) Nun ist aber die Stilform dieser Stücke, die ganz von der 2.P.sing. und meist perfektischen Verben beherrscht ist, für die Gattung des beschreibenden Lobes zumindest sehr auffällig. F.Crüsemann möchte sie daher einer Sonderform der Gattung, dem "Hymnus des Einzelnen" zuordnen. Doch bleibt deren Existenz einigermaßen fraglich. (150) Demgegenüber hat C.Westermann die Texte einem besondern Teil der Klage des Volkes zugeordnet, den er "Rückblick auf Gottes früheres Heilshandeln" nennt. (151) Davon ausgehend hat J.Kühlwein nachgewiesen, daß der "selbständige 'Bericht von Jahwes früherem Heilshandeln'" in den Volksklagen aus den mannigfachen "Anspielungen auf Jahwes früheres Heilshandeln" erwachsen ist, die seit jeher fest zu Klage und Bitte hinzugehörten. (152) Dann sind aber die Rückblicke als genuine Teile der Klagen zu verstehen und vom beschreibenden Lob abzurücken. Sie sind nicht von der Funktion zu trennen, die sie in der Situation der Not und Gottesferne haben. Diese wird von J.Kühlewein doppelt bestimmt: "Durch Markierung des tiefen Gegensatzes zwischen dem früheren und dem jetzigen Heilstun Jahwes die Anklage gegen Gott zu verschärfen" und "durch Aufzeigen eines Präzedenzfalles die dringende Notwendigkeit des göttlichen Eingreifens einsichtig zu machen". (153) Dem entspricht auch die Form: Du-Anrede an Jahwe wie auch sonst in der Klage und Aufzählung seiner Heilstaten im konstatierenden Perfekt; die Satzstruktur lautet: "du hast (doch) getan". (154)

Daraus folgt, daß das Reden von Schöpfung in den Klagen nicht mehr einfach mit dem beschreibenden Lob identifiziert werden kann. Es ist vielmehr im Zusammenhang des "Rückblicks auf Gottes früheres Heilshandeln" zu interpretieren. Vergleicht man es mit den sonstigen Rückblicken, so ergibt sich sofort eine wichtige formale Übereinstimmung: hier wie dort herrschen die Verben in der 2.P.sing.pf. vor. (155) Dazu kommt allerdings eine Differenz: Das Personalpronomen ʾattā wird so häufig vorangestellt (156), daß wir hierin ein charakteristisches Stilelement erblicken müssen. Syntaktisch werden damit zusammengesetzte Nominalsätze gebildet, deren Prädikat allerdings ein Verbalsatz bleibt. Sachlich ergibt sich dadurch eine leichte Veränderung der Blickrichtung: von den Taten weg auf den, der sie tut. Daß es Jahwe ist, der es getan hat, soll ganz besonders betont werden. (157)

J.Kühlewein hat gemeint, in dieser veränderten Blickrichtung einen Hinweis dafür zu sehen, daß die Rückblicke der Klagen, in denen von Schöpfung die Rede ist, doch aus dem beschreibenden Lob herstammen. (158) Es lasse sich noch ein charakteristisches Kennzeichen des Redens von Geschichte im beschreibenden Lob erkennen: der Bericht werde aus einem beschreibenden Lob-

satz entfaltet (74,12; 89,10) und durch einen solchen wieder zusammengefaßt (89,14). Dagegen ist zu sagen, daß in Jes 51,9f ein beschreibender Lobsatz ganz fehlt und daß Ps 74,12 von Kühlewein selber als vorgefügtes Bekenntnis der Zuversicht interpretiert wird. (159) Recht zu geben ist Kühlewein im Fall von Ps 89. Hier ist der "Rückblick" durch Sätze gerahmt, die
die unvergleichliche Größe (7-9) und Stärke (14) Jahwes preisen. Auch V 10
könnte aufgrund seines mehr statischen Charakters (pt.) aus dem beschreibenden Lob stammen. Doch zeigt Ps 89,2-16 auch sonst die Tendenz, sich von
der Klage weg auf das beschreibende Lob hinzubewegen. (160) Aus der sonst
sehr lockeren Struktur (161) heben sich die an Ps 74 erinnernden betonten
ʾattā-Sätze jedoch so deutlich heraus, daß es näher liegt, an eine sekundäre
Umgestaltung von Klageelementen als an deren Herleitung aus dem beschreibenden Lob zu denken.

Formgeschichtlich gesehen ergibt sich gegenüber der Weltschöpfungstradition
im beschreibenden Lob eine deutliche Differenz. Doch wie sieht es mit dem
Inhalt aus?

Wir hatten pauschal von "Schöpfungshandeln" gesprochen, ohne auf den Inhalt
genauer einzugehen. Aber gerade an dieser Stelle liegt das Problem. Es wird
nämlich in den Klagen auffällig wenig explizit von Weltschöpfung geredet, in
Jes 51,9f (162) gar nicht, in Ps 74 und 89 nur recht unbetont am Schluß. Der
Ton liegt in allen Stellen eindeutig auf den Aussagen, die von einem Kampf
Jahwes gegen eine Reihe von Ungeheuern berichten. Wie ist dieses Nebeneinander zu verstehen?

Gegenüber der älteren Forschung, die in den Kampfmotiven verschlüsselte
geschichtliche Auseinandersetzungen erblickte (163), hat H.Gunkel in "Schöpfung und Chaos in Urzeit und Endzeit" ausgehend von dem Kampf Marduks
gegen Tiamat im babylonischen Weltschöpfungsepos Enūma-elîš zwingend gezeigt, daß darunter kosmische Kämpfe gegen die Chaosmächte zu verstehen
sind. (164) Von seinem religionsgeschichtlichen Vergleichstext her bestand
für H.Gunkel an der Zusammengehörigkeit von Kampfmotiven und Weltschöpfung gar kein Zweifel. Wenn Marduk die Welt aus den Hälften der zerschlage-
nen Tiamat macht, dann war der Chaoskampf Teil des Weltschöpfungshandelns
selber.

Doch ist dieser religionsgeschichtliche Ausgangspunkt in zweifacher Weise
fraglich geworden: Einmal hat sich herausgestellt, daß die Weltschöpfung in
Enūma-elîš eine späte Mischform aus ganz verschiedenen Motiven ist. Davor
hat das Chaoskampfmotiv im sumerisch-babylonischen Raum keine Rolle gespielt. (165)

Zum andern sind in Ugarit Belege für einen Götterkampf gefunden worden,
der in keiner sichtbaren Verbindung zur Weltschöpfung steht. (166) Eine ganze
Reihe von Forschern hat bestritten, daß im Baal-Jam-Mythos überhaupt die
Schöpfung im Blick sei (167), so kann etwa O.Kaiser pointiert formulieren:
"Der Kampf zwischen Marduk und Tiamat erfolgt vor der Schöpfung der Welt.
Der Kampf zwischen Baal und Jam setzt offensichtlich die Welt selbst bereits

voraus. Der Sieg begründet das Königtum Baal's über die Erde, aber er schafft die Erde nicht". (168) L.R.Fisher hält dieser Forschungsrichtung vor, daß sie mit einem zu eng gefaßten Schöpfungsbegriff arbeite. Baals Kampf um das Königtum habe kosmische Konsequenzen: die Königsproklamation münde in den Tempelbau und im Zusammenhang damit setze Baal die Jahreszeiten fest. (196) Im letzten Motiv mag man ein ordnendes Handeln des Weltschöpfers erblicken (170), wenn aber Fisher den Tempel als Mikrokosmos, den Tempelbau darum als Schöpfung interpretieren will (171), dann geht er damit sicher zu weit. Bei dieser Lage wird man mit W.Schmidt folgern müssen, daß "man für das Alte Testament keineswegs voraussetzen (darf), daß Anspielungen auf den Drachenkampf Schöpfungsaussagen sind". (172)

Ist damit die religionsgeschichtliche Klammer zwischen Chaoskampf und Schöpfung fraglich geworden, dann fällt auf, daß H.Gunkel schon bei den alttestamentlichen Texten Schwierigkeiten hatte, den Zusammenhang der beiden Themen zu erweisen. (173) In Ps 74 und 89 wird zwar vom Kampf "vor" der Weltschöpfung berichtet; doch kann man nicht sagen, daß diese als Ergebnis von jenem dargestellt wird. Das Motiv "Schöpfung als Scheidung", das es in Enūma-elîš ermöglichte, das Töten des Ungeheuers mit der Erschaffung von Himmel und Erde zu verbinden, fehlt gerade in den Psalmen. (174) Stattdessen steht zwischen der Kette der perfektischen Kampf- und Schöpfungsaussagen ein Nominalsatz. Dieser stellt fest, daß Jahwe die Verfügungsgewalt über die ganze Welt hat, Ps 89,12 dargestellt durch die Zweiheit von Himmel und Erde, 74,16 durch die von Tag und Nacht. Nun könnte man vermuten, diese Herrschaftsgewalt über die Welt sei das Ergebnis des Chaoskampfes. Doch wird das nicht gesagt. Vielmehr sind die nachfolgenden Schöpfungstaten so direkt auf die Objekte der Verfügungsgewalt zurückbezogen, daß sie zweifellos als deren Begründung verstanden werden sollen. Die Herrschaft über die Welt ist dann eine Folge des Schöpfungshandeln, nicht, oder zumindest nicht in erster Linie, eine Folge des Sieges über die Chaosungeheuer. Es gibt auch Stellen, wo Schöpfung und Kampf organisch aufeinander bezogen sind (175), aber gerade ihnen gegenüber wird die sehr lockere Verbindung zwischen beidem in den Rückblicken der Klage deutlich.

Stellt man aufgrund dieser inhaltlichen Vorklärungen die Frage nach dem Verhältnis zur Weltschöpfungstradition des beschreibenden Lobes neu, dann ergibt sich ein etwas differenzierteres Bild: Es ist auffällig, daß die gleiche Motivfolge: Herrschaft über die Welt und Begründung durch ein Weltschöpfungshandeln auch im beschreibenden Lob begegnete. (176) Damit ist deren Zusammengehörigkeit und Unabhängigkeit vom Kampfgeschehen nocheinmal bestätigt. Theoretisch ist eine Beeinflussung in beiden Richtungen möglich. Nimmt man jedoch hinzu, daß in Jes 51,9f das Weltschöpfungsmotiv überhaupt fehlt, dann ist es wahrscheinlicher anzunehmen, daß die Weltschöpfungstradition des beschreibenden Lobes auf die Rückblicke der Klagen eingewirkt hat als umgekehrt. Das hieße, daß die Weltschöpfung in dieser Redeform nicht ursprünglich ist. Anders ist das mit dem Chaoskampfmotiv. Es begegnet in allen drei Volksklagen und in dieser ausgebauten personifizierten Gestalt nur

in einem einzigen und noch dazu späten beschreibenden Lobpsalm. (177) Da
ist doch die Lokalisierung sehr fraglich, die H.Gunkel dieser Tradition gegeben hat: "Der Jahwehymnus ist ... die eigentliche Stätte, wo man den Dra-
chenkampfmythus zu citieren pflegt". (178) Vielmehr wird man mit R.Rend-
torff (179) und C.Westermann (180) die urzeitlichen Kampfmotive allein in
dem Rückblick der Volksklage fester verankert sehen. Die ihnen innewohnen-
de Dramatik ist dem beschreibenden Lob im Grunde fremd, sie paßt aber ausgezeichnet in einen Psalmenteil, der ja von Hause aus Jahwes geschichtliches
Handeln zum Inhalt hatte.

Als Ergebnis der inhaltlichen Untersuchung dürfen wir festhalten: Weder vom
religionsgeschichtlichen Vergleichsmaterial, noch von den alttestamentlichen
Texten her läßt sich die Zusammengehörigkeit von Urzeitkampf und Weltschöpfung erweisen. Nur ersterer ist im "Rückblick" der Klage des Volkes
fester verankert, letztere ist erst sekundär mit ihm verbunden worden und
entstammt wahrscheinlich dem beschreibenden Lob. Die Brücke zwischen
beiden "Themen" bildet der Motivkreis: Die Herrschaft des Weltschöpfers
über seine Welt. Wir fanden ihn auf der einen Seite mit dem Lob des Weltschöpfers verbunden (181), auf der anderen Seite gibt es Berührungspunkte
zwischen ihm und dem Urzeitkampf. (182) Damit ist auch die Intention klar,
die hinter der Verbindung der beiden "Themen" steht: Alles soll aufgeboten
werden, was die unbezwingbare Macht Jahwes zeigen kann.

Schließlich soll nach der Funktion der Kampfes- und Schöpfungsaussagen in
den "Rückblicken" gefragt werden. Geht man davon aus, daß dieser Teil der
Klage des Volkes ursprünglich Jahwe an sein geschichtliches Heilshandeln an
Israel erinnern sollte, dann läge es nahe zu folgern, daß auch urzeitlicher
Kampf und Weltschöpfung dieselbe Funktion übernommen hatten. Dafür scheint
zu sprechen, daß in dem vorausgeschickten Bekenntnis der Zuversicht Ps 74,12
von den Rettungstaten Jahwes gesprochen wird und daß Jes 51,9f vom Chaoskampf fast unmerklich zum Exodusgeschehen hinübergeht. (183) So kann
E.Beaucamp die Funktion folgendermaßen bestimmen: "Comme premier des
hauts-faits de Yahvé, elle appuie l'argument de la fidélité divine". (184) Und
das Ineinander von "Schöpfung" und Exodus in Jes 51,9f ist ein zentrales Argument G.v.Rads für ein "soteriologisches Verständnis des Schöpfungswerkes". (18!
Nicht zufällig behandelt er die Stelle mitten unter den Einleitungen zu den Heilsorakeln. (186) Bedeutet das aber nicht, daß entgegen unserer bisherigen Sicht
die Weltschöpfung zumindest in den Volksklagen die gleiche Funktion hat wie
die Menschenschöpfung? In der Tat, es sind diese "Rückblicke" in den Klagen
gewesen, die mit dazu geführt haben, daß bisher alle Schöpfungsaussagen der
Psalmen auf eine Linie gestellt worden sind. Doch ist das berechtigt? Zugegeben, die Kampfes- und Schöpfungsaussagen stehen in einer engeren Beziehung
zum geschichtlichen Heilshandeln als das im beschreibenden Lob der Fall gewesen ist. Soll doch Jahwe, indem er an sein Handeln in der Urzeit erinnert
wird, dazu bewogen werden, in der Gegenwart rettend einzugreifen. Doch was
ist das für ein Handeln in der Urzeit? Unsere inhaltliche Untersuchung hat erwiesen, daß es gerade das machtvolle Handeln Jahwes ist, welches den gemein-

samen Nenner für Kampf und Weltschöpfung bildet. Es geht um Jahwes Sieg über seine urzeitlichen Feinde. Wie damals Jahwe seine mächtigen mythologischen Gegner zerschmetterte, so soll er auch jetzt die übermächtigen Feinde Israels vernichten, die, wie die breite Feindklage Ps 74,4-8 erschütternd schildert, ungehindert den Jerusalemer Tempel verwüsten konnten. Vom Rettungshandeln ist also nur der Aspekt im Blickfeld, daß es ein Eingreifen g e g e n jemanden ist. Im Gegensatz dazu war der Appel an den Menschenschöpfer in der Klage des Einzelnen darauf aus, Jahwe an seine kreatürliche Verbundenheit mit seinem Geschöpf zu erinnern. Hier war ganz die andere Seite des Rettungshandeln im Blick: das Eingreifen f ü r jemanden.

In der Tat, hier sind die Funktionen von Welt- und Menschenschöpfung enger beieinander als sonst: beide sind auf Rettung bezogen, aber doch auf ihre verschiedenen Aspekte! Die unterschiedlichen Funktionen: Majestät hier - Zuwendung dort werden doch eigentlich schon am völlig anderen Ton und ganz anderen Motivkreisen so deutlich, daß es unmöglich sein sollte, sie zu verwischen. Man suche doch einmal eine Verbindung von Menschenschöpfung und Chaoskampf, man wird sie nicht finden! Hinzu kommt noch das schon erwähnte traditionsgeschichtliche Argument: Ursprünglich ist es nur der Chaoskampf, der auf das rettende Eingreifen gegen die Feinde bezogen wird, nicht die Weltschöpfung. Sie kommt erst sekundär hinzu und wird auch dem Machtaspekt ganz untergeordnet.

Damit stellt sich abschließend nocheinmal die Frage, wieweit wir es in den Klagen mit einer eigenständigen Weltschöpfungstradition zu tun haben. Sicher ist, daß es ursprünglich Jahwes geschichtliches Handeln an Israel war, das Inhalt der "Rückblicke" gewesen ist. Wie ist es dazu gekommen, daß Chaoskampf und Weltschöpfung an dessen Stelle treten konnten? In Jes 51,9f haben wir einen einigermaßen sicher datierbaren Beleg, er weist uns in die exilische Zeit. Dann legt sich aber die Vermutung nahe, daß die Traditionen vom urzeitlichen Kampf Jahwes deswegen in die Rückblicke der Klagen aufgenommen wurden, weil die Heilstraditionen zu sehr zerbrochen waren, um noch eine Hoffnung auf ein rettendes Eingreifen Jahwes begründen zu können. Wenn man sich nicht mehr auf die alte Heilsgeschichte gründen konnte, weil Jahwe sie selber total zerschlagen hatte, dann galt doch immer noch, was man von seinen urzeitlichen Machttaten wußte. Dabei bediente man sich auch anderer Motive, die Jahwes Herrschaft über die "Natur" verdeutlichten. Unter dem gleichen Gesichtspunkt wurde auch das Weltschöpfungshandeln hinzugefügt, wahrscheinlich dem beschreibenden Lob entnommen. Die Häufung der Traditionen läßt sich gut aus der Notsituation des Exils erklären, alles sollte aufgeboten werden, um Jahwe, da sein geschichtliches Handeln an Israel in Frage gestellt worden war, zum Eingreifen zu bewegen.

So wird man das Reden von Weltschöpfung in der Klage kaum als eine ursprüngliche und selbständige Tradition zu beurteilen haben. Wohl bildet es einen relativ festen Zusammenhang, das gilt besonders für die Form, aber auch für die Funktion und teilweise auch für den Inhalt. Doch ergeben sich inhaltlich recht

direkte Verbindungslinien zur Weltschöpfungstradition des beschreibenden
Lobes. Alles spricht dafür, daß wir es mit einer Mischtradition zu tun haben,
in der Elemente verschiedener Herkunft zu einem bestimmten Zweck kulmi-
niert worden sind. Ich bin darum geneigt, von einer exilischen Neuaktualisierung der hymnischen Weltschöpfungstradition zu sprechen.

3. Die Weltschöpfung in anderen Zusammenhängen

Neben der großen Gruppe der beschreibenden Lobpsalmen, in denen die Weltschöpfung fest verankert ist und den Volksklagepsalmen, in die sie hineinwandern konnte, gibt es noch verschiedene andere Gattungen und Zusammenhänge, in denen die Weltschöpfung gelegentlich auftauchen kann:

So begegnet sie in der Einleitung einiger Prosagebete, z.T. eines Einzelnen
(Jes 37,16; Jer 32,17; vgl OrMan 1-6), z.T. einer Gemeinschaft (Neh 9,6).
Wie in den "Rückblicken" der Volksklage sind die Weltschöpfungsaussagen
mit vorangestelltem ʔattā und perfektischen Verben konstruiert (187), doch
fehlt deren Funktion, Jahwe zum machtvollen Eingreifen gegen die Feinde zu
bewegen, hier völlig. Sie sind zu devoten Majestätsbezeichnungen (188) verblaßt, die Gott für die Gebetsanliegen günstig stimmen sollen - darin den
"hymnischen Einleitungen" der akkadischen Gebetsbeschwörungen vergleichbar. Die Stellen gehören damit in eine auch sonst zu beobachtende Entwicklung in der Spätphase der israelitischen Klage, in der immer mehr lobende
Prädikate in die Klagegebete eindringen. (189)

Daneben kann das Weltschöpfungsmotiv über das Bekenntnis der Zuversicht,
das sich in späterer Zeit immer mehr auf das Gotteslob zubewegt (190), in
die Klage eindringen (Ps 90,1f; 102,26-28; 119,89-91). Im Kontrast zur
Vergänglichkeitsklage dient es dazu, die Ewigkeit des Weltschöpfers der
Hinfälligkeit des Menschen (Ps 90), ja, sogar der ganzen Welt (Ps 102) gegenüber zu stellen. (191) Damit bekommt die Macht des Weltschöpfers auch
einen Aspekt der Treue: der Mensch kann sich über die Zeiten hinweg auf
Gott verlassen.

Anders ist das Auftauchen der Weltschöpfung in den Bekenntnissen Ps 121,2
und 124,8 zu erklären. Diese beziehen sich auf priesterliche Segenssprüche
zurück, zu denen eine Weltschöpferprädikation gehört (Ps 134,3; 115,15;
Gen 14,19). Die Verbindung und Weltschöpferprädikation scheint eine spezielle,
noch vorisraelitische Tradition des Jerusalemer Heiligtums zu sein (Gen 14,
19). (192) Die Stellen machen den Eindruck einer geschlossenen Gruppe, die
von der Weltschöpfungstradition des beschreibenden Lobes unterschieden werden muß. Stilistisch zeigt sich der Unterschied daran, daß Himmel und Erde
einem einzigen Schöpfungsverb zugeordnet sind, während es im beschreibenden Lob beim Nebeneinander zweier Schöpfungsakte bleibt. (193)

Andere vereinzelte Prädikationen scheinen Jon 1,9 und Sach 12,1 vorzuliegen, wobei Jon 1,9 die Prädikation weniger der Erhöhung als der Kennezich-
nung Jahwes in einer polytheistischen Welt dient. (194) In Sach 12,1, wo

Welt- und Menschenschöpfung schon miteinander verbunden sind, läßt sich eine Funktion nicht mehr erkennen.

Schließlich begegnen Weltschöpfungsmotive in einem kultprophetischen Orakel (Ps 75,4) (195) und im Zusammenhang des Jahwe-König-Rufes (Ps 93,1; 96,10). (196) In beiden Fällen soll die Macht des Weltschöpfers den Bestand der Welt gegenüber einer tatsächlichen oder möglichen Bedrohung garantieren. Hier kann die Weltschöpfung auch einmal heilvolle Funktionen übernehmen. (197)

Damit sind alle Belege genannt. Neben dem beschreibenden Lob begegnet zwar die Weltschöpfung in den Psalmen in einer breiten Skala verschiedenster Zusammenhänge, doch macht keiner von ihnen einen eigenständigen Eindruck. Dazu sind die Belege zu selten, die Verankerung des Weltschöpfungsmotivs in der Textstruktur zu locker und die Funktion zu uneindeutig. Ein großer Teil der Stellen läßt sich wohl am besten als Abwandlung der Tradition des beschreibenden Lobes verstehen. (198) Sie können deutlich machen, welche Verzweigungen die "hymnische" Weltschöpfungstradition im Laufe der langen Geschichte, die von der Sammlung des Psalters erfaßt wird, erfahren konnte. Ein geringerer Teil der Belege gehört dem gesonderten, wenn auch nicht völlig geschiedenen Überlieferungsstrang der Jerusalemer Weltschöpferprädikation an (199), und bei einer kleinen Anzahl muß die Herkunft offen bleiben. (200) So gibt es zwar in den Psalmen auch Weltschöpfungsbelege außerhalb von beschreibenden Lobpsalmen, insofern ist das bisher gewonnene Ergebnis einzuschränken, doch reicht keine der genannten Gruppen auch nur entfernt an die Bedeutung des beschreibenden Lobes heran, sodaß die dort gewonnenen Ergebnisse wesentlich modifiziert werden müßten.

Wir waren ausgegangen von der Frage nach dem Ort und der Funktion der Weltschöpfung in den Psalmen. (201) Das Ergebnis lautet: Die Weltschöpfung begegnet vor allem im beschreibenden Lob in seinen verschiedenen Ausformungen. Relative Eigenständigkeit hat sie nur noch im Rückblick der Volksklage erlangt. Dazu kommt noch ein verstreutes Vorkommen in anderen Zusammenhängen, das aber demgegenüber von untergeordneter Bedeutung ist. Damit wird die These H.Gunkel/J.Begrichs zugleich bestätigt und differenziert. Die Weltschöpfung dient vor allem der Beschreibung der Majestät Jahwes. Diese kann auf ein Eingreifen gegen die Feinde bezogen sein. Auch gibt es ein bewahrendes Handeln des Weltschöpfers. Nirgends begegnet jedoch eine Identifizierung von Weltschöpfungs- und Rettungshandeln. Damit bestätigt sich im Großen und Ganzen die These C.Westermanns.

Doch sowohl H.Gunkel/J.Begrich als auch C.Westermann hatten ihre Thesen für die Schöpfung im allgemeinen formuliert. Nach dem jetzigen Stand unserer Untersuchung scheinen sie jedoch nur für die Weltschöpfung zu gelten. In einem zweiten Schritt muß daher nach dem Ort und der Funktion der Menschenschpöfung in den Psalmen gefragt werden.

II. Ort und Funktion der Menschenschöpfung in den Psalmen

Nach der Behandlung des recht verzweigten Vorkommens der Weltschöpfung
in den Psalmen, ist nach Ort und Funktion der weit weniger häufigen Menschenschöpfung in diesem Bereich zu fragen. Dabei muß gegebenenfalls die
aufgrund des religionsgeschichtlichen Materials gemachte Unterscheidung
zwischen einem "persönlich zugespitzten" und "allgemeinen" Reden von Menschenschöpfung berücksichtigt werden. (202)

1. Die Menschenschöpfung in der Klage des Einzelnen

Nun wurde auf diesem Gebiet die Hauptarbeit schon geleistet: Um überhaupt
die Eigenständigkeit des Redens von Schöpfung in den Heilsorakeln bei Deuterojesaja zu erkennen, war es nötig, das wichtigste Vorkommen der Menschenschöpfung in den Psalmen vorweg zu behandeln: das in der Klage des
Einzelnen. (203) Es sei nur kurz daran erinnert, daß der Beter im Kontrast
zur Anklage (204) - sei es mehr als Bekenntnis der Zuversicht, sei es mehr
als Rückblick auf die eigene Vergangenheit - oder in einem Motiv der Bitte (205)
an seinen persönlichen Schöpfer appellierte, um ihn zum rettenden Eingreifen
zu bewegen. In beiden Fällen war mit der Menschenschöpfung eine urtümliche,
ja, "kreatürliche" Zuwendung Jahwes gemeint, an die sich der Klagende in
seiner Todesangst klammern konnte. Für die Einzelheiten sei auf die obige
Auslegung verwiesen. (206)

An dieser Stelle geht es darum, die Menschenschöpfungsbelege zu behandeln,
die sich nicht, oder jedenfalls nicht auf den ersten Blick dieser formgeschichtlichen Bestimmung unterordnen lassen. Da sich unter diesem "Rest" immerhin die beiden bekanntesten Belege für die Menschenschöpfung in den Psalmen,
Ps 8 und Ps 139 befinden, muß dieser Abschnitt der Untersuchung zugleich den
Nachweis leisten, daß es sachlich berechtigt war, nicht bei ihnen, sondern bei
den recht unscheinbaren Stellen der individuellen Klage einzusetzen.

2. Der 139. Psalm

In der Gattungsbestimmung des Psalms ist es noch nicht zu einer letzten Klärung gekommen. H.Gunkel hatte den Psalm der "Grundstimmung" nach als
"Hymnus" bestimmt, der aber eine durchgreifende Subjektivierung erfahren
habe. (207) Die Hauptschwierigkeit dieser Deutung liegt darin, daß sie den
Schlußteil des Psalms (V 19-24) nicht befriedigend erklären kann. Gunkel
erkennt selbst, daß hier Teile des "Klageliedes", insbesondere des "Unschulds-
liedes" vorliegen. (208)

E.Würthwein hat gerade von diesem Schlußteil eine neue Gattungsbestimmung
versucht: Er versteht Ps 139 als "Gebet... vor einem Gottesurteil in einem
Untersuchungsverfahren wegen Abgötterei". (209) Während der Beter im

Schlußteil seine Unschuld beteuert und Jahwe zu deren Feststellung aufruft, soll ihm im Nachsprechen von V 1-18 "mit allen Mitteln verdeutlicht (werden), wer der Gott ist, vor dem der Beter steht und was es bedeutet, vor ihm sich einer Untersuchung zu stellen." (210)

Nun hat Würthwein sicher mit seiner Polemik recht, es handele sich in V 1-18 "nicht um philosophische Spekulationen über die Allwissenheit und Allgegenwart Jahwes". (211) Das hatte die Forschungsrichtung, die in Ps 139 einen abgewandelten beschreibenden Lobpsalm sah, immer wieder zu suggerieren versucht. Er trifft den Sachverhalt sehr viel genauer, wenn er V 1-18 als persönliches Bekenntnis eines Einzelnen faßt. Fraglich ist jedoch, ob Würthwein das Richtige trifft, wenn er die Verse als ein "fremdes" Bekenntnis versteht, bei dessen Nachsprechen sich der Beter die Bedrohung vor Augen führen soll, die darin liegt, daß Jahwe ihn durchschaut und er sich ihm nicht entziehen kann. (212) Sprechen dagegen nicht schon die staunenden Ausrufe, die den Psalm durchziehen? (213) Wenn es hier um das Ausgeliefertsein an einen gestrengen und übermächtigen Richter ginge, wie ist es dann überhaupt möglich, daß der Psalm jemals als Lob verstanden werden konnte? Daß hier wirklich ein noch ungelöstes Interpretationsproblem liegt, zeigt die schwankende Auslegung von H.J.Kraus: "Darum durchpulsen Dank und Vertrauen die teilweise unerhört schrafen Erkenntnisse über das Richteramt Jahwes". (214) Von einem richterlichen Eingreifen gegen den Beter, ist aber gar nichts zu erkennen. (215)

Eine Klärung ist m.E. möglich, wenn man Ps 139 in den Kreis vergleichbarer Texte stellt. Das ist von E.Würthwein leider ganz vernachlässigt worden. In allen Psalmen, in denen ein Einzelner Jahwe um Prüfung bittet (216), wie in Ps 139,24, oder - das Verfahren hypothetisch vorwegnehmend - aussagt, daß Jahwe ihn prüfe (217), wie in Ps 139,1ff, ist er sich des Ergebnisses dieser Prüfung von vornherein sicher: überall folgt das Bekenntnis der eigenen Unschuld. (218) Allen Anschuldigungen zum Trotz vertraut hier ein U n - s c h u l d i g e r darauf, daß Jahwe seine Unschuld ans Licht bringen wird. Es ist darum kein Zufall, daß der Appell an den prüfenden Gott von Vertrauensbekenntnissen umgeben ist (219) und zuweilen selbst deren Klang annimmt. (220) In Ps 139 tritt zwar das Unschuldsbekenntnis zurück (221), aber man wird auch hier folgern dürfen, daß es ein Unschuldiger ist, der hier spricht. Wenn dieser bekennt, von Jahwe durchschaut und umfaßt zu sein, dann schwingt zugleich die Vertrauensaussage mit, bei ihm vor den falschen Anschuldigungen geborgen zu sein. (222)

Durch den Vergleich mit den knappen, auf eine konkrete Bitte bezogenen Unschuldsbekenntnissen wird aber auch klar, daß die breitausladenden Verse des 139. Psalms kaum direkt in eine gottesdienstliche Situation gehören, sondern schon staunende Reflexion sind. (223) Meiner Meinung nach ist Ps 139 eine breite Entfaltung eines Elementes des Unschuldsbekenntnisses, das im Ton einer Vertrauensaussage gehalten ist. Es handelt sich also um Abwandlungen von Teilen der Klage des Einzelnen, die sich aber zuweilen in Richtung auf das Lob bewegen.

Die Gattungsbestimmung war deswegen so ausführlich zu diskutieren, weil sie
für das Verständnis der Schöpfungsaussage V 13.15 erhebliche Konsequenzen
hat. Für H.Gunkel ist die Schöpfung so sehr Thema des "Hymnus", daß er sie
fraglos als Argument für seine Gattungsbestimmung benutzen kann. Er bemerkt aber auch den Unterschied zu den Schöpfungsaussagen des beschreibenden Lobes, wenn er von einer "im Schöpfungshymnus unerhörte(n) innere(n)
Haltung des Psalmisten" spricht. (224) Für Gunkel geht die auf den Beter zu-
gespitzte Schöpfungsaussage also auf das Konto der allgemeinen Subjektivierung, die der Psalm erfahren hat. Hier gehen formgeschichtliches und inhalt-
liches Fehlurteil Hand in Hand. Das beschreibende Lob ist, wie wir sahen, vor
allem Ort der Weltschöpfung. Von ihr ist aber in Ps 139 gar nicht die Rede,
sondern ausschließlich von der Erschaffung des einzelnen, sich an Gott wendenden Menschen:

13	Denn du hast meine Nieren geschaffen,
	hast mich gewebt im Leibe meiner Mutter.
14b	'...' (225) Und meine Seele kennst 'du' (226) sehr gut.
15	Mein Gebein war vor dir nicht verborgen,
	'als' (227) ich gemacht ward im Verborgenen,
	bunt gewirkt in den Tiefen der Erde.

Da aber, wie wir sahen, Ps 139 nicht vom beschreibenden Lob, sondern von
Motiven des Unschulds- und Vertrauensbekenntnisses herzuleiten ist, besteht
gar keine Notwendigkeit, die Schöpfungsaussage von dort zu erklären. Vielmehr ist zu fragen, inwieweit sie im Rahmen der Menschenschöpfungsbelege
der Klage verstanden werden kann. Gegenüber den bisherigen Ergebnissen zur
Menschenschöpfung fällt zuerst die Sonderstellung von Ps 139,13ff ins Auge.
Die Funktion des Motives ist es nicht mehr, Gott zum Eingreifen zu bewegen,
sondern es soll offensichtlich die vorangehende Reflexion begründen (228); Jahwe durchforscht und beaufsichtigt den Beter so umfassend, weil er ihn selber
geschaffen hat. Diese Funktion läßt sich auch an Besonderheiten der Schöpfungsvorstellung selber ablesen: So entspricht der "Erschaffung der Nieren" der
häufige Satz, daß Jahwe "Herz und Nieren" - eben das Innerste des Menschen -
erforscht. (229) Und die altertümliche Vorstellung von der Entstehung in der
"Mutter Erde" wird deswegen ausgewählt (230), um zu zeigen, daß selbst in
diesen geheimnisvollen Tiefen der Beter von Gott schon durchschaut wurde.
Hier liegt aber auch eine gewisse Analogie vor: Wie in den Rückblicken auf
die eigene Erschaffung das Bekenntnis der Zuversicht bis an die Grenzen der
eigenen Existenz ausgeweitet wurde, so hier die Gewißheit des Unschuldsbekenntnisses, von Jahwe geprüft und begleitet zu sein. Bei dem Vergleich mit
dre Menschenschöpfung in der Klage kommt aber alles darauf an, welcher Art
das Gottesverhältnis ist, das durch die eigene Erschaffung begründet wird.
Der Appell an den Menschenschöpfer war immer an den barmherzigen Gott gerichtet gewesen. Wenn E.Würthwein recht hätte, daß es in V 1-12 um die
unter Umständen bedrohliche Nähe Jahwes ginge, dann stände das Menschenschöpfungsmotiv in der Tat völlig isoliert da. (231) Wenn jedoch unsere Vermutung stimmt, daß hier Jahwes "fürsorgliche Beaufsichtigung" gemeint ist,

dann wäre Ps 139 trotz seiner Besonderheiten im Rahmen der Menschenschöpfungsaussagen der Klage zu verstehen. Hier wie dort begründete die eigene Erschaffung ein besonderes, wenn auch verschieden geartetes, Vertrauensverhältnis zu Gott.

Dennoch bleibt Ps 139 ein Sonderfall. Sonst kommt die Menschenschöpfung in
der Unschuldsbeteuerung nicht mehr vor. (232) Es handelt sich um eine einmalige Motivverbindung, die wahrscheinlich erst mit der reflektierenden Entfaltung alter Formen möglich geworden ist. Falls das Menschenschöpfungsmotiv überhaupt aus dem Vorkommen in der Klage herzuleiten ist, wird die
Übernahme aufgrund der Berührungspunkte zwischen Unschuldsbekenntnis und
Vertrauensbekenntnis verständlich.

3. Die Menschenschöpfung im beschreibenden Lob

An einigen Stellen kommt die Menschenschöpfung in der Gattung vor, die wir
bisher ganz für die Weltschöpfung reserviert hatten. Das scheint auf den ersten Blick unserer These zu widersprechen. Doch sieht man genauer hin, ergibt sich ein anderes Bild:

In Ps 95,6; 100,3 und 149,2 finden wir die Menschenschöpfung auf Israel übertragen, und zwar ihren persönlichen Typ, wie die Suffixe zeigen. (233) Es
handelt sich sehr wahrscheinlich um eine Aufnahme der Neuinterpretation,
die Deuterojesaja dem Motiv in seinen Heilsorakeln gegeben hatte. Schon bei
ihm hatte sie sich z.T. aus der ursprünglichen Anredesituation gelöst (234),
in den Psalmen ist sie nun zu einem fertigen theologischen Sprachgebrauch geworden: wie andere Heilstaten Jahwes an Israel konnten sie Gegenstand des
Gotteslobes werden.

Doch läßt sich selbst in dieser veränderten Umgebung etwas von der ehemali-
gen Funktion des Menschenschöpfungsmotivs erkennen: In Ps 95,6; 149,2
steht es eindeutig auf der Seite der Zuwendung Gottes (235), in Ps 100,3
kommt ein verpflichtender Aspekt hinzu; er ist dadurch bedingt, daß eine pa-
ränetisch ausgerichtete "Erkenntnisformel" in das Gotteslob eingedrungen
ist. (236)

In Ps 33,15 begegnet eine allgemeine, auf alle Menschen bezogene Schöpfungsaussage. Auch diese steht auf der Seite der Zuwendung Gottes: Jahwe schaut
vom Himmel herab auf alle Bewohner der Erde (V 13f), um ihr Leben vom
Tode zu erretten (V 19). (237) In dem parenthetisch eingeschobenen Partizipialsatz V 15 wird darüber reflektiert, warum sich Jahwe um die Menschen
kümmert: weil er ihre "Herzen", d.h. das Zentrum ihrer Lebendigkeit geschaffen hat. (238)

Überblickt man diese verstreuten Belege, so hat man nicht den Eindruck, daß
es sich um ursprüngliche Motive der Gattung des beschreibenden Lobes han-

delt, es sind vielmehr Abwandlungen oder Erläuterungen. Sie werden zudem deutlich anders verwendet als die in dieser Gattung so häufigen Weltschöpfungsmotive.

4. Der 8. Psalm

Auch dieser, in der bisherigen Diskussion der Forschung eindeutig dominierende Beleg für die Menschenschöpfung in den Psalmen, ist lange Zeit der Gattung des beschreibenden Lobes zugeordnet worden. (239) Weil man in der undifferenziert aufgefaßten Schöpfung eo ipso ein Thema des "Hymnus" sah, so konnte ein Psalm, der um eben dieses Thema kreiste, nur als ein Exemplar dieser Gattung begriffen werden. Kennzeichen für diese Ansicht ist der Terminus "Schöpfungshymnus", den man für Ps 8; 104 u.a. prägte. Natürlich blieb auffällig, daß Ps 8 gegenüber der normalen Form der Gattung eine ganze Anzahl von Besonderheiten aufwies (240); in Frage gestellt wurde die communis opinio erst von einem Forscher, für den die Schöpfung nicht mehr Thema des "Hymnus", sondern des Heilsorakels war (241): H.Graf Reventlow will in Ps 8 den berichtenden Lobpsalm eines Einzelnen sehen. (242) Kaum aufgestellt, ist diese These abgelehnt worden (243), sie hat aber mit dazu beigetragen, daß W.H.Schmidt genauer nach der Herkunft der einzelnen Form- und Traditionselemente des Psalms gefragt hat. Das Ergebnis zeigt eine "Auflösung der Gattung"; neben "Momenten des Hymnus" enthalte Ps 8 auch "weisheitliche Reflexion" und "Elemente der Klage- und Dankliedes". Die Form- und Traditionsmischung spräche für eine späte Entstehung des Psalms. (244) Bei dieser Lage der Dinge ist es nötig, neu nach der Herkunft der Schöpfungsaussagen des Psalms zu fragen.

Auszugehen ist von V 5, der schon oft als Zentrum des Psalms angesehen worden ist:

> Was ist der Mensch, daß du seiner gedenkst (zākar)
> und der Einzelne (bæn-ʾādām), daß du dich seiner annimmst (pāqad)?

Doch wie ist er zu verstehen? H.Graf Reventlow bezieht ihn ganz auf ein konkretes Ereignis: "In V 5 ist nicht eine allgemeine Sentenz gemeint, sondern hier wird auf einen einmaligen Rettungsakt Jahwes zurückgeblickt". (245) Darum ist für ihn dieser Vers der Hauptbeleg dafür, daß Ps 8 ein "Danklied" ist. W.H.Schmidt hebt stattdessen stark die allgemeine Tendenz des Verses hervor: In der Frage "Was ist der Mensch?" werde "grundsätzlich nach dem Wesen des Menschen (ge)fragt", sie stamme aus der "späten, schon skeptischen Weisheit". (246) Wohl sei der Ort, an dem von Jahwes Gedenken gesprochen wurde, ursprünglich das Klage- und Danklied gewesen, doch erstrecke sich Gottes Hilfe in Ps 8 "nicht auf diese oder jene Not, sondern auf das menschliche Dasein überhaupt". (247)

Als nachgewiesen kann gelten, daß sich die beiden Folgesätze der Frage ursprünglich auf Jahwes zuwendendes und rettendes Handeln beziehen. Unzählige Male haben Einzelne (248) oder das Volk (249) zu Jahwe gefleht: Gedenke (250)! und immer wieder konnte lobend berichtet werden: Jahwe hat gedacht (251) und Jahwe hat sich angenommen. (252) Es ist sogar möglich, daß mit den beiden Verben zākar und pāqad die beiden Teile der Bitte, die Bitte um Zuwendung und um Eingreifen, aufgenommen sind. Hier bewegen wir uns ganz im Bereich der Sprache der Klage und deren Erhörung.

Fraglich ist jedoch, wie dann das allgemeine Reden vom "Menschen" (3.P.) zu verstehen ist. W.H.Schmidt sieht darin den Einfluß weisheitlichen Denkens, also ein der Klage ursprünglich völlig fremdes Element. Doch ist das m.E. zu bestreiten. Es gibt nämlich in der Klage selber eine Tendenz zur Verallgemeinerung: Die Klage über das eigene Leid weitet sich aus über die Klage der eigenen Todverfallenheit (253) bis hin zur Klage über die Vergänglichkeit des Menschen überhaupt. (254) Es handelt sich hierbei, wie C.Westermann deutlich gemacht hat, um eine Bewegung, die nicht aus der gedanklichen Abstraktion, sondern aus dem Existenzvollzug selber stammt (255): Der vom Leid Getroffene ist immer als Ganzer getroffen. Mit der Klage über die menschliche Vergänglichkeit wollten die Beter des Alten Testament Jahwe besonders eindringlich zum rettenden Eingreifen bewegen. Das Motiv kann darum auch ein Beweggrund der Bitte werden. (256) Es spricht nun viel dafür, daß dieser Zusammenhang von Vergänglichkeitsklage und Gebetserhörung in Ps 8,5 gemeint ist.

In der nächsten Parallele zu Ps 8,5, in Ps 144,3, ist die Frage: "Was ist der Mensch?" eng auf die Klage über die Vergänglichkeit des Menschen bezogen (V 4). Danach folgt eine Kette von Bitten, die Bitte um Zuwendung (V 5), die Bitte gegen die Feinde (V 6) und die Bitte um Rettung (V 7). Auch wenn über die Gattung und die Eigenständigkeit des Psalms einige Zweifel bestehen (257), so wird man doch sagen dürfen, daß die Vergänglichkeitsklage (V 4) hier an ihrem natürlichen Ort steht und ihre ursprüngliche Funktion hat, Gott zum Eingreifen zu bewegen. In welcher Beziehung steht nun V 3 zu diesem Vorgang? "Was ist der Mensch?" ist in diesem Zusammenhang sicher keine Wissensfrage, auf die V 4 Auskunft gäbe: "Der Mensch gleicht einem Hauch", sondern in der Frage liegt schon das Wissen um die Nichtigkeit des Menschen drin (258), sodaß man eigentlich übersetzen müßte: "Was ist denn schon der Mensch". In den Nachsätzen ist wie in Ps 8,5 Jahwes Zuwendung gemeint. (259) Eben um sie geht es dem Beter von Ps 144. Dann wird man in V 3 eine staunende Reflexion darüber zu sehen haben, daß Jahwe den Einzelnen, der in seinem Leid die menschliche Hinfälligkeit erfährt, wirklich annimmt. Damit ist die Gebetsebene zwar ein Stück weit verlassen, dennoch können alle Elemente von Ps 144,3 aus dem Klagevorgang selber erklärt werden.

Es läßt sich weiter zeigen, wie solche staunenden Reflexionen in das Gotteslob hineinwandern konnten. In Ps 103, der in seinem meditativen Ton in manchem an Ps 8 erinnert, wird die Tatsache, daß Gott Gnade vor Recht ergehen läßt, die Schuld nicht anrechnet, sondern sich wieder und wieder des Menschen erbarmt mit dem Satz begründet:

V 14   Denn er weiß, was für ein Geschöpf wir sind,
        eingedenk dessen (zākūr), daß wir Staub sind.

Gleichsam zur Bestätigung werden Sätze aus der Vergänglichkeitsklage hinzugefügt (V 15f). Damit soll keine "ernste, ja, trübe Betrachtung über den gemeinen Ursprung des Menschen" angestellt werden, wie H.Gunkel meint. (260) Sondern hier wird die Erfahrung, daß Gott sich immer wieder von der ihm in der Klage vorgehaltenen Nichtigkeit des Menschen hat rühren lassen, zum Gegenstand des Lobes. (261) Eine Eigenart des 103. Psalms ist es, daß er dabei die Vergänglichkeit und Fehlsamkeit des Menschen eng zusammensieht, doch liegt damit keine schwerwiegende Veränderung des Motivzusammenhanges vor. (262) Interessant ist dagegen, daß Vorstellungen, die aus der Menschenschöpfung stammen, in die Reflexion über Klagevorgänge eindringen konnten. Möglicherweise berührt sich die Vergänglichkeitsklage mit dem urgeschichtlichen Reden von der Begrenztheit des Menschen. (263)

Damit kann als erwiesen gelten, daß Ps 8,5 ganz von der Klage des Einzelnen interpretiert werden muß. Hinter ihm steht der Vorgang von der Vergänglichkeitsklage und Gebetserhörung. Ps 8,5 staunt darüber, daß Jahwe sich immer wieder von der Vergänglichkeitsklage rühren läßt, sich also immer wieder des Menschen in seiner Hinfälligkeit annimmt. Zwar ist damit der einmalige Vorgang von Klage und Erhörung verlassen (gegen Reventlow), Ps 8,5 ist ein viele Erfahrungen zusammenfassender Lobsatz. Aber der Vers entspringt nicht aus dem weisheitlichen Interesse am "Wesen des Menschen" (gegen Schmidt).

Ist aber erkannt, daß im Zentrum des Psalms ein Staunen über Vorgänge aus der Klage des Einzelnen steht, dann wird verständlich, warum die Menschenschöpfung in diesem Psalm eine so bedeutende Rolle spielt. Es war ja die Klage des Einzelnen gewesen, in der wir die Menschenschöpfung verankert fanden.

Vergleichen wir nun die Funktion, die das Menschenschöpfungsmotiv in der Klage des Einzelnen hatte, mit der, die es in Ps 8 bekommen hat, dann ergibt sich auch sofort eine überraschende Kongruenz: Hatten unzählige Klagende in ihrer Not Gott immer wieder vorgehalten, daß er sie doch geschaffen habe, um ihn zum rettenden Eingreifen zu bewegen, so erkennt der Beter des 8. Psalms staunend, daß die rettende Zuwendung Gottes zu dem nichtigen Menschen darin begründet ist, daß er ihn geschaffen hat. Was einmal aktueller Appell an den barmherzigen Schöpfer war, wird in Ps 8 zur reflektierten Entfaltung der Zuwendung Gottes. Was einmal ein in der Stunde der Not aktualisierbares urtümliches Vertrauensverhältnis zwischen dem Schöpfer und seinem Geschöpf war, wird in Ps 8 zur Kette der Wohltaten, die der Menschenschöpfer seinem Geschöpf erwiesen hat. In der Ausgestaltung der Wohltaten des Menschenschöpfers hat der Beter des 8. Psalms Motive verwendet, die sonst nicht in der Menschenschöpfungstradition der Klage begegnen: daß er dem Menschen eine nahezu göttliche Stellung gegeben (V 6a) (264), ihn mit königlichen Prädikaten ausgestattet (V 6b) (265) und zur Herrschaft über alle anderen Geschöpfe (V 7), expliziert an der Verfügungsgewalt über die Tiere (V 8f) (266), eingesetzt hat, findet sich sonst nicht in den Psalmen, eher lassen sich traditionsgeschichtliche Linien zu den Erzählungen von der Erschaffung des Menschen ziehen. (267) Dennoch kann trotz dieser freien Ausgestaltung, die in einem so späten Psalm nicht verwunderlich ist, nicht zweifelhaft sein, daß es die Menschenschöpfungstradition der Klage ist, die Psalm 8 reflektierend aufnimmt.

Es war bisher unberücksichtigt geblieben, daß in Ps 8 nicht nur die Menschenschöpfung, sondern auch die Weltschöpfung vorkommt (V 4). (268) Daß beide Traditionen in einem so späten Mischgebilde verbunden werden konnten, darf nicht weiter verwundern. Doch wenn unsere These zweier verschiedener Schöpfungstraditionen in den Psalmen richtig ist, dann müssen sich gerade hier deutliche Anhaltspunkte dafür ergeben. Und wirklich steht die Weltschöpfung nicht nur räumlich von der Menschenschöpfung getrennt, nämlich vor dem zentralen Vers 5, sondern sie bezieht sich auch auf einen anderen Teil des Verses: Durch sie wird nicht die Zuwendung Jahwes, sondern die Vergänglichkeit des Menschen weiter entfaltet: Angesichts des Himmels und der Gestirne, welche die unermeßliche Macht des Weltschöpfers repräsentieren, kommt die ganze Hinfälligkeit des Menschen erst zum Vorschein. (269) Die Weltschöpfung dient also der Beschreibung der Majestät Gottes. Diese wird sogar noch dadurch gesteigert, daß Jahwe zur Erschaffung des unendlichen Himmels nicht einmal mehr die Hände, sondern nur noch die Finger benötigt. (270) Die Funktion entspricht damit der des Motivs im beschreibenden Lob, nur daß nicht mehr die Schöpfung als Vorgang, sondern als beschaubares Ergebnis im Vordergrund steht. (271) Dann stammt die Weltschöpfungsaussage V 4 aus dem beschreibenden Lob. (272)

Aus den beiden verschiedenen Schöpfungstraditionen hat der Beter des 8. Psalms in genialer Weise ein neues Ganzes gestaltet. Der Reiz des Psalms liegt in seiner zweifachen Polarität:

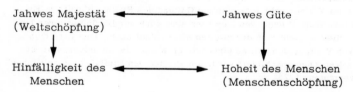

Der Majestät Gottes, des Weltschöpfers, steht seine Güte gegenüber, die in der Menschenschöpfung begründet ist. Der Niedrigkeit des Menschen, die ihm angesichts der Majestät des Weltschöpfers bewußt wird, steht seine Hoheit gegenüber, mit der ihn der Menschenschöpfer ausgezeichnet hat. Im Grunde sind beide polaren Beziehungen in dem einen Satz enthalten, daß sich der mäch-

tige Gott des geringen Menschen annimmt (V 5). (273) Das geschah in Israel
bei jeder Erhörung einer Klage. Doch indem der Beter des 8. Psalms staunend darüber reflektiert, entfaltet er beide Seiden des Satzes mit dem "Thema
Schöpfung". Wenn dabei die Weltschöpfung auf der einen, die Menschenschöpfung
auf der anderen Seite zu stehen kommt, dann spricht das für die ursprüngliche
Selbständigkeit beider Traditionen.

5. Anhang: Ps 94

Ein Menschenschöpfungsmotiv taucht schließlich noch in Ps 94 auf:

V 9   Der das Ohr gepflanzt, sollte der nicht hören?
       Der das Auge gebildet, sollte der nicht sehen?

Daß Gott die menschlichen Sinnesorgane geschaffen hat, wird einfach als Tatsache vorausgesetzt. Diese Tatsache wird jedoch zum bestreitenden Argument:
Derjenige, der die Organe zum Hören und Sehen geschaffen hat, der wird doch
selber in der Lage sein, zu hören und zu sehen. Das richtet sich gegen die
höhnischen Äußerungen der Frevler, Jahwe achte ja nicht auf ihr Treiben, könne
darum wohl gar nicht sehen (V 7).

Eine solche Verwendung des Menschenschöpfungsmotivs ist in den Psalmen
ohne Parallele. Zwar wird auch sonst zuweilen Jahwes Schöpfungshandeln auf
bestimmte menschliche Organe bezogen (274), hier jedoch steht es völlig
außerhalb der Beziehung zwischen dem Klagenden und Gott. Sie ist einfach
ein allgemein anerkanntes Faktum, das argumentativ verwandt werden kann.
Noch unüberbrückbarer wird der Unterschied, wenn man berücksichtigt, daß
diese Fähigkeit in den Dienst eines strafenden Handelns Jahwes gestellt wird
(V 10). Von dem vertrauensvollen Verhältnis zwischen dem Menschenschöpfer
und seinem Geschöpf, das wir sonst in der Klage fanden, ist aber auch gar
nichts zu verspüren.

Diese Ausnahmestellung zwingt zu der Frage, ob das Menschenschöpfungsmotiv in Ps 94 überhaupt aus der Psalmentradition erklärt werden kann. Formgeschichtlich ist V 9 nur sehr locker in die Gattung des Psalms eingefügt. Es
kann dann eine freie Bildung sein, es kann aber auch der Einfluß anderer Traditionen vorliegen. Geht man der zweiten Möglichkeit nach, dann wird man
aufgrund von V 10, in dem Jahwe eigenartiger Weise als ein universaler Er-
zieher des Menschen geschildert wird, am ehesten den Einfluß "weisheitlichen"
Denkens vermuten. (275)

Die Voraussetzung, von der die Argumentation in Ps 94,9 ausgeht, findet sich
auch in einem Weisheitsspruch:

Prov 20,12   Das Ohr, das hört, und das Auge, das sieht,
              Jahwe hat beide gemacht.

Jahwe hat die Sinnesfunktionen geschaffen. Das wird einfach in Bejahung der Geschöpflichkeit (276) des Menschen konstatiert, ohne daß damit eine besondere Beziehung des Menschen zu Gott ausgesagt würde. Es ist wie in Ps 94,9 einfach ein Faktum, von dem man ausgehen kann. (277) Es ist darum recht wahrscheinlich, daß ein solches völlig unreflektiertes "weisheitliches" Reden von der Geschöpflichkeit des Menschen den Hintergrund für Ps 94,9 bildet. Der Psalm weist dann darauf hin, daß auch außerhalb der Gebetsbeziehung von Menschenschöpfung gesprochen werden konnte. (278)

Damit sind alle Belege für die Menschenschöpfung in den Psalmen behandelt. Sie ist, wie wir sahen, nicht auf die Klage des Einzelnen beschränkt, sondern kommt daneben im beschreibenden Lob vor. Da aber - entgegen der bisherigen Meinung - Ps 139 gar nicht und Ps 8 nur bedingt dieser Gattung zuzurechnen sind, wird man hier kaum einen ursprünglichen Ort der Menschenschöpfung erblicken können. (279) Vielmehr ließen sich alle Belege - bis auf den zuletzt genannten Ps 94 - von der Klage des Einzelnen her verstehen: Trotz aller Abwandlungen ging es überall (280) um die Zuwendung Jahwes, wenn von Menschenschöpfung die Rede war. Darin stimmten die personal bezogenen (281) und allgemein formulierten Schöpfungsaussagen (282) völlig überein. Damit darf wohl der Ausgangspunkt bei dem Appell an den Menschenschöpfer in der Klage als sachlich berechtigt erwiesen gelten. Die in der bisherigen Forschung stark hervorgehobenen Psalmen, Ps 8 und 139, haben sich demgegenüber als späte, traditionsgeschichtlich recht komplexe Gebilde erwiesen. Die Menschenschöpfung erscheint hier gegenüber ihrer ursprünglichen Stellung und Funktion in den Klagen schon abgewandelt und ist darum nur eingeschränkt für die Menschenschöpfungstradition der Psalmen charakteristisch.

Welche Folgerungen sind aus diesem Ergebnis für das Verhältnis von Welt- und Menschenschöpfung in den Psalmen zu ziehen? Es haben sich einige grundlegende Unterschiede herauskristalisiert, es war aber auch auf Berührungspunkte und Überschneidungen aufmerksam gemacht worden. Darum sollen in einem dritten Abschnitt Unterschiede und Gemeinsamkeiten der beiden Schöpfungstraditionen zusammenfassend untersucht werden.

III. Das Verhältnis von Welt- und Menschenschöpfung in den Psalmen

In der langen und wechselvollen Geschichte, die von der Sammlung des Psalters umgriffen wird, ist es in dreierlei Hinsicht zu einer Berührung beider Traditionen gekommen: Welt- und Menschenschöpfung können im gleichen Psalm begegnen, es kann Überschneidungen der Gattungen und Berührungspunkte in der Funktion geben.

1. Welt- und Menschenschöpfung in ein- und demselben Psalm

Wichtigster Beleg für das Zusammentreffen von Welt- und Menschenschöpfung in ein- und demselben Psalm ist zweifellos Ps 8, der am Ende des vorigen

Abschnitts untersucht wurde. Er ist überhaupt der einzige Psalm des Psalters, in welchem beide Traditionen bewußt zusammengearbeitet worden sind. Nicht zu Unrecht wird darum Ps 8 in der Forschung zu den klassischen "Schöpfungspsalmen" gezählt, doch hat das mit dazu geführt, daß die doch erheblichen Differenzen zwischen den beiden Traditionen bisher nicht erkannt worden sind. Man hielt Ps 8 für einen beschreibenden Lobpsalm, ordnete darum die Welt- als auch die Menschenschöpfung dieser Gattung zu; man hielt die Schöpfung generell für ein Heilshandeln Gottes und fand auch darin in Ps 8 einen Beleg. (283) Daß die formgeschichtliche Bestimmung nur für die Weltschöpfung galt, die funktionale m.e. nur für die Menschenschöpfung, wurde dabei übersehen. Dabei hätte Ps 8 zumindest die unterschiedliche Funktion beider Schöpfungstraditionen deutlich machen können: Wie wir zeigen konnten, bildet die Weltschöpfung den majestätischen Hintergrund für die Vergänglichkeit des Menschen, die Menschenschöpfung jedoch entfaltet die erbarmende Zuwendung Gottes. (284) Die Komposition des Psalms zeigt somit zwar, daß in späterer Zeit beide Traditionen unter dem übergreifenden thematischen Gesichtspunkt der Schöpfung zusammengestellt werden konnten - nicht zufällig kommt es in Ps 8 auch zu einer Verquickung mit der Erzähltradition - daß man sich aber der unterschiedlichen Rolle, welche diese in der Beziehung zwischen Mensch und Gott gespielt hatten, durchaus noch bewußt war.

Auch in dem beschreibenden Lobpsalm Ps 33 war man sich dieser Verschiedenheit klar, wenn man das Menschenschöpfungsmotiv nicht direkt an das Lob des Weltschöpfers anfügte. Wäre man thematisch verfahren, hätte das doch sehr nahegelegen! Nein, die Weltschöpfung preist die Majestät Gottes (V 6-9), die Menschenschöpfung entfaltet, warum sich Jahwe der Menschen annimmt und sie im Falle der Not rettet (V 15). (285)

Auch in dem beschreibenden Lobpsalm 95A kann man beobachten, daß die Weltschöpfung auf der Seite der Majestät (V 4f), die auf Israel bezogene Menschenschöpfung aber auf der Seite der Güte Jahwes zu stehen kommt (V 6f).

Damit bleibt trotz des beabsichtigten oder zufälligen Zusammentreffens die unterschiedliche Funktion beider Schöpfungstraditionen in allen genanten Fällen noch gut erkennbar.

Dagegen gibt es zwei Belege, in denen Welt- und Menschenschöpfung ohne sichtbare Differenz einfach nebeneinander gestellt worden sind: Neh 9,6 (286) und Sach 12,1. Beide sind erst relativ spät. Neh 9,6 bezeichnet den Übergang von Psalmengebet zum langen Prosagebet. Hier läßt sich deutlich ein sachlich systematisches Interesse erkennen, das Schöpfungshandeln Jahwes so umfassend wie möglich zu umschreiben. Es erstreckt sich auf die drei Bereiche Himmel, Erde und Meer. Der Mensch ist zwar nicht besonders genannt, aber ganz offensichtlich in "allem, was auf der Erde ist" und bei der Belebung der Kreaturen mit gemeint. Doch ist es immerhin auffällig, daß neben der umfassenden Erschaffung noch die Belebung als zweiter Akt hinzukommt. Das könnte auf die ursprüngliche Selbständigkeit verschiedener Schöpfungstraditionen hindeuten. Sach 12,1 erinnert an Jes 42,5. Auch bei Deuterojesaja hatten wir ja eine aus sachlichen Interessen geleitete Zuordnung der Menschen- zur Weltschöpfung kennengelernt. (287) So wird man damit rechnen müssen, daß es seit exilischer Zeit durchaus möglich war, beide Schöpfungstraditionen zu verbinden. Auffällig ist, daß es dennoch so selten geschah.

Es bleibt festzuhalten, daß es fast ausschließlich der allgemein formulierte Typ der Menschenschöpfung ist, der zusammen mit der Weltschöpfung begegnet. Eine Ausnahme macht hier nur Ps 95,6, doch erklärt sich dieses wahrscheinlich rein zufällige Zusammentreffen aus der Übertragung, die das Menschenschöpfungsmotiv hier erfahren hat.

2. Überschneidungen in der Gattung

Die Weltschöpfung fand sich nicht nur im beschreibenden Lob, sondern war auch in die Klage gewandert. Die relativ geschlossene Gruppe der Volksklagen, in denen ein Rückblick auf Jahwes urzeitliche Kampfestaten begegnet, kann hier unberücksichtigt bleiben, denn bei der einzigen Stelle, an der die Menschenschöpfung in einer Volksklage vorkommt (288), handelt es sich um eine Abwandlung des Motivs. Zu echten Überschneidungen kommt es erst, wo die Weltschöpfung in die Klage des Einzelnen (289) oder deren Abwandlungen eindringt. (290) Die Gründe dafür waren durchaus verschieden: Die Weltschöpfung des beschreibenden Lobes konnte zur rühmenden Anrede Jahwes in der Klage werden (291), ein Phänomen, das wir aus babylonischen Gebeten kennen, das in Israel zuerst in Prosagebeten auftaucht, generell aber erst relativ spät anzusetzen ist. Die Weltschöpfung konnte im Kontrast zur Vergänglichkeitskla- ge in das Bekenntnis der Zuversicht wandern. (292) Doch geschah das erst in einem Stadium, als dieses schon seinen personalen Charakter weitgehend ver- loren hatte und sich auf das beschreibende Lob zubewegte. Das unterscheidet diese Form erheblich von den Bekenntnissen zum eigenen Schöpfer. Statt der Macht tritt in dieser Abwandlung die Ewigkeit des Weltschöpfers in den Vor- dergrund und somit ein Aspekt der Treue, der sonst ganz fehlt. Ganz anders sind die Bekenntnisse der Zuversicht Ps 121,2; 124,8 zu beurteilen. Hier stammt die Weltschöpfung aus Schöpferprädikationen, die sich an den priester- lichen Segensspruch angehängt hatten. Es handelt sich wahrscheinlich um eine ganz spezielle, in Jerusalem beheimatete Tradition, die von dem sonstigen Reden von Weltschöpfung zu trennen ist.

Auf der anderen Seite begegnete die Menschenschöpfung nicht nur in der Kla- ge des Einzelnen, sondern auch im beschreibenden Lob. (293) Ps 33,15 wurde schon behandelt. Der restliche Teil der Belege erklärt sich dadurch, daß die aus dem Heilsorakel bei Deuterojesaja stammende Übertragung der Menschen- schöpfung auf Israels Erwählung Gegenstand des Lobes werden konnte, wie die übrigen geschichtlichen Heilstaten auch. Erhalten bleibt dabei weitgehend der Charakter einer vertrauensvollen Zuwendung Gottes. Nur in Ps 100,3 konnte durch den Einfluß der in der "Erkenntnisformel" liegenden Bundesvorstellung ein verpflichtender Zug hineinkommen. (294)

Die Übersicht zeigt, daß sich Welt- und Menschenschöpfung nicht völlig auf die zwei Gattungen: beschreibendes Lob - Klage des Einzelnen beschränken lassen, doch sind die Überschneidungen weder zahlenmäßig noch inhaltlich gewichtig genug, um den Eindruck zweier ursprünglich völlig geschiedener Gattungszusammenhänge verwischen zu können.

3. Berührungspunkte in der Funktion

Die Weltschöpfung diente dem Lob der Majestät Jahwes. Das bedeutet, daß sie sich generell nicht, wie das von dogmatischen Voraussetzungen aus immer wieder geschehen ist, dem "Heilshandeln" Jahwes unterordnen läßt. Im einzelnen folgt daraus nicht, daß sie völlig ohne jede Beziehung zum Rettungshandeln Jahwe wäre, sondern sie kann mehr oder minder explizit als Voraussetzung dafür verstanden werden: Jahwe kann helfen, weil er so mächtig ist, Erkennbar wird diese Ausrichtung in zwei beschreibenden Lobpsalmen des Einzelnen. (29?) Programmatisch wird sie in der Aufnahme von Urzeitkampf- und Weltschöpfungsvorstellungen im ehemals "heilsgeschichtlichen Rückblick" der Volksklage. (296) Es sind vor allem diese Belege, die zu einem einlinig soteriologischen Verständnis des Schöpfungshandelns geführt haben. Formal gesehen liegt ja auch wirklich eine Entsprechung zum Rückblick auf die eigene Erschaffung in der Klage des Einzelnen vor: Beide zielen auf ein Eingreifen Jahwes. Ein genauerer Vergleich macht jedoch den gravierenden Unterschied sofort deutlich: Die Menschenschöpfung appelliert an den barmherzigen Gott, versucht ihn zum Eingreifen für die Klagenden zu bewegen; die "Weltschöpfung" appelliert an den machtvollen Gott, versucht ihn also zum Eingreifen gegen die Feinde anzustacheln. Wohlgemerkt, auch in dieser vollständigen Ausrichtung der "Weltschöpfung" auf das rettende Handeln, ist sie doch nie identisch damit, sondern ermöglicht es nur.

In den "Rückblicken" ging es ja primär um Chaoskampf und erst sekundär um Weltschöpfung. Es gibt aber auch eine Reihe von Stellen, in denen die Weltschöpfung selber eine "heilvolle" Dimension erhält. (297) Doch ist dabei der Blick von dem Vorgang der Erschaffung auf ihr Ergebnis verschoben. Die Macht Jahwes garantiert den Bestand der geschaffenen Welt, auch gegen mögliche Bedrohungen. (298) Ob man hier im strengen Sinn von "soteriologischem" Verständnis reden darf, sei dahingestellt; man sollte sich jedoch der Isoliertheit dieser - wiederum nicht einheitlichen - Stellengruppe gegenüber dem sonstigen Reden von Weltschöpfung im beschreibenden Lob bewußt sein.

Innerhalb des beschreibenden Lobes gibt es jedoch eine Tradition vom bewahrenden Handeln des Weltschöpfers. (299) Sie ist nicht so breit bezeugt, wie die von seinem machtvollen Handeln, aber in ihrer Eigenständigkeit deutlich erkennbar. Ihr Inhalt sind nicht die großen, grundlegenden Schöpfungstaten, sondern die nähere Umwelt des Menschen. Insbesondere sorgt der Weltschöpfer für die Nahrung seiner Geschöpfe. Darunter wird - völlig unbetont - auch der Mensch erwähnt. Wohl ist nie von seiner Erschaffung die Rede, es liegt aber auf der Hand, daß hier wirklich echte Verbindungslinien zur Menschenschöpfung, insbesondere ihrem allgemeinen Typ vorliegen. (300) Am breitesten ist die Tradition von der Fürsorge des Weltschöpfers für seine Kreaturen in Ps 104 aufgenommen, dem neben Ps 8 zweiten klassischen "Schöpfungspsalm" im Psalter. Mit geschärftem Blick sieht man sofort, daß Ps 8 um die Menschenschöpfung, Ps 104 um die Weltschöpfung kreist. (301) Dennoch macht die Tatsache, daß es sich in beiden Psalmen um Abwandlungen der ursprünglichen Traditionen handelt, verständlich, warum die Verschiedenheit beider Psalmen bisher nicht gesehen worden ist.

Damit sind alle "Ausnahmen" genannt. Überblickt man sie, dann darf man wohl sagen, daß die vorläufige Beobachtung, von der wir ausgegangen waren (302), durch die obige Untersuchung voll und ganz bestätigt worden ist: In der ganz überwiegenden Mehrzahl der Belege kommen Welt- und Menschenschöpfung nicht zusammen vor. Ihnen stehen - nimmt man Deuterojesaja hinzu - nur vier Stellen gegenüber, an denen Welt- und Menschenschöpfung ununterscheidbar miteinander verbunden sind. (303) In allen hatten sachliche Gesichtspunkte die Gebetsstrukturen verdrängt. In drei weiteren Belegen kommt zwar Welt- und Menschenschöpfung zusammen vor, aber in allen Fällen ließ sich die unterschiedliche Herkunft noch klar erkennen. (304) Die sonstigen formgeschichtlichen und funktionalen Berührungspunkte hatten meist in Abwandlungen der Gattungen oder in Übertragungen der Traditionen von einer Gattung in die andere ihren Grund. Sie können die Lebendigkeit beider Traditionen im Laufe ihrer Geschichte verdeutlichen, die tiefgreifenden Unterschiede aber nicht einebnen.

Damit bestätigt die Untersuchung der Psalmen den aufgrund von Deuterojesaja vermuteten und in religionsgeschichtlichen Durchblicken erhärteten Tatbestand: Es gibt im Reden zu Gott zwei verschiedene Schöpfungstraditionen, die sich trotz mancher Berührungspunkte inhaltlich, formgeschichtlich und funktional deutlich unterscheiden lassen. Die Weltschöpfung gehört fest zur Struktur des beschreibenden Lobes; sie dient überwiegend dem Lob der weltüberlegenen Macht Gottes. Alles andere hat demgegenüber untergeordnete Bedeutung, bzw. erklärt sich als Abwandlung. Die Menschenschöpfung begegnet in der Klage des Einzelnen oder Formen, die aus ihr abgeleitet sind. Sie ist ursprünglich ein Appell an die Zuneigung des eigenen Schöpfers, dient aber auch in ihren Abwandlungen und in ihrer allgemeinen Ausformung dazu, ein besonderes Vertrauensverhältnis zwischen Gott und Mensch zu begründen.

Nach diesem Ergebnis darf die Arbeitshypothese schon als weitgehend bewiesen angesehen werden. Es bleibt nur noch zu fragen, wieweit sich die Schöpfungstexte des Hiobbuches dahinein einzeichnen lassen.

E. Weltschöpfung und Menschenschöpfung im Buche Hiob

Nachdem sich bei Deuterojesaja und in den Psalmen mit einem recht hohen
Grad an Wahrscheinlichkeit zwei verschiedene Schöpfungstraditionen nachweisen ließen, stellt sich die Frage, ob und inwieweit sich die Schöpfungsaussagen des Hiobbuches von da aus erklären lassen und damit zur weiteren
Absicherung des Ergebnisses beitragen können. Die gängige Einordnung des
Hiobbuches in die "Weisheitsliteratur" (1) scheint eine positive Beantwortung
von vornherein auszuschließen. Zwar hat die Forschung schon seit langem
"hymnische" Traditionsstücke im Hiobbuch entdeckt, wozu auch ein Großteil
der Schöpfungsbelege gehören (2), aber man hielt sie meist für Fremdkörper,
die mit dem verhandelten "Problem" des "leidenden Gerechten" oder der
"Theodizee" (3) nichts oder nur wenig zu tun hatten, was zu mehr oder minder radikalen literarkritischen Aussonderungen führte. (4) Eine grundsätzliche Wende trat erst ein, als C.Westermann nachweisen konnte, daß der
Vorgang und Aufbau des Hiobdialoges weitgehend aus den Strukturen der Psalmen zu erklären ist: Es geht in ihm nicht um die Behandlung eines Problems,
sondern um die existentiellen Vorgänge von Leid und Klage, von Trots und
dessen Wirkungslosigkeit. (5) C.Westermann hat pointiert von "dramatisier-
ter Klage" gesprochen (6), was nicht heißen soll, daß nicht auch andere Redeformen und Vorstellungen am Hiobdialog beteiligt (7), was aber deutlich
machen kann, daß die auch zuvor schon erkannten Psalmenstrukturen als inte-
grale Bestandteile der Hiobdichtung zu bewerten sind. Diese Sicht wird auch
durch die akkadische und sumerische Parallele gestützt. (8) Ist aber das
Hiobbuch als Ganzes nicht mehr von der "Weisheit", sondern von den Psalmen
zu verstehen, dann besteht berechtigte Hoffnung, auch die Schöpfungsaussagen
weitgehend in ihrem Rahmen interpretieren zu können. Sie finden sich im Munde aller drei am Dialog Beteiligten: im Munde Hiobs, im Munde der Freunde
und im Munde Gottes. Lassen sich noch verschiedene Orte und Funktionen von
Welt- und Menschenschöpfung erkennen?

I. Welt- und Menschenschöpfung im Dialogteil

1. Welt- und Menschenschöpfung im Munde Hiobs

Sowohl die Welt- als auch die Menschenschöpfung begegnen in der zweiten Rede Hiobs, Hi 9 und 10. Hinter der Zusammenordnung beider Traditionen in
eine einzige Rede mag man eine kompositorische Absicht des Verfassers vermuten, man wird aber nicht daraus schließen können, daß für ihn ihre Verschiedenheit verwischt wäre. Ganz im Gegenteil! Es wird sich zeigen, daß
sich die Aporien, in die sich die Forschung bei der Auslegung dieser beiden
Kapitel verstrickte, sofort lösen, sobald man die Verschiedenheit der Welt-
und Menschenschöpfungstradition erkannt hat.

Wenden wir uns zuerst der Menschenschöpfung Hi 10 zu. Man versuchte sie,
wenn man nicht einfach die formgeschichtliche Frage überging (9), vom be-

132

schreibenden Lob herzuleiten, eben weil man nur mit einer einzigen "hymnischen" Schöpfungstradition rechnete. Doch machte diese Gattungsbestimmung
erhebliche Schwierigkeiten. (10) Letztlich ist die Du-Anrede und die feste
Verankerung des Motivs in der persönlichen Gebetsbeziehung auf diese Weise
nicht zu erklären. Das Problem löst sich, wenn man erkennt, daß der Appell
an den eigenen Schöpfer von Haus aus zur Klage des Einzelnen gehörte. Für
diese Verankerung der Menschenschöpfungstradition war uns Hi 10, 3.8-12
ein wichtiger Beleg gewesen. (11) Er ist breiter ausgebaut als die anderen,
steht aber keineswegs isoliert da. Kein Zweifel, wenn Hiob in seiner Klage
Gott den schreienden Widerspruch vorhält, der zwischen seinem jetzigen tötenden und seinem früheren erschaffend-behütenden Handeln besteht, dann
nimmt er damit eine alte Tradition auf. Zwar wird der Kontrast von Menschenschöpfung und Anklage nirgends im Alten Testament so breit entfaltet, nirgends
wird auch das erschaffende Handeln Jahwes so liebevoll ausgemalt, doch grundsätzlich geschieht nichts anderes als in den sonstigen Menschenschöpfungsbe-
legen der Psalmen: Die Beschwörung der urtümlichen, vertrauensvollen Bindung zwischen dem Schöpfer und seinem Geschöpf soll Gott rühren und zum
rettenden Eingreifen bewegen. (12) Es ist nun ein erstaunliches Phänomen,
daß diese Funktion der Menschenschöpfung Hi 10, 3.8-12 in völliger Klarheit
und Einhelligkeit von der Forschung erkannt worden ist. (13) Das hat wahrscheinlich den Grund, daß man in der Schöpung eo ipso ein "Heilshandeln"
Gottes sah, sodaß dogmatische Voraussetzung und exegetischer Befund kon-
vergierten. Was man übersah, war aber die Tatsache, daß nur die Menschenschöpfung, nicht aber die Weltschöpfung auf die Seite der Zuwendung Jahwes
treten konnte.

Umgekehrt ist die Forschungslage für die Weltschöpfung: Daß in Hi 9, 5-10 ein
Teil eines beschreibenden Lobpsalms übernommen worden ist, darüber sind
sich die Exegeten weitgehend einig. (14) Darüber jedoch, wie ein solches
Gotteslob im Munde des klagenden Hiob zu verstehen sei, gehen die Meinungen
weit auseinander: Eine Gruppe von Auslegern meint, Hiob halte trotz seines
Leides noch an der Treue und Weisheit des Schöpfers fest (15), eine andere
sieht darin ein ironisches Eingeständnis Hiobs, daß Jahwes Macht grenzenlos,
ja, willkürlich ist. (16) Keine der beiden Gruppen kann V 5-9 als eine Einheit
erklären: die erste geht von der Erschaffung des Himmels und der Gestirne
(V 8f) aus und versucht davon die Machttaten Gottes, welche die Erde und Berge in Schrecken versetzen und die Gestirne verfinstern (V 5-7), scharf zu
trennen; die zweite stützt sich gerade auf die Machttaten, kann aber mit dem
Weltschöpferhandeln V 8f nichts anfangen.

Es fragt sich, ob die Verse 5-7 und 8-9 selbst den Widerspruch erkennen lassen, den ihnen die Exegeten beilegen wollen. Kein Argument dafür kann wohl
die stilistische Beobachtung sein, daß die Partizipien V 5-7 mit, V 8-10 aber
ohne Artikel stehen (17), denn dieses Phänomen kommt auch an anderer Stelle
vor, ohne daß damit ein tiefgreifender inhaltlicher und traditionsgeschichtlicher Bruch gegeben wäre. (18)

Gewichtiger sind die inhaltlichen Argumente, V 5-7 und 8-9 abzugrenzen. Für F.Horst bezeugen V 5-7 die "erschreckende Gewalt des machtvollen, unnahbaren Gottes" und gehören zu einer anderen Themengruppe als V 8f, "die die Weisheit Gottes als die Weisheit des Schöpfers verherrlichen". (19) Auch S.Terrien bezieht V 5-7 nicht auf die Schöpfung, sondern auf das 'eschatologische Gericht'. (20) Beide können sich darauf berufen, daß von der Erschütterung der Erde (21) und der Verfinsterung des Himmels (22) in Zusammenhängen geredet werden kann, die mit der Schöpfung nichts zu tun haben, sei es nun in Schilderungen der Epiphanie Jahwes, des Teges Jahwes oder des Völkergerichts. Doch fragt sich, ob dieser Tatbestand dazu berechtigt, eines gegen das andere auszuspielen. Wir hatten doch schon oft beobachtet, wie das Lob des Weltschöpfers andere Herrschaftsmotive an sich zog. (23) So ist das Motiv der Erschütterung der Erde auch an anderer Stelle im beschreibenden Lob mit der Weltschöpfung verbunden. (24) Wohl begegnet das spezielle Motiv der Verfinsterung der Gestirne sonst nicht zusammen mit der Weltschöpfung, doch die Herrschaft über die Gestirne (25) und das Heraufführen von Tag und Nacht (26) gehört zu den ständigen Themen des Weltschöpferlobes. So erklären sich V 5-7 ganz zwanglos im Rahmen des Motivkreises "Herrschaft des Weltschöpfers über seine Schöpfung."

Schließlich sei noch darauf verwiesen, daß zwischen der Erschaffung des Himmels (V 8a) und der verschiedenen Gestirne (V 9) noch einmal ein Herrschaftsmotiv begegnet (V 8b): wĕdōrēk ᶜal-bāmôtē jām ist sehr wahrscheinlich mit M.H.Pope auf den Chaoskampf zu beziehen. Mit dem Trampeln auf den Rücken Jams, der auch aus ugaritischen Texten als personifizierter Gegenspieler bekannt ist, ist die Siegerpose über das urzeitliche Ungeheuer gemeint. (27) Herrschaftsmotive und Weltschöpfungsaussagen sind so eng miteinander verbunden, daß es schon textlich gar nicht möglich ist, beides fein säuberlich zu trennen.

Man fragt sich, was die Exegeten dazu bewogen haben kann, gegen die eindeutige Intention des Textes zwischen beidem einen so starken Unterschied zu machen. B.Duhm spricht nur aus, was offenbar die geheime Voraussetzung aller ist: die Schöpfung sei doch ein "wohlthätiges Werk" (28), sie habe darum mit dem zerstörerischen Tun Gottes nichts zu tun. Weil man die Schöpfung zu den "Heilstaten" rechnet, kam man mit der Einheit des Textes und seiner Funktion nicht klar. Nun gehört aber, wie wir immer wieder nachweisen konnten die Weltschöpfung zum Lob der Majestät Jahwes. Es besteht gar kein Grund, sie von den Herrschaftsmotiven zu trennen. Wie aber ist das Lob der Majestät des Weltschöpfers im Munde Hiobs zu verstehen?

Auf dem Hintergrund der Struktur des beschreibenden Lobpsalms fällt es auf, daß Hiob ausschließlich das Lob des majestätischen, nicht aber des barmherzigen Gottes aufnimmt. Auch die betont vorangestellten Herrschaftsmotive, die besonders krass vor Augen führen, daß der Weltschöpfer mit seiner Welt frei schalten und walten kann, weisen in die gleiche Richtung. Sie sollen die unvergleichliche Macht Jahwes noch einmal steigern. Damit kippt aber dieses einseitige Gotteslob unversehens in Anklage um: Was einmal dazu diente, Gott zu

verherrlichen, reißt für Hiob den unüberbrückbaren Abstand zwischen eigener
Ohnmacht und der erschreckenden Macht Gottes erst richtig auf. Das zeigt
sich eindeutig in der Weise, wie Hiob das "Schöpferlob" auf seine Situation vor
Gott appliziert: Wenn Gott vorüberkäme, könnte Hiob ihn gar nicht erfassen
(V 11), noch könnte er ihm Rede stehen (V 14f); auch wenn Hiob riefe, würde
er nicht antworten (V 16). Denn sein Zorn ist unerbittlich (V 13) (29), sein
tötendes Handeln von niemanden zu ändern und niemanden verantwortlich (V 12).
Dem machtvollen Eingreifen des Weltschöpfers in seine Schöpfung (V 5-7) entspricht das Zermalmen Hiobs im Sturm (V 17), sein Kampf gegen die Gegner
der Urzeit (8b) findet seine Fortsetzung in seinen unbändigen Schlägen gegen
Hiob (V 13f). So geht das Lob des Weltschöpfers nahtlos in eine anklagende
Schilderung des feindlichen Handeln Gottes an Hiob über, die den Rest des
Kapitels beherrscht. (30) Zuweilen bricht sogar die direkte Anklage in Du-Anrede durch. (31) Dann kann aber kein Zweifel sein: Zwar nimmt Hiob die Meinung der Freunde auf, daß kein Mensch vor Gott gerecht bleiben kann (V 2) (32),
möglicherweise ist auch die Aufnahme des Weltschöpferlobes dadurch veranlaßt, daß die Freunde mit diesem ihre Meinung begründet hatten (33), doch sind
diese Anknüpfungen bitter-ironisch gemeint: Ihr habt recht, vor dieser unbändigen Macht des Weltschöpfers, die wir in unseren Lobliedern besingen, ist jeder
Rechtsanspruch des Menschen nichtig. (34) Das Handeln des Weltschöpfers ist
ihm kein Refugium, in das er sich in seinem Leid flüchten könnte, sondern es
illustriert nur die unbändige Gewalt Gottes, der er sich wehrlos ausgeliefert
weiß. Das ist nur möglich, weil auch in der Tradition des beschreibenden Lobes
die Weltschöpfung ganz auf die Seite der Majestät gehört. Wie wenig sie von
Haus aus auf den Menschen abzielt, zeigt sich daran, daß sie für Hiob zu einer
Bedrohung werden kann. Das einseitige Lob des Weltschöpfers wird selbst zur
Anklage.

So läßt sich Hi 9,5-10 nicht nur gut ihm Rahmen der Weltschöpfungstradition
des beschreibenden Lobes verstehen, sondern damit lösen sich auch einige exegetische Probleme. (35) Wenn man erkennt, daß die Weltschöpfung dazu diente,
die weltüberlegene Majestät Jahwes zu beschreiben, dann ist es nicht mehr nötig, in ihr ein Kontrastmotiv zu sehen oder V 8f literarkritisch auszuscheiden.
Dann fällt der erste Auslegungstypos weg und der zweite kann den ganzen Text
berücksichtigen. So ist eine einheitliche und den Text voll berücksichtigende
Interpretation von Hi 9,5-10 erreicht.

Sehen wir noch einmal auf die Menschenschöpfung in Kap 10. C.Westermann,
der hier zwischen beiden Traditionen noch nicht unterscheidet, schreibt: "Das
Lob des Schöpfers, das Hiob zu Anfang seiner Antwort an Bildad erhob (9,4-
13), wird hier, am Ende derselben wieder aufgenommen ... beidemal steht
dieses Lob des Schöpfers in harter Nähe zur Anklage". (36) Der Unterschied
von Welt- und Menschenschöpfung wird gerade daran deutlich, wenn man diese
"Nähe" genauer definiert: Die Menschenschöpfung steht im Kontrast zur Anklage", (37) die Weltschöpfung wird im Munde Hiobs selbst zur anklagenden
Schilderung. Indem der Verfasser des Hiobbuches beide Schöpfungstraditionen
in ein- und dieselbe Hiobrede aufnahm, wollte er wahrscheinlich die Spannung

verdeutlichen, die das Gottesverhältnis Hiobs im ganzen Dialog durchzieht (38): Hiob erschrickt zugleich vor der Gewalt des Weltschöpfers und appelliert an das Mitgefühl des Menschenschöpfers, er klagt gegen Gott zu Gott.

2. Welt- und Menschenschöpfung im Munde der Freunde

Ein sehr kurzer Hinweis auf das Handeln des Weltschöpfers begegnet in der ersten Rede des Eliphas:

> Hi 5,10   Der Regen gibt auf die Erdoberfläche,
> und der Wasser schickt über die Fluren.

Der Vers steht innerhalb eines Abschnittes, der sicher aus dem beschreibenden Lob übernommen worden ist. Dafür spricht nicht nur der z.T. aufgelockerte partizipiale Stil (39), sondern auch der Aufbau: nach einem zusammenfassenden Lobsatz, der die unermessliche Fülle der göttlichen Wundertaten rühmt (V 9) folgt V 10f das Lob der Güte und V 12-14 das Lob der Majestät Jahwes. Eine gewisse Auflockerung der polaren Gattungsstruktur ergibt sich dadurch, daß abschließend (V 15f) das Lob der Zuwendung Gottes noch einmal aufgenommen worden ist. Inhaltlich wird fast ausschließlich das Thema: Jahwe, der Herr und Retter in der Geschichte entfaltet, er erniedrigt die Hohen und erhöht die Niedrigen, wie es häufig im beschreibenden Lob begegnet. (40) Eine gewisse theologische Färbung kommt dadurch hinein, daß es besonders die Listigen und Klugen sind, die Jahwe zu Fall bringt. (41)

Innerhalb des geschichtlichen Handelns Jahwes steht sein Schöpfungshandeln V 10 etwas isoliert da. Man hat darum V 10 immer wieder ausscheiden wollen. (42) Doch wohl kaum zu Recht, denn formgeschichtlich fällt der Vers keineswegs aus dem Rahmen. Wir waren in den Psalmen einer Tradition vom fürsorgenden Handeln des Weltschöpfers begegnet. Es stand auf der Seite der Zuwendung Jahwes und hatte besonders die Bewässerung des Landes und die Ernährung der Kreaturen zum Inhalt. (43) Hi 5,10 ordnet sich in diesen Zusammenhang gut ein: die Gabe des Regens steht parallel zum Erhöhen der Niedrigen V 11, gehört also ebenfalls zum Preis der Güte Jahwes. Es hindert dann nichts daran, in diesem Vers einen weiteren Beleg für die Tradition von der Fürsorge des Weltschöpfers zu sehen.

Welchen Zweck soll die Aufnahme gerade dieser Weltschöpfungstradition an dieser Stelle erfüllen? Nicht zufällig befindet sie sich ja in der ersten Freundesrede, in der die tröstende Funktion noch weit gegenüber der bestreitenden überwiegt. Eliphas gibt Hiob V 8 einen gut gemeinten Rat: Er an seiner Stelle würde sich an Gott wenden und ihm den ganzen Fall vorlegen. Zur Erläuterung dessen, wer dieser Gott ist, nimmt er ein Stück aus dem beschreibenden Lob auf. Er will Hiob Mut machen und erinnert ihn besonders an das Erbarmen Gottes. Dieser ist, so will er sagen, auch wenn er Hiob züchtigt, ein vertrauenswürdiger Anwalt seiner Sache. (44) Wenn Eliphas zu diesem Zweck gerade an die Fürsorge des Weltschöpfers erinnert, dann entspricht das der Intention des ganzen Zusammenhangs. (45)

In ganz andere Richtung weist Hi 26,7-13, das ebenfalls als Beleg für die Weltschöpfung im Munde der Freunde zu gelten hat. Zwar ist das 26. Kapitel jetzt als Rede Hiobs überschrieben, doch hat das bei dem torsohaften Zustand, in dem sich Hi 24-27 befinden, nicht allzuviel Gewicht. Sicher ist, daß zwischen V 1-4 und 5-14 ein tiefer Bruch liegt. (46) Die meisten Ausleger trennen darum V 5-14 aus der Hiobrede und ziehen sie zur vorangehenden Bildadrede Hi 25,1-6, die schon wegen ihrer Kürze nicht in Ordnung sein kann. (47) Der glatteste Sinn ergibt sich, wenn man Hi 26,5-14 zwischen 25,1-3 und 4-6 einschiebt. (48) Bildad hebt mit einer allgemeinen Schilderung der Hoheit und Majestät Gottes an (25,2-3), sein Machtbereich ist grenzenlos, selbst die Unterwelt ist nicht von ihm ausgeschlossen (26,5-6). Es folgt die Schilderung der Weltschöpfungs- (V 7-10) und urzeitlichen Kampfestaten Jahwes (V 11-13). V 14 zieht daraus die Konsequenz: das alles kann die unvorstellbare Macht Jahwes gerade eben andeuten. Auf diesem Hintergrund fragt 25,4 wie denn der nichtige und fehlsame Mensch vor diesem Gott im Recht sein könne (5f).

Wie immer man diese Rekonstruktion beurteilen mag, gesichert ist zweierlei: 1. Die Weltschöpfungsaussagen sind dem beschreibenden Lob entnommen. Das zeigt schon der partizipiale Stil, der V 7-10 beherrscht. (49) 2. Sie werden aufgenommen, um die Macht Jahwes auszumalen. Das belegen schon die rahmenden Verse 5f und 14, auch wenn man 25,1-6 nicht hinzunimmt. Die Funktion entspricht also genau der, die die Weltschöpfungstradition des beschreibenden Lobes seit jeher hatte. Differenzen gibt es nur in zweierlei Hinsicht: 1. Die benutzte Tradition weist deutlich Merkmale einer späten, stark reflektierten Vorstellungswelt auf: Man hat darüber nachgedacht, worauf Gott Himmel (50) und Erde gegründet habe und ist zu dem Ergebnis gekommen: "über dem Nichts", was an die Grenzen sprachlicher Ausdrucksmöglichkeiten stößt. (51) Man staunt darüber, daß das Wasser trotz seiner Schwere von Wolken "gehalten" werden kann und man bezieht das Schöpfungshandeln auf ein so interessantes Phänomen menschlicher Beobachtung, wie es der Horizont ist. All die Wunder und Rätsel, auf die der Mensch beim Betrachten der Welt und Nachdenken über ihre Zusammenhänge stieß, werden zum Preis der Größe Gottes aufgeboten. (52)

2. An die Kette der Schöpfungstaten werden Jahwes urzeitliche Kampfestaten angehängt. Die Verbindung bilden wie in den Rückblicken der Volksklagen Motive aus dem Themenkreis: Jahwe ist der Herr über seine Schöpfung (53): V 11 schildert, wie das göttliche Schreien die Himmelspfeiler ins Wanken geraten läßt, 12a wie Jahwe mit seiner Kraft das Meer erregt. (54) Dann kommen Motive aus dem Chaoskampf: Jahwe zerschlägt Rahab (12b) und die flüchtige Schlange (13b). (55) Sieht man von der kurzen Anspielung in Hi 9,8b ab, dann ist Hi 26 der einzige Beleg für den Urzeitkampf im beschreibenden Lob. Sonst kommt er nur noch in den "Rückblicken" der Volksklage vor. Es fällt auf, daß sich V 11-13 auch stilistisch von V 7-10 abheben. An die Stelle der Partizipien treten Verben im konstatierenden Perfekt, die auch in den Volksklagen vor-

herrschten. Man könnte daher fragen, ob nicht in Hi 26,7-13 zwei unterschiedliche Traditionen erst sekundär zusammengefügt worden sind: Die Weltschöpfung
aus dem beschreibenden Lob und der Chaoskampf aus dem Rückblick auf Gottes
urzeitliches Handeln in der Klage des Volkes. Das wäre ein weiteres Indiz dafür, daß beide Themen einmal unabhängig voneinander waren. Die Aufnahme
aller verfügbaren Traditionen dient dazu - wenn die oben angenommene Rekonstruktion richtig ist - den unüberbrückbaren Abstand aufzuzeigen, der zwischen
Gott und Mensch besteht. (56)

Diese Argumentation erinnert stark an Hi 9. C.Westermann hat deswegen erwogen, ob nicht Hi 25,1-6 + 26,5-14 mit zu der ersten Rede Bildads Hi 8 hinzuzunehmen ist. Wir hätten es nach der endgültigen Hinwendung Hiobs zu Gott
in Kap. 23 ohnehin nur noch mit Fragmenten zu tun, die nicht mehr in den
Dialog eingearbeitet worden sind. (57) Der große Vorteil wäre, daß sich Hiobs
Aufnahme der Weltschöpfungstradition des beschreibenden Lobes direkt auf eine
genau entsprechende Argumentation Bildads zurückbeziehen ließe. (58) Aber
auch wenn man die literarkritische Operation scheut, gehören Hi 25f und Hi 9
sachlich ganz eng zusammen. Beidemal wird das Lob des majestätischen Weltschöpfers aufgenommen, um die Stellung des Menschen vor Gott zu begründen.
Aber während für Bildad damit eine positive, dem Menschen zukommende Bestimmung ausgesagt wird, drückt sie für Hiob nur die leidvolle Erkenntnis aus,
an einen willkürlich waltenden Gott ohnmächtig ausgeliefert zu sein. Das einseitige Lob der Größe Gottes, das an seinem Ort ja durchaus eine wichtige
Funktion hat, wird, da es in die Situation des Leidens gesprochen wird, zur
bitteren Anklage.

So sind die beiden Weltschöpfungsbelege in den Freundesreden sehr unterschiedlicher Art. Zwar stammen beide aus dem beschreibenden Lob, aber während
Eliphas an die Fürsorge des Weltschöpfers erinnert, um Hiob zu ermutigen,
nimmt Bildad mit großer Vehemenz das Lob des majestätischen Weltschöpfers
auf, um Hiob in seine Schranken zu verweisen. Der unterschiedlichen Funktion
im Hiobbuch entspricht die verschiedene Stellung, die beide Traditionskreise
innerhalb des beschreibenden Lobes haben. Sie markiert zugleich eine wichtige
Veränderung im Dialog selber: der "Dialog des Tröstens" wird sehr schnell
zur Bestreitung, ja, zur Beschuldigung Hiobs.

Während sich die Weltschöpfung im Munde der Freunde voll und ganz aus den
Psalmen erklären ließ, so ist das bei der Menschenschöpfung nicht der Fall.
Nun ist ein Appell an den persönlichen Schöpfer im Munde der Freunde nicht
zu erwarten, da sie sich nicht an Gott wenden - die Dimension der Fürbitte
fehlt ganz im Hiobbuch - doch könnte man sich immerhin vorstellen, daß sie
Hiob damit trösten könnten, daß der Menschenschöpfer sein Geschöpf schon
nicht vergessen wird. Doch nichts davon! Eliphas spricht stattdessen genau an
der Stelle vom Menschenschöpfer, an der es um den Abstand zwischen Gott
und Mensch geht:

Hi 4,17   Ist der Mensch Gott gegenüber (59) im Recht,
            gegenüber seinem Schöpfer rein der Mann?

Die Frage ist rhethorisch, die negative Antwort ergibt sich mit dem Hinweis auf die Vergänglichkeit des Menschen, "dem Lehmhausbewohner", der "in Staub gegründet" ist (V 19). Hier geht es ausschließlich um die andere Seite des Geschaffenseins des Menschen, um seine Begrenztheit (60), die im Reden von Menschenschöpfung in den Psalmen überhaupt keine Rolle spielt. Im Gegenteil, daß Jahwe Hiob 'aus' Lehm gemacht hat (Hi 10,9), drückt seine besondere Zuwendung aus, die gegen die Todesbedrohung aktualisiert wird. (61) Der grundsätzliche Unterschied zeigt sich daran, daß in Hi 25,4 eine ganz ähnliche Aussage wie Hi 4,17 mit der Weltschöpfung begründet wurde, jedenfalls wenn man der gängigen Rekonstruktion folgt. (62) So ist eine Erklärung aus dem Reden von Menschenschöpfung in den Psalmen nicht möglich. Als andere Erklärungsmöglichkeiten bieten sich an: 1. ᶜōśēhū ist ad hoc parallel zu æloah gebildet, ohne das eine bestimmte Menschenschöpfungstradition aufgenommen worden ist. Dafür spricht, daß in vergleichbaren Zusammenhängen jeder Hinweis auf die Menschenschöpfung fehlt. (63) 2. Es liegt eine wuchernde Redeweise vor. Elihu spricht an einer Reihe von Stellen in einer völlig abgeblaßten Weise von seinem Schöpfer, wo man genauso gut "Gott" einsetzen könnte. (64) 3. Das Ton-Töpfer-Motiv, das immer wieder dazu benutzt wurde, die totale Unterlegenheit des "Geschöpfes" gegenüber seinem "Bildner" festzustellen, ist in das Reden von Menschenschöpfung eingedrungen. (65) In beiden Vorstellungskreisen begegnet das Bilden aus Lehm. Für welche Möglichkeit man sich entscheiden mag, klar ist, daß hier nur in einer uneigentlichen Weise vom Menschenschöpfer gesprochen wird. Die Menschenschöpfungstradition der Klage fehlt in den Freundesreden und muß wohl auch fehlen, denn das sich darin ausdrückende urtümliche Vertrauensverhältnis zwischen Mensch und Gott hatte in der Theologie der Freunde keinen Platz.

Es seien noch kurz einige Anspielungen auf die Schöpfung erwähnt, die wenig oder gar nichts mit den Psalmengattungen zu tun haben. Möglicherweise auf die Tradition des beschreibenden Lobes, besser noch der Klage des Volkes geht Hi 7,12 zurück, doch ist das Urzeitkampfmotiv so sehr in die Argumentation einbezogen (66), daß sich Sicheres nicht ausmachen läßt. Hi 7,17f nimmt wahrscheinlich Ps 8,5 ironisch auf: Immerfort beargwöhnt und quält Jahwe den Beter. Nicht zufällig hat das Menschenschöpfungsmotiv bei dieser Verdrehung keinen Platz mehr. In Hi 31,15 wird die Achtung des sozial tiefer gestellten Menschen damit begründet, daß auch er von demselben Schöpfer geschaffen ist. Diese Verwendung der Menschenschöpfung stammt ganz sicher aus dem Weisheitsspruch. (67) Eine Redewendung, in der das "Selbstverständlichste von der Welt" als das seit Urzeiten Bekannte hingestellt wird, liegt Hi 20,4 vor (vgl. Jes 40,21); sie gehört in das Streitgespräch. In ähnliche Richtung geht die bestreitende Frage Hi 15,7f, ob Hiob etwa der Urmensch sei und sich auf eine allen anderen Menschen unzugängliche Weisheit berufen könne. (68) Schließlich sei noch auf das Weisheitsgedicht Hi 28 verwiesen, das sich von den sonstigen Redeformen des Hiobbuches deutlich unterscheidet. (69) Hier soll der Weisheit durch die Datierung in die Urzeit eine erhöhte Dignität gegeben werden, zugleich aber wird sie allem menschlichen Forschen entzogen und der Verfügungsgewalt des Weltschöpfers unterstellt (V 25f). Darin ist

noch ein Nachklang hymnischer Weltschöpfungstradition zu spüren (70), im
Vordergrund steht jedoch ein Nachdenken über die Welt und die menschliche
Erkenntnis. (71)

Diese Zusammenstellung kann zeigen, daß es im Hiobdialog auch Schöpfungsbelege gibt, die sich nicht aus beiden Traditionen der Psalmen erklären lassen. Die aus der Klagetradition herausfallende Stelle Hi 4,17ff ist also keineswegs ein Einzelfall.

Die gewichtigen Belege für das Reden von Schöpfung im Gespräch Hiobs mit
seinen Freunden ordneten sich jedoch ausnahmslos den für die beiden Psalmentraditionen herausgearbeiteten Ergebnissen unter - was grundsätzlich die
von C.Westermann vorgetragene Einordnung des Hiobbuches bestätigt. In der
Aufnahme der Schöpfungstraditionen zeigen sich zwischen Hiob und den Freunden nicht unwichtige Differenzen: echtes Lob des Weltschöpfers gibt es nur bei
den Freunden. Das Lob seiner Fürsorge begegnet nur einmal kurz am Anfang,
es überwiegt das Lob seiner Majestät. Bei ihnen fehlt die Menschenschöpfungstradition der Klage. Das Lob des majestätischen Weltschöpfers begegnet bei
Hiob nur in bitter ironischer Verkehrung; der ganze Ton liegt auf dem Appell
an den eigenen Schöpfer. Auch daran wird noch einmal die Verschiedenheit
von Welt- und Menschenschöpfungstradition sichtbar.

II. Die Weltschöpfung in der Gottesrede

Wenn von "der Schöpfung" im Hiobbuch gesprochen wird, so denkt man im allgemeinen nicht an den Dialogteil, sondern an die große Gottesrede Hi 38ff. (72)
Das hat insofern seine Berechtigung, als hier das Schöpfungshandeln in einer
Breite entfaltet wird, die im ganzen Alten Testament einmalig ist. Wenn wir
dennoch nicht hier den Ausgangspunkt unserer Untersuchung genommen haben,
so hat das einen einfachen Grund: die form- und traditionsgeschichtliche Bestimmung der Gottesrede und damit der Schöpfungsaussagen ist kontrovers.
G.v.Rad möchte Form und Inhalt ganz von der ägyptischen Weisheit her verstehen: Die Form der Frage entstamme letztlich der "lehrhaften Unterweisung",
der Inhalt der enzyklopädischen Listenwissenschaft. (73) C.Westermann sieht
die Gottesrede dagegen wesentlich vom beschreibenden Lob bestimmt: Das
e i n e Motiv, das sie entfaltet, ist "das zur Frage im Munde Gottes gewandelte Lob des Schöpfers". (74) Eine Mittelposition nimmt G.Fohrer ein: Die
Gottesrede ist der Form nach eine Streitrede, also eine Gattung aus dem
Rechtsleben. Zur Ausführung hat sich der Dichter sowohl der "Listenwissenschaft" als auch hymnischer Elemente als "Hilfsmittel" bedient. (75) Diese
Forschungslage macht es unmöglich, die Schöpfungsaussagen der Gottesantwort ohne weiteres für die Psalmentraditionen in Anspruch zu nehmen.

Nach der Meinung G.v.Rads "verbietet schon die Tatsache, daß Hi 38f überhaupt nur aus Fragen besteht, von vornherein, diese Einheit als einen Hymnus
zu bezeichnen". (76) Recht hat v.Rad damit, daß die Fragesätze weit über-

wiegen. (77) Wo Aussagesätze begegnen, sind sie meist den Fragen unterge-
ordnet (78) und wo sie sich zu Schilderungen verselbständigen (79), wird man
am ehesten den Verdacht auf erweiternde Zusätze anmelden müssen. (80)
Darüber hinaus ist G.v.Rad darin Recht zu geben, daß diese Form nicht aus
den staunenden Fragen erklärt werden kann, die bisweilen im beschreibenden
Lob begegnen. (81) Doch sein Versuch, darin stattdessen eine weisheitliche
Redeform zu sehen, kann kaum überzeugen. Fragen nach der Art "Wieviele
Meilen sind von Raphia nach Gaza?", wie sie v.Rad für die Unterweisung in
ägyptischen Schulen annimmt (82), sind auf konkretes Sachwissen aus. Doch
konkrete Sachfragen begegnen in der Gottesantwort an Hiob so gut wie gar
nicht. (83) Die Hauptmasse der Fragen ist ganz anderer Art. Am häufigsten
ist die persönlich konstruierte Satzfrage: Hier fragt Gott Hiob z.B., ob er
je dem Morgen befohlen hat (38,12), die Sterne herausführen kann (38,32)
oder für den Löwen die Beute jagt (38,39). (84) Hiob wird gar nicht nach einem besonderen Fachwissen gefragt (85), sondern danach, ob er Jahwes
Schöpferhandeln je ausgeführt hat oder es ausführen kann. Es geht also gar
nicht darum, Hiob zu zeigen, daß er dies und das nicht weiß, sondern ihn zum
Eingeständnis zu zwingen, daß er Gott, dem Weltschöpfer, himmelweit unter-
legen ist.

Die zweite große Gruppe sind die Wer-Fragen. Hier fragt Gott Hiob z.B.,
wer die Maße der Erde gesetzt (38,5) und den Graben für den Regen gefurcht
hat (38,25) oder wer den Raben ihre Nahrung bereitet. (86) Wieder liegen
keine echten Sachfragen vor, schon deswegen nicht, weil die "Antwort" zuweilen gleich gegeben wird. (87) Hiob soll nicht irgend etwas Besonderes
wissen, sondern er soll bekennen, was das Selbstverständlichste von der
Welt ist, daß Gott es ist, der die Welt erschaffen hat und sie regiert.

Damit korrespondieren die beiden Hauptgruppen von Fragen: Die Satzfragen
zielen auf das Eingeständnis der eigenen Ohnmacht, die Wer-Fragen auf das
Bekenntnis der Macht Gottes. (88)

Solche Fragen sind darum nicht aus der "Weisheit" zu erklären, sondern aus
der Situation der Auseinandersetzung zweier Personen. Ihre nächste Parallele
haben sie in den Gerichtsreden Jahwes gegen die fremden Götter bei Deuterojesaja. (89) Es ist darum G.Fohrer zuzustimmen, daß hier zweifellos "ein
Einfluß des Rechtslebens" vorliegt. (90) Doch darf man die Verbindung auch
wieder nicht so eng sehen wie er es tut, und in Hi 38 direkt den Vorgang eines
"Gottesurteils" erblicken. Gerade im Vergleich mit den Gerichtsreden bei
Deuterojesaja, die ja auch schon Stilisierungen sind, wird doch der erhebliche
Abstand von Hi 38 zu konkreten Rechtsvorgängen deutlich. (91) Was in Hi 38f
geschieht, ist keine Verurteilung, sondern eine Bestreitung Hiobs.

Ist damit die Frageform der Gottesrede einigermaßen geklärt, so ist erneut
die Frage nach der Herkunft der Schöpfungsvorstellungen zu stellen. Es ist zu
diesem Zweck daran zu erinnern, daß die Weltschöpfungstradition des beschreibenden Lobes bei Deuterojesaja fast immer mit bestreitender Ausrichtung ver-

wendet wurde. (92) Vergleicht man Hi 38 etwa mit Jes 40,12-31, dann liegt
der Hauptunterschied darin, daß dort das Schöpfungshandeln Jahwes unter Bewahrung der ursprünglichen partizipialen Form an die bestreitenden Fragen
angehängt worden war, während es hier in den Fragen selber steht. Wir hatten
jedoch gesehen (93), daß an einer Stelle auch bei Deuterojesaja die Schöpfung
zum Gegenstand der Frage wurde:

> Jes 40,26   Richtet eure Augen nach oben und seht:
> Wer hat jene erschaffen?

Das heißt doch aber, daß die Weltschöpfungstradition des beschreibenden Lobes in die bestreibende Frage selber hineinwandern konnte. Damit war auch
eine Umsetzung der Schöpfungsverben ins konstatierende Perfekt gegeben. Es
liegt dann der Schluß nahe, daß in Hi 38 ähnliches geschehen ist.

So ist die Frageform der Gottesrede kein Gegenbeweis für die Herkunft der
Schöpfungsaussagen aus dem beschreibenden Lob. Vielmehr lassen sich sowohl
ihre bestreitende Ausrichtung als auch ihre freie, aus der argumentativen Verwendung zu verstehende Form, aus der Tradition gut erklären.

Den Inhalt der Gottesrede will G.v.Rad aus der "weisheitlichen" Listenwissenschaft Ägyptens, insbesondere aus dem Onomastikon des Amenemope herleiten. (94) Er verweist dafür einmal auf die Übereinstimmung in Einzelheiten,
etwa in der differenzierten Aufzählung der Gestirne und meteorologischen
Phänomene, zum andern auf die Ähnlichkeit in der Abfolge der genannten Dinge: Hi 38 folgt im Groben dem wissenschaftlichen Anordnungsschema der
Liste, das "von den Gestirnen über die meteorologischen Erscheinungen
herunter auf die Erde führt." (95) Inhalt und Aufbau der Gottesrede entstammt
nach v.Rad einem sachlich-wissenschaftlichen Interesse.

Dieser Erklärungsversuch stößt aber auf folgende Grenzen: 1. Das Onomastikon will eine Liste "aller Dinge, die es gibt", bieten; diese werden zwar
summarisch als Schöpfungswerke verstanden (96), aber das zeigt doch nur
an, daß auch die wissenschaftliche Beschäftigung mit der Welt in der Antike
kein rein rationales Geschäft sein konnte. (97) In der Gottesantwort Hi 38
finden wir stattdessen eine Folge von Schöpfungstaten Jahwes. (98) Wohl ist
in Hi 38 ein Interesse am Detail unverkennbar, doch bleibt dies meist dem
Ziel, ein göttliches Handeln zu beschreiben, untergeordnet (99), erst in
Hi 39,9ff werden die Eigenschaften der Geschöpfe selbst zum Gegenstand der
Auseinandersetzung; hier ist jedoch auch die Frageform schon am weitesten
aufgelockert.

2. G.v.Rad schließt ausdrücklich Hi 38,4-11 aus dem Vergleich aus, mit der
Begründung, daß hier "von Jahwes Weltschöpfung die Rede" sei, während das
Onomastikon auf die mythologischen Hintergründe verzichte (100), v.Rad kann
also nicht die ganze Gottesrede aus der Listenweisheit erklären, woher V 4-11
stammen, muß er offen lassen.

3. Das wichtigste Argument v.Rads ist zweifellos, daß der Aufbau der Gottesrede unter sachlichen Gesichtspunkten erfolgt sei. Und wirklich läßt sich nicht
übersehen, daß die sowohl im beschreibenden Lob als auch in der Weltschöpfungs-
erzählung (Gen 1,1) begegnende Zweiheit von Himmel und Erde in Hi 38f zu einem Gliederungsprinzip geworden ist, nach dem die Taten Gottes angeordnet
werden (38,25-28 (101) - 38,39ff). Auch in sich lassen sich die beiden Abschnitte sachlich untergliedern, wie die nur in wenigem schwankenden Aufris-
se in den Kommentaren zeigen. Doch läßt sich der Aufbau nicht nur aus sachlichen Gesichtspunkten erklären. Das wird z.B. an dem Abschnitt 38,16-24
deutlich, dessen Einordnung umstritten ist. (102) Hier kommen nämlich Objekte vor, die auch sonst noch begegnen, was dazu führte, daß man einzelne
Verse strich, umstellte oder die mangelnde Ordnung beklagte. (103) Doch hat
man dabei übersehen, daß die hier aufgezählten Dinge gar nicht Schöpfungswerke Gottes sein wollen, sondern für die Tiefe, Weite und Höhe der Welt stehen. (104)
Hiob wird gefragt, ob er die Welt in ihrer ganzen Ausdehnung abgeschritten und
kennengelernt hat. Dahinter steht ein Motiv aus dem Gotteslob, das die unerforschliche Größe Jahwes an seiner Überlegenheit über die Welt in ihrer uner-
meßlichen Ausdehnung beschrieb. (105)

Dann stellt sich die Frage, ob nicht auch sonst im Aufbau der Gottesrede etwas
von der Struktur des beschreibenden Lobes sichtbar wird. C.Westermann hat
diese Frage entschieden bejaht: Die Erschaffung der Welt und das Regiment
am Himmel gehören seiner Meinung nach auf die Seite der Majestät, sein Handeln auf der Erde auf die Seite der Güte Gottes. (104)

Läßt sich diese These an Hand der Funktion, die die Schöpfungsaussagen im beschreibenden Lob haben, verifizieren? Keiner Diskussion bedarf die Tatsache,
daß das Weltschöpferhandeln im engeren Sinn zum Lob der Majestät Jahwes gehörte. (107) Aber auch die Macht über die Sterne und die meteorologischen Erscheinungen stand auf dieser Seite der polaren Struktur. (108) Schwanken könnte
man höchstens beim Regen. Einerseits war die Verfügungsgewalt über ihn ein
Majestätsmotiv (109), andererseits war die Gabe des Regens für jemanden eine
Weise der Fürsorge des Weltschöpfers. (110) In Hi 38,25ff ist zwar die Erde
als Ziel des Regens genannt, aber es wird ausdrücklich betont, daß damit die
Wüste gemeint ist, in der kein Mensch wohnt. So hat der Regen hier nicht den
Charakter einer Gabe, sondern weist auf die Freiheit des Weltschöpfers, es
auch da regnen zu lassen, wo es sinnlos erscheint.

Das Handeln Gottes auf der Erde setzt mit der Ernährung der Tiere ein (38,
39ff). Wo immer dieses Motiv im beschreibenden Lob begegnete, hatte es auf
die Seite der Zuwendung Gottes gehört. (111) Wir hatten es einer schmalen
Tradition von der Fürsorge des Weltschöpfers zugeschrieben, die auch in
Ps 104 und 147A an die Stelle der geschichtlichen Zuwendung getreten und den
machtvollen Taten des Weltschöpfers gegenübergestellt worden war. Die beiden
weiteren Motive, daß Gott den Tieren die Zeit des Gebärens bestimmt (39,1-4)
und ihren Lebensraum zuteilt (V 5-8) haben zwar keine Parallele in dieser Tradition, ließen sich aber leicht als deren Ausgestaltung verstehen. Geht es doch

auch hier um ein Sich-Kümmern des Schöpfers um seine Kreatur. Allerdings drängt sich in den schildernden Nachsätzen ein sachliches Interesse an der Lebensform der Tiere hervor, daß ab V 9 ganz überwiegt. So wird die anfänglich sehr klare Struktur schnell wieder verwischt.

Das heißt doch aber: Hinter der sachlichen Gliederung des Schöpferhandelns nach Himmel und Erde, läßt sich noch etwas von der Struktur des beschreibenden Lobpsalms erkennen. Sie ist wahrscheinlich verantwortlich dafür, daß Hi 38f von den Himmelserscheinungen abrupt zu den Tieren übergeht - was auch G.v.Rad vermerkt (112) - und nicht wie die Listen zuvor auf die Pflanzen und Gewässer zu sprechen kommt.

Ziehen wir Bilanz: Da weder der g a n z e Inhalt der Gottesrede, weder ihre Eigenart, von Schöpfungs t a t e n Jahwes zu sprechen, noch alle Elemente des Aufbaus aus der enzyklopädischen Listenwissenschaft erklärt werden können, ist eine generelle Herleitung Hi 38f von dort aus nicht möglich. (113)

Dagegen haben sich eine ganze Reihe von Anzeichen dafür gefunden, daß Hi 38 mit C.Westermann vom beschreibenden Lob zu verstehen ist. Nur ist Hi 38f schon viel weiter als diese Psalmen auf dem Weg, an dessen Ende die "fromme Naturbetrachtung" Jes Sir 43 steht. Das zeigt sich etwa in dem Anliegen, das Regiment des Schöpfers am Himmel so umfassend wie möglich darzustellen, das zeigt sich an dem Versuch, dem Schöpferhandeln eine sachliche Ordnung zu geben und schließlich daran, daß regelrechte Naturschilderungen einfließen. Aber auch die einzelnen Schöpfungsvorstellungen atmen deutlich den Geist einer Spätzeit: Auch bei ihnen ist der Hang zur detaillierten Ausgestaltung unverkennbar. So wird etwa bei der Erschaffung der Erde der schlichte, traditionelle Satz, daß Jahwe die Erde gegründet habe (jāsad) (114) kunstvoll entfaltet: Jahwe hat die Meßschnur gespannt (38,5) und den Eckstein des Fundaments gelegt (6b). Das klingt viel realistischer, ist es jedoch nur scheinbar, denn dem reflektierenden Betrachter stellt sich sofort die Frage, worauf denn Jahwe ihre Sockel eingesenkt hat (6a). Eine Antwort darauf hatte Hi 26,7 zu geben versucht. Auf der anderen Seite liebt man es, besonders urtümliche Schöpfungsvorstellungen aufzunehmen, so mehrmals die "Schöpfung als Geburt" (115), die in früheren Zeiten wegen ihrer theologischen Anstößigkeit weitgehend zurückgedrängt, jetzt auf den verfeinerten literarischen Geschmack offenbar erhöhten Reiz ausübt. Alles in allem wird man also die Gottesrede nicht zu eng an die Seite der beschreibenden Lobpsalmen stellen dürfen. Es handelt sich vielmehr um eine relativ späte, und wohl schon wegen ihrer Länge, eindeutig literarische Ausgestaltung der alten gottesdienstlichen Redeform. Sie steht etwa in der Mitte einer auch sonst im Alten Testament belegbaren Entwicklung (116), in der sich immer deutlicher ein sachliches Interesse an der Welt über die Strukturen des Gotteslobes lagerte und sie immer mehr in den Hintergrund drängte. Daß es dabei zu Berührungspunkten der Schöpfungstradition mit ganz anderen Formen der Weltbetrachtung, die man gemeinhin der "Naturweisheit" zurechnet, kommen konnte, liegt auf der Hand. (117)

144

Um so erstaunlicher ist die Tatsache, daß selbst in dieser breitesten Ausgestaltung der Schöpfungstradition des beschreibenden Lobes im Alten Testament allein die Weltschöpfung und nicht die Menschenschöpfung vorkommt. Das Fehlen der letzteren ist zuweilen bemerkt worden, (118) ohne daß dafür ein Grund angegeben werden konnte. Es findet eine hinreichende Erklärung darin, daß die Menschenschöpfung eine eigene Tradition bildete, die nicht im beschreibenden Lob tradiert wurde.

Es bleibt die Aufgabe, nach der Funktion der Gottesrede im Hiobbuch zu fragen. Sie steht an der Stelle, an der im normalen Ablauf des Klagevorgangs der Heilszuspruch des Priesters stand. Jahwe antwortet Hiob auf seine Klagen. Allein in dieser Tatsache ist eine Zuwendung zu sehen. (119) Aber es ist eine völlig "unnormale" Zuwendung, wie auch die Klagen Hiobs den traditionellen Rahmen verlassen. (120) Sie wird eingeleitet wie eine Theophanie (121), ist aber keine Offenbarung, sondern eine Bestreitung, die die altbekannte, wenn auch neu ausgestaltete Weltschöpfungstradition des beschreibenden Lobes aufnimmt. Der Unterschied zur "normalen" Zuwendung wird gerade an der Auswahl d i e s e r Schöpfungstradition deutlich. In den Heilsorakeln bei Deuterojesaja hatte Jahwe das Menschenschöpfungsmotiv der Klage aufgenommen und an das urtümliche Vertrauensverhältnis zwischen Schöpfer und Geschöpf appelliert. Und von Hi 10 her wäre es durchaus möglich gewesen, daß Jahwe in seiner Antwort an Hiob ebenfalls an die Menschenschöpfung angeknüpft hätte. Doch die Gottesantwort geht in ganz andere Richtung. Sie will Hiob zu der Einsicht zwingen, daß nicht er, sondern Gott die Welt geschaffen hat und ihm damit die Unsinnigkeit vor Augen führen, zu der in letzter Konsequenz seine Haltung führt, nämlich Gott zum Frevler zu machen, damit er recht behält (40,8). Die Weltschöpfung dient also dazu, den unüberbrückbaren Abstand zwischen Gott und Mensch zu markieren. Man muß zugeben, daß Gott damit die Weltschöpfungstradition in ähnlicher Weise gebraucht wie die Freunde Hiobs. Der Unterschied wird erst bei näherem Hinsehen deutlich: Einmal liegt er darin, daß Gott es selber sagt; Hiob, der 'zuvor nur vom Hörensagen von ihm gehört hatte', akzeptiert die Bestreitung ohne Widerrede und unterwirft sich (40,3-5; 42,1-6). Zum andern kommt er darin zum Vorschein, daß die Freunde einseitig das machtvolle Handeln des Weltschöpfers betonen, und ihm die Hinfälligkeit des Menschen gegenüberstellen, während Gott Hiob sowohl sein majestätisches wie auch sein fürsorgendes Weltschöpferhandeln vorhält: Hiobs Abstand von Gott erweist sich nicht nur daran, daß er die Erde nicht geschaffen hat, sondern auch daran, daß er nicht die hungrigen Raben mit Nahrung versorgt. Damit wird aber das Lob des Weltschöpfers aus der verzerrenden Verkürzung befreit, in die es im Munde der Freunde, aber auch Hiobs geraten war. (122) Die Majestät des Weltschöpfers darf nicht verabsolutiert gegen den Menschen ausgespielt werden, sie hat auch nicht darin ihren Sinn, den Menschen zu quälen, sondern bezieht si ch wie auch die Fürsorge des Weltschöpfers auf die ganze Weite des Kosmos. Das macht wohl auch den Versuch verständlich, die ungeheure Fülle des Weltschöpferhandelns aufzunehmen. So kann die Verwendung der Weltschöpfungstradition im Hiobbuch zweierlei zeigen: Einmal die Gefahr, daß das Lob der Majestät so gesteigert werden kann, daß es zu einer Anklage gegen einen despotisch handelnden

Gott wird; zum andern, daß der Versuch gemacht wird, die Macht des Weltschöpfers mit Hilfe seiner Fürsorge für die Kreatur einzudämmen und ihr eine sinnvolle Funktion bei der Lenkung und Erhaltung der Welt zurückzugeben.

III. Welt- und Menschenschöpfung in den Elihureden

Abschließend sei noch auf das Reden von Welt- und Menschenschöpfung in den
Elihureden eingegangen. Es handelt sich hierbei um einen Traditionskomplex,
der wahrscheinlich erst später in das Hiobbuch eingefügt worden ist. (123)
Für unsere Untersuchung ist er deswegen interessant, weil er wie kein anderer das Sich-Auflösen der zuvor relativ festen Traditionsstränge von Welt-
und Menschenschöpfung zeigt.

1. Die Menschenschöpfung in den Elihureden

Sehr eigenartig ist der Tatbestand, daß es kaum einen Komplex im Alten Testament gibt, in welchem die Menschenschöpfung zahlenmäßig so häufig begegnet,
wie in den Elihureden. Persönlich bezogen ist sie:

Hi 32,22   Denn ich verstehe mich nicht auf's Schmeichelns,
           sonst raffte mich mein Schöpfer leicht hinweg.

33,4   Der Atem Gottes hat mich geschaffen,
           und der Odem des Allmächtigen mich belebt.

35,10   Siehe, ich stehe zu Gott wie du,
           vom Lehm abgekniffen bin auch ich.

33,6   Jedoch fragt man nicht: Wo ist Gott, mein Schöpfer,
           der Lobgesänge gibt in der Nacht.

36,3   Ich nehme mein Wissen von Fern her,
           und meinem Schöpfer verhelfe ich zum Recht.

Allgemein wird von der Erschaffung des Menschen gesprochen in:

Hi 34,14f Wenn er seinen 'Lebenshauch zu sich zurücknähme' (124)
           und seinen Odem zu sich zurückzöge,
           dann verschiede alles Fleisch insgesamt,
           und der Mensch kehrte zum Staub zurück.

34,19   Der nicht die Person der Fürsten ansieht,
           und nicht die Reichen vor den Armen bevorzugt,
           denn das Werk seiner Hände sind sie alle.

Doch im Gegensatz zu dieser numerischen Häufigkeit ist allein Hi 35,10 mit
einiger Sicherheit der Menschenschöpfungtradition der Psalmen zuzuordnen
und war deswegen schon oben behandelt worden. (125) Die übrigen Belege
unterscheiden sich davon grundlegend, daß hier die Beziehung Menschenschöpfer -
Geschöpf völlig aus der ursprünglichen Situation der Hinwendung zu Gott herausgetreten und ein Argument einem anderen Menschen gegenüber geworden ist.

Für den allgemein formulierten Typ mag das nicht weiter verwunderlich sein, doch die Leichtigkeit, mit der Elihu vor Hiob von seinem persönlichen Schöpfer spricht, ist doch einigermaßen erstaunlich. Auch die Verteilung der Belege auf die Elihureden macht diese neue Stoßrichtung der Menschenschöpfung deutlich: alle persönlich bezogenen Stellen begegnen entweder in der Einleitung, in der Elihu gegenüber den Freunden sein Eingreifen in die Auseinandersetzung begründet (126) oder in der Herausforderung an Hiob zum Streitgespräch. (127) Das allgemeine Reden von Menschenschöpfung begegnet dagegen nur im 34. Kapitel, welches sich dadurch von den übrigen abhebt, daß an die Stelle der Auseinandersetzung mit Hiob die lehrhafte Abhandlung über den "Fall Hiob" tritt. (128)

Bei den persönlich formulierten Menschenschöpfungsaussagen lassen sich zwei Gruppen unterscheiden: In der ersten zielt die Erschaffung Elihus auf seine Stellung gegenüber anderen Menschen. Der junge Elihu hat qua Schöpfung die gleiche Weisheit (129) wie die viel älteren Freunde (Hi 33,4) und die gleiche Stellung vor Gott wie der berühmte Gottesstreiter Hiob (Hi 33,6). (130) Diese Gruppe erinnert am ehesten an die Proverbien, in denen die Menschenschöpfung ebenfalls auf die Stellung der Menschen untereinander bezogen ist. Doch ging es dort um Entgiftung realer sozialer Konflikte, (131) so hier nur noch darum, einer neuen Lehrmeinung zum Fall Hiob Geltung zu verschaffen.

In der zweiten Gruppe zielt die Menschenschöpfung auf das Verhältnis zwischen Elihu und Gott (Hi 32,22; 36,3). Insofern entspricht sie der Menschenschöpfungstradition der Klage. Doch ist die Funktion völlig verändert: In Hi 32,22 weiß sich Elihu der gestrengen Aufsicht seines Schöpfers unterworfen und in Hi 36,3 meint er, sich besonders für ihn einsetzen zu müssen. (132) So hat sich das Reden vom persönlichen Schöpfer weit von der spezifischen Funktion in der Klage entfernt; es kann jetzt jede Art von Gottesbeziehung bezeichnen.

Eine ähnliche Verkehrung der Funktion läßt sich ebenfalls bei der allgemeinen Menschenschöpfung (Hi 34,14f) erkennen. Sie, oder präziser die Möglichkeit, daß der Schöpfer jeder Zeit seinen Lebensodem wieder zurücknehmen kann, dient hier dazu, die totale Abhängigkeit des Menschen von Gott zu betonen. Von der Menschenschöpfungstradition der Psalmen her läßt sich das gar nicht verstehen, und auch sonst begegnen im AT nur noch entfernte Parallelen zu dieser radikalen Vorstellung. (133) Meiner Meinung nach erklärt sie sich daraus, daß die Überzeugung der "frommen Weisheit", daß alles Leben in der Verfügungsgewalt Gottes liegt (Hi 12,10), erst sekundär in die Menschenschöpfung eingezeichnet worden ist.

So zeigen die Menschenschöpfungsbelege der Elihureden ein völlig uneinheitliches Bild. Es ist gekennzeichnet von einer Auflösung der festen Traditionsbahnen: So waren sowohl die Tradition der Klage als auch die der Proverbien im Hintergrund zu vermuten, beide waren jedoch schon ganz erheblich abgewandelt. So zeigen die Elihureden das Entstehen eines abstrakten Begriffes von der eigenen Erschaffung, bzw. der Geschöpflichkeit des Menschen, der als Argument zu völlig verschiedenen Zwecken verwendet werden kann.

2. Die Weltschöpfung in den Elihureden

Auch das Handeln des Weltschöpfers nimmt in der Argumentation Elihus einen nicht unerheblichen Raum ein. Hi 34,13 begegnet eine mi-Frage, wer Gott die Erde anbefohlen und ihn über die gesetzt habe. Sie steht den bestreibenden Fragen Jes 40 recht nahe (vgl bes. V 13), die Antwort ist wie dort "keiner" und soll die Anerkennung der weltüberlegenen Macht Gottes provozieren. Im Zweifel kann man sein, ob ein allgemeines Herrschaftsmotiv, oder speziell die Herrschaft des Weltschöpfers über seine Schöpfung gemeint ist. Die Verbindung mit dem folgenden Menschenschöpfungsmotiv ist in jedem Fall nur locker (134); sie wird überhaupt nur dadurch möglich, daß nur dessen "negative Seite" entfaltet wird.

Auch die Aufforderung Hi 35,5, Hiob möge zum Himmel sehen, um zu erkennen, daß die Wolken weit höher sind als er, hat eindeutig bestreitenden Charakter. Sie soll Hiob auf seine Niedrigkeit verweisen, damit er einsieht, daß er mit seinem Sündigen nie Gott, sondern immer nur sich selbst schaden kann (V 6). Vergleichbar ist Jes 40,26, nur ist das Gewicht von dem Vorgang der Erschaffung auf dessen Ergebnis verlagert, wie das ebenfalls in dem stark reflektierten Ps 8 der Fall ist (V 4). Form und Funktion beider genannten Stellen sind also keineswegs singulär. Sie lassen sich als freie Abwandlung der Weltschöpfungstradition des beschreibenden Lobes verstehen.

Neben diesen kurzen Anspielungen auf das Handeln des Weltschöpfers stehen die großen Komplexe Hi 36,26-37,13 und 14-18. Ihre jetzige Stellung ist unglücklich; sie sind deswegen vielleicht zu 35,2-8 hinzunehmen (135) und ließen sich dann gut in der Linie der Bestreitung 35,5 interpretieren. Wenn Elihu Hiob die unerforschliche Erhabenheit Gottes (V 26) mit einer breiten Schilderung eines Weltschöpferhandelns vor Augen führt, dann meint er, an die Tradition des Gotteslobes zu erinnern (V 24). Doch reicht dieser Hinweis wohl nicht zur formgeschichtlichen Bestimmung des Abschnittes aus. Von den Merkmalen des beschreibenden Lobes ist nämlich kaum noch etwas zu erkennen: Die syntaktische Struktur ist äußerst locker (136), inhaltlich gesehen begegnet zwar das Regiment des Weltschöpfers über die meterologischen Erscheinungen auch sonst im beschreibenden Lob, aber selten ausschließlich (137), nie so ausführlich (138) und nie in so bunter Folge, die sich jeder Gleiderung sträubt. (139) Und schließlich hat sich die polare Struktur des beschreibenden Lobes in ganz eigenartiger Weise verschoben: Das Handeln des Weltschöpfers in Regen, Gewitter und Wind steht nicht eo ipso auf der Seite der Majestät oder der Zuwendung Gottes, sondern kann je nach dem zur Strafe oder zur Belohnung eingesetzt werden (37,13). Daß hinter dieser doppelten Ausrichtung des Weltschöpferhandelns eigentlich die Kombination zweier Traditionen, die von der Majestät und die von der Fürsorge des Weltschöpfers, steht, kann man noch an der unterschiedlichen Verwendung des Regens ablesen: Einerseits dient er der Ernährung der Völker (36,31) (140), andererseits treibt seine Wucht Mensch und Tier ins Versteck (37,6-8). Doch sind aus den ehemals verschiedenen Traditionen Aspekte geworden, die dem Handeln des Weltschöpfers je und je zukommen können. Das zeigt eine Verschiebung des Interesses, vom Tun Gottes auf die Naturerscheinungen. Der veränderte Gesichtspunkt tritt dann auch in detaillierten "Naturschilderungen" hervor. (141) Alle diese Beobachtungen zeigen, daß in Hi 36f ein Stadium des beschreibenden Lobes vorliegt, daß weit mehr noch als Hi 38f in Richtung auf eine "fromme Naturbetrachtung" abgewandelt ist. (142) Das Handeln des Weltschöpfers ist auf die Himmelserscheinungen beschränkt und ambivalent geworden.

In Hi 37,14-18 wird die "lobende Schilderung" bestreitend auf Hiob angewendet. Die Frage V 18 könnte genauso in der Gottesrede stehen, V 15f dagegen, ob Hiob die Wunderwerke der Schöpfung begreifen kann, und gehen damit in etwas andere Richtung. (143) Hier wird die Haltung dieser staunenden Naturbetrachtung direkt greifbar. V 17 wird dem die Niedrigkeit Hiobs gegenüber gestellt. So ist die Intention der Weltschöpfungsaussagen Hi 36f durchaus mit denen in der Gottesrede vergleichbar; jedoch tritt stärker als dort die Seite des machtvollen Handelns Gottes in den Vordergrund. Insofern nähert sich Hi 36f wiedern den Freundesreden an. Trotz der stärkeren formalen Umsetzung des Gotteslobes in Hi 38f, wird man Hi 36f doch als die weitergehende und darum spätere Abwandlung der Weltschöpfungstradition des beschreibenden Lobes zu bewerten haben.

So lassen sich die Weltschöpfungsbelege der Elihureden eindeutiger der Psalmentradition zuordnen, als das bei der Mehrzahl der Menschenschöpfungsaussagen der Fall gewesen ist. Darin kann man einen Hinweis sehen, daß in späterer Zeit die Weltschöpfungstradition des beschreibenden Lobes einen festeren Zusammenhang bildete als die Menschenschöpfungstradition der Klage. Doch auch bei der Weltschöpfungstradition sind erhebliche Auflösungserscheinungen zu erkennen, die denen der Menschenschöpfungstradition in etwa entsprechen: Auf der einen Seite beginnt das Weltschöpferhandeln seine eindeutige Funktion zu verlieren, es wird ambivalent und nähert sich damit einem abstrakten Schöpfungsbegriff, auf der anderen Seite drängt sich mit dem Zurücktreten der Lobstrukturen immer mehr die Schilderung der Naturphänomene als solche in den Vordergrund.

Wir waren von der Frage ausgegangen, inwieweit sich die Schöpfungsaussagen im Hiobbuch von den beiden bei Deuterojesaja und in den Psalmen herausgearbeiteten Schöpfungstraditionen erklären lassen. Das Ergebnis ist vielschichtig: Wir trafen sowohl auf die Menschenschöpfungs- (144) als auf die Weltschöpfungstradition (145) in ihren ursprünglichen Gattungen und Funktionen. Daneben begegneten wir besonders bei der Weltschöpfung mehr oder weniger weitgehenden Abwandlungen (146), die in die Spätzeit gehören, und schließlich fanden wir auch Schöpfungsmotive, die mit keiner der beiden Psalmentraditionen etwas zu tun haben. (147) So bietet das Hiobbuch eine Vielfalt, von den frühen bis zu den späten Ausgestaltungen, wie kein anderes Buch des Alten Testaments. Aber gerade in dieser Vielfalt haben sich die zuvor herausgearbeiteten Kriterien für zwei verschiedene Schöpfungstraditionen in den Psalmen weitgehend bewährt. Es kann jetzt als erwiesen gelten, daß so gut wie immer

Welt- und Menschenschöpfung je für sich begegnen. Im Hiobbuch kamen beide überhaupt nicht zusammen vor. Selbst in der breitesten Entfaltung, die die Weltschöpfung im Alten Testament je erfahren hat (Hi 38f), war keine Spur von Menschenschöpfung zu erblicken. Es kann weiter als erwiesen gelten, daß die Weltschöpfung zum beschreibenden Lob gehört und daß ihr Hauptstrom dazu dient, die unvorstellbare Macht Jahwes zu preisen. Gerade an der einseitigen Radikalität, mit der diese Funktion im Hiobbuch hervorgehoben wird (148), muß für jeden sichtbar werden, daß sich die Weltschöpfung nicht unter das Stichwort "Soteriologie" einordnen läßt. Daneben war auch die schmalere Tradition von der Fürsorge des Weltschöpfers belegt. (149) Und es kann schließlich als erwiesen gelten, daß die Menschenschöpfung zur Klage des Einzelnen sowie zum Heilsorakel gehört, und daß sie dazu dient, an die Barmherzigkeit Gottes zu appellieren. Nur wo die Seite der Vergänglichkeit des Menschen entfaltet wird, können Menschenschöpfungsmotive auch die Abhängikeit des Menschen von Gott beschreiben. (150) In der syntaktischen Konstruktion erinnern die Weltschöpfungsbelege bei Hiob eher an die Tradition, die Deuterojesaja verwendet hat, als an die beschreibenden Lobpsalmen des Psalters, doch bestehen keine grundsätzlichen Differenzen hinsichtlich der Motive und Funktion. (151) Beide Traditionen sind sinnvoll auf die Gesprächspartner verteilt und haben eine wichtige Aufgabe im Fortgang des "Dialogs des Tröstens". (152) Die Notwendigkeit der Unterscheidung erwies sich letztlich auch daran, daß sich Aporien der Forschungsgeschichte auflösen ließen. (153)

Damit ist das Ziel der religionsgeschichtlichen und exegetischen Untersuchung erreicht: Es gibt im Reden zu Gott zwei verschiedene Schöpfungstraditionen, die Welt- und die Menschenschöpfung. Sie sind in verschiedenen Gattungen zuhause und haben unterschiedliche Funktionen. Als solche haben sie einen verschiedenen "Sitz im Leben" und eine je eigene Geschichte. In dem abschließenden Abschnitt soll versucht werden, die Geschichte beider Traditionen, soweit sie überhaupt greifbar ist, thematisch zu verfolgen.

F. Die Geschichte der Menschen- und Weltschöpfungstradition in den Psalmengattungen

Zu einer Tradition gehören nicht nur eine Verankerung in bestimmten Gattungen und eine inhaltliche wie funktionale Zusammengehörigkeit, sondern auch eine Geschichte des Tradierens und ein spezifischer Tradentenkreis, die ihrerseits wiederum eng mit dem spezifischen "Sitz im Leben" der Gattung und seinen Wandlungen zusammenhängen. Man kann davon ausgehen, daß auch die Welt- und Menschenschöpfungstraditionen in den verschiedenen Weisen des Redens zu Gott eine solche Geschichte gehabt haben. Darauf wiesen schon eine Vielzahl von Beobachtungen, die hier und dort in der Exegese gemacht werden konnten. Jedoch diese Geschichte im Zusammenhang zu verfolgen, stößt auf ganz ergebliche Schwierigkeiten. Denn es gehört zu der Eigenart des Redens in den Psalmen, daß es sich weithegend der exakten historischen Fixierung entzieht. So kann dieser Abschnitt nicht mehr als ein tastender Versuch sein, um so mehr, als er sich auf den Sektor der Gebetsgattungen beschränken und die Erzähl- und Weisheitstraditionen außer Acht lassen muß. (1)

Ein ganz sicheres Datum für die Welt- wie für die Menschenschöpfungstradition ist die Prophetie Deuterojesajas. Die Dichte, mit der hier in der 2. Hälfte des 6. Jh. vor Chr. die beiden Schöpfungstraditionen bezeugt sind, ist ganz erstaunlich und erklärt die zentrale Stellung, die diesem Propheten in der Diskussion um den "Schöpfungsglauben" im Alten Testament eingeräumt wurde. Doch wäre es falsch, aus dem plötzlichen Hervortreten der Schöpfungstraditionen bei Deuterojesaja den Schluß zu ziehen, daß es sie zuvor in Israel nicht gegeben hätte. (2) Im Gegenteil! Wohl läßt sich eine interpretierende Arbeit des Propheten erkennen (3), wohl läßt sich nicht ausschließen, daß von ihm im Einzelnen Vorstellungen seiner neubabylonischen Umwelt rezipiert worden sind, das ändert aber nichts an der Tatsache, daß Deuterojesaja nicht etwas Neues verkündet, wenn er von Jahwes Welt- und Menschenschöpferhandeln redet, sondern an Alt-Bekanntes erinnert. (4) Neu ist die Botschaft von Jahwes Rettungshandeln durch Kyros. Nur um ihr den Weg gegen alle Hindernisse freizukämpfen, nimmt Deuterojesaja das Lob des machtvollen Weltschöpfers auf, nur um ihr den Weg in die Herzen der Israeliten zu bahnen, verwendet er das Heilsorakel mit seinem vertrauensvollen Appell des Menschenschöpfers an sein Geschöpf. Die "seelsorgerliche" Funktion, in der beide Schöpfungstraditionen verwendet werden, setzt voraus, daß sie unbestrittenes Gemeingut der Israeliten seiner Zeit waren. Wären sie eine kühne Neuerung des Propheten, hätten sie diese Funktion nie erfüllen können. Dann weist aber das Reden Deuterojesajas von Schöpfung auf eine längere Geschichte beider Traditionen in Israel zurück. Sie müßte selbst dann postuliert werden, wenn wir überhaupt keine Belege dafür hätten. (5) Nun liegen aber einige wenige für die vorexilische Zeit vor. Es wird zu fragen sein, inwieweit sich daraus noch etwas Konkretes für die Geschichte beider Schöpfungstraditionen ausmachen läßt.

I. Die Tradition der Menschen- und Weltschöpfung in vorexilischer Zeit

Der Untersuchung stehen gerade in diesem Teil ganz erhebliche methodische Schwierigkeiten entgegen. Ein großer Teil der Stellen ist, wie oben erwähnt, überhaupt nicht zu datieren. Als Ausgangspunkt sollen jeweils nur die einigermaßen sicher in die vorexilische Zeit gehörenden Belege benutzt werden. Erst in einem zweiten Schritt sollen ihnen die Erkenntnisse, die sich aus der Übersicht der Gattung als ganzer ergeben haben, gegenübergestellt werden, um so historische bedingte Zufälligkeiten zu korrigieren.

1. Die Menschenschöpfungstradition

Einigermaßen sichere Belege für die Menschenschöpfung in vorexilischer Zeit gibt es nur sehr wenige. (6) Der älteste ist Hos 8,14, der uns in das 8. Jh. führt. (7) Die Authentizität dieses prophetischen Wortes ist zwar angezweifelt worden, nicht zuletzt weil schon hier, wie erst sehr viel später wieder bei Deuterojesaja, von der Erschaffung Israels gesprochen wird. Doch kann das nach dem zuvor Gesagten kein Argument sein. Zugegeben, die Stelle steht vereinzelt da, aber es wäre immerhin zu fragen, ob nicht auch die Klage Got-

tes Jes 1,2, besonders wenn man die LXX-Lesart vorzieht, hinzuzunehmen
ist. (8)

Die Schwierigkeit, die sich für eine Geschichte der Menschenschöpfungstradition aus Hos 8,14 ergibt, ist die Tatsache, daß schon für den "ältesten" Beleg eine doppelte Übertragung angenommen werden muß: aus der Klage des
Einzelnen in eine Klage Gottes und vom einzelnen Menschen auf Israel. Das
ist ein recht komplizierter Vorgang. Wäre da nicht der umgekehrte Schluß
näherliegend, daß am Anfang das Reden von der Erschaffung Israels steht,
das dann erst in späterer Zeit auf den einzelnen Menschen übertragen worden
ist? So einleuchtend diese Entwicklung gedanklich sein mag, formgeschichtlich
ist diese Möglichkeit so gut wie ausgeschlossen, weil die Menschenschöpfung
in einer Gattung verankert ist, die in die Gottesbeziehung eines einzelnen Menschen gehört. Man muß deswegen aus formgeschichtlichen Gründen postulieren,
daß wenn in Hos 8,14 eine schon recht komplizierte Abwandlung vorliegt, es
zu dieser Zeit auch die "Grundform", die Menschenschöpfung als Kontrastmotiv in der Klage des Einzelnen gegeben haben muß. Dennoch bleibt auffällig,
daß davon so gut wie nichts überliefert ist. Wie ist das zu erklären? Gehörte
die Menschenschöpfung in einen Bereich der israelitischen Religion, der von
der Überlieferung übergangen wurde? Deren ganzes Interesse galt der Geschichte Jahwes mit seinem Volk, und wenn einzelne Menschen mehr in den
Vordergrund treten, dann doch fast ausschließlich weil sie eine Funktion in
dieser Geschichte haben, seien es die "Richter", die Könige oder die Propheten. Die Menschenschöpfung gehört dagegen ganz in die Gottesbeziehung des
einzelnen, ganz normalen Menschen, sie ist ein Ausdruck urtümlicher, privater Frömmigkeit. Wer sollte Interesse gehabt haben, seine Klagen, seine
Appelle an den Menschenschöpfer zu überliefern? Das Fehlen von Überlieferung braucht also nicht notwendigerweise auch das Fehlen der Sache bedeuten.
Es ist mit der Möglichkeit zu rechnen, daß es einen breiten Bereich einer
"Subreligion" in Israel gegeben hat, (9) der von der Überlieferung des offiziellen Jahweglaubens übergangen worden ist. Aufgrund dieser Vermutungen
ließe sich die komplizierte Abwandlung Hos 8,14 gut erklären: die unter-
schwellig verlaufende Menschenschöpfungstradition ist dann hier ad hoc einmal von dem Propheten aufgenommen worden als es darum ging, die urtümliche "Zuwendung" Jahwes zu seinem Volk auszumalen, der gegenüber der
Abfall Israels um so unverständlicher erschien. Das wird um so verständli-
cher, als Hosea ja auch sonst individuelle personale Beziehungen in das Verhältnis zwischen Jahwe und seinem Volk einzeichnet. (10)

Daß wir uns mit unseren Vermutungen nicht nur auf dem schwankenden Boden
wissenschaftlicher Postulate bewegt haben, zeigt Jer 2,27 (11):

> Die zum Baum sagen: "Mein Vater bist du!"
> und zum Stein: "Du hast mich doch geboren!"
> Denn mir kehren sie den Rücken zu und nicht das Gesicht.
> Aber zur Zeit ihrer Not sprechen sie: "Steh auf und hilf uns!"

Hier wird in der Tat gut hundert Jahre später die vertrauensvolle Hinwendung des Einzelnen zu seinem Schöpfer zitiert. Sie richtet sich allerdings an fremde Götter und ist damit ein Beispiel des Abfalles der Israeliten von Jahwe. Damit bekommt sie auch für die Volksgeschichte Relevanz und wird als Teil der Anklage des Propheten zufällig einmal überliefert. Es wäre jedoch falsch, aus diesem Sachverhalt zu schließen, daß es sich hier um den Ausdruck "kanaanäischer" Frömmigkeit handele, die der Prophet als solche verwirft. Vielmehr konnten wir oben nachweisen, daß Jeremia nicht den Appell an den eigenen Schöpfer ablehnt, sondern nur die Tatsache, daß er sich nicht an Jahwe, sondern an fremde Lokalnumina richtet. Dann darf man aber Jer 2,27 als direkten Beleg für die Menschenschöpfung in der Klage des Einzelnen im spätvorexilischen Israel ansehen. Dann ist es durchaus wahrscheinlich, daß es diesen Ausdruck individueller Frömmigkeit auch schon zu Zeiten Hoseas gab.

Auch für das vermutete Nebeneinander individueller Volksfrömmigkeit und offiziellem Jahweglauben ergibt sich aus Jer 2,27 eine schöne Bestätigung: Jeremia wirft den Israeliten eine Inkonsequenz vor: Auf der einen Seite wenden sie sich mit ihren Vertrauensäußerungen an fremde Götter, auf der anderen Seite flehen sie bei den großen Katastrophen zu Jahwe: "Steh auf und hilf uns!". Diese Inkonsequenz wäre mit dem Satz "Not lehrt beten" nur ungenau beschrieben. Denn auch der Appell an den eigenen Schöpfer ist ja Teil eines Klagegebets. Der Unterschied zwischen beiden zitierten Klagen liegt darin, daß es sich im ersten Fall um eine Klage des Einzelnen handelt ("du hast mich doch geboren") (12), im zweiten um eine Klage des Volkes ("hilf uns"). Der einzelne Israelit konnte sich offensichtlich in seinen privaten Gebetsanliegen an die Lokalnumina wenden, obgleich er bei den offiziellen Fastentagen, die aus Anlaß großer Volksnöte ausgerufen wurden, ganz selbstverständlich Jahwe um Rettung anrief. Das heißt aber doch, daß wir hier eine individuelle Religiosität belegt finden, die offenbar recht eigenständig neben der offiziellen Jahwereligion nebenherlief, ja, sich so weit von dieser entfernen konnte, daß man hier und dort andere Götter um Hilfe anflehte. Es ist sehr wahrscheinlich, daß die Betroffenen selbst diesen Widerspruch gar nicht empfanden, man vergleiche etwa nur den offiziellen Katholizismus des Vatikans mit der wuchernden Frömmigkeit in Lourdes, und daß erst der Prophet die Unvereinbarkeit von Beidem aufreißt ("sie wenden mir den Rücken zu"). Der Übergang zu den Äußerungen kanaanäischer Religionen war in Wirklichkeit wohl eher fließend. In diesem Zwischenbereich unterhalb des offiziellen Jahweglaubens haben wir nach Jer 2,27 die Menschenschöpfungstradition der Klage des Einzelnen zu lokalisieren.

Das Milieu dieser Religiosität läßt sich an Hand von Jer 2,27 noch etwas verdeutlichen. Der einzelne Israelit ging, um die ihn persönlich betreffende Not vor Gott zu bringen, offensichtlich nicht an eines der großen Heiligtümer, sondern zu "Baum und Stein", also zu den heiligen Orten seiner Umgebung. Die zitierten Appelle: "Mein Vater bist du doch, du hast mich doch geboren!" nehmen die drastisch physische Vorstellung der Erschaffung durch Geburt auf. Auch wenn man die polemische Stoßrichtung Jeremias in Rechnung stellt, wird man doch annehmen müssen, daß wir uns hier in der Vorstellungswelt der

"Fruchtbarkeitskulte" befinden. Nur darf man nicht allzu schnell mit dem ne-
gativen Urteil bei der Hand sein. Daß das Menschenschöpfungsmotiv in der
Klage recht eng mit der Geburt und den sie umgebenden Ritualen und Vorstellungen zusammengehört, dürfte nach der Untersuchung der in und außerhalb des Alten Testamentes bezeugten Schöpfungsmotive ohne Zweifel sein. (13)
Zwar wissen wir von Geburtsritualen kaum etwas (14), doch gibt es einige
Hinweise, daß in ihnen die Menschenschöpfung aktualisiert werden konnte. (15)
Darum konnte sich der in Not Geratene in seinen Klagen immer wieder auf
seine Erschaffung "im Mutterleib" oder "von Mutterleib an" berufen. Es lassen sich durchaus Stadien in der Religionsgeschichte denken, in denen Geburt
und Menschenschöpfung noch enger zusammenlagen, als es uns jetzt greifbar
ist. (16) Doch läßt sich Genaueres über die Art der Beziehung nicht mehr ausmachen. Festzuhalten ist nur: Wenn Menschenschöpfung und "Fruchtbarkeitskult" in Jer 2,27 nahe beieinander zu liegen scheinen, dann ist das nicht eine
Perversion der Menschenschöpfungstradition, sondern ihr ursprünglicher Zusammenhang. Wieder wird deutlich, daß an dieser Stelle "Kanaanäisches" und
"Israelitisches" nicht scharf zu trennen war, ebenso, daß hier die Gefahr eines Abfalls latent gegeben war. Von der offiziellen Jahwereligion aus gesehen,
in der sich deutlich das Anliegen erkennen läßt, die physische Schöpfungsvorstellungen zurückzudrängen, mag deswegen dieser ganze Bereich "etwas außerhalb der Legalität" gewesen sein. Die positiven Kräfte, die in diesem urtümlichen Vertrauensverhältnis zwischen dem Einzelnen und seinem Schöpfer
schlummerten, wurden von ihr in aller Breite erst in exilischer Zeit entdeckt. (1?

In dieses in Umrissen skizzierte Milieu ist nun auch der Sitz im Leben des
Menschenschöpfungsmotivs in der Klage des Einzelnen, bzw. im Heilsorakel
einzuzeichnen. Wir sind gewohnt, beide Gattungen im "Kult" zu lokalisieren.
Doch ist dieser Begriff viel zu weit. Nach allem, was bisher zur vorexilischen
Verankerung der Menschenschöpfungstradition gesagt worden ist, ist es so gut
wie ausgeschlossen, hierbei an den offiziellen Großkult in Jerusalem und an
den anderen großen Heiligtümern des Landes zu denken. Wir müssen stattdessen
mit gottesdienstlichen Vorgängen rechnen, die sehr viel enger mit dem Lebensbereich des einzelnen Leidenden und seiner Familie zusammenhingen, also mit
Kasualhandlungen, die örtlich, zeitlich und personell kaum etwas mit den großen
Fastentagen und Jahresfesten zu tun hatten. Diese Vermutungen berühren sich
mit Ergebnissen E.Gerstenbergers zum Sitz im Leben der Klage des Einzelnen. (18) Ausgehend von den babylonischen Beschwörungsritualen versucht er
eine israelitische Bittzeremonie zu rekonstruieren: es handelt sich um einen
Bittgottesdienst, "der sich im kleinsten Rahmen abspielt". (19) Träger ist die
"Primärgruppe" (Familie), sie zieht im Falle der Not eines ihrer Mitglieder
einen "Kultfachmann" hinzu, sei es ein Gottesmann, Seher oder Nabi, der aber
in jedem Fall "vom festen Kultinstitut relativ unabhängig" ist. (20) Dieser
vollzieht - wohl im Beisein einiger Familienangehöriger - mit dem Leidenden
den Ritus, dessen Höhepunkt die Klage bildet. (21) In Einzelfällen konnte sie
durch ein Heilsorakel direkt beantwortet werden. (22) Der Ritus konnte an
einem heiligen Ort vollzogen werden, notwendig war diese Bindung jedoch
nicht. (23) Auch Gerstenberger siedelt also die Klage des Einzelnen neben
oder unterhalb des Tempelkults und der offiziellen Volksreligion an. Durch

seine Ergebnisse wird unsere Annahme einer "Subreligion" bestätigt und plastisch strukturiert. Meiner Meinung nach muß man sogar gegenüber dem differenzierten und spezialisierten Ritualwesen der Stadtkultur des Zweistromlandes für Israel mit noch "primitiveren" Formen rechnen. (24) Auch für die Klagebegehung, in der der Appell an den eigenen Schöpfer eine Rolle spielte, werden wir mit einem "Liturgen" rechnen müssen wie in Babylon, da sonst das komplimentäre Vorkommen des Motivs im Heilsorakel bei Deuterojesaja nicht zu erklären wäre. Doch wird es sich dabei kaum um eine feste Gruppe besonders ausgebildeter Spezialisten gehandelt haben, die etwa mit dem masmasu im Namburbi-Ritual vergleichbar wäre. (25) Heilfunktionen von Gottesmännern und Propheten sind im AT belegt, doch handelt es sich dabei fast immer schon wieder um "prominente Patienten". Man könnte daher fragen, ob nicht in Israel bestimmte Mitglieder der Familie in "normalen" Notfällen die rituellen Funktionen übernehmen konnten. Die Frage spielt deswegen für uns eine Rolle, weil es zugleich die Frage nach den Tradenten der in der Klage des Einzelnen verankerten Menschenschöpfungstradition ist. Gerstenberger schwankt in der Zuordnung der individuellen Klagetradition erheblich: einerseits denkt er sie von einer bestimmten Berufsgruppe getragen (26), andererseits rechnet er sie der "Familien- und Sippenüberlieferung" zu. (27) Mir scheint die Untergründigkeit der Menschenschöpfungstradition eher für die zweite Möglichkeit zu sprechen. Sie sieht ganz und gar nicht nach einer von Fachleuten überlieferten Spezialtradition aus, man hat eher den Eindruck einer ungelenkten, fluktuierenden Tradition, wie es der Volksfrömmigkeit eigen ist. Genaueres läßt sich aufgrund der Quellenlage nicht sagen. Sicher ist aber, daß der Appell an den Menschenschöpfer nicht in den Großkult, sondern in die davon zeitlich, örtlich und personell unabhängigen kasuell stattfindenden kleinen Gottesdienste gehört.

Wir haben damit die Menschenschöpfung in den "subreligiösen" Bereich lokalisiert, der sich naturgemäß weitgehend der von offiziellen Kreisen getragenen Überlieferung entzog. In deren helles Licht tritt sie neben Hos 8,14 noch einmal in dem Berufungsbericht Jeremias (Jer 1,5). (28) Handelte es sich dort um eine schon komplizierte Abwandlung, dann hier um eine Spezialform: Das urtümliche Vertrauensverhältnis zwischen dem Menschenschöpfer und jedem seiner Geschöpfe wird hier auf einen besonderen Menschen mit einem besonderen Auftrag bezogen. Man könnte daran denken, daß die normale Menschenschöpfungstradition ad hoc einmal diese besondere Funktion übernommen habe, zumal die Berufung Jeremias in einer gewissen Nähe zum Heilsorakel zu stehen scheint. Das wäre insofern verständlich, da ja gerade Jeremia durch seinen Auftrag immer wieder in äußerste Lebensgefahr gerät. Doch wird man auch nicht ausschließen können, daß es sich bei dieser Spezialform um eine relativ eigenständige Tradition gehandelt hat. Wir kennen aus Ägypten, aber auch aus Mesopotamien eindrückliche Beispiele, wie die Verquickung von Menschenschöpfung und Erwählung des Königs eine ganz feste Tradition werden konnte. Man wird diese Verhältnisse kaum auf Israel übertragen können, auch eine direkte Abhängigkeit erscheint mir unwahrscheinlich (29), doch zeigen sie die Möglichkeit einer spezialisierenden Verzweigung der Menschenschöpfungstradition auf. In die gleiche Linie gehört das Gottesknechtslied Jes 49,1-6.

Damit sind alle einigermaßen sicheren Belege für die Menschenschöpfungstradition in vorexilischer Zeit genannt. Die Verwendung des Motivs in Hos 8,14 (Jes 1,2?) führte uns zu der Annahme, daß es zumindest im 8. Jh. den Appell an den eigenen Schöpfer in Israel gegeben hat. Doch entstehen ja solche Vorstellungen urtümlicher Frömmigkeit nicht von heute auf morgen. Wir fanden sie gerade in "primitiven" Religionen belegt. Es stellt sich dann aber die Frage, ob sie nicht auch "in Israel" - besser gesagt am unteren Rande seines Jahweglaubens - in viel ältere Zeit zurückweisen. Nun gibt es eine Vielzahl israelitischer Personennamen, die ähnlich wie die erwähnten sumerischen, akkadischen und ägyptischen Namen aus einem Schöpfungsverb und einem theophoren Element gebildet sind. Für unseren Zweck genügt schon eine Auswahl: běrā᾽jā (30) "geschaffen hat Jah(we)", ᶜἄśā᾽ēl (31) "geschaffen hat Gott", ᾽ælᶜἄśā (32) "Gott hat geschaffen", mā ἄśējā (33) "Geschöpf Jah(we)s", ᾽ælqānā (34) "Gott hat geschaffen", miqnējāhū (35) "Geschöpf Jahus", jēṣær (36) "Gebilde", běnājāhū (37), běnājā (38) "gebaut hat Jahu, bzw. Jah(we)". Sie nennen fast alle das Subjekt und den Schöpfungsvorgang, das Objekt fehlt. Daß hier Jahwes Schöpferwirken generell gemeint wäre, ist nach allem, was wir über das ursprünglich ganz konkrete Reden von Schöpfung herausgefunden haben, ganz ausgeschlossen. Zwar sind im AT Namen mit suffigierten Verbformen, wie wir sie in einigen akkadischen fanden, soweit ich sehe, nicht belegt, doch ist es sehr wahrscheinlich, daß ebenfalls ganz konkret die Erschaffung des Namensträgers gemeint ist. Sie sind dann als ein Reflex der in der Volksfrömmigkeit beheimateten Menschenschöpfung zu werten. Mit solchen Namen werden schon Personen aus der Frühzeit der Staatenbildung Israels benannt: Der Vater Samuels heißt ᾽ælqānā, der Bruder Joabs ᶜἄśā᾽ēl und der Anführer der Leibwache Davids běnājāhū. Man kann daraus zwar nicht mit Sicherheit schließen, daß die Menschenschöpfung darum zu dieser Zeit schon ein lebendiger Bestandteil israelitischer Frömmigkeit gewesen ist, denn die Namen sind, wie ihr Vorkommen in der ugaritischen (39), amoritischen (40) und phönizischen (41) Sprache zeigt, schon sehr viel älter, sie könnten darum von den Israeliten verwendet worden sein, ohne daß die Sache, die sie aussagen, für sie eine Rolle gespielt hat. Doch kann man zumindest soviel sagen, daß potentiell schon für den Israeliten in der Frühzeit der Staatenbildung die Menschenschöpfung eine Möglichkeit war, sein Vertrauensverhältnis zu seinem Gott auszudrücken. Daß von dieser Möglichkeit Gebrauch gemacht wurde, ist jedenfalls nicht ausgeschlossen, ja sogar wahrscheinlich. Das Nebeneinander von Jahwe und El in diesen Namen mag ein Zeichen dafür sein, daß Jahwe erst sukzessive in diese Äußerung urtümlicher Frömmigkeit eingewandert ist. Das ist von der zuvor gegebenen Charakterisierung der Menschenschöpfungstradition nicht verwunderlich. Jedoch fehlen Anzeichen einer bewußten Übernahme. Man könnte aus der Nähe, die die Menschenschöpfung in Jer 2,27 zu kanaanäischen Fruchtbarkeitsvorstellungen hat, vermuten, daß die "Landnahme" terminus a quo für das Einsickern der Menschenschöpfung in die religiösen Vorstellungen kleiner israelitischer Gruppen ist. Doch sachlich ist die Kulturlandsituation keineswegs notwendige Voraussetzung für die Menschenschöpfung, denn die Geburt und damit deren religiöse Begehung gibt es in allen nur denkbaren sozialökonomischen Gemeinschaftsformen. Möglicherweise weist die Tatsache, daß solche "Schöpfungsnamen" in ganz ähnlicher Form sowohl in den ost- wie in den westsemitischen Sprachen belegt sind, darauf hin, daß die Menschenschöpfung auch im semitischen Bereich viel weiter zurückreicht bis hin in die vorgeschichtliche Zeit primitiver Kulturen. Greifbar ist davon natürlich nichts. Doch erhebt sich angesichts dessen immerhin die Frage, ob wir überhaupt einen terminus a quo für die Menschenschöpfungstradition in Israel annehmen dürfen. Möglicherweise handelt es sich hier um Relikte, die noch aus vorjahwistischer Zeit stammen.

2. Die Weltschöpfungstradition

Etwas besser als für die Menschenschöpfung sieht es mit den Belegen für die Weltschöpfung in vorexilischer Zeit aus. Es lassen sich für sie zumindest drei verschiedene Zusammenhänge erkennen: der "partizipiale Hymnus", der beschreibende Lobpsalm und die Prädikation.

Die von F.Crüsemann herausgestellte spezielle Form des beschreibenden Lobpsalms, der sogenannte "partizipiale Hymnus", gehört ganz sicher in die vorexilische Zeit, auch wenn z.B. die sogenannten "Amos-Doxologien" erst später in das Prophetenbuch eingefügt worden sind. (42) Er weist uns in die Situation der Auseinandersetzung Israels mit den Göttern seiner Umwelt. Um ihnen gegenüber die Überlegenheit Jahwes und seinen universalen Machtanspruch durchzukämpfen, werden ihnen ihre hymnischen Prädikationen entrissen und triumphierend Jahwe zugesprochen. Inhaltlich drehte sich, soweit wir sehen, die Auseinandersetzung so gut wie ganz um das Handeln des Weltschöpfers und seine Verfügungsgewalt über die "Natur". Die Gründe für diesen auffälligen Tatbestand sind nicht mehr mit völliger Eindeutigkeit zu erheben: Crüsemann weist darauf hin, daß gerade "die Thematik des göttlichen Handelns in den Naturvorgängen, im Regen, in der Fruchtbarkeit des Landes usw., der umstrittenste Punkt dieses Ringens" war. (43) Das ist durchaus möglich, doch wird man einschränkend sagen müssen, daß die Hineinnahme der Segenskräfte des Kulturlandes in das Handeln Jahwes generell nicht über die Rezeption der Weltschöpfungstradition gelaufen ist. (44) In den Amosdoxologien ist auch von einem Segenshandeln Jahwes nichts zu spüren. Doch wird man zuminst soviel sagen dürfen, daß es in vorexilischer Zeit noch nicht, jedenfalls nicht überall, selbstverständlich war, Jahwe als den Weltschöpfer zu rühmen. Seine Domäne lag ursprünglich eindeutig im Bereich des Geschichtshandelns, er hatte somit in Bezug auf das Weltschöpferhandeln einen erhöhten Nachholbedarf. Schließlich muß man hinzufügen, daß sich die Weltschöpfungstradition schon deswegen für die Auseinandersetzung mit den anderen Göttern anbot, weil es sich hierbei um Majestätsaussagen katexochen handelt. Sie auf Jahwe zu übertragen, hieß ihn zum größten und mächtigsten Gott machen. Es verwundert deswegen nicht, daß später ein "partizipialer Hymnus" mit einer Götzenpolemik verbunden werden konnte. (45)

Die Weltschöpfung als Streitpunkt in der Auseinandersetzung mit anderen Göttern hatte nur eine zeitlich und wahrscheinlich auch lokal begrenzte Bedeutung, die uns vor allem im "partizipialen Hymnus" bezeugt ist. Hier war e i n Ort der Übernahme der Weltschöpfung in den Jahweglauben. Diese Übernahme ist bewußt vollzogen worden mit einer eindeutig polemischen Tendenz gegenüber der Umwelt. Hier wurde theologische Arbeit geleistet, ganz anders etwa als bei dem Einsickern der Menschenschöpfung. Man wird darum den Ort dieser Überlieferung bei den Vertretern der offiziellen Jahwereligion zu suchen haben. Auch von der Gattung des beschreibenden Lobes her werden wir eher an den Großkult verwiesen, wie er an den berühmten Heiligtümern des Landes vollzogen wurde. Allerdings ist der "partizipiale Hymnus" nicht die normale Form des gottesdienstlichen Lobes. Es ist darum kein Zufall, daß diese Form des Gotteslobes keine Aufnahme in den Psalter gefunden hat. Sie läßt sich wohl am ehesten aus einer Situation erklären, in der der israelitische Gottesdienst in eine Auseinandersetzung mit anderen Kulten eintreten mußte. Anlässe dazu hat es in der mittleren und späten Königszeit genügend gegeben. Eine genauere Lokalisierung scheint mir nicht möglich. (46)

Obwohl der "partizipiale Hymnus" der dichteste Beleg für die Weltschöpfung in vorexilischer Zeit bietet, darf man in ihm nicht den einzigen Ort der Übernahme und Tradierung der Weltschöpfung sehen. Formgeschichtlich weicht er nämlich nicht unerheblich vom Aufbau des beschreibenden Lobpsalmes ab. Nun ist es zwar nicht ausgemacht, ob und wieweit wir die an Hand von meist nicht zu datierenden Texten des Psalters gefundene Form des beschreibenden Lobpsalms in die vorexilische Zeit projizieren dürfen, aber man kann doch immerhin sagen, daß die Funktion des "partizipialen Hymnus" Jahwe Macht gegen die anderen Götter durchzukämpfen, nicht die normale Funktion des Gotteslobes gewesen sein kann. Gotteslob ist nicht, zumindest nicht primär, Polemik, sondern will den Gott in der Fülle seines Tuns preisen und erhöhen. Diese Überlegungen legen es nahe, neben dem kämpferischen Entreißen ein völlig undramatisches Hineinwandern der Weltschöpfungstradition in das sich ausbildende beschreibende Lob Israels anzunehmen. Allerdings ist die historische Verifikation dieser Annahme aus den schon oben genannten Gründen einigermaßen problematisch. So gut wie keiner der beschreibenden Lobpsalmen läßt sich mit einiger Sicherheit in die vorexilische Zeit datieren. Eine gewisse Übereinstimmung hat die Psalmenforschung allein darin erreicht, daß Ps 24 vorexilisch anzusetzen ist. (47) Hier haben wir einigermaßen sicheren Grund. Es handelt sich um einen liturgischen Psalm, in dem das Weltschöpfungsmotiv des beschreibenden Lobes zu einer Art Einleitung für die gottesdienstlichen Vorgänge der Einzugstora (3-6) und der Ladeprozession (7-10) verwendet worden ist. Formgeschichtlich gesehen ist damit die Gattung des beschreibenden Lobes schon abgewandelt, niemand wird ernsthaft behaupten, daß Ps 24,1f die ursprüngliche Form des beschreibenden Lobes sei. Dann darf man aber aus der recht freien Verwendung schließen, daß es neben und vor Ps 24 eine breite Tradition der Weltschöpfung im beschreibenden Lob gegeben hat, wie auch immer diese Gattung damals ausgesehen haben mag. Wo war ihr Ort? Die in Ps 24 stilisierten gottesdienstlichen Vorgänge weisen auf ein großes Fest an einem Heiligtum, an dem eine Vielzahl von Wallfahrern teilnahmen. Auch die Stimmen von Priestern sind zu erkennen (4-6). Um welches Fest es sich im einzelnen handelt, ist umstritten, (48) braucht hier aber nicht zu interessieren. Es ist in jedem Fall eine Veranstaltung des Großkultes. (49) Ganz allgemein wird dieses Fest von der Forschung am Jerusalemer Heiligtum lokalisiert. Dann darf man aus Ps 24 mit einiger Sicherheit schließen, daß es in vorexilischer Zeit im Jerusalemer Tempelkult die Weltschöpfungstradition des beschreibenden Lobes gegeben hat. Sie diente, wie sich aus den Resten in Ps 24,1f entnehmen läßt, dazu, die universale Macht Jahwes über die Welt zu preisen. Das ist die Funktion, die wir ganz überwiegend auch sonst im beschreibenden Lob gefunden hatten. Die Überlegenheit über die anderen Götter mag darin impliziert sein, steht aber nicht im Mittelpunkt des Interesses. Sie spielt auch sonst in beschreibenden Lobpsalmen keine besondere Rolle. (50) Wir haben also zumindest am Jerusalemer Heiligtum mit einer völlig unpolemischen Übertragung des Weltschöpferlobes auf Jahwe zu rechnen. Ob man daraus schließen soll, daß diese Aufnahme der Weltschöpfung in das israelitische Gotteslob die spezielle Leistung der Jerusalemer Kulttradition gewesen ist, vermag ich, entgegen modernen Tendenzen (51) nicht zu entscheiden. Das relativ breite und verzweigte Vorkommen der Weltschöpfungstradition macht meiner Meinung nach die Annahme einer verwickelteren Traditionsgeschichte, etwa parallele Entwicklungen an verschiedenen großen Heiligtümern, wahrscheinlicher. Aber sicher hat Jerusalem einen wichtigen Anteil gehabt.

Dagegen stößt man offenbar auf eine ganz spezielle Jerusalemer Weltschöpfungstradition bei der Prädikation "Schöpfer Himmels und der Erde". Jedenfalls wird von den meisten Forschern salem in Gen 14,18 mit Jerusalem identifiziert. (52) Die in Gen 14 deutlich eingeschobene Melchisedek-Episode V 18-20 hat die Absicht, die Tempelabgabe für das für Israel neue Jerusalemer Heiligtum zu legitimieren und geht damit wohl auf die frühe Königszeit zurück. Die Prädikation selber ist sehr wahrscheinlich viel älter, sie erinnert an das gemein nordwestsemitische Epitheton Els "qn rs", das allerdings schon um den "Himmel" erweitert worden wäre (53) und ist wohl als ganze vom jebusitischen Heiligtum übernommen worden. Die Prädikation ist in Jerusalem recht fest mit dem priesterlichen Segensspruch verbunden gewesen (54), sie konnte aber auch in einer an die "hymnischen" Einleitungen der babylonischen Beschwörungen erinnernden Art in Prosagebete wandern. Vorexilisch ist davon mit einiger Sicherheit das Gebet Hiskias Jes 37,16-20. Gerade für dieses Gebet wird man eine direkte Abhängigkeit von der Jerusalemer Theologie annehmen dürfen. (55) So liegt hier wirklich ein sehr geschlossener Traditionskreis vor. Die Weltschöpferprädikation, die in ihrer Eingliedrigkeit nicht in die poetische Stilform des parallelismus membrorum paßt, hat in Israel keinen nachweisbaren Einfluß auf das beschreibende Lob gehabt (56), sondern ist ihre eigenen, ziemlich abgegrenzten Wege gegangen. Nur soviel läßt sich sagen: Wenn es in Jerusalem schon in vorexilischer Zeit Weltschöpferprädikationen gegeben hat, dann ist es auch relativ wahrscheinlich, daß es hier auch von Anfang an ein Lob des Weltschöpfers gegeben hat. Die Weltschöpfungstradition des beschreibenden Lobes im Ganzen aus dieser speziellen Jerusalemer Tradition herzuleiten, ist nicht möglich.

Wieweit die Motive von einem urzeitlichen Kampf Jahwes in die vorexilische Zeit zurückreichen, ist mir nicht sicher. (57) Ihre Funktion im Rückblick der Klage des Volkes haben sie nachweisbar erst nach dem Zerbruch der

Heilstraditionen im Exil erhalten (Jes 51,9f). Wenn man dennoch mit einer vorexilischen Chaoskampftradition rechnen will, dann wird man sie jedoch nicht mit der Weltschöpfung verbinden dürfen. (58) Die Kombination ist in den Texten nur locker und sehr wahrscheinlich erst exilisch. (59)

Ebenfalls unsicher ist, ob wir auch mit der Tradition von der Fürsorge des Weltschöpfers in vorexilischer Zeit rechnen dürfen. Das hängt an der Datierung von Ps 104, die meiner Meinung nach nicht geklärt ist. Vermuten könnte man auch, ob nicht diese Tradition mehr auf den ägyptischen, die von der Majestät des Weltschöpfers eher auf den phönizisch-kanaanäischen Kulturkreis weist. (60) Doch auch hier ist Sicheres nicht auszumachen.

Fassen wir zusammen! Es darf wohl als erwiesen gelten, daß sowohl die Weltschöpfungs- als auch die Menschenschöpfungstradition in Israel weit in die vorexilische Zeit zurückreichen. Bei der Weltschöpfungstradition kommen wir - mit einiger Sicherheit zumindest für das Jerusalemer Heiligtum - bis in die frühe Königszeit zurück, bei der Menschenschöpfung sind die Verhältnisse schwieriger: textlich belegt ist sie erst ab dem 8. Jh., doch ist sie wahrscheinlich erheblich älter. Diese Vermutung findet ihre Stüzte in den israelitischen Personennamen mit Schöpfungsverben, die bis in die Frühzeit der Staatenbildung zurückreichen. Auch wenn man geneigt sein möchte, den Beginn einer israelitischen Hochkultur als terminus a quo für die Weltschöpfungstradition anzunehmen, und sich scheut, bei der Menschenschöpfung überhaupt einen terminus a quo zu bestimmen, so läßt sich doch die aus der These C.Westermanns geforderte zeitliche Priorität der Menschenschöpfung vor der Weltschöpfung für Israel nicht erweisen. Das ist auch für diesen "Spätling" unter den Kulturvölkern des Vorderen Orients nicht anders zu erwarten. Wohl aber ließ sich eine vertikale Geschiedenheit der beiden Traditionswege nachweisen: Die Menschenschöpfung gehört zu einer Art "Subreligion" unterhalb des offiziellen Jahweglaubens. Ihren Sitz im Leben hat sie in dem im kleinsten Kreis vollzogenen Klageritual, das weitgehend unabhängig neben den großen Festen der Jahweheiligtümer nebenherlief, ja, sich weit davon entfernen konnte. Die Grenzen zur kanaanäischen "Religiosität" waren hier fließend. Dagegen gehört der Lobpreis des Weltschöpfers eindeutig zum Großkult an den wichtigen Heiligtümern des Landes. Die Übertragung auf Jahwe ist bewußt, z.T. in polemischer Ausrichtung gegen die anderen Götter, vollzogen worden. Das weist auf theologische Arbeit geschulter Kräfte. Ohne Zweifel bewegen wir uns in dem Bereich der offiziellen Jahwereligion. Mit der Zubehörigkeit der beiden Schöpfungstraditionen zu verschiedenen Bereichen der israelitischen Religion, hängt eine Selektion in der Überlieferung zusammen, welche die Menschenschöpfung fast ganz übergeht und die Weltschöpfung bevorzugt.

Es ist nun eine allgemeine religionsgeschichtliche Beobachtung, daß sich in der kleinen Gruppe und in unteren sozialen Schichten Elemente der "primitiven Religionen" auch dann noch halten, wenn die offizielle Religion längst andere Wege gegangen ist. Dann findet Westermanns These, daß die Menschenschöpfung zur primitiven Kultur, die Weltschöpfung aber zur Hochkultur gehört auch von den Verhältnissen in Israel her eine gewisse Stütze. Daß beide Schöpfungstraditionen realiter in Israel einen ganz verschiedenen Verlauf gehabt haben, dürfte erwiesen sein.

II. Die Tradition der Menschen- und Weltschöpfung in exilischer Zeit

Mußte im vorigen Abschnitt die These einer generellen Spätdatierung der Welt- wie auch der Menschenschöpfung korrigiert werden, so behält sie doch insofern ihre Berechtigung, als es erst bei dem exilischen Propheten Deuterojesaja zu einer nachweisbaren hohen Bedeutung beider Schöpfungstraditionen für das Verhältnis Jahwe - Israel gekommen ist. Dieser Tatbestand verlangt eine Erklärung. Da zu vermuten ist, daß er sich für die beiden Traditionen verschieden darstellt, wird ihnen gesondert nachgegangen.

1. Die Menschenschöpfungstradition

Daß die Tradition von der Erschaffung des Einzelnen durch seinen persönlichen Schöpfer bei Deuterojesaja in dieser Dichte belegt ist, ist nach all dem, was wir bisher über sie erhoben haben, wirklich sehr erstaunlich. Wie konnte sie, die zur "Subreligion", zu den Riten im kleinsten Kreis gehörte und sich dazu noch vorstellungsmäßig hart am Rande der Legalität bewegte, eine so breite Aufnahme durch einen Propheten erfahren, dem es ausschließlich um die neue Beziehung Jahwes zu seinem Volk ging? Man kann darauf verweisen, daß sich ja Deuterojesaja diese Äußerung individueller Frömmigkeit dadurch zunutze gemacht habe, daß er die Erschaffung des einzelnen Menschen auf Jakob/Israel übertrug. Doch kann das nicht die wichtige Stellung erklären, die der Prophet der Menschenschöpfung einräumte. Deuterojesaja überträgt nicht ad hoc einmal, sondern er knüpft bewußt an Vorstellungen und Formen der individuellen Frömmigkeit an. Das zeigt sich am deutlichsten daran, daß er seine Rettungsbotschaft zum großen Teil in der Form des Heilsorakels verkündet. Dies ist aber ursprünglich die Gottesantwort auf die Klage des Einzelnen, sie gehört also wie jene in die kasuelle Bittzeremonie (61) neben und unterhalb des Großkultes. Wie kommt Deuterojesaja dazu, ganz bewußt an diesen Bereich anzuknüpfen? Einen Hinweis gibt die in ihrem Grundbestand sicher exilische Volksklage Jes 63f. (62) Sie endet mit einer offenen Frage (64,11) und zeigt die verzweifelte Lage, in der sich die exilische Gemeinde befand: Die Zuwendung Jahwes wird durch die große Schuld des Volkes verhindert (64,4b-6), Jerusalem ist zerstört und das Gotteslob verstummt (V 9f). (63) Wenn man nun in dieser Situation das Menschenschöpfungsmotiv, das ja von Hause aus zum individuellen Gottesverhältnis gehörte, für das Verhältnis zwischen Jahwe und seinem Volk in Anspruch nahm (64,7), dann geschah das doch ganz offensichtlich in der Meinung, hier einen noch unzerstörten Rest positiver Gottesbeziehung zu besitzen, an den man sich jetzt klammern konnte. (64) Daraus kann man schließen, daß die kleinen, in den Kreis der Familie gehörenden gottesdienstlichen Vorgänge auch nach dem Ende des Großkultes durch die Zerstörung des Jerusalemer Tempels relativ gut intakt geblieben sind. Natürlich wird auch die individuelle Klage vom Ende der politischen Existenz des

Volkes nicht unberührt geblieben sein, aber grundsätzlich war die Bittzeremonie für den Einzelnen weder von einem heiligen Ort, noch von einem geordneten priesterlichen Stand abhängig gewesen und von der Zerstörung Jerusalems nicht ins Herz getroffen. Man wird sogar annehmen müssen, daß in dem Bereich individueller Frömmigkeit trotz der politischen Katastrophe weiterhin Rettung, Bewahrung und Heilung des einzelnen Menschen erfahren wurde.

Auf diesem Hintergrund wird sofort verständlich, warum Deuterojesaja bewußt Formen und Inhalte individueller Frömmigkeit aufnahm, als er Gottes neue Zuwendung zu seinem Volk anzukündigen hatte. Ob er dabei an Jes 64,7 oder entsprechende Übertragungen exilischer Volksklagen anknüpfte, läßt sich nicht mit Sicherheit sagen und ist auch nicht entscheidend, wichtig ist jedoch, daß er innerhalb einer breiteren exilischen Bewegung steht, subreligiöse Vorgänge und Vorstellungen für den Jahweglauben in Anspruch zu nehmen. Indem der Prophet Jahwe selber in den Heilsorakeln an sein Vertrauensverhältnis zu seinem Geschöpf erinnern läßt, gewinnt er festen Grund für seine neue, unglaubliche Botschaft. Diese ganz auf der Ebene des kreatürlichen liegende Gottesbeziehung war von der geschichtlichen Katastrophe unbetroffen geblieben: Auch wenn in die Verbannung geführt, wohnend im "unreinen" Lande, hatte man doch sein nacktes Leben hindurchgerettet, atmete noch. Daß jeder von seinem Schöpfer geschaffen worden war, galt somit weiterhin. Daran konnte man anknüpfen, als es jetzt darum ging, den totalen Zerbruch der Heilsgeschichte zu überwinden. (65) So konnte die Menschenschöpfung, die lange Zeit unbeachtet geblieben war, durch die exilische Situation bedingt, für eine kurze Zeit ein zentraler Bestandteil des "offiziellen" Jahweglaubens werden. Damit hat das erstaunliche Phänomen ihrer plötzlichen so dichten Bezeugung eine hinreichende Erklärung gefunden.

2. Die Weltschöpfungstradition

Auch die Weltschöpfungstradition hat Deuterojesaja in aller Breite aufgenommen. Das ist nun ebenfalls erstaunlich, wenn auch in anderer Weise als bei der Menschenschöpfung. Denn geht man davon aus, daß das beschreibende Lob seinen Ort in den großen gottesdienstlichen Veranstaltungen an den zentralen Heiligtümern hatte, dann muß man damit rechnen, daß es nach der Zerstörung des Jerusalemer Tempels weitgehend verstummt ist. Wir wissen wenig über die Gottesdienste während des Exils, aber wenn man zu größeren Veranstaltungen zusammenkam, dann wird situationsgemäß die Klage des Volkes das Geschehen bestimmt haben. So spricht viel dafür, daß die Weltschöpfungstradition des beschreibenden Lobes durch die Exilssituation weitgehend zum Erliegen kam. (66) Wie ist es dann zu verstehen, daß Deuterojesaja dennoch auf sie zurückgreifen konnte? Nun, ganz vergessen werden die Traditionen des beschreibenden Lobes bei den Exilierten nicht gewesen sein; auch wenn Deuterojesaja z.T. wohl schon zu einer Generation spricht, die den Jerusalemer Tempelkult nicht mehr gekannt hat, kann er doch offensichtlich an halbverschüttete Relikte anknüpfen. Was aber entscheidender ist: Das beschreibende Lob und mit ihm die Weltschöpfung gehörten ja zu den offiziellen

Traditionen des Jahwekultes. Solche Traditionen pflegen im allgemeinen ein
großes Beharrungsvermögen zu besitzen. So wird man damit rechnen dürfen,
daß das beschreibende Lob und mit ihm die Weltschöpfungstradition nach seiner Lösung vom örtlichen Kult von offiziellen Kreisen - vor allem ist an ehemalige Tempelsänger zu denken - bewußt weitergepflegt worden ist, auch
wenn es keinen gottesdienstlichen Ort mehr dafür gab. Auf diese Weise könnte
Deuterojesaja mit dem Gotteslob Israels vertraut gemacht worden sein.

Mit diesen Vermutungen läßt sich das in dem plötzlichen Hervortreten der Weltschöpfungstradition beschlossene Problem von Kontinuität und Diskontinuität
einigermaßen erklären. Die Verhältnisse liegen damit anders als bei der Aufnahme der Menschendchöpfung. Hatte es sich dort um eine Tradition gehandelt,
die von Hause aus überhaupt nicht zur "offiziellen" Jahwereligion gehört hatte,
so hier um eine, die zwar eigentlich dazugehörte, aber durch die exilische
Situation nicht mehr zum Tragen gekommen war. Das besondere ist nun, daß
Deuterojesaja das eigentlich im Großkult beheimatete Gotteslob daraus löst,
und für seine Botschaft verwendet. Nur so ist es möglich, daß das Lob des
Weltschöpfers gerade in exilischer Zeit eine solche Bedeutung bekommen
konnte, in der der regelmäßige Großkult nicht mehr bestand. (67) Der Prophet reißt mit dieser Neuaktualisierung den durch die vorherrschenden Klage-
gottesdienste verengten Horizont des Jahweglaubens in seiner ganzen Breite
wieder auf. Er macht den verschreckten Israeliten ihren Gott wieder groß, indem er sie an das erinnert, was sie oder ihre Väter in ihren Lobliedern ge-
sungen haben.

Das Lob des machtvollen Weltschöpfers macht Deuterojesaja seiner Botschaft
dienstbar, indem er es bestreitend in doppelte Richtung wendet: 1. gegen die
Hoffnungslosigkeit und Verzagtheit der Israeliten, die ihrem Gott nichts mehr
zutrauen und vielleicht sogar zweifeln, ob er, dessen Volk vertrieben und
dessen Heiligtum zerstört wurde, es überhaupt noch gegen die babylonischen
Götter aufnehmen kann (68); 2. gegen die Einwände der frommen Tradition
gegen die Ankündigung eines so fremdartigen Rettungshandeln Jahwes, der einen ausländischen König zu seinem Gesalbten und Israels Befreier machen
will. (69) Beide Widerstände soll der Hinweis auf das Lob des Weltschöpfers
hinwegwischen. Weil Jahwe die Welt geschaffen hat, ist er der Welt so himmelweit überlegen, daß ihm niemand, es sei nun Israel oder seine Feinde (70) in
den Arm fallen kann. Er hat unbeschränkte Möglichkeiten.

So ist die dichte Bezeugung und wichtige Stellung der Weltschöpfungstradition
bei Deuterojesaja dadurch bedingt, daß es gilt, über den Bruch der Rettungs-
geschichte hinweg ein neues Handeln Gottes an seinem Volk anzusagen. Insofern liegt eine Entsprechung zur Menschenschöpfung vor. Doch die Weltschöpfung kann diese Zuwendung nicht begründen wie die Menschenschöpfung, sie
kann ihr nur den Weg gegen innere und äußere Widerstände freikämpfen. So
flankieren beide Schöpfungstraditionen je auf ihre Weise ein neues geschichtliches Handeln Jahwes an seinem Volk, in einer Situation totaler geschichtli-
cher Diskontinuität. Darin liegt ihre hohe Bedeutung in der Verkündigung
Deuterojesajas begründet.

3. Die Möglichkeit einer Verbindung beider Schöpfungstraditionen

Im exegetischen Teil unserer Untersuchung hatten wir eine weitgehende form-geschichtliche, inhaltliche und funktionale Geschiedenheit beider Schöpfungs-traditionen bei Deuterojesaja feststellen können. Dennoch ist es überhaupt er-staunlich, daß bei ein und demselben Propheten beide Schöpfungstraditionen, die doch in vorexilischer Zeit in derart weit voneinander getrennten Bereichen israelitischer Frömmigkeit zu Hause waren, in gleich starker Intensität auf-genommen werden konnten. Das läßt sich nicht voll aus dem auch sonst sicht-baren Anliegen des Propheten erklären, alle nur habhaften Traditionen zusam-menzuraffen, um seiner unglaublichen Botschaft Ausdruck und Nachdruck zu verleihen. (71). Die eigentlichen Gründe liegen wahrscheinlich tiefer, nämlich in einer durch die Exilierung bewirkten Umschichtung gottesdienstlicher Vor-gänge. Wir müssen damit rechnen, daß nach der Zerstörung des Jerusalemer Heiligtums einerseits die gottesdienstlichen Vorgänge in den kleinen Gruppen (Familien) stärker in den Vordergrund traten und z.T. Funktionen des offi-ziellen Jahwekultes in gewandelter Gestalt übernahmen (72), andererseits, daß einmal im Großkult beheimatete und nun herrenlose Vorgänge und Tradi-tionen sehr viel leichter in andere Bereiche übertragbar waren (73), sodaß es alles in allem zu einer größeren Annäherung von "individueller Frömmig-keit" und "offiziellem" Jahweglauben kam. So wird es verständlich, daß Deu-terojesaja sich sowohl der aus der individuellen Frömmigkeit stammenden Menschenschöpfung als auch der aus dem offiziellen Jahweglauben stammen-den Weltschöpfung bedienen konnte. Es wird dann aber auch verständlich, daß die Traditionen, nachdem sie erst einmal nutzbar gemacht worden sind, in abgewandelter Form weiterverwendet, sogar miteinander vermischt werden konnten. Für den ersten Fall ist der aus der Anredeform des Heilsorakels heraustretende Sprachgebrauch von der Erschaffung Israels durch Jahwe das wichtigste Beispiel. (74) Für den zweiten ist es Jes 51,13, wo es Hand in Hand mit einer Vermischung der Redeformen zu einem direkten Nebeneinan-der von Menschen- und Weltschöpfung kommt. (75)

Auf diesem Hintergrund möchte man nun auch die völlig unterschiedlose Zu-sammenordnung von Welt- und Menschenschöpfung in Jes 45,12 und der wahr-scheinlich nachdeuterojesajanischen Stelle Jes 42,5 interpretieren. Die Unter-ordnung der Menschenschöpfung unter die Erschaffung der Erde hat, soweit sich erkennen läßt, rein sachlich-argumentative Gründe und zeigt eine erheb-liche Freiheit in der Verwendung des Traditionsgutes. Beide Stellen könnten darum als ad hoc geschaffene Verbindung der schon angenäherten Traditions-stränge verstanden werden.

Seit Deuterojesaja also, vielleicht auch schon eher (76), war die Möglichkeit einer Verbindung beider Schöpfungstraditionen gegeben. (77) Doch wurde da-von recht wenig Gebrauch gemacht. (78) Die Hauptströme der Überlieferun-gen liefen in voneinander getrennten Strängen weiter, wenn auch nicht mehr so weit voneinander getrennt wie vorher.

III. Die Tradition der Menschen- und Weltschöpfung in nachexilischer Zeit

Auch wenn wahrscheinlich die Hauptmasse unserer Belege aus nachexilischer Zeit stammt, ist es nicht einfacher, sondern eher schwieriger als in den vorangegangenen Epochen, eine Geschichte der beiden Schöpfungstraditionen auch nur annähernd angemessen zu schreiben. Sehr Verschiedenes steht hier oft hart nebeneinander, oft in dem gleichen literarischen Zusammenhang. Das eine kann ganz alt sein und wäre so oder doch so ähnlich auch in exilischer oder vorexilischer Zeit vorstellbar, das andere trägt dagegen deutliche Zeichen neuer Entwicklungen. So wird man für die nachexilische Zeit mit einer großen Vielfalt sich verzweigender, bzw. nebeneinander herlaufender Traditionsstränge rechnen müssen.

1. Die Menschenschöpfungstradition

In die nachexilische Zeit gehören wahrscheinlich die Menschenschöpfungsbelege im Psalter. (79) Wenn man von Deuterojesaja herkommt und gesehen hat, mit welcher Emphase er das Menschenschöpfungsmotiv im Heilsorakel verwendet hat, dann ist man verwundert, wie selten es in den individuellen Klagen des Psalters vorkommt. Die Gründe dafür liegen einmal in der subreligiösen Herkunft der Menschenschöpfungstradition, zum andern in der allgemeinen theologischen Entwicklung, die Gott in so weite Ferne rücken läßt, daß die harte Anklage gegen ihn immer seltener gewagt wird und schließlich im gottesdienstlichen Bereich ganz abstirbt. (80) So waren die Bedingungen dem urtümlichen Kontrastmotiv zur Anklage nicht gerade günstig.

Immerhin begegnet es in Ps 22, in dem auch eine der schroffsten Anklagen des Psalters vorkommt; und auch sonst, wo sich die harte Anklage gegen Gott wieder Luft macht (Hi 10; 4 Esr 8), lebt auch das Menschenschöpfungsmotiv wieder auf. So geht die Menschenschöpfungstradition wohl weiter, doch hat ihre Verwendung durch Deuterojesaja nicht dazu geführt, sie zu einem anerkannten Bestandteil des spätisraelitischen Glaubens zu machen. (81) Die theologische Entwicklung der nachexilischen Zeit hat sie gleich wieder in den Hintergrund gedrängt.

Die gewandelte theologische Situation spiegelt sich möglicherweise in Hi 35,9-14. Abgrenzung und Interpretation des Textes waren nicht ganz sicher (82), doch es scheint so, als wolle Elihu die Klage gegen den Appell an den Menschenschöpfer ausspielen. Gott mit Klagegeschrei beeinflussen zu wollen, ist unnütz, der einzige Weg ist, sich vertrauensvoll an ihn zu wenden und seiner zu harren. (83) Hier hat sich die Menschenschöpfung zu einem Vertrauensmotiv verselbständigt, das außerhalb der Klage eine fromme Haltung bezeichnen kann, die Gott geduldig die Sache anheimstellt. (84)

Ebenfalls aus dem aktuellen Geschehen der Klage ist die Menschenschöpfung Ps 139 ausgewandert. Sie dient dazu, in einer staunenden Reflexion das Verhältnis zwischen Jahwe und dem Unschuldigen zu begründen: Jahwe prüft und begleitet ihn bei jedem Schritt, weil er ihn geschaffen hat. Auch damit ist, wenn auch nicht ganz sicher, ein Vertrauensverhältnis gemeint. (85)

Die Spätzeit ist geprägt von einer weitgehenden Auflösung der Menschenschöpfungstradition der Klage. So bildet sich in den Elihureden, z.T. unter Aufnahme der Menschenschöpfungstradition der Proverbien (86), ein völlig abstrakter Schöpfungsbegriff heraus: Daß jeder Mensch von Gott geschaffen ist, wird jetzt eine feststehende "Lehre", die sich ohne Schwierigkeit für die verschiedensten Zwecke verwenden läßt. Wie weit damit die Menschenschöpfungstradition der Klage verlassen ist, zeigt sich vor allem daran, daß es jetzt möglich ist, jede Art von Gottesbeziehung damit zu bezeichnen. (87)

Das zeigt nun in anderer Weise auch ein Blick auf die Loblieder von Qumran. Hier wird die Menschenschöpfung dem scharfen Prädestinationsdenken der Sekte untergeordnet. (88) Verbindungspunkte zur alten Menschenschöpfungstradition liegen darin, daß dieser von Hause aus eine Tendenz innewohnte, das Vertrauensverhältnis bis zur Geburt, ja, noch über sie hinaus auszuweiten. Ebenso ist auf ihren Sonderzweig hinzuweisen, in dem es um die Erschaffung des besonders hervorgehobenen Menschen zu einem bestimmten Auftrag geht. Doch wird daraus jetzt eine Lehre von der Erwählung des Gerechten gemacht, die man erkennend konstatieren kann. Und wenn es gar in deren schematischer Umkehrung heißt:

> Aber die Gottlosen hast du geschaffen für (die Zeit) deines (Zor)nes,
> und von Mutterleib an hast du sie geweiht (qādaš hi. wie Jer 1,5!)
> für den Schlachttag (89)

dann ist damit die Menschenschöpfungstradition grundsätzlich verlassen. Was für ein Abstand liegt zwischen dem Appell an seinen Schöpfer, der j e d e m Menschen offen stand, und dieser theologischen Konstruktion!

Man könnte fragen, ob nicht die Auflösung des festen Traditionsstranges damit zusammenhängt, daß eine echte, gegen Gott gerichtete Klage nicht mehr möglich war. Die freie Verwendungsweise erklärt sich dann aus dem Verlust der ursprünglichen Funktion des Menschenschöpfungsmotivs.

In der Frömmigkeit dieser späten Zeit spielt stattdessen eine Seite der Menschenschöpfung eine immer größere Rolle, die in der Klagetradition völlig fehlt: die Begrenztheit des Menschen, seine Nichtigkeit, Fehlsamkeit und Vergänglichkeit. Dieser Aspekt begegnet schon in der jahwistischen Urgeschichte Gen 1-11 (90) und berührt sich auch zum Teil mit der Vergänglichkeitsklage (91), er gewinnt aber erst in der Spätzeit eine beherrschende Bedeutung, um das Verhältnis zwischen Mensch und Gott auszudrücken: Es ist gerade der unüberbrückbare Abstand des Menschen zu seinem Schöpfer und die totale Abhängigkeit von ihm, die hiermit betont wird. (92) Damit geht diese Motivkombination in genau entgegengesetzte Richtung zur Menschenschöpfungstradition

der Klage. Beide haben, soweit ich sehe, kaum etwas miteinander zu tun. (93)
Daß jener Vorstellungskreis der allgemeinen theologischen Entwicklung dieser
Spätzeit mehr entsprach als die alte Menschenschöpfungstradition, liegt auf
der Hand.

2. Die Weltschöpfungstradition

Die Weltschöpfungstradition der nachexilischen Zeit tritt uns in den großen
beschreibenden Lobpsalmen des Psalters entgegen. (94) Wenn auch die meisten von ihnen Merkmale einer späteren Zeit erkennen lassen, dann heißt das
nicht , daß sie nicht auf viel ältere Traditionen und Formen zurückgehen können. Es ist vielmehr wahrscheinlich, daß die Priesterschaft des zweiten
Tempels direkt an das Gotteslob des ersten angeknüpft hat. Aber auch gar
nichts deutet auf einen Traditionsbruch hin, ganz im Unterschied zur Menschenschöpfungstradition, die ja durch Deuterojesaja in einen neuen Bereich trans-
poniert worden war. Ob in vorexilischer oder nun in nachexilischer Zeit, immer war es die Majestät Jahwes, die man mit dem Lob seiner Weltschöpfungs-
taten rühmen wollte. Einen Unterschied wird man wohl nur in der Bedeutung
sehen dürfen, welche die Weltschöpfung in den beiden Epochen für den Jahweglauben hatte. Soweit die Quellenlage überhaupt ein Urteil zuläßt, war sie in
vorexilischer Zeit verhältnismäßig gering und lokal begrenzt. Jahwe als den
Schöpfer der Welt zu loben, war offensichtlichtlich nicht immer und nicht überall selbstverständlich, wie die Existenz des "partizipialen Hymnus" beweist.
In der nachexilischen Zeit ist dagegen das Lob des Weltschöpfers neben dem
Lob des Herrn der Geschichte und des Retters in der Geschichte zu einem
festen, ganz selbstverständlichen Teil des beschreibenden Lobes geworden;
beschreibende Lobpsalmen, in denen es fehlt, gibt es nur wenige. (95)

Diese Entwicklung ist nicht erstaunlich. Da die allgemeine theologische Tendenz in Richtung auf eine Erhöhung Jahwes ging, konnte das für die Weltschöpfung, das Majestätsmotiv katexochen, nur günstig sein. Im Psalter selber ist
diese Tendenz allerdings nur in Ansätzen spürbar. Seine beschreibenden Lobpsalmen bewahren die polare Struktur von Jahwes Majestät und Güte, sodaß
die Macht des Weltschöpfers immer durch die Zuwendung des rettenden Gottes gebändigt bleibt. (96)

Schroff sichtbar wird sie aber im Dialogteil des Hiobbuches. (97) Hier,
außerhalb der engeren gottesdienstlichen Tradition, wird einseitig das Lob
des Weltschöpfers aufgenommen. Die Freunde steigern damit die Macht Gottes so sehr, daß der nichtige Mensch überhaupt nichts mehr gegen ihn vor-
bringen kann (25,1-6; 26,5-14). Für Hiob verwandelt sich das Lob des Weltschöpfers in die anklagende Schilderung eines unbändigen Despoten. Hier zeigen sich sehr eindrücklich die Gefahren, in die die einseitige Bevorzugung der
Weltschöpfungstradition führen konnte: nicht nur die Klage, sondern auch das
Lob zu einem so unvorstellbar mächtigen Gott wird letztlich unmöglich.

Das Hiobbuch mag ein Extremfall sein. Doch wird die Bevorzugung, die die Weltschöpfungstradition in nachexilischer Zeit erfuhr, auch daran erkennbar, daß sie sich in Gattungen ausbreitete, in denen sie von Hause aus nichts zu suchen hatte.

Als erstes ist hier der "Rückblick auf Gottes früheres Heilshandeln" in der Klage des Volkes zu nennen. (98) Die Entwicklung ist die früheste und hat auch zu den festesten Formen geführt. Die Aufnahme von urzeitlichen Kampfmotiven anstelle der geschichtlichen Heilstaten gehört meiner Meinung nach schon in die exilische Zeit, wenn sie nicht noch früher geschehen ist. Daran haben sich wahrscheinlich in einem zweiten Akt, auch noch in exilischer Zeit oder kurz danach, Weltschöpfungsmotive angehängt, die wahrscheinlich aus dem beschreibenden Lob stammen. Die Verbindung beider Themenkreise geschah über die Motivgruppe: der Weltschöpfer ist Herr seiner Schöpfung, die beiden nahesteht. (99) Dadurch daß man das Weltschöpferhandeln formal und inhaltlich an die Dramatik der urzeitlichen Kampfestaten anglich, die ihm von Hause aus nicht zukam, wurde die Majestät des Weltschöpfers auch für die Gattung der Volksklage nutzbar gemacht.

War in den "Rückblicken" das Weltschöpferhandeln auf ein konkretes Eingreifen Jahwes gegen die Feinde bezogen, so fehlt dieser Bezug völlig in zwei nachexilischen Prosagebeten. (100) Sie werden nur vorangestellt, um die Macht Jahwes, gegenüber dem man sich in Geschichte und Gegenwart versündigt hat, zu stimmen. Das Bewußtsein eines ungeheuren Abstandes zu Gott, das die Bitte fast zum Verstummen bringt und die Aufnahme der Weltschöpfungstradition bedingen hier einander ganz direkt. Ganz ähnliche Entwicklungen begegnen uns auch in den babylonischen Gebeten.

Ebenfalls ist zu beobachten, wie die Weltschöpfung in das Bekenntnis der Zuversicht der Klage des Einzelnen eindringt (101), das sich in späterer Zeit auf das beschreibende Lob zubewegt. Auch das ist ein Zeichen für die Annäherung der kasuellen Bittzeremonie an den Großkult! Auch hierbei steht der Abstand zwischen Gott und Mensch im Vordergrund: Gott ist "ewig", der Mensch aber, oder ausgeweitet auch die Welt sind vergänglich. Immerhin bekommt die Weltschöpfungstradition in dieser Abwandlung einen positiven Bezug für das Gottesverhältnis: In der von allem Zerfallen in Nichtigkeit abgehobenen Macht des Weltschöpfers liegt ein Element Beständigkeit und Treue, auf das man sich verlassen kann.

Nirgends besser erkennt man die hohe Bedeutung, welche die Weltschöpfungstradition für die Frömmigkeit der nachexilischen Zeit bekommen hat, als daran, daß sie in die Klage, sogar in die Klage des Einzelnen übernommen werden konnte.

Aber die Situation wäre einseitig beschrieben, würde man übersehen, daß in nachexilischer Zeit auch die Tradition von der Fürsorge des Weltschöpfers eine Rolle gespielt hat, wenn auch eine weit geringere. (102) Sie gehört auf die andere Seite der polaren Struktur des beschreibenden Lobpsalms als die Haupttradition vom machtvollen Handeln des Weltschöpfers, sie kann darum nicht mit ihr gleichgesetzt oder aus ihr abgeleitet werden. Jedoch ist von einem eigenständigen Traditionsweg nur wenig zu erkennen. Daß auch sie zum Großkult des Jerusalemer Tempels gehört, legt nicht nur die Zugehörigkeit zum beschreibenden Lob nahe, sondern ist auch in Ps 147 direkt belegt. (103) Ob man sie jedoch restlos einem priesterlichen Tradentenkreis zurechnen kann, ist angesichts der Tatsache, daß Ps 104 ein beschreibender Lobpsalm des Einzelnen ist, nicht so sicher. Gerade bei der Tradition von der Fürsorge des Weltschöpfers verrät der Psalm eine größere Freiheit der Komposition und ein so starkes Interesse an den Naturvorgängen als solchen, daß man an dieser Stelle am ehesten mit einer Überschneidung von Gottesdienst und "Bildungsweisheit" rechnen möchte. Doch sicheres läßt sich nicht ausmachen. (104) Mit der oben dargestellten theologischen Tendenz läßt sich diese Tradition insofern vereinbaren, als das bewahrende Handeln des Weltschöpfers gegenüber dem geschichtlichen Rettungshandeln weitaus distanzierter ist. Ihre Aufnahme zeigt den Wunsch, die geschichtlichen Heilstraditionen mit dem Handeln Gottes in einem Geschehensbereich zu ergänzen, das auch in der Gegenwart von jedem erfahren werden kann. In der Gottesrede des Hiobbuches wird mit dem bewahrenden Weltschöpferhandeln der Gefahr eines sich ins Despotische steigernden machtvollen Weltschöpferhandelns zu begegnen versucht.

Die Frage in wieweit wir für diese späte Zeit noch mit einer in sich geschlossenen "kultischen" Tradition rechnen dürfen, stellt sich nicht nur für die Fürsorge des Weltschöpfers, sondern für die Weltschöpfung im beschreibenden Lob überhaupt. Einerseits finden wir deutliche Spuren von ihr in der späteren Weisheitsdichtung (105), andererseits dringt in sie selber ein immer stärker werdender Hang zur Schilderung der Naturphänomene ein (106). Daß hier in der Tat eine andere Art von Geistesbeschäftigung vorliegt, zeigt die Tatsache, daß er sich nur zum geringsten Teil in die traditionellen Lobstrukturen integrieren ließ (107), meist jedoch zur weitgehenden Auflösung des poralen Aufbaus der Gattung führte. An die Stelle des Gegenübers von Majestät und Güte Gottes konnte eine mehr an den Naturphänomenen orientierte sachliche Gliederung treten. (108) Wie ist dieses Hinüber und Herüber von "Kult" und "Weisheit" zu verstehen? Offensichtlich waren das zu dieser Zeit keine scharf voneinander getrennten Bereiche mehr, d.h. das Lob des Weltschöpfers konnte im Zuge einer Theologisierung der Weisheit in die die Weisheitsdichtung übernommen werden und umgekehrt konnte die "weisheitliche" Naturbeobachtung in das gottesdienstliche Lob eindringen. (109). Besonders Letzteres ist gut verständlich, wenn man sieht, wie bei Jes Sir die Weisheit so umfassend geworden ist, daß sie nicht nur das ganze Leben, sondern auch die Heilstraditionen Israels zu umgreifen vermag.

Im Laufe dieser Entwicklung kommt es zu einer weitgehenden Auflösung der Weltschöpfungstradition des beschreibenden Lobes. Indem der Blick immer stärker vom Weltschöpfer weg auf die Welt hin gerichtet wird, treten die Strukturen des Gotteslobes immer weiter zurück. Damit wird die Weltschöpfung zu einem Theologumenon formalisiert, das seine eindeutige Funktion verloren hat und je länger je mehr nur noch eine fromme Klammer war, die die sich verselbständigende Naturschilderung notdürftig umgriff. (110) Man hat den Eindruck, daß je mehr die Weltschöpfung ihre Funktion des Gotteslobes verlor, um so mehr aus ihr das entstand, was wir "Natur" nennen.

Doch muß festgehalten werden, daß diese Auflösungserscheinungen bei der Weltschöpfungtradition keineswegs so umfassend waren wie bei der Menschenschöpfungstradition. Neben dem Zweig, der in der frommen Naturbetrachtung endete, lief der Hauptstrom des gottesdienstlichen Weltschöpferlobes unverändert weiter. (111) Im Unterschied zur Menschenschöpfung hat die Weltschöpfung in nachexilischer Zeit ihren kultischen Sitz im Leben und ihre Funktion in der Gottesbeziehung Israels immer behalten.

Abschließend ist noch auf eine ganz besondere, die alte Tradition sprengende Ausformung einzugehen, in der das Handeln des Weltschöpfers eine heilvolle Dimension erhält. Schon in vorexilische Zeit gehört das in kultprophetischen Kreisen beheimatete Motiv, daß Jahwe, auch wenn die Bosheit der Frevler die Welt ins Wanken zu bringen droht, die Säulen der Erde feststellt. (112) In ähnliche Richtung geht der Satz in den meiner Meinung nach nachexilischen Jahwekönigspsalmen: "Ja, 'er' hat die Erde 'festgestellt', sodaß sie nicht wankt". (113) Die Macht des Weltschöpfers garantiert den Bestand der Welt gegen alle nur mögliche Bedrohungen. Noch klarer kommt die heilvolle Dimension in zwei sehr späten Worten im Jeremiabuch heraus: Jer 31,35f und 33,25f. Hier werden die durch die Macht des Weltschöpfers garantierten "Naturgesetze" zu einem Vertrauensgrund für Jahwes endgültige Zuwendung zu Israel. Kann man bei den zuerst genannten Psalmenstellen im Zweifel sein, ob sie überhaupt von der Weltschöpfungstradition des beschreibenden Lobes her zu erklären sind, so ist das in Jer 31,35 absolut sicher. Es handelt sich um eine ganz bewußte Neuinterpretation des "partizipialen Hymnus". Die Voraussetzung dafür ist eine Übertragung des Gesetzesbegriffes auf den Bereich der "Natur". Sie könnte in priesterlichen Kreisen erfolgt sein, wie die Übertragung des Bundesbegriffes von P in Gen 9 zeigt. Dadurch gewann man in einer heilsarmen Zeit aus dem einfachen Tatbestand, daß auf jeden Tag eine Nacht und auf jede Nacht ein Tag folgt, einen Hoffnungsgrund dafür, daß Jahwe sich noch nicht endgültig von Israel abgewandt hat. Hier übernimmt die Weltschöpfung, besser der Bestand der Welt, eine ähnliche Funktion, wie bei Deuterojesaja die Menschenschöpfung. Doch ist eine solche Umkehr der traditionellen Funktion der Weltschöpfung erst ganz am Rande des Alten Testaments möglich.

3. Die Verbindung von Welt- und Menschenschöpfungstradition

So ist das Bild in nachexilischer Zeit einigermaßen vielgestaltig. Neben dem Weitergehen der alten Traditionen, das sich nur dadurch geändert hat, daß die Menschenschöpfung durch die allgemeine theologische Entwicklung in den Hintergrund gedrängt, die Weltschöpfung aber begünstigt wurde, traten eine Vielzahl von Verästelungen und ganz neue Seitentriebe hervor. Wieweit sie von den alten Traditionen wegführen konnten, zeigt die Tatsache, daß plötzlich die Menschenschöpfung dazu benutzt wurde, den Abstand zwischen Gott und Mensch zu betonen, während die Weltschöpfung dazu diente, sich der Treue Gottes zu versichern. Um so erstaunlicher ist es, daß es trotz dieser großen Variationsbreite nur selten zu einer Verbindung von Welt- und Menschenschöpfung gekommen ist. Immerhin bestand die Möglichkeit dazu schon bei Deuterojesaja. Sach 12,1 knüpft an Jes 42,5 an; Neh 9,6 zeigt, wie es aus dem Bestreben, ein universales Schöpferhandeln Jahwes auszudrücken, zu einer sachlichen Beiordnung der Erschaffung und Belebung von Mensch und Tier zur Weltschöpfung kommen konnte.

Ganz anderer Art ist die Verbindung in Ps 8. Auch hier ist das in der Spätzeit hervortretende sachliche Interesse zu erkennen: Dieser Psalm will das "Thema" Schöpfung entfalten. Ja, der thematische Gestaltungswille ist so stark, daß es zu einer Vermischung der Schöpfungstraditionen der Psalmen mit der Tradition der Schöpfungserzählungen kommt, die keine Parallele im Psalter hat. (114) Gab es doch in den Menschenschöpfungserzählungen eine ganze Reihe inhaltlicher Entsprechungen zu der Menschenschöpfungstradition der Klage! (115) Diese wogen jetzt schwerer als die Zugehörigkeit zu verschiedenen Traditionsbahnen und konnten ohne weiteres zu deren Ausgestaltung hinzugezogen werden.

Doch trotz dieses stark inhaltlichen Interesses, trotz der damit Hand in Hand gehenden Traditionsmischung ist in Ps 8 die Verschiedenheit von Welt- und Menschenschöpfung gewahrt worden. Das Thema, das er entfalten will, gerät ihm nicht zum einlinigen Begriff, sondern bleibt ein Gefüge kontrastreicher Beziehungen: zwischen der Majestät des Weltschöpfers und der Niedrigkeit des Menschen, zwischen der Majestät des Weltschöpfers und dem Erbarmen des Menschenschöpfers und zwischen der Niedrigkeit des Menschen und der hohen Stellung, die ihm der Menschenschöpfer gegeben hat. Man hat den Eindruck, als wolle dieser Psalm die unterschiedlichen Funktionen, die Welt- und Menschenschöpfung in den Psalmengattungen gehabt haben, am Ende einer langen Traditionsgeschichte noch einmal zusammenfassen. Das Ganze aber, das dabei entsteht, ist nicht unser einliniger Schöpfungsbegriff, sondern ein Gefüge sehr verschiedener Relationen.

Damit ist die Traditionsgeschichte der Welt- und Menschenschöpfung in groben Zügen abgeschritten. Es sei noch einmal betont, daß dies nur ein Versuch sein soll; mehr war nach der Lage der Forschung auf dem Gebiet "des" israelitischen Gottesdienstes nicht zu leisten. Auch wenn sich eine Reihe der aufgestellten Vermutungen und Kombinationen als falsch erweisen sollten, so bleibt doch der Gesamteindruck bestehen, daß der verschiedene Verlauf beider Schöpfungstraditionen nicht nur ein formgeschichtliches Postulat ist, das sich aus der Verankerung in verschiedenen Gattungen ergibt, sondern sich konkret aufzeigen läßt: Die Weltschöpfung gehörte zu den offiziellen Jahwetraditionen, die an den großen Heiligtümern gepflegt wurden. Ihre Bedeutung nimmt, abgesehen von einer teilweisen Unterbrechung der Tradition in der Zeit des Exils im Laufe der Geschichte immer mehr zu. Anders die Menschenschöpfung: sie gehörte zum Gottesdienst der kleinen Gruppe unterhalb der offiziellen Religion. Ihre Tradierung erfolgte ohne feste Träger ganz in der Nähe des Lebenskreises der Familie. In vorexilischer Zeit vom Jahweglauben meist unbeachtet, wird sie in exilischer Zeit von ihm entdeckt, um später aus theologischen Gründen wieder in den Hintergrund gedrängt zu werden. Sie stand also von Anfang an unter ungleich ungünstigeren Überlieferungsbedingungen als die Weltschöpfung. Darin liegt auch der Grund, warum sie von der bisherigen Forschung in ihrer Eigenständigkeit nicht erkannt worden ist.

G. Schluß

Der Gang der Untersuchung sei noch einmal kurz zusammengefaßt: Wir waren ausgegangen von Aporien, in welche die Forschung bei der Behandlung der "Schöpfung" bei Deuterojesaja geraten war. Wir hatten gefragt, ob der Grund für sie nicht darin liegt, daß die Exegeten von einem einlinigen Schöpfungsbegriff ausgegangen waren, gegen den sich die Texte sperrten und hatten deswegen die Forschungstendenzen weiter verfolgt, die auf eine Differenzierung hinausliefen. Unter diesem Blickwinkel ließen sich in einem ersten exegetischen Anlauf bei Deuterojesaja zwei voneinander fast vollständig getrennte Gruppen von Schöpfungsaussagen erkennen: die Weltschöpfung im beschreibenden Lob und die Menschenschöpfung im Heilsorakel und der Klage des Einzelnen. Dieses Ergebnis wurde mit ganz ähnlichen, jedoch auf die Schöpfungserzählungen bezogenen Beobachtungen C.Westermanns verglichen und durch eigene religionsgeschichtliche Untersuchungen erhärtet. Damit war die Möglichkeit eines reinen Zufallsergebnisses weitgehend ausgeschlossen. Das Ergebnis wurde sodann zur Voraussetzung einer Untersuchung der Welt- und Menschenschöpfung in den Psalmen und im Hiobbuch gemacht. Wohl ergaben sich noch eine ganze Reihe, im einzelnen wichtige Differenzierungen, grundsätzlich konnten aber die zuvor gemachten Beobachtungen auch an der erheblich verbreiterten Textbasis voll bestätigt werden. Damit war der Schluß unausweichlich: Wir haben es im Bereich des Redens zu Gott nicht mit einer, sondern mit zwei Schwöpfungstraditionen zu tun. Sieht man einmal von den Differenzierungen ab, so lassen sie sich grob folgendermaßen charakterisieren: Die Weltschöpfung gehört in das beschreibende Lob, sie dient dazu, die weltüberlegene Macht Jahwes zu preisen; die Menschenschöpfung gehört in die Klage des Einzelnen, bzw. das Heilsorakel, sie dient dazu, die Zuwendung Jahwes zu seinem Geschöpf zu beschwören. Abschließend wurde versucht, die durch Inhalt, Gattung und Funktion getrennten Schöpfungstraditionen in ihrem konkreten Verlauf zu veranschaulichen.

Damit ist erwiesen, daß die Voraussetzung, von der die Forschung ausgegangen war, daß nämlich das Schöpferhandeln Jahwes auf einen einzigen Begriff gebracht werden kann, falsch gewesen ist. Sie gilt weder für die Schöpfungserzählungen, wie C.Westermann zeigen konnte, noch für die Psalmen. Offen ist die Frage noch im dritten in Frage kommenden Bereich, der Weisheit, der außerhalb unserer Untersuchung bleiben mußte. Doch halte ich es für ganz unwahrscheinlich, daß von dort aus das bisher erarbeitete Ergebnis grundsätzlich in Frage gestellt werden kann.

Daß dieses Ergebnis für das Reden von "Schöpfung" im Neuen Testament und in der systematischen Theologie nicht unerhebliche Konsequenzen hat, dürfte einsichtig sein. Ich möchte nur eine einzige andeuten: die enge Parallelisierung von "Schöpfung" und "Erlösung", die von K.Barth und seinen Nachfolgern vollzogen wurde, ist so wohl nicht mehr möglich. Die Weltschöpfung ist in den Psalmen nicht die erste "Wohltat" Gottes, sie rühmt vielmehr seine weltüberlebene Majestät und hat mit Rettung nur sehr indirekt etwas zu tun. Wenn überhaupt, dann gilt die dogmatische Bestimmung nur für die Menschenschöpfung, die als "kreatürliche" Zuwendung Jahwes in der Tat mit dem Rettungshandeln parallelisiert werden kann. Doch sollte man sich auch hier vor einer vorschnellen Identifizierung hüten. Die Erschaffung eines Menschen bleibt immer noch etwas anderes als Rettung; ihre Bedeutung, die sie für Israel in exilischer Zeit bekommen konnte, lag gerade in dieser Differenz begründet: Der Appell an den Menschenschöpfer und der des Menschenschöpfers an sein Geschöpf blieb nur deswegen von dem völligen Zerbruch der Heilstraditionen verschont, weil er ganz in den kreatürlichen Lebensbereich des einzelnen Israeliten gehörte. Schon diese beiden Beobachtungen zeigen, daß das Verhältnis von "Schöpfung" und "Erlösung" sehr viel differenzierter zu bestimmen ist. Es ist auch nicht ein für allemal dasselbe, sondern wandelt sich im Laufe der Geschichte.

Das gilt nun nicht nur für Israel, sondern auch für unsere eigene forschungsgeschichtliche Situation. Der berühmte Aufsatz G.v.Rads über "Das theologische Problem des alttestamentlichen Schöpfungsglaubens", von dem wir ausgingen, stamm aus dem Jahr 1936. Gegen die Versuche dieser Zeit, Theologie und Kirche über die "Schöpfung" mit der nationalsozialistischen Ideologie zu verquicken, hat v.Rad dem "alttestamentlichen Schöpfungsglauben" jede Eigenständigkeit bestritten und konsequenzt dem "Erwählungsglauben" untergeordnet. Das hatte damals seine Berechtigung; es ging darum, das Zentrum des Glaubens zu sichern und festzuhalten, daß dieses weder für Israel noch für die Kirche die "Schöpfung" gewesen ist.

Heute ist die Situation eine andere. Das Problem ist nicht mehr unsere Rechtgläubigkeit, sondern wie es G.v.Rad kürzlich formuliert hat, "unsere entsetzliche Stummheit" gegenüber einer sich in ihrer Dynamik und Problematik immer mehr in den Vordergrund schiebenden säkularen Wirklichkeitserfahrung. (1) Ja, möglicherweise hat es die Konzentration der Theologie auf Rettung, Rechtfertigung und Erlösung mitveranlaßt, daß weite Bereiche der Wirklichkeit aus unserer Gottesbeziehung ausgewandert sind. Können vielleicht in dieser Lage die "peripheren" Gotteserfahrungen, die sich in der Menschen- und Weltschöpfungstradition aussprechen und die sich ja nicht einmal auf den Jahweglauben Israels beschränken lassen, sondern weit in die Religionsgeschichte hineinreichen, erneute Bedeutung bekommen? Nur zwei Beispiele: Wenn Jahwe Am 9,6 deswegen gerühmt wird, weil er als der mächtige Weltschöpfer die Erde ins Schwanken versetzen kann, "sodaß alle ihre Bewohner trauern", dann scheint uns das heute völlig absurd. Kein Mensch würde es wagen, eine Erdbebenkatastrophe zum Gegenstand des Gotteslobes zu machen. Natürlich bleibt die Realität des Erdbebens auch für uns bestehen, aber wird als "Naturkatastrophe" aus der Gottesbeziehung verdrängt. Da stellt sich die Frage: Rechnen wir überhaupt noch mit der weltüberlegenen Macht des Weltschöpfers, die auch zerstörerisch sein kann? Oder können wir diese Dimension der israelitischen Gottesbeziehung nicht mehr ertragen? (2)

Auf der anderen Seite, haben wir bedacht, daß es in Israel eine Vertrauensbeziehung des einzelnen Menschen zu seinem Schöpfer gegeben hat, die völlig
unabhängig ist von all den großen theologischen Begriffen wie Glaube, Sünde,
Vergebung, ja, sogar unabhängig von der Zugehörigkeit zu einer bestimmten
"Religion"? Es handelt sich dabei um eine jedem Menschen qua Geburt gegebene Möglichkeit, die er in keiner politischen, sozialen oder persönlichen,
ja nicht einmal in einer religiösen Katastrophe verlieren kann, solange er
überhaupt noch atmet. Auch eine solch urtümliche Gottesbeziehung scheint
uns von unseren theologischen Kategorien her einigermaßen suspekt.

Man wird Form und Funktion der beiden Schöpfungstraditionen kaum direkt
in die Gegenwart übertragen können, dennoch scheinen hier Dimensionen der
Gottesbeziehung zu schlummern, die uns total verloren gegangen sind. So
scheint es heute geboten, das Reden der Bibel von "Schöpfung" in seiner
Eigenständigkeit neu ernst zu nehmen. Als Beitrag dazu möchte diese Untersuchung, die zu einer grundsätzlichen Differenzierung zwischen Welt- und
Menschenschöpfung geführt hat, verstanden werden.

Anmerkungen

A. Schöpfung bei Deuterojesaja im Lichte der Forschung

1 Eine Geschichte der Forschung, welche sich die Schöpfung in den Psalmen, bei Deuterojesaja und Hiob im ganzen zum Thema gemacht hätte, hat es bis jetzt nicht gegeben. Die wenigen Versuche einer Gesamtdarstellung sind wenig ergiebig: Vgl. die mir nur in einem Teilabdruck vorliegende, rein motivgeschichtlich orientierte Disserattion von F.Strothmann, die katholischen Arbeiten von G.Lambert, E.Beaucamp, L.Legrand und B.Rigaux und die mehr populären Aufsätze von R.W.Gleason, Th.Boman und J.Harvey. Hinzu kommen Lexikonartikel, vgl. bes. W.Förster. In der Literatur zu den Psalmen und Hiob wurde die Schöpfung so gut wie nie thematisch behandelt, vgl. zu den ersteren A.Lauha 11-32 und die entsprechenden Abschnitte bei E.Beaucamp 48-60, zum letzteren J.Prado und die kurzen Übersichten bei G.Fohrer, Hiob, 518 und C.Westermann, Hiob, 58-66. Eine Forschungsgeschichte im eigentlichen Sinn gibt es nur für Deuterojesaja.

2 Zuerst erschienen BZAW 66 (1936), Wiederabdruck 1961.

3 146/146.

4 Die Übereinstimmung beschränkt sich nicht auf die deutsche alttestamentliche Forschung, vgl. vor allem R.Rendtorff, Schöpfungsglaube, 1954; H.E.v.Waldow, Verkündigung Deuterojesajas, 1953; O.H.Steck 1969, sondern wird auch von vielen ausländischen Exegeten geteilt: H.A.Brongers 1945, B.J.van der Merwe 1956, J.Muilenburg 1956, B.D.Napier 1962, Th.Boman 1964, J.Harvey 1966, ebenso von den katholischen Forschern E.Beaucamp 1953/54, G.Lambert 1953, L.Legrand 1961, C.Stuhlmueller 1959, doch sind diese nicht direkt von G.v.Rad, sondern vermittelt von den reformierten Theologen E.Jacob und Th.C.Vriezen abhängig.

5 Z.B. Ph.B.Harner 1967, 298ff; C.Westermann, Dtjes, 1966, 24 deutlicher jetzt in Genesis, 1966ff, 89-95.

6 Schöpfungsglaube, 4.

7 Jeremia, 1963, 33f.

8 99 A 2: "Für den Hymnenstil ist das Participium im Satzanfange charakteristisch... Daher sind prophetische Stücke, die Hymnen aufnehmen und fortsetzen am Participialstil zu erkennen, cf. Am 4,13; 5,8f; 9,4; Jer 31,35, sehr häufig bei Dtjes Jes 40,22f.26.28f; 42,5; 43,15f; 44,24ff; 45,18 etc."

9 1914, 294.

10 Damit sind die ʾanī-Aussagen Jahwes sowohl in den Heilsorakeln als auch in den Ich-Prädikationen gemeint, die Greßmann noch unter dem Begriff der "Offenbarungsrede" zusammenfaßt (285ff).

11 a) Jes 41,14; 42,5; 43,1.14; 44,2.6.24; 45,11; 48,17; 49,5.7; 51,12; b) 41,14; 43,1; 44,24bff; 48,12-16; u.a.; hinzu kommen noch c) die "Schlußhymnen" z.B. 45, 1-8 und d) "Größere Hymnen" z.B. 40,12-26.

12 L.Köhler, Dtjes, 1923, verweist ausdrücklich auf H.Greßmann: "Es ist der Hymnus, den in seiner großen Bedeutung bei Dtjes anerkannt und behandelt zu haben, das Verdienst von Greßmann ist" 121; vgl. § 88-91, S.120-124; J.Begrich, Dtjes, 1938, 88/91f; G.v.Rad, Schöpfungsglaube, 1936, 139/138; H.A.Brongers 1945, 100; C.Stuhlmueller 1959, 439; C.Westermann, Dtjes, 1966, 22ff; als Möglichkeit E.Beaucamp 1953/54, 59.

13 23; vgl. 20-23; 32-36 und die engl. Zusammenfassung 256f.

14 Schöpfungsglaube, 6f; er nennt Jes 40,18-20.25f; 44,24-28; 40,27-31; 45,18-21; 44,28a; 45,9-13; 48,12-15; vgl. 50,1-3.

15 Hier nennt er Jes 43,1; 44,2.21.(24); 54,4-6; 43,7; 45,11a; 42,6; 49,8; cf.45,11b.

16 8.

17 Der Grund dafür, daß dieser Tatbestand von der älteren Forschung nicht erkannt worden ist, liegt z.T. darin, daß man das Reden von der "Erschaffung Israels" gar nicht als Schöpfungsaussage wertete, sondern geschichtlich verstand, so F.Delitzsch, Jesaja, 2.A. 1869, 450; B.Duhm, Jesaja, 4.A. 1922, 321; P.Volz, Jesaja II, 1932, 17ff; auch noch J.Begrich, Dtjes, 1938, 88/92 A 86, neuestens Ph.B.Harner 1967, 300f; z.T. fehlten auch noch die genauen formgeschichtlichen Kategorien, so noch bei H.Greßmann, s.o.A., A16.
Selbst noch J.Begrich, Dtjes kann - rein gedanklich argumentierend - die verschiedensten Belege zusammen nennen: Jes 40,28; 41,4; 42,5; 43,1; 44,2.24; 45,18; 48,13, so 88/92 A 78, obgleich er zuvor die eigene Gattung des Heilsorakels entdeckt hatte. Deutlich hat erst G.v.Rad die "Erschaffung Israels" als echte Schöpfungsaussage gewertet, Schöpfungsglaube, 141/140. H.E.v.Waldow, Verkündigung Deuterojesajas behandelt einmal die Schöpfung unter den Themen des Kultorakels (102), ein andermal unter denen der Disputationen (150ff), doch reflektiert er darüber nicht, sondern verwischt sofort jeglichen Unterschied (152).

18 Schöpfungsglaube, 8.

19 7.

20 8 A 2.

21 S.u.26ff.

22 Schöpfungsglaube, 9.

23 Jeremia, 1963, 29-36.

24 H.E.v.Waldow, Verkündigung Deuterojesajas, 12; vgl. 85; H.Graf Reventlow, Jeremia, 31. Zum Problem s.u.27-30.

25 31; Sperrung von mir.

26 36; Ps 22,10-12; 76,6 und Hi 31,18.

27 Heilsorakel, 1934.

28 87/224.

29 87/225; er nennt Jes 41,14; 43,1; 44,2; 48,17; 49,7.

30 90/228; Begrich nennt folgende Psalmenstellen: Ps 119,73; 139,15; (Hi 10,8ff) und bezieht sie auf Jes 43,1; 44,2; 54,4 (gemeint 54,6). Leider hat er selber seine klare Bestimmung wieder verwischt, als er in seinen Deuterojesajastudien, 1938, versuchte, eine sehr viel größere Gruppe recht divergierender Texte dem Heilsorakel zuzuordnen; er kann jetzt formulieren: "Ihren Stoff entnehmen diese Einleitungen den Erfahrungen der Frommen mit Jahwe, wie sie im Heilsorakel, im Hymnus und im Danklied begegnen" Dtjes, 18/25. Man wird aber generell die Äußerungen der früheren Arbeit als die exakteren ansehen müssen, so auch C.Westermann, Sprache und Struktur, 98f. Reventlow zitiert zwar Begrichs Aufsatz, die angeführte Äußerung scheint ihm aber entgangen zu sein.

31 Hinzuweisen ist auch auf eine interessante Bemerkung, die H.Gese in ganz anderem Zusammenhang macht: "Aber gerade das Ins-Leben-gerufen-Sein war für die Alten Zeugnis des Heilswillens Gottes. Stereotyp erscheint daher der Hinweis auf die Ge-

burt als Vertrauensäußerung in den Klageliedern des Einzelnen (er nennt Ps 22,10f; 71,6; 143,5; 51,7) oder im Heilsorakel (er nennt Jes 44,2.24; 46,3)"147. Gese erkennt nur den Zusammenhang zum Reden von Schöpfung nicht.

32 Jeremia, 32; vgl. 34.

33 33f.

34 Fast ohne Abstriche hat H.Graf Revenlow seine These nocheinmal in Psalm 8, 1967, 326 zusammengefaßt.

35 S.o. A., A 4.

36 Schöpfungsglaube, 139/138f; von mir gesperrt; so oder so ähnlich auch die Kommentare, vgl. F.Delitzsch, Jesaja; B.Duhm, Jesaja; P.Volz, Jesaja II und C.Westermann, Dtjes, z.St.

37 Schöpfungsglaube, 140/139.

38 141/139f; v.Rad zitiert Jes 43,1; 44,24 und erwähnt noch 44,21, ähnlich 46,3; 54,5.

39 Schöpfungsglaube, 142/141.

40 Eine Verkomplizierung tritt dadurch ein, daß v.Rad zwischen die Belege aus den Heilsorakeln Jes 44,24b-28 und 51,9f. einschiebt. Zwar kommt es auch in dem Rückblick der Volksklage Jes 51,9f zu einem Ineinander von "Schöpfungs"- und Rettungshandeln, jedoch nicht unter dem Aspekt der Zuwendung zu Israel, sondern dem des machtvollen Eingreifens gegen die Feinde, s.u.114f. Diese Differenz wird von G.v.Rad übersehen.

41 Schöpfungsglaube, 143/142.

42 "...entweder blieb er (sc. der Weltschöpfungsglaube) die universale Folie, von der sich die soteriologischen Aussagen um so mächtiger abhoben, oder er wurde überhaupt in den soteriologischen Glaubenskreis einbezogen" 146/146.

43 S.o. 2.

44 Schöpfungsglaube, 8; Hervorhebungen von R.Rendtorff.

45 9.

46 13.

47 10; 12f.

48 1953/54, 22.

49 62.

50 1964, 142; er zitiert Jes 40,12.22.26.

51 144; als Drittes führt Th.Boman noch die "conquest of resistance" an gegen die Natur des Menschen, was aus einer eigenartigen Interpretation von Jes 51,9f stammt und hier beiseite bleiben kann.

52 151; vgl. 144.

53 1945, vgl. 104 mit 106f.

54 1956, vgl. 401 mit 401.

55 1959; vgl. 441 mit 455f.

56 1961, vgl. 460 mit 463f.

57 1962, vgl. 529 mit 540.

58 1967, vgl. 302 mit 305.

59 Ein Sonderfall in dieser Gruppe ist die Dissertation von E.Heßler, Gott der Schöpfer, 1961. Die Verfasserin erkennt in ihrem Forschunbsbericht durchaus, daß einige Ausleger mehr die Macht, andere mehr die Heilszuwendung des Schöpfergottes betonen (8-11), doch bestreitet sie von dogmatischen Gesichtspunkten her entschieden, daß die Schöpfungsvorstellung bei Deuterojesaja unausgeglichen sein könnte (13-14). Für sie ist Schöpfung bei Deuterojesaja "creatio nova", der Inbegriff des universalen Heilshandelns Gottes (360ff). Sie gewinnt diese totale Identifizierung von Schöpfungs- und eschatologischem Heilshandeln mit Hilfe einer m.E. allegorischen Deutung des Segenshandelns Gottes (vgl. den Begriff der "Bildrede" 148-178). Den Machtaspekt der Schöpfung versucht sie abzuschwächen, indem sie die Gattung der Dispuations-worte eliminiert (52ff). Ob die z.T. richtigen formgeschichtlichen Beobachtungen solche dogmatischen Entscheidungen begründen können, wage ich zu bezweifeln, immerhin erkennt die Verfasserin "eine merkwürdige und unerklärliche Spannung zwischen der Theologie der DW (Dispuationsworte) und der der HO (Heilsorakel)" 53.

60 Zum Aufbau des beschreibenden Lobpsalms s. C.Westermann, Loben Gottes, 91-97.

61 Dtjes, 1966, 23.

62 24; Westermann nennt in diesem Zusammenhang folgende Stellen: Jes 43,1.15; 44,2.21.24; 54,5; dazu 45,11; 51,13.

63 Vgl. 96; 110; 126.

64 Vgl. P.Volz, Jesaja II, 1932, zu Jes 43,1; J.Muilenburg 1956, 501 u. 517; W.Förster 1938, der in ähnlichem Zusammenhang den erstaunlichen Begriff "Pflicht zum Vertrauen" bildet (1012).

65 S.o.1f.

66 Einzig R.Rendtorff hat sich durch die angenommene eingreifende Uminterpretation des Schöpfungsglaubens durch Deuterojesaja methodisch sauber abgesichert, Schöpfungsglaube, 12f; vgl. 9.

B. Zwei Schöpfungstraditionen bei Deuterojesaja?

1 Schöpfungsglaube, 6ff.

2 Dtjes, 41-46/48-53 hatte Begrich folgende Texte genannt: Jes 40,12-17.18-20+25-26. 21-24.27-31; 44,24-28; 45,9-13.18-25; 48,1-11.12-15; 50,1-3. Die Abgrenzung von 45,18-25 ist unsicher, 44/50 wird sie 45,18-21 bestimmt.

3 Schöpfungsglaube, 6f.

4 An anderer Stelle hatte sie Rendtorff durchaus genannt, Schöpfungsglaube, 4f.

5 6. L.Köhler, Dtjes hatte schon lange zuvor alle Schöpfungsaussagen Deuterojesajas in der "Prädikation" angesiedelt, § 88-91, 120-124.

6 Vgl. die Schwierigkeiten, in die B.J. van der Merwe 6 gerät.

7 Sprache und Struktur, 124-134. H.E.v.Waldows modifizierte Ausarbeitung der Begrich'schen Ergebnisse (Verkündigung Deuterojesajas, 28f) waren Rendtorff noch nicht bekannt und können daher außer Betracht bleiben. Sie fallen unter dieselbe Kritik Westermanns.

8 125. Sehr viel radikaler bestreitet E.Heßler die Gattung der "Disputationsrede", das hat z.T. theologische Gründe (s.o.A., A 59), sie schießt aber damit über das Ziel hinaus, Gott der Schöpfer 52-63. Ähnlich grundsätzlich jetzt auch H.-J.Hermisson 678, der E.Heßler nicht zu kennen scheint. Die aktuelle Bestreitung verblaßt bei ihm zu einer theologisch grundsätzlichen Beantwortung der "Gottesfrage" (679f).

9 Jes 40,12-17; 40,18-20+25f, 40,21-24; 40,27-31, Schöpfungsglaube, 6f.

10 6f.

11 Jes 40,18.25.

12 Dtjes, 43/49.

13 Sprache und Struktur, 127-132. Er schließt sich dabei dem Urteil von H.Greßmann und S.Mowinckel, Dtjes an, vgl. E.Heßler, Gott der Schöpfer, die aber den bestreitenden Charakter überhaupt leugnet, Gott der Schöpfer 56-59 und den Text als grundlegende und umfassende Frage nach dem Bekenntnis verstehen will. Das läßt sich nicht halten.

14 Die Verse 19-20 hält C.Westermann mit K.Elliger 225f. u.a. für sekundär.

15 Majestät des Schöpfers und Herr der Geschichte V 12-27; Zuwendung zu den Schwachen 29-31.

16 Vgl. Hermissons Einwand gegen die Einheit von 40,12-31: "weil das Zitat in V 27 zu spät käme" 670. Die Wer-Frage V 26 spricht nicht gegen diese Erklärung. Sie hat einen deutlich anderen Charakter als alle anderen Fragen des Abschnittes, s.u. 18f und ist aus der besonderen Anfechtung durch die Gestirnsgötter zu klären.

17 E.Heßler, Gott der Schöpfer leugnet grundsätzlich, daß es bei dem Hinweis auf die Schöpfung in Jes 40 um die Macht Jahwes gehen könne. Dieser Aspekt sei von den Exegeten eingetragen und entspringe der falschen Gottungsbestimmung der Bestreitung (54), die Schöpfung könne eo ipso nur "ein Werk des Aufbaus und der Neugründung (Erlösung)" sein (61). Gegen diese Ansicht mag es genügen, auf die explizite Betonung der Macht und Hoheit des Schöpfers in Jes 40,22.26.28; 48,12f hinzuweisen.

18 MT liest majim, Qa me jam, was zeigt, daß der Text gestört ist. Lies jammim parallel zu samajim; j ist ausgefallen.

19 So F.Delitzsch, B.Duhm, J.Muilenburg, C.R.North z.St.; L.Köhler, Dtjes, 139; H.A.Brongers 96; J.Begrich zählt V 12 zu den "überführenden Fragen", Dtjes, 43/49, es fehlt dann in 40,12 die Nennung des Streitgegenstandes, die Bestreitung wäre nur ein Fragment.

20 F.Delitzsch, J.Muilenburg, C.R.North z.St.; H.A.Brongers 96, B.J.van der Merwe 4, R.Rendtorff, Schöpfungsglaube, 7; dagegen B.Duhm, Jesaja, z.St.; so auch von H.-J. Hermisson, obgleich er die Frage rhethorisch versteht (671).

21 Dtjes, 43/49 A 166; vgl. P.Volz; C.R.North z.St.

22 K.Elliger, Dtjes, 179ff; C.Westermann, Dtjes, 135; nur V 10 B.Duhm z.St.

23 Lies mit Targ haʾ attæm tišʾ ālūnī "Wollt ihr mich etwa über meine Söhne fragen...?", so mit vielen anderen J.Muilenburg, C.R.North, C.Westermann z.St. Graphisch noch ähnlicher ist der Vorschlag von BHS haʾ ōtī tišʾ ālūnī. Anders B.Duhm,Jesaja, der konjiziert: "über das Kommende beauftragt mich (šelāḥūnī)" und ʿal bānāi streicht. Er kann das Wort gegen Israeliten gerichtet sehen, die die Berufung des Kyros durch Jahwe bestreiten; ähnlich P.Volz, Jesaja II, der bīnā statt bānāi liest. Doch hat C.Westermann mit Recht gegen diese Möglichkeit eingewandt: "Eine Be-

180

streitung, die nur in der lautstarken Wiederholung des Bestrittenen besteht, ist kaum anzunehmen" Dtjes, 136.

24 So sehr klar schon K.Elliger, Dtjes, 181; dann C.Westermann, Dtjes, 136. Der Vorschlag von J.Muilenburg, bānāl auf die Heiden zu beziehen (527), ist zwar sehr originell, scheidet aber aus theologischen Gründen aus; nirgends sonst sind die Völker "Geschöpfe" Jahwes.

25 Dtjes, 42/49; 50/44.

26 43/49.

27 Jes 45,20.21a Vorladung; 45,21b Verhandlung mit dem bekannten Argument: "Wer hat dies seit langem hören lassen?" vgl. 41,22; 43,9; 44,7. Jes 45,22-25 Aufforderung zur Unterwerfung, hier zu einer Einladung zum Heil an die Entronnenen der Völker umgebogen.

28 Sprache und Struktur, 135.

29 Die vorangehenden Verse 14-17 machen einen sehr brüchigen Eindruck, schon deswegen wird man den Bezug auf das Kyrosorakel nicht allzu eng sehen dürfen. Auch die gedankliche Verbindung, die Duhm herzustellen sucht : "der letzte Zweck des Cyrus (kann) nicht Zerstörung sein" Jesaja, 347, ist gezwungen, da in 45,18ff von Kyros nicht mehr die Rede ist.

30 Verknüpft wird V 19 mit dem Stichwort tōhū.

31 Angedeutet in Sprache und Struktur, 134, ausgeführt in Dtjes, 139ff.

32 Dtjes, 14ff/6ff; bes. 167ff/166ff.

33 In der gesamten Komposition 51,9-52,3 ist Zion als ganzes angeredet, vgl. R.Rendtorff, Schöpfungsglaube, 5 A 6; ders., Mythos, 124; C.Westermann, Dtjes, z.St. Auch die Motive gehören eindeutig in die Volksklage, vgl. Ps 74; 89, was auch J.Begrich zugesteht.

34 So wattīrʾī V 12; mĕnahæmĕkæm V 12; ʿammī ʾāttā V 16; vgl. zum Ganzen C.Westermann, Dtjes, z.St.

35 Hierzu sind die Fragen V 12b.13b zu nennen, sodann das betonte ʾanōki ʾānōkī hū' V 12 und wĕ ānōkī jhwh V 15.

36 Formal liegt V 13 eine Fremdprädikation vor, doch muß man, der Jahwerede entsprechend, das ʾānōkī V 12 noch mithören. Die Erweiterungen ʿōśaekā und ʾǽlōhæka in V 13, bzw. V 15 fallen durch ihr Suffix der 2.P.sing. auf, s. dazu unten 53. V 16b ist eine ungewöhnliche inf.-Konstruktion, die V 13 wieder aufnimmt, V 16a eine Glosse aus Jes 59,21 und 49,2, so B.Duhm, C.Westermann z.St. Sie will die Klage offensichtlich auf den Gottesknecht beziehen. Es ist vor allem V 16a, der J.Begrich veranlaßt hat, 51,9ff auf einen Einzelnen, nämlich auf den Propheten zu deuten. Der so verstandene Text ist das Herzstück seiner weitreichenden These von zwei Epochen in der Verkündigung Deuterojesajas; Dtjes, 112ff/115ff: Seine eschatologische Botschaft sei durch den Verlauf der Weltgeschichte (547) in eine Krisis geraten und der Prophet sei in 51,12 "von der eschatologischen Hoffnung weg und auf den Schöpfungsglauben gewiesen" worden 115/118. Von jetzt ab nehme die Schöpfung eine entscheidende Rolle der seiner Gedankenbildung ein. Diese Funktionsbestimmung der Schöpfungsaussagen läßt sich von den anderen Texten nicht halten, sie beruht hauptsächlich auf einer Fehlinterpretation von Jes 51,9ff; sie hat auch keine Nachfolge gefunden und braucht darum nicht weiter berücksichtigt werden.

37 Viele Mss und Syr lesen das Qere mē ʾittī "von mir aus"; vorzuziehen ist mit Qa, vielen Mss, LXX und Vulg das Ketib mī ʾittī.

38   So auch C.Westermann, Sprache und Struktur, 126.

38   Ich bin Jahwe, 199/31 A 40.

40   Sprache und Struktur, 145. Die von W.Zimmerli herausgearbeitete "Selbstvorstellungsformel" begegnet fast ausschließlich im Heilsorakel und in anderen Heilsworten, vgl. C.Westermann, Dtjes, 24. F.Crüsemann übersieht die Möglichkeit eines hymnischen Ursprungs der ʾānōkī jhwh-Formel völlig und fällt damit wieder hinter die Klarstellung Westermanns zurück, 90. E.Heßler will aufgrund dieser Formel eine eigene Gattung "Theophanierede" bilden und diese völlig von der Bestreitung trennen, Gott der Schöpfer, 59ff.

41   Vgl. die Sprache und Struktur, 145f zitierten Beispiele..

42   V 24b.25 Majestät des Schöpfers und des Herrn der Geschichte, V 26 Zuwendung Gottes in der Geschichte; 27f nochmalige Gegenüberstellung: Der machtvolle Herr über die Elemente ist der, der Kyros beruft.

43   Dtjes, 46/52 A 180. Das wird von E.Heßler, Gott der Schöpfer zu Unrecht geleugnet. Daß es die Funktion des Textes sei, eine "neue Bekenntnisgrundlage" vorzubereiten (61), wird weder dem Text, noch dem, was sonst im AT mit Bekenntnis gemeint ist (vgl. Jos 24), gerecht.

44   Vgl. die Einleitung des ganzen Abschnittes durch 44,24a.

45   Zur Frage der Zusammengehörigkeit von Jes 44,24-28 und 45,1-7 s. C.Westermann, Sprache und Struktur, 144f.

46   Vgl. die fast identischen Formulierungen 44,24 ʾānōkī jhwh ʿōśæ kōl und 45,7 ʾǎnī jhwh ʿōśæ kol-ʾēllæ, die das Wirken Jahwes total umgreifen sollen. Darin liegt meiner Meinung nach das stärkste Argument für die Zusammengehörigkeit von 44,24-45,7; hier ist bewußt komponiert worden! F.Crüsemann hat jüngst Bedenken gegen die "Echtheit" von 44,24-28 angemeldet (88 A1), die mir unverständlich erscheinen. Zwei Argumente sind inhaltlicher Natur: Die Nennung des Kyros 44,28 nähme den Skopos von 45,1ff vorweg; außerdem sei der Tempelbau V 28 für Deuterojesaja singulär. Letzteres ist oft beobachtet worden, spräche aber nur gegen V 28d. Da V 28c eine Doublette zu V 26b ist, wäre es durchaus denkbar, daß der ganze Halbvers 28b die Zufügung eines Späteren ist, der am Aufbau Jerusalems und des Tempels besonders interessiert war (vgl. auch die von der Partizipialkette abweichende Form wēlēʾmōr). Das erste Argument beachtet nicht, daß in 44,24ff Israel angeredet wird während sich 45,1ff - jedenfalls in der Intention - direkt an Kyros wendet. Die doppelte Erwähnung des Kyros entspricht der doppelten Rederichtung des ganzen Abschnittes.
Eine größere Bedeutung hat für Crüsemann jedoch ein formales Argument: "Die Reihe der Partizipialaussagen tritt als Erweiterung der Botenformel (V 24) auf; es folgt aber kein Jahwewort... so sind die Partizipialaussagen hier das Korpus des Spruches anzusehen. Das widerspricht aber nun völlig dem sonstigen Gebrauch des Formelements bei Dtjes." 88 A1. Das ist schlicht falsch. Die Partizipien erweitern nicht die Botenformel, sondern ʾānōkī jhwh, und eben diese Selbstprädikation ist die Jahwerede, wie etwa 48,12ff. Damit bricht die Argumentation Crüsemanns, soweit sie die Echtheit des ganzen Abschnittes 44,24-28 bestreitet, restlos in sich zusammen.

47   Die Abgrenzung nach hinten ist unsicher. Wie die syntaktisch unvollständige Glosse 48,16b (vgl. Jes 61,1) zeigt, ist der Text in Unordnung geraten. V 17 setzt zwar mit einem neuen kō ʾāmar jhwh ein, doch folgt nicht viel, da gegen die Authentizität von V 18f starke Bedenken vorliegen, vgl. C.Westermann, Bezeugung, 356ff. So wird man entweder nur bis V 16 lesen (so B.Duhm), oder, wenn man V 17 noch hinzunehmen will, die Botenformel hinter V 16a stellen (so C.Westermann). Für die

zweite Lösung könnte das zu V 12.15 parallele ²ǎnī jhwh V 17b sprechen, ebenfalls die polare Struktur des beschreibenden Lobs s.u. 52, doch ist Zurückhaltung geboten.

48 So MT; Qa (jiqbᵉṣū kullām wᵉjišmᵉꜤū) und LXX lesen einen Aussagesatz und fassen den Vers wahrscheinlich als Verheißung der Rückkehr aus der Diaspora auf, doch ist MT schon aus Gründen der Parallelität zu V 12 und 16 der Vorzug zu geben.

49 Die Majestätsaussage V 12 wird V 13 mit dem Thema Schöpfung entfaltet, V 14 mit dem Thema Herr der Geschichte. Die andere Seite der Polarität des Gotteslobes könnte V 16a gemeint sein, deutlicher tritt sie in dem allerdings etwas unsicheren V 17 hervor.

50 Die Imperative V 12.14.16 gehören zumindest in die Nähe der Vorladungen Jes 41,1. 21f; 43,8f; 44,7; 45,20f, sie sind hier jedoch beschwörende Rufe an Israel, die das ganze 48. Kapitel beherrschen, vgl. 48,1. Direkt in die Gerichtsreden gehört die Frage: "Wer von 'euch' hat dies kundgetan?" V 14 (lies mit vielen Mss, Syr und einer Ms Targ bakæm), vgl. 43,9; 45,21.
Auch die Selbstprädikation V 12b hat in den Gerichtsreden ihre Parallelen, vgl. 41,4; 44,6; (43,10). C.Westermann, Dtjes, 162, möchte auch die Schöpfungsaussagen von dort herleiten, doch ist das ganz unsicher; dafür ließe sich nur 45,11f anführen, doch fällt dieser Text aus den sonstigen Gerichtsreden heraus, sonst spielt die Schöpfung in ihnen keine Rolle.

51 S.o.9.

52 Die Unterscheidung schon bei L.Köhler, Dtjes § 89; 90, 121f.

53 So ist sehr wahrscheinlich die Entsprechung von Ꜥam in V 5 und V 6 zu deuten, auch wenn der Sinn der cstr.-Verbindung librīt Ꜥam dunkel ist.

54 Das 1. Gottesknechtslied 42,1-4 wird durch V 5ff auf Israel umgedeutet, so B.Duhm, C.Westermann z.St.; für authentisch halten J.Begrich, Dtjes, 132/134; 141/143; H.A.Brongers 100; B.J.van der Merwe 254 u.a. die Verse 5-7.

55 Jes 40,12ff; 45,9ff; 45,18ff.

56 Jes 45,7; 51,9ff.

57 Jes 40,12-31; 48,12-17; gegen Fremde 45,11-13; möglicherweise auch 45,18,doch ist der Vers kaum als selbständige Einheit zu verstehen.

58 48,12ff; 45,11-13 richtet sich an die Völker.

59 51,12ff.

60 40,12-28.29-31; 45,18; 48,12ff.

61 44,24-28; 45,7.

62 48,12ff; (45,11ff); 45,18; 51,13.15; vgl. 42,5.

63 Das wird weiter unten zu explizieren sein,s.u. 13-26.

64 Bis auf die erwähnte Ausnahme 42,5.

65 40,27; 51,12f.

66 44,24ff; 45,7.

67 48,12ff; 45,18.

68 45,11ff.

69 S. Schöpfungsglauben, 6f. Gegenüber der weitverbreiteten Ansicht, die Schöpfung diene bei Deuterojesaja der Begründung des "Monotheismus", die zuletzt wieder Ph.B.Harner, 1967, 302 unter Mißachtung aller formgeschichtlichen Gesichtspunkte vertreten hat, muß mit allem Nachdruck betont werden, daß die Schöpfung in den Gerichtsreden gegen die Völker so gut wie keine Rolle spielt. Vielmehr ist es Jahwes Herrsein in der Geschichte, das seine Überlegenheit über die anderen Götter beweist, s. 41,2.4; 22f.26; 42,12; 44,7f.

70 Vgl. Loben Gottes, 17f. Die von F.Crüsemann dagegen vorgetragenen Argumente, der Begriff Hymnos habe bei den Griechen durchaus vergleichbare Phänomene bezeichnet und sei seit 2000 Jahren üblich (24-31) stoßen doch ins Leere. Wer hätte das je bestritten? C.Westermann ging es mit seinen begrifflichen Neuprägungen doch nur darum, das gemeinsame Geschehen des Gotteslobes, das die traditionellen Bezeichnungen "Hymnus" und "Danklied" kaum noch ahnen lassen, auch terminologisch zum Ausdruck zu bringen: beschreibendes und berichtendes Lob. Anderer Art ist der Einwand Crüsemanns, die Kategorien Bericht und Beschreibung wären den alttestamentlichen Psalmen nicht gemäß (10). Hier fällt nun Crüsemann die Beweislast zu. Es sei nur darauf hingewiesen, daß damit nicht "rein inhaltliche Bestimmungen" gemeint sind, sondern verschiedene Bezüge des Redenden zum Geschehen und seinem Gegenüber. Hätte Crüsemann diese beobachtet, dann wäre er davor bewahrt geblieben, so verschiedene Dinge in ein und dieselbe Gattung zu ordnen wie Ex 15,21 (pf.-Verbalsatz in "Begründung") und Ps 106,1 (Nominalsatz), vgl. 44.

71 S.o.1f.

72 Vgl. etwa P.Volz, Jesaja II, 11: "Die Partizipia (was man seit Gunkel den Hymnenstil nennt)..."

73 S.o.2ff.

74 1969, 83ff.

75 Mehr dazu s.u.105-107.

76 F.Crüsemann 86.

77 87; er nennt vor allem die Suffixe der 2.P.sing., die zeigen, daß es sich nicht mehr um Gotteslob, sondern um Zuspruch an Menschen handelt. Zu einer positiven Aussage, wie diese Partizipien herzuleiten seien, gelangt Crüsemann nicht; immerhin ist er sehr viel vorsichtiger als R.Rendtorff, dazu s.u. 26.

78 88.

79 Es gibt auch hymnische Partizipien mit einem Suffix, allerdings der 3.P.: Jes 42,5; 45,18; davon zu unterscheiden: Jes 45,11.

80 88.

81 92.

82 91f.

83 Letzteres ist m.E. auf eine Fehlinterpretation zurückzuführen, s.o.B., A 46.

84 Weder formal (bis auf V 28b voranstehende Partizipien) noch inhaltlich (Schöpfer und Herr der Geschichte wie 40,22-24, Zuwendung in der Geschichte wie 40,29) weichen die Verse, die sich um die spezielle Verkündigung Deuterojesajas (V 26b.28a) herumranken, von dem ab, was F.Crüsemann als vorgegebene hymnische Tradition bestimmt hat.

85 94.

86 Die methodische Schwierigkeit ist dabei, daß bei der Auswahl der Texte schon die Kriterien wirksam werden, die erst nachgewiesen werden sollen. Dieser Zirkel läßt sich nicht umgehen, sondern kann nur durch Rückkoppelung der Ergebnisse auf die Voraussetzungen einigermaßen abgesichert werden.

87 Ein pt. im ersten und zweiten Glied steht: Ps 33,7; 65,7f; 104,2b.3a.3a.b; 136,5f; 147,8; Hi 5,10; 9,8; 26,7; Am 4,13 (bis); 5,8; Sach 12,1; seltsam sind die dreigliedrigen Formulierungen Ps 135,7; Jer 10,12, in denen sich unter zwei Partizipien eine perfektische Form mischt. Ein einziges pt. im ersten Glied, das auch die zweite Vershälfte regiert, steht: Ps 104,4.14.19 (cj); 136,7; 146,6; Hi 9,9. Beide Gruppen machen etwa ein Drittel der hymnischen Schöpfungsaussagen aus. Anderer Art sind die Jahweprädikationen in priesterlichen Segensformeln, bzw. sich darauf beziehenden Vertrauensbekenntnissen, hier steht das pt. immer im zweiten Glied: Gen 14,19; Ps 115,15; 121,2; 124,8; 134,3.

88 S.o.B., A 37.

89 Qa liest ṭôb; das ist gegenüber MT eine Erleichterung.

90 Wie dieses pt. mit suff. 2.P.sing.hierher gelangen konnte, s.u.53.

91 Der Charakter eines stark erweiterten Stückes wird auch daran deutlich, daß das Verb rāqaʾ zum ergänzten zweiten Objekt gar nicht paßt.

92 Ps 147,15.17f; 104,5(cj).10.13; Hi 9,5.6.7; 26,8. D.Michel, Tempora, hat den unselbständigen Charakter des hebräischen Imperfekts beschrieben, § 27, 176. Die Konstruktion dieser Stellen faßt er unter dem Stichwort "korrespondierendes Eintreten" § 22, 139ff; sie ist natürlich nicht auf das Schöpferhandeln beschränkt.

93 Am 5,8; 9,5f; Ps 104,32; vgl. Ps 119,90, vgl. D.Michel, Tempora, § 5,45ff.

94 Vgl. bes. Hi 9,5ff; 26,8.

95 Ps 33,9a.b; 148,5b.

96 So Ps 33,9a.b; in Ps 148,5 steht zweimal eine perfektische Form, die erst V 6 durch eine imperfektische weitergeführt wird; auch beim Thema Herr der Schöpfung kommt zuweilen diese Folge vor: Jer 5,22.

97 Eine Verschreibung aus gᶜr "Schelten" anzunehmen, vgl. BHS, ist völlig unnötig; im gleichen Zusammenhang steht rgᶜ Hi 26,12; vgl. Ps 74,12.

98 Die ungewöhnliche Stellung des Personalpronomens nach dem Partizip erklärt sich am einfachsten, wenn man annimmt, daß es in einen geprägten Zusammenhang erst sekundär hineingekommen ist.

99 95-114.

100 So auch D.Michel, Tempora, § 29, 186. In Unkenntnis dieser Stilform meint F.Crüsemann C.Westermanns Verständnis der sogenannten "eschatologischen Loblieder" bei Deuterojesaja angreifen zu müssen, 47f.

101 Ps 147,4(14).16; Hi 9,7; mit pf. anstelle von impf. Am 9,6.

102 So z.B. Jes 44,25ff; Hi 12,17.19.20.21; Ps 147,2.

103 So auch in 44,26.

104 Wie in 40,26b kann man nicht ganz ausschließen, daß Deuterojesaja die bestreitende Explikation 40,28b nicht schon aus dem beschreibenden Lob übernommen hat; auch hier begegnen zuweilen breitere Erweiterungen, vgl. Ps 147,18.

105 Gewöhnlich wird nāṭâ für das Ausspannen des Zeltes gebraucht, Gen 12,8; 26,25; Ex 33,7 u.ö.; vgl. die Lexika.

106 D.Michel, Tempora, nennt vier hymnische Stellen, in denen ein pt. mit einem impf. cons. weitergeführt wird: Ps 18,33.48; 107,40; 136,10f; § 4,41. Er faßt das Verhältnis konsekutiv auf. Das ist für diese Stellen durchaus richtig, stößt aber bei den genau parallelen Aussagen Jes 40,22 auf Schwierigkeiten. D.Michel betont aber mehrmals, daß der Folgecharakter auch von der Beurteilung durch den Sprechenden abhängen kann (47).

107 Vgl. Jes 42,5; 45,18; 45,12.

108 Die Folge einer perfektischen Form auf ein Partizip ist sehr selten: Am 9,6 ist chiastisch und wahrscheinlich nur eine rhethorische Figur, Hi 9,5 liegt ein Subjektwechsel vor, doch ist der Text nicht ganz sicher. Völlig unverständlich sind mir die pf.-Formen neben zwei Partizipien Jer 10,12; 135,7; sie hängen entweder mit der Erweiterung zur dreigliedrigen Aussage zusammen, oder sind nur falsch punktiert.

109 Die perfektische Schöpfungsaussage begegnet im beschreibenden Lob regelmäßig da, wo Jahwes Herrschaft und Verfügungsgewalt über die Welt begründet wird: Ps 95,5a. b; 96,5; 24,2 (cj c BHS); es kann aber auch impf.cons. stehen, vgl. 1. Sam 2,8; Jer 10,13. Hinzu kommen einige verstreute perfektische Verben in invertierten Verbalsätzen Ps 33,6; 104,26; von den Perfekta bei der Erschaffung durch das Wort war schon die Rede: Ps 33,9a.b; vgl. 148,5b.6a. Schon abgewandelt ist das beschreibende Lob dort, wo die Schöpfung in einer bestreitenden Frage (Hi 38,5.6.8(cj).29) oder als Argument (Jon 1,9) vorkommt. Dagen ist die perfektische Aussage in den Rückblicken der Volksklage beherrschend, s.u.111.

110 Vgl. L.Köhler, Dtjes, 122; H.A.Brongers 101f.

111 So streicht B.Duhm, Jesaja, 346f "der den Himmel schafft".

112 Vgl. Jes 42,5; s. auch Jes 40,22.

113 kun bzw. tkn pi wird zumeist von der Erde gebraucht (Jer 10,12; Ps 93,1=96,10; 75,4; 119,90) und kann speziell das Feststellen des Erdkreises auf den Säulen meinen, vgl. Ps 24,2; Ps 75,4. Es wird aber auch in einem abgeflachteren Sinn auf die Berge (Ps 65,7), Sonne und Mond (74,16), ja, sogar auf den Menschen (Ps 119,73; Hi 31,15) bezogen, hier heißt es herstellen, bereiten. Jes 45,18 tendiert wohl schon zu der allgemeineren Bedeutung.

114 S.o.9.

115 Vgl. Jes 41,2.26; 45,21.

116 Hi 38,5.6.8(cj).25.28b.29.36; 39,5.

117 S.o.15.

118 In die gleiche Richtung geht wohl auch die betonte Voranstellung von "meine Hand" und "meine Rechte" im Zusammenhang des Schöpfungshandelns, vgl. Jes 48,13; die Hand Jahwes spielt auch im Geschichtshandeln eine wichtige Rolle: Jes 41,20; 50,2; vgl. "Arm" 40,11; 51,5; 53,1; von der "Rechten Jahwes " spricht Deuterojesaja sonst im Heilsorakel: Jes 41,10; vgl. 41,13; 45,1.

119 S.o.11.

120 Das stützt die Annahme, daß V 17 hinzuzunehmen ist; sie ist aber nicht unbedingt nötig, nur wäre der dritte Teil sonst sehr kurz (V 16a), s.o.B., A 47.

121 ʾănī und jādāī sind konkurrierende Subjekte; vergleichbare Konstruktionen liegen z.B. Hi 21,4; Ps 66,17 vor, vgl. Ges-K § 143b, sie dienen der besonderen Betonung.

122 S.o.B., A 23.

123 Es fehlt ein deutlicher Hinweis auf die Zuwendung Gottes. Als diese könnte man zwar V 13b werten, doch ist hier Kyros, nicht Jahwe Subjekt; außerdem scheint die Ausführung in der Zukunft zu liegen. Das sind sehr viel unklarere Verhältnisse als in 48,12ff.

124 Die nächste Parallele ist Jer 27,5f. Hier werden ebenfalls die Schöpfungstaten als Argumente dazu benutzt, daß Jahwe einen fremden König - hier Nebukadnezar - zu seinem Knecht machen kann: Weil er die Erde (hāʾāraeṣ) geschaffen hat, kann er dem Mann seiner Wahl alle Länder (kol-hāʾărāṣōt) schenken, weil er die Tiere (habběhēmā) geschaffen hat, alle Feldtiere (ḥajjat haśśādǽ), weil er die Menschen (hāʾādām) geschaffen hat, alle Völker (kol-haggōjīm). Die Verben stehen ebenfalls im konstatierenden pf. mit vorangestelltem ʾānōkī. Der Stil ist rein prosaisch; nieman würde an eine Herkunft aus den Psalmen denken, eher könnte man den Einfluß von Erzähltraditionen vermuten (zum Nebeneinander von Menschen- und Tierschöpfung vgl. Gen 2,7ff.18ff). Es könnte sein, daß Deuterojesaja Jer 27,5ff gekannt hat (so z.B. H.A.Brongers 83f), vielleicht gab es einmal eine breitere spezielle Tradition des Redens von Schöpfung im Zusammenhang einer Königsproklamation, doch bleibt das alles Vermutung. Der Text Jer 27,5f ist sicher dtr beeinflußt (zu V 5b vgl. Dtn 9,29; 2 Kön 17,36 u.ö.), wieweit er im ganzen vom Dtr stammt, ist umstritten (S.Mowinckel, Komposition, 42 rechnet ihn zur Quelle C, W.Rudolph, Jeremia 173 und J.Bright, Jeremiah, 195ff schreiben ihn dem Propheten zu. Doch zeigen sich auch Unterschiede zwischen beiden Texten: Während Jer 27,5 die Schöptungstaten rein additiv häuft (bei LXX fehlen allerdings Mensch- und Tier), bleibt es in Jes 45,12 trotz Häufung bei einer gegliederten Aussage.

125 Das Verb aśa begegnet im beschreibenden Lob (Jes 44,24b; 45,18; vgl. 45,7) doch ebenfalls Jer 27,5 und sagt daher wenig. Ähnliches gilt auch für das Verb bārāʾ, das sowohl in sicheren Traditionsstücken (Jes 40,28; 45,18) als auch in prophetischen Interpretationen (40,26; 45,7; vgl. auch 42,5) vorkommt. Charakteristisch ist nun jedoch nata mit der speziellen Vorstellung vom Ausbreiten des Himmels wie ein Zelt, die Deuterojesaja sicher in der Tradition des beschreibenden Lobes vorgegeben war: Jes 40,22; 44,24; 51,13.16(cj); vgl. 42,5. Der Befehlsgewalt über das Himmelsheer (Sterne) entspricht sachlich Jes 40,26.

126 Mit F.Crüsemann, 87f.

127 So Jes 40,26.(28); 44,24ff; 45,7; 45,12; 48,13; dieser Tatbestand wird von R.Rendtorff, Schöpfungsglaube, 5 schon richtig erkannt, doch verbindet er damit die Folgerung, daß durch das "Material" aktualisiert werden solle, die man nur dann ziehen kann, wenn man meint, es gebe überhaupt eine "unaktuelle" Verwendung des Schöpferlobes. Doch ist das m.E. nicht der Fall.

128 Z.T. wird ein pt. unverändert an das Personalpronomen angeschlossen (Jes 44,24b; 45,7), z.T. wird dieses in den Partizipialsatz mit hinein genommen (48,13b), z.T. werden die pt. in die 1.P.sing. umgegossen (44,27; 45,12; 48,13a).

129 Jes 44,24b; 45,7; 51,13; 42,5; 48,13b; 51,15; 40,26.28; 44,27; (40,22).

130 Jes 45,18; (48,13a).

131 Jes 40,26; 45,12; 48,13a.

132 Jes 40,26; 45,12; 48,13a; z.T. 45,18.

133 Beide Elemente sind meiner Meinung nach nötig, um eine Tradition im strengen Sinn zu konstituieren; mit dieser Bestimmung soll ein Abgleiten der Traditionsgeschichte in die "Ideengeschichte" alter Prägung verhindert werden.

134 Jes 40,26.28; 42,5; 45,7.7.12.18.18.

135 Jes 44,24; 45,7.7.12.18.

136 jad ist 45,12; 48,13; jāmīn 48,13 Subjekt.

137 Vgl. Gen 12,8; 26,25 u.ö.

138 Jes 40,22; 42,5; 44,24; 45,12; 51,13; vgl. 51,16. In 51,16 liest MT nt , doch ist
     die Vorstellung des Himmels als Weltenbaum bei den Israeliten nicht belegt; man
     wird aus dem parallelen jsd analog 51,13 eine Verschreibung aus nth annehmen
     dürfen, so B.Duhm, C.Westermann z.St., anders J.Begrich, Dtjes, 167/166. Zu
     mth und tph s.u.22.

139 Vgl. 1 Kön 5,31; Hi 38,4f.

140 Jes 48,13; 51,13; vgl. 51,16.

141 Jes 42,5; 44,24.

142 So Ges-B und KBL,2.A.

143 H.J.Kraus, Psalmen, 902.

144 Jes 45,18; s. auch o.B., A 113.

145 Ps 24,2; 119,90; Jer 10,12; Ps 93,1=96,10; 75,4 pi von tkn.

146 45,7.18.18; das Verb hat eigentlich bei der Erschaffung des Menschen seinen Ort,
     vgl. Gen 27,7, dazu u.45.

147 Am 4,13; Ps 148,5; vgl. Ps 89,13.

148 Ps 96,5; 104,19; 136,5.7; Jer 10,12; Am 5,8; Hi 9,9 u.ö.

149 Ps 104,2; Jer 10,12; Hi 9,8; 26,7; Sach 12,1.

150 Ps 24,2; 102,26; 104,5.8; Am 9,6; Sach 12,1; Hi 38f; vgl. Ps 89,12.

151 Ps 136,6.

152 Ps 24,2; 119,90; Jer 10,12.

153 Ps 95,5; Jer 10,16; Am 4,13; vgl. Ps 74,16.

154 Auf der Ähnlichkeit der Schöpfungsvorstellungen bei Hiob und Deuterojesaja beruhten
     ja die früheren Hypothesen einer literarischen Abhängigkeit, vgl. etwa R.H.Pfeiffer,
     Introduction, 474f.

155 Fast alle Schöpfungsverben begegnen auch in den von Deuterojesaja überarbeiteten
     oder neuformulierten Texten: bārā᾽ Jes 40,26; 45,12.18; ʿāśā 45,12; nāṭā 45,12;
     jāsad 48,13; jāṣar 45,18. Das Verb kūn begegnet nur auf der Ebene der Interpretation
     (45,18), es ist aber, wie die Parallelen zeigen, keine Besonderheit des Propheten.
     Nur in traditionell formulierten Stücken kommt rāqaʿ vor, auch das wird Zufall sein.
     Es ist diese Gleichförmigkeit der Terminologie, welche die Forschung bis jetzt ver-
     anlaßte, über die stilistischen Unterschiede hinwegzusehen.

156 Zu dieser Interpretation s.o.

157 Ps 33,9.9 hū᾽ ᾽āmar wajjꞓhī und hū᾽-ṣiwwā wajja᾽ꞏᾰmōd; Ps 148,5 hū᾽ ṣiwwa
     wꞓnibrā᾽ū.

158 jāṣā hif; es könnte sich um eine "Geburt" der Sterne handeln, da jāṣā᾽ häufig den
     Geburtsvorgang bezeichnet: Nu 12,12; Jer 1,5; 20,18; Hi 1,21; 3,11; 10,18; 38,8.29;
     Koh 5,14, dort aber immer mit mēræḥæm oder mibbæṭæn. Doch will dahinein der
     zweite Halbvers (qārā᾽ bꞓšēm) "beim Namen nennen" nicht recht passen. Allerdings
     hat H.Gunkel auch darin eine Schöpfungsaussage sehen wollen, er interpretiert:
     "durch Namensnennung zum Erscheinen aufrufen", Psalmen, 615; doch kann in Jes

45,12 offensichtlich der gleiche Vorgang mit ṣiwwā ausgedrückt werden. Man wird also eher an die Herrschaft Jahwes über die Sterne denken, doch ist die Vorstellung, daß Jahwe die Sterne jeden Abend neu erschafft, nicht ganz auszuschließen.

159 Zu jāṣā' hif vgl. Hi 38,32; zu qārā' bᵉšēm vgl. Ps 147,4.

156 Die Einbeziehung dieser Stelle in die Schöpfungsaussagen ist umstritten. Sie hängt an der Deutung von (mᵉ)ṣūlā. Eine Reihe von Auslegern beziehen es auf den Exodus, was vom Vokabelgebrauch durchaus möglich ist (Ex 15,5; Neh 9,11; Sach 10,11), doch würde man einen Hinweis auf den Exodus schon vor V 26b erwarten, ebenso einen Bezug auf den neuen Exodus wie Jes 51,9f. Eine passendere Lösung schlägt B.Duhm vor, der (mᵉ)ṣūlā als Bild für die geschichtliche Not faßt, Komm. z.St., doch kommt dieser Sprachgebrauch nur in der Klage des Einzelnen vor (Ps 69,3.16; 88,7). So legt es sich nahe, ṣūlā in Jes 44,27 im ursprünglichen Sinn von "Meerestiefe" zu verstehen, in dem es in Jon 2,4; Mi 7,19; Sach 1,8; Ps 107,24; vorkommt (vgl. J.Begrich, Dtjes, 45/52 "Urmeer"). Den möglichen Einwand, daß in so weiter Entfernung von 44,24b nicht noch einmal ein Schöpfungsmotiv begegnen könne, hat C.Westermann entkräftet, indem er V 27f als abschließende Gegenüberstellung der polaren Aussagen des beschreibenden Lobes verstehen lehrte, Dtjes, 126. Ein ähnliches Motiv begegnet in den Rückblicken der Volksklage, vgl. Jes 51,9; Ps 74,15, die wieder in der Nähe der Epiphanieschilderungen stehen, vgl. Ps 18,16; Nah 1,4. Von da aus ist ein Übergang ins Exodusgeschehen möglich, vgl. Ps 106,9. Zum imp. vgl. Hi 38,11.

157 Ebenfalls rgᶜ in Hi 26,12; Jer 31,35; vgl. prr in Ps 74,13.

158 Vgl. C.Westermann, Genesis, 45 und Jes 51,9f; Ps 74,12ff; 89,10ff mit Hi 26,11ff; 9,5-7; Am 4,13, zum Ganzen s.u.113f.

159 Jes 40,26; 42,5; 44,24b; 45,7; 51,13.15; Jes 48,13b, die Erschaffung durch das Wort, wird auf die zuvor handwerklich geschaffenen Objekte (Himmel und Erde) zurückbezogen, und kann daher unberücksichtigt bleiben.

160 S.o.22.

161 Allerdings ist der Parallelismus öfter zergliedert. Himmel und Erde Ps 104,2.5; 136,5f; Hi 26,7(?); Sach 12,1; Hos 13,4 LXX; zusammengefaßt mit einem Verb: Ps 115,15; 121,2; 124,8; 134,3; Gen 14,19; Jes 37,16; Jer 32,17; vgl. Ps 89,12 z.T. erweitert: Neh 9,6; Ps 146,6 oder abgewandelt Ps 119,89f; in umgekehrter Reihenfolge Jer 10,12; Ps 102,26. Die Erde ist allein Objekt in 1 Sam 2,8; Ps 24,2; Jer 33,2(cj); vgl. Ps 89,12b; 75,4; 93,1=96,10; der Himmel alleine Hi 9,8; Ps 96,5.

162 Beidemale in der Reihenfolge Erde-Himmel. Es ist nicht zu entscheiden, ob das eine beabsichtigte Uminterpretation des Propheten ist, oder aus einer besonderen hymnischen Tradition erklärt werden muß.

163 Jes 44,24b; 45,7b.

164 Die einzige Ausnahme ist die sehr späte Stelle Jer 10,16. Aber auch hier wird kol nicht "Weltall" meinen, sondern will nur die V 12f erwähnten Schöpfungswerke zusammenfassen.

166 Daß hier eine Schwierigkeit liegt, zeigt ein Vergleich der Textanordnung in BHK und BHS. BHK stellt die Erschaffung des Himmels zu 'ᵃnī jhwh ᶜōśǣ kōl, die Erschaffung der Erde klappt in einer eingliedrigen Zeile nach. Das ist ganz unmöglich. Richtig hat BHS erkannt, daß ᶜōśǣ kōl vor den Parallelismus von Himmel und Erde geordnet werden muß. Nicht erkannt haben beide Textausgaben, daß in 45,7 der gleiche Fall vorliegt. Hier bilden die beiden Hälften von V 7a einen Parallelismus. Die Ichprädikationen davor und dahinter bilden selbständige Halbzeilen, letztere mit ᶜōśǣ kol-'ēllǣ den zu 44,24 genau parallelen Abschluß des Ganzen.

167 bārā᾽ Jes 41,20; 45,8; 48,7; ʿāśā 40,23; 41,4; 43,19; 44,23; 46,10.11; 48,3.11; 55,11; jāṣar 46,11; vgl pā ʿal 41,4; 43,13.

168 Jer 31,35; 33,25; Ps 104,19; 136,7-9; vgl. 74,16; 1 Kön 8,53a LXX; Gen 1,17.

169 Gen 1,3; die Erschaffung des Lichts gehört der Interpretation von P an, s. C.Westermann, Genesis, 152ff; auch damit ist eigentlich die Ermöglichung von Zeit und Geschichte gemeint, C.Westermann, Genesis, 155f. Die Erschaffung der Gestirne, wie sie die Tradition bot, folgt erst 1,14ff.

170 Auch P geht nicht so weit. Hier bildet der von der Finsternis beherrschte Zustand das "Vorher", von dem sich die Schöpfung abhebt (Gen 1,2). Indem Gott Licht und Finsternis scheidet (1,4) grenzt er diese ein. Die Einzigkeit der deuterojesajanischen Aussage betont auch C.Westermann, Dtjes, 131f. Vorgegeben war Deuterojesaja das Gegenüber von Tag und Nacht, vgl. etwa Jer 33,25, aber niemals schafft Gott die Nacht, sondern setzt nur deren Ordnung.

171 S.o. 15. Schon B. Duhm, Jesaja, 313f hat diese Inkongruenz gesehen.

172 Ps 147,8; Hi 38,27; Ps 104,14; vgl. Gen 1,11ff. Die Entstehung der Pflanzen wird z.b. im sumerischen Mythos Enki und Ninḥursag sehr realistisch als Zeugung und Geburt beschrieben, s. S.N.Kramer, Sumerian Mythology, 55ff.

173 Vgl. A.Dietrich, Mutter Erde, 1925; C.Westermann, Genesis, 34-36; 170-175.

174 Das Nomen meint meist menschliche "Sprößlinge" (Jes 22,24; 44,3; 61,9; 65,23; Hi 5,25; 21,8; 27,14; deutlicher noch Jes 48,19), wie auch das Verb häufig den menschlichen Geburtsvorgang bezeichnet (Jer 1,5; 20,18; Hi 3,11 u.ö.). Dennoch sind in Jes 42,5 nicht Kinder gemeint (so L.Köhler, Dtjes, 123; er gibt die Ansicht KBL, 2.A. auch wieder auf), sondern Pflanzen, wie Jes 34,1; Hi 31,8. Die beiden Bedeutungen erklären si ch aus der Vorstellung der Schöpfung als Geburt (vgl. jāṣā hif Ps 147,8).

175 Sach 12,1; Neh 9,6; Ps 33,15 und - jedenfalls nach gängiger Meinung - Ps 8 und 139, vgl. jedoch u.118-126.

176 Vgl. die Übersicht von J.J.Stamm, Berît ʿam, 510-524.

177 So C.Westermann mit L.Köhler, P.Volz, J.Muilenburg u.a., Dtjes, 83; anders entscheidet sich schließlich J.J.Stamm 524.

178 S.o.9.

179 Jes 45,12 ist auch stilistisch nur als freie Abwandlung des beschreibenden Lobes zu interpretieren, s.o.19f.

180 Das muß man wahrscheinlich für 42,5 annehmen, s.o.B., A 54.

181 Die Ausrichtung der Erschaffung der Erde auf ihr Bewohnen durch die Menschen hin (Jes 45,18) ließ sich eindeutig Deuterojesaja zuschreiben, s.o.17f.

182 Alles (Jes 44,24; 45,7); Licht-Finsternis (Jes 45,7); Heil-Unheil (Jes 45,7).

183 Zur vorgegebenen Tradition gehören dann nur noch: Jes 40,22*.26*.28; 42,5(?); 44,24b*.27; 45,18*; 51,13.15.(16).

184 Jes 44,24b; 51,13.(16); 42,5; 40,22.28; 45,18; vgl. 45,12; 48,13.

185 Jes 42,5.

186 Jes 42,5; 45,12.

187 Jes 40,26.

188 Jes 44,27; 51,15.

189 Schöpfungsglaube, 6ff; s.o.7.

190 Schöpfungsglaube, 6f.

191 Schöpfungsglaube, 6; 7f.

192 Jes 43,1; 44,2; vgl. 44,24; er nennt nicht Jes 49,5, das immerhin in die Nähe des Heilsorakels gehört, s.u.49f.

193 Jes 54,5; 44,21; 51,13(?); vgl. 43,7.

194 Außer den genannten Stellen führt Rendtorff noch auf: Jes 45,11a.b; 42,6; 49,8; nennen müßte man noch Jes 43,15.21, dazu u.50.

195 Jes 43,1; 44,2.24; 51,13; 54,5; 42,6; 44,21; 49,8; ein Suffix der 1.P.sing. begegnet Jes 49,5; vgl. auch 45,11b; an zwei Stellen (43,7; 45,11a) kommen Suffixe der 3.P.sing. vor.

196 Auf den Gottesknecht bezogen sind 49,5; 42,6; 49,8. Die beiden letzten Stellen gehören sekundären Bearbeitungen des Deuterojesajabuches an, die den Gottesknecht auf Israel deuten; vgl. B.Duhm, C.Westermann z.St.

197 Vgl. die oben 4 angeführten Zitate; R.Rendtorff, Schöpfungsglauben, 8f; 10; 12.

198 Jes 43,1; 44,2; 44,24; 51,13; 54,5; 49,5; vgl. 45,11.

199 Er führt in bunter Folge auf: 42,5; 43,1; 44,2; 45,11.18; 49,5; Schöpfungsglaube, 5 A 4.

200 Schöpfungsglaube, 8.

201 9.

202 Er spricht 87 von einem "Umbau" der Tradition.

203 90.

204 Jeremia, 33 u.ö.

205 Heilsorakel, 87/225; 90/228, s.o.

206 Füge ein ko mit 10 Mss und LXX, Syr, so auch C.Westermann z.St.

207 Das Suffix der 1.P.sing. ist in Jes 49,5 allein durch die Form des "prophetischen Eigenberichtes" entstanden.

208 Schöpfungsglaube, 8 A 2.

209 8 A 2.

210 Heilsorakel 87/224f.

211 Verkündigung Deuterojesajas, 12; 84; 86; völlig inkonsequent bestimmt v.Waldow die partizipialen Erweiterungen dennoch als "hymnisch", Verkündigung Deuterojesajas, 12; 152; vgl. BSt 29, 10f; 24.

212 Jeremia, 31.

213 Dtjes, 102-111; Kleine Lichter, 13-15.

214 Die Literarische Gattung der prophetischen Literatur, 100f.

215 Die Botenformel kō- ʔāmar jhwh begegnet bei Deuterojesaja 20 mal, dazu nach LXX noch in 49,5. Sie kann neben den Heilsorakeln eine Heilsankündigung (43,16); Gerichtsreden (44,6; 50,1) und "Bestreitungen" (45,11.18; 49,22) einleiten. Z.T. kann sie auch ganz verschiedenen Redeformen fortführen: 48,17; 49,25; 51,22; vgl. 43,14. Zu vergleichen ist auch das meist nachgestellte ʔāmar jhwh 54,1.6.8. 10; 45,13; 48,22.

216 Jes 41,8-13.14-16; möglicherweise ist auch 43,5-7 eine eigene Einheit, der dann
    ebenfalls die Botenformel fehlt. In unserer Untersuchung wird nur von den siche-
    ren Belegen der Gattung ausgegangen. J.Begrich hatte zuerst nur 8 Texte bei Deu-
    terojesaja genannt (Heilsorakel, 81/217), von denen 48,17-19; 49,7.14-15 und
    51,7-8 aber unsicher sind; dazu noch Jer 30,10f=46,27f. Später hat er dann die Be-
    lege auf 20 ausgeweitet, Dtjes 6/14. C.Westermann hat mit Recht die Texte wieder
    reduziert (41,8-13; 41,14-16; 43,1-4.5-7; 44,1-5; (54,4-6) und eine zweite Gat-
    tung des Heilswortes, die Heilsankündigung, angenommen, Heilswort, 355ff; Sprache
    und Struktur, 117ff.

217 Schöpfungsglaube, 8 A 2.

218 Hier soll nur eine grobe Übersicht gegeben werden, die keinen Anspruch auf Exakt-
    heit erhebt, aber für unsere Zwecke vollständig genügt. Von den weit über 400 Be-
    legen, stehen etwa 170 ohne Apposition.

219 Etwa 30 mal; vgl. Ex 5,1; 32,27; Jos 7,13; 24,2; Ri 6,8 u.ö. bes. bei Jeremia.

220 An die 130 mal, ganz überwiegend bei Ezechiel.

221 Über 40 mal, vgl. Jer 6,6; 27,19 u.ö.

222 Etwa "Jahwe Zebaoth, Gott Israels" (Bes. bei Jeremia); "Jahwe, Gott Zebaoth"
    (vgl. Amos(schule).

223 Zu nennen sind hier nur 2.Kön 20,5=Jes 38,5 "Gott deines Vaters David" (ganz in
    der Nähe des Heilsorakels!); 2 Chr 21,12 "Gott deines Vaters David" (Gerichts-
    wort) und Am 9,15 "spricht Jahwe, dein Gott" (Ende eines sekundären Heilswortes).

224 ṣĕbāʾ ōt Jes 44,6; 45,13; ʾădōnāī Jes 49,22; 52,4; vgl. aber 51,22; qĕdōš jiśrāʾēl
    Jes 43,14; 45,11; 48,17; vgl. 49,7 und Jes 30,12.15; vgl. mælæk-jiśrāʾēl 44,6.

225 Jes 42,5; 43,16; 45,18; anders 49,7.

226 Jes 43,1; 44,2.24; 48,17; vgl 54,8.10 und 49,5 s.o.B., A 207. Einmal kommt
    auch eine Erweiterung mit einem Suffix der 2.P.plur. vor (43,14), doch ist die
    Stellung der Botenformel an dieser Stelle ganz unsicher.

227 Jes 44,6; 45,11; 49,7.

228 Jes 51,22 in einer vom Heilsorakel stark beeinflußten Komposition, s. C.Wester-
    mann, Dtjes z.St.

229 Dtjes, 15.

230 Jes 41,10.13.14 in der perfektischen Begründung.

231 Jes 41,14; 54,5 in der nominalen, 43,1b; 44,22 in der perfektischen Begründung.

232 Das wird noch deutlicher, wenn man die andere Art der Einleitung, die Nennung des
    Angeredeten samt ihren Erweiterungen hinzunimmt: "mein Knecht" steht Jes 41,8.9;
    44,1.2; Jer 30,10 in der Einleitung, 44,21 in der Begründung; ḥāzaq 41,9; 45,1 in
    der Einleitung, 41,13; vgl. 41,10 in der Begründung; bāḥar 41,8.9; 44,1 in der Ein-
    leitung, 44,2 in einer abgewandelten Begründung. Vgl. auch das riḥam Jes 54,8 mit
    niḥam 51,12. Diesen Tatbestand hat schon J.Begrich z.T. gesehen, Heilsorakel,
    87/224f.

233 Jes 43,1; 44,1; 49,5; das Fehlen in 44,24 ist wahrscheinlich dadurch veranlaßt, daß
    die Heilsorakeleinleitung in neuer Weise für den Komplex des Kyrosorakels verwandt
    ist.

234 Bst 29,15f.

235 B.Duhm. Jesaja, 321 und C.Westermann, Dtjes, 95 interpretieren das wĕ ʿattā in
Jes 43,1 aus dem Gegensatz zu 42,18-25. Zwar paßt diese Deutung hier und in Jes
44,1 inhaltlich, da jedesmal eine Gerichtsrede gegen Israel vorausgeht, doch das
waw-adversativum in 41,8 und 49,5 läßt sich auf diese Weise nicht erklären. Seit
den Arbeiten von H.Greßmann und S.Mowinckel, Dtjes, ist es klar, daß das Deuterojesajabuch durch Sammeln in sich geschlossener Einheiten entstanden ist (gegen
J.Muilenburg u.a.). C.Westermann hat differenzierend darauf hingewiesen, daß
die Kompositionsarbeit von Kap 40-44 nur durch die Anordnung der Einheiten geschieht, während ab Kap 45 größere Kompositionen gebildet werden, Sprache und
Struktur, 164f. Eine redaktionelle Verklammerung, noch dazu in den Kap. 40-44, wäre völlig singulär.

236 wĕ ʿattā: Jes 43,1; 44,1; 49,5; möglicherweise auch 48,16 (Bruchstück einer Boten-
beauftragung?): es bleiben Jes 47,8; 52,5 übrig, aber auch hier bezeichnet wĕ ʿattā
die Wende der Not. wĕ ʿattā: außer Jes 41,8 nur noch 41,16, hier aber rein kopulativ.
Zu vergleichen ist das adversative waw des Bekenntnisses der Zuversicht (Ps 27,6;
39,8; 119,67); dazu C.Westermann, Loben Gottes, 52ff; A.Laurentin, bes. 181f,
sonst behandelt er fast ausschließlich das Vorkommen in Rechtstexten.

237 Heilsorakel , 81f/218; 91f/229ff.

238 87/224.

239 C.Westermann spricht mit Recht von dem "freie(n) Charakter der Anrede", Heilswort, 360; Sprache und Struktur, 118.

240 Heilswort, 362; Sprache und Struktur, 119.

241 Auch wenn es im Deutschen etwas unglücklich klingt, habe ich das hebräische "Perfekt" mit einem deutschen Perfekt wiedergegeben. Man muß sich aber klar darüber
sein, daß es nicht um eine Zeitstufe geht, sondern darum, die Tatsächlichkeit des
göttlichen Heilsbeschlusses auszudrücken. BHS schlägt mit Syr, Targ vor, das Nomen "dein Helfer" zu lesen, dann wäre auch der erste Teil ein Nominalsatz, vgl.
aber Jes 41,10.13.

242 nĕʾūm jhwh ist in den Text fälschlich hineingeraten. B.Duhm vermutet, daß ein zu
nī verstümmeltes ʾănī fälschlich als Abkürzung für nĕʾūm jhwh aufgefaßt worden
sei. Das ist möglich. Nicht möglich ist, mit J.Begrich, Heilsorakel, 87/225 A 47
den Text in der Weise zu glätten, indem man das waw vor gōʾălēk streicht und den
Nominalsatz zu einer Apposition zum Jahwenahmen macht, vgl. den wörtlich gleichen Satz 54,5.

243 MT überliefert ein Pluralsuffix, vgl. aber das sing.suff. wĕgōʾălēk; vgl. dazu
Ges-K § 93ss (scheinbare Pluralsuffixe); ein ähnlicher Fall liegt Hi 35,10 vor,
möglicherweise auch Ps 149,2.

244 Die Partizipialkonstruktion könnte auch zweites Prädikat zu ani sein, doch ist das
wegen der weiteren partizipialen Fortführung: "der zu dir spricht" V 13b unwahrscheinlich, vgl. auch Jer 30,10.

245 Z.B. könnte man fragen, ob das Partizip nicht in 41,14; 43,3 und 54,5 durch die
Verwendung des Titels "der Heilige Israels" mitbedingt ist, der in allen drei Fällen
den Wechsel von der 1. in die 3.P.sing. erzwingt.

246 Jeremia, 33f.

247 Das Verb kommt in der Einleitung zum Heilsorakel Jes 44,2 vor.

248 Das ist in der Einleitung zum Kyrosorakel 45,1 wirklich der Fall. Der Relativsatz
ʾăšær hæ̱ḥæ̱zaqtī bīmīnō entspricht vollkommen dem Partizip in 41,13. Das Suffix
der 3.P. kommt dadurch zustande, daß das Orakel nur hypothetisch zu Kyros, in

Wirklichkeit aber zu Israel gesprochen ist. Die Erweiterungen des Angeredeten in 41,8.9 sind ebenfalls perfektische Relativsätze.

249 S. dazu C.Westermann, Dtjes, 218f; er nennt deswegen den Text bei der Aufzählung der Heilsorakel nur in Klammern, vgl. Sprache und Struktur, 118. J.Begrich hatte 54,4-8 vorbehaltlos zu den Heilsorakeln gezählt, Heilsorakel, 81/127. Die differierende Abgrenzung zeigt aber, daß die ursprüngliche Form hier kompositorisch überarbeitet ist.

250 C.Westermann, Dtjes, 218ff; 220. Man muß aber möglicherweise eine besondere Form des Heilsorakels annehmen, das im Umkreis der Geburt seinen Ort hatte. Auf solche Differenzierung könnten Stellen wie Gen 21,17; 35,17; 1 Sam 4,20; vgl. Joel 2,21; Zeph 3,16 weisen, doch ist darüber bisher wenig bekannt. F.Crüsemann meint, daß der Aufruf zur Freude, wie er z.B. in Jes 54,1f begegnet, in die Situation eines solchen "Fruchtbarkeitsorakels" gehören könnte, 55-65.

251 V 4b; so auch J.Begrich, Heilsorakel, 84/220 A 24.

252 Für die Formel "Jahwe Zebaoth ist sein Name" hat das F.Crüsemann erwiesen, 95ff; sie ist charakteristisches Kennzeichen des sog. "partizipialen Hymnus", vgl. Jes 51,15. Weniger klar ist das für ꜣælōhē kol-hāꜣāræṣ jiqqārēꜣ, das sonst nicht mehr vorkommt; am nächsten kommen Formulierungen wie ꜣælōhē haššāmajim wēꜣlōhē hāꜣāræṣ Gen 24,3 (par. gebildet zu Baalšamen?) und ꜣælōhē hārūḥōt lĕkol-bāśār Nu 16,22; 27,16P; vgl. Jer 32,27. Überall geht es um die universale Herrschaft Jahwes über die ganze Welt, vgl. auch die Herrschaftsmotive wie Ps 24,1.

253 Sie könnte durch die "hymnischen" Zusätze entstanden sein. Die Nominalsätze werden von C.Westermann, Dtjes z.St. dadurch erklärt, daß es in Kap 54f nicht mehr um die Ansage einer Rettungstat, sondern um die Schilderung des zukünftigen Heils geht.

254 Der mit kī eingeleitete Satz ist nicht als Objektsatz, sondern als Kausalsatz zu interpretieren; vgl. die gleiche Folge von Mahnung und Begründung in V 22.

255 Jesaja, 337; vgl. C.Westermann, J.Muilenburg z.St. Zum sekundären Charakter der Götzenpolemiken im Deuterojesajabuch s. C.Westermann, Dtjes, 27 u.ö. Anders P.Volz, Jesaja II, z.St., der 44,21f als eine selbständige Einheit fassen möchte, er muß dann ein konkretes Objekt zu zĕkār ergänzen: ꜣælōhǣkā, so auch BHS.

256 Vgl. etwa Jes 43,10.

257 Vgl. Ps 18,3.32; 62,3.7.8; 73,26; 94,22; 144,1; als vertrauensvolle Anrede: Ps 19,15; 28,1; 89,27; (95,1); als Beweggrund der Bitte Ps 31,3; (61,3); 71,3.

258 Dazu s.u.

259 Auch Ps 78,35 wird die Hinwendung zu Gott formuliert: "sie gedachten (wajjizkeru), daß Gott ihr Fels sei..."

260 ᶜabdī-(lī) ꜣattā kommt zweimal vor; B.Duhm konjiziert einmal zu ᶜēdī "mein Zeuge" im Anschluß an V 8.

261 lōꜣ tinnāšēnī gibt einige grammatische Rätsel auf. LXX, Targ, Hier, Luther, Zürcher Bibel übersetzen aktivisch: Vergiß mich nicht! vgl. Ges-K § 117x, BHS; es ist dann eine scharfe Mahnung. Doch müßte dann das nun eigentlich assimiliert sein. Qa liest taššĕꜣeni, was C.R.North von nšꜣ II herleitet und mit "play not false with me!" wiedergibt. Bleibt man bei der nif-Form von MT, dann ist das Suffix inkorrekt: in der Regel steht das logische Subjekt beim Passiv mit lĕ, vgl. Ges-K § 121f; so B.Duhm, P.Volz, C.Westermann, BHK. Dann ist der Satz eine Zusage: "du wirst von mir nicht vergessen."

262 So C.Westermann, Dtjes, 116; doch scheint er Dtjes, 27 das ganze Stück für sekundär zu halten. Eine ähnliche Verbindung von Heilsorakel und Mahnwort liegt Jes 48, 18f vor; vgl. dazu C.Westermann, Bezeugung, 356ff.

263 Liest man mit B.Duhm ein ʿabdī als ʿēdī, dann ist der Zusammenhang sachlich erheblich enger.

264 ʿabdī Jes 41,8; 44,1.2; ʿabdī-ʾattā Jes 41,9; kī gĕʾaltīkā 43,1b; vgl. 41,14; 54,5. Die Vergebungszusage kommt zwar bei Deuterojesaja nur in anderem Zusammenhang vor (40,2; 43,25), aber sie gehört sachlich eng zur Heilszusage hinzu. Eine Neubildung ist möglicherweise die Zusage "du wirst von mir nicht vergessen", doch s.o.B., A 261.

265 Die Übersetzung von C.R.North z.St. "I formed you to be my servant" ist grammatisch nicht zu halten, es müßte dann heißen jĕzartīkā lĕ ʿæbæd lī; Jes 49,5.

266 Wenn man mit R.Rendtorff z.B. die Schöpfungsaussage Jes 44,21 vom beschreibenden Lob herleiten wollte, müßte man folgende stilistische Veränderungen annehmen: 1. das "hymnische" Partizip wird mit einem Suffix der 2.P.sing. versehen; 2. es wird in eine perfektische Form umgegossen; 3. es wird in die 1.P.sing. umstilisiert. Ist das überhaupt denkbar?

267 Schöpfungsglaube, 8 A 2.

268 Heilsorakel, 81f/218; 87-92/225-231.

269 S.o.

270 Er nennt Ps 119,73; 139,15; (Hi 10,8ff), 90/228 A 92; Ps 139 ist nicht direkt zur Gattung der Klage zu rechnen, dazu u.118ff.

271 MT: jaḥad sābīb ist ohne Sinn; LXX liest metà taûta metabalón, was ʾaḥar sabbōtā oder ʾaḥar sābōb entsprechen würde, so B.Duhm, G.Hölscher, F.Horst, G.Fohrer, und S.Terrien, Job II z.St.

272 Lies statt kaḥōmær "wie Ton" baḥōmær. Die Vergleichspartikel ist unsicher, wie die Übersetzung von LXX mit pēlón zeigt; vgl. Jer 18,4; so G.Fohrer u.Horst z.St.

273 Ich gebe so ḥajjīm wāḥæsæd wieder; F.Horst z.St. "Lebensglück und Treue", S.Terrien, Job II "la vie et la vigueur".

274 rūḥī meint hier, wie oft in den späten Klagepsalmen (Ps 31,6; 77,4.7; 142,4; 143,4.7) einfach nur die Existenz, das "Ich", des Betenden (s. auch Hi 6,4; 7,11; 17,1).

275 wĕʾēllæ ist adversativ und meiner Meinung nach auf das Vorangegangene zu beziehen. Ein Bezug auf das Folgende ist zwar grammatisch regelmäßiger (Ges-K 136a), verwischt aber die Wende von Gottes heilvollem (V 8-12) und seinem unheilvollen Handeln (V 13-17); gegen S.Terrien, Job II, 103 mit W.A.Irwin 33f.

276 So schon A.Dillmann, Hiob, 1869, 94; A.Weiser, Hiob 77f; C.Westermann, Hiob, 49; G.Fohrer, Hiob, 202; F.Horst, Hiob, 143f. Merkmale sind die gegenüber Kap 9 abstechende Du-Anrede Gottes, dann kann śīḥ V 1 die Klage bezeichnen, vgl. Ps 55, 18; 64,2; 77,4.7; 102,1; 142,3; Hi 7,13; 9,27; dazu H.P.Müller, die hebräische Wurzel śīḥ, 361ff und schließlich ist 10,1 ein Entschluß zur Klage wie Hi 7,13. Noch deutlicher käme die Gattung heraus, wenn man mit C.Westermann, Hiob, 49 A 1 statt der sich mit 9,20 stoßenden Bitte "Sprich mich nicht schuldig!" V 2 eine Klage liest: lāmmā taršī ʿēnī "Warum sprichst du mich schuldig?"

277 jĕgīʿ betont gegenüber ma ʿásæ die bei der Arbeit aufgewendete Mühe.

278 Der imp. von zakar mit Jahwe als Subjekt des Objektsatzes steht noch Ps 25,6; Neh 1,8, hier ebenfalls in dem Sinn, daß Jahwe sich seiner früheren Heilstaten erinnern solle (Rückblick). Sonst: "Bedenke, daß ich oder wir" als Beweggrund der Bitte, zuweilen die Bitte um Zuwendung selber: Jer 18,20; Ps 74,2; 89,48; Hi 7,7. Der Übergang zwischen Rückblick auf Gottes früheres Heilshandeln und Beweggrund der Bitte ist jedoch fließend.

279 Es ist nicht, wie F.Horst, Hiob, 156 meint, an eine allgemeine, anthropologische Aussage gedacht, sondern an eine ganz persönliche Erfahrung Hiobs, vgl. die Suffixe der 1.P.sing. und V 8b. Die etwas allgemeine Formulierung stammt aus der Vergänglichkeitsklage, die zuweilen an das Menschenschöpfungsmotiv der Erschaffung aus Ton anknüpft, s.Ps 90,3; Gen 3,19 u.ö.

280 Vgl. die recht ähnlichen Vorstellungen Ez 37,4ff; auch hier besteht der Mensch aus ⁽æşæm, bāśār, gīd und ⁽ōr.

281 Anders ist die Anklage Hi 10,18; hier wird Gott das Geborensein als solches vorgeworfen. Das ist nur zu verstehen auf dem Hintergrund der besonders urtümlichen Klageform, die den Tag der eigenen Geburt verflucht: Hi 3,10f; Jer 20,18; Ps 89, 48(cj) (?). Im Unterschied zu Hi 10,1-12 will der Klagende gar nicht weiterleben, sondern sterben.

282 Jeremia, 36.

283 147.

284 Gegen das nur an dieser Stelle belegte gāḥā sind Bedenken erhoben worden, so liest Hier "propugnator meus", was ⁽ōzī entspricht und häufig im Bekenntnis der Zuversicht begegnet, so auch H.Gunkel, Psalmen z.St. Dagegen ist zweierlei zu sagen: 1. gīḥ "hervorbrechen" begegnet ebenfalls im Zusammenhang von Geburtsvorstellungen: Hi 38,8; 2. die Vorstellung, daß Jahwe den einzelnen Menschen aus dem Mutterleib gezogen hat, begegnet auch sonst, wenn auch mit dem Verb jāṣā , so Hi 3,10f; 10,18; Jer 1,5; 20,18. So wird man mit guten Gründen bei MT bleiben können, so auch H.J.Kraus z.St.

285 Z.B. C.Westermann, Psalm 22, der 122 die Verse als "Gottes früheres Heilshandeln am Beter selbst", 125 als Bekenntnis der Zuversicht bezeichnet.

286 MT: "vom Leib meiner Mutter hast du mich abgeschnitten" (ʾattā gōzī). Das Verb gāzā ist nur an dieser Stelle belegt, es könnte an die Abnabelung gedacht sein, doch ist das nicht mit Sicherheit zu belegen. Bleibt man bei MT oder ändert mit KBL, 3.A. in gōḥī, dann steht der Text Ps 22,10 ganz nahe, weshalb beide Stellen auch von H.Graf Reventlow und H.Gese zusammen genannt werden. Doch ist meiner Meinung nach an dieser Stelle die Lesart von LXX und Hier (⁽uzzī) vorzuziehen; im Gegensatz zu Ps 22,10 ist sie graphisch ähnlicher, und das min ist im ersten Halbvers ebenfalls zeitlich gebraucht. Sachlich ist jedoch MT durchaus möglich.

287 MT: ma⁽āśē, was eine ungewöhnliche Schreibweise für den sing. sein kann, so auch viele Mss, Syr, H.Gunkel und H.J.Kraus z.St.

288 Psalmen, 526; anders H.J.Kraus, Psalmen, 826, der meint, V 73 sei ein Bekenntnis zu Jahwe, dem Schöpfer des Lebens und zum wegweisenden Gotteswort. Das ist sicher nicht gemeint.

289 Die V 1-3 stehen dem berichtenden Lobpsalm des Einzelnen, V 4-6 dem beschreibenden Lob nahe. V 7-8 erinnern stark an die Vertrauenspsalmen, hinter denen ja die Klagen des Einzelnen stehen.

290 Ps 40,12; 118,25; vgl. H.Gunkel/J.Begrich, Einleitung, 275.

291 Der Anfang "ich will gedenken" Jes 63,7 zeigt eine individuelle Verwendung; das Vergänglichkeitsmotiv 64,5 stammt aus der Klage des Einzelnen (Ps 102,4.12; 103,15; Hi 14,1ff; Jes 40,6f in die Volksklage übertragen auch Ps 90,6).

292 Zur Verbindung von Vaterschaft und Schöpfung s.u.85-87.

293 Zum Aufbau s. C.Westermann, Dtjes, z.St.

294 So auch C.Westermann, Dtjes, 312; 315.

295 So fälschlich G.Quell, der meint, es sei in Jes 64,7 "nicht an die Schöpfung oder die Providenz Gottes gedacht, sondern an die Vollmacht des Erziehers..." 971. Um die Abhängigkeit von Gott geht es höchstens in 63,16; krass dann auch in der Gegenüberstellung von Ton und Töpfer (Jer 18,6; Jes 29,16; 45,9f; Röm 9,20f), die aber mit Schöpfung nichts zu tun hat (höchstens Hi 4,17ff, dazu s.u.139). Das erkennt B.Duhm ganz richtig, wenn er zu Jes 64,7 schreibt: "Das Bild vom Ton und Töpfer ist nicht von 45,9, sondern von Hi 10,9 abhängig: du hast uns zu deinem Volk gemacht..., du kannst deine Schöpfung nicht verderben lassen" Jesaja, 473; ähnlich auch C.Westermann: "Das Geschaffensein... hat hier... den Sinn des Zugehörens, das Vertrauen und Geborgensein bedeutet" Dtjes, 312.

296 Übersetzung von H.Gunkel in E.Kautzsch, Apokryphen und Pseudepigraphen II, 379, vgl. die neue Herausgabe des Lateinischen Textes im Appendix der Biblia Sacra, II, 1969, 1950f.

297 Vgl. die passivische Formulierung, mit der die zuvor aktivisch geschilderte Schöpfertätigkeit Gottes in 8,14 umschrieben wird; auch der direkte personale Bezug auf den oder die Klagenden tritt zurück.

298 Die Verbindung zu den Psalmen wird deutlicher in 4 Esr 8,24, das an Ps 119,73; 138,8 und 8,45, das an Hi 14,15 erinnert. Hier findet sich noch die ursprüngliche personale Beziehung zwischen dem Beter und seinem Schöpfer. Das allgemeinere Reden vom Menschen in Esr 8,4-14 kann einmal durch weisheitlichen Einfluß entstanden sein (vgl. die fast wissenschaftlichen Details), ein andermal durch den Einfluß der Vergänglichkeitsklage (vgl. 8,5.34-36; 7,46.62-69), die im 4. Esrabuch die Sündenverfallenheit und Todesbegrenztheit des Menschen überhaupt beklagt. So stellt 4 Esr 8,14 fast schon die grundsätzliche Frage nach dem Sinn des Lebens angesichts der Todverfallenheit des menschlichen Geschlechts.

299 Auf dem Weg zur allgemeineren Aussage des 4. Esrabuches ist möglicherweise die Klage Ps 89,48. Allerdings ist der Text unsicher. MT liest: "gedenke, ich, was ist das Leben!" ist völlig unmöglich. Entweder man konjiziert mit A.Weiser, Psalmen, B.Duhm, Psalmen, z.St. ʔănī in ʔădōnāi: "Gedenke doch, Herr, was das Leben, zu welcher Nichtigkeit schufst du alle Menschenkinder?" oder man greift mit H.Gunkel, Psalmen; H.J.Kraus, Psalmen, z.St. tiefer in den Textbestand ein: zĕkār mæ̈-ḥadęl ʔănī (1 Ms liest mæ̈ hælæd ʔănī; 2 Mss lesen ḥādēl) und trennt ʿal-mā-šāwʔ zu ʿōlām und hāšāwʔ. Dann lautet der Text: "Gedenke doch, wie ich dahingehe für ewig! Hast du zur Nichtigkeit alle Menschen geschaffen?" In der ersten Konjektur geht es ausschließlich um das Leben des Menschen überhaupt, in der zweiten wird das eigene Schicksal in das aller Menschen ausgezogen. Beidemale jedoch ist die Menschenschöpfungsaussage in die Vergänglichkeitsklage selbst hineingekommen und wird, da diese das Einzelschicksal auf das Menschenschicksal existenziell ausweitet, auf den Menschen überhaupt bezogen.

300 Ich gebrauche die Terminologie C.Westermanns anstelle des mißverständlichen Begriffes "Scheltwort".

301 Vgl. H.W.Wolff, Zitat, 14/42f; 32/57f.

302 32/57f; vgl. Ps 3,8. Zwar begegnen die Elemente vor allem in der Klage des Einzelnen, sie kommen aber auch in der Klage des Volkes vor (Belege s. bei H.W.Wolff), die in Jer 2,27b zweifellos vorliegt (vgl. suff. 1.P.plur.); es fehlt in Jer 2,27b allerdings die Gottesbezeichnung im Vokativ.

303 "Baum" und "Stein" sind natürlich schon polemische Identifizierungen der Götter mit ihren Erscheinungsformen (heilige Orte, Götterbilder), die auf das Konto des Propheten gehen, vgl. Hab 2,19.

304 So W.Rudolph, Jeremia, 21; P.Volz, Jeremia, 28ff.

305 Zitat, 49f/81f.

306 Jer 3,4f.19; ebenfalls Zitate von Vertrauensäußerungen.

307 So auch Hab 2,19.

308 A.Weiser, Jeremia vermutete schon "kultische Bekenntnisformeln" 27, seine Bestimmung bleibt aber zu ungenau. ˎ

309 So wird man wohl das Neben- und Gegeneinander von Klage des Einzelnen und des Volkes deuten müssen, vgl. auch den Singular in V 28. Zu der hier zutagetretenen Erscheinung, daß sich die individuelle Frömmigkeit weit vom Jahweglauben entfernen konnte, s.u.153f.

310 Sie kann durchaus kanaanäischer Herkunft sein. Die Schöpfung des Einzelnen in den Klagen hängt eng mit der Geburt zusammen (vgl. Hi 10,8ff; Ps 22,10f) es wundert darum nicht, wenn wir uns im Kreis der sogenannten "Fruchtbarkeitskulte" bewegen, dazu s.u.154. Fraglich ist mir jedoch, ob hinter Jer 2,27 die alte Vorstellung der Erschaffung aus dem Stein (Jes 51,1) liegt (so P.Volz, Jeremia, 28); die Identifizierung der Götter mit dem Gegenstand ihrer Verehrung geht meiner Meinung nach auf das Konto der Polemik Jeremias.

311 Vgl. C.Westermann, Hiob, 107ff und die dort angegebene Literatur.

312 So MT, vgl. Am 3,9; Koh 4,1; Theod, Sym, Syr, Targ, Vulg, Ms de Rossi 368 lesen ʿāšōqīm "Bedrücker, Erpresser", der Unterschied ist jedoch unerheblich.

313 Möglicherweise ist mit BHK kabbīrīm "der Gewaltigen" zu lesen.

314 Syr liest plur; so auch BHK. Doch ist der Singular von MT lectio difficilior und hat formgeschichtliche Gründe, s.u.B., A 319.

315 MT punktiert ein Pluralsuffix; ähnliche Fälle liegen Jes 54,5; Ps 149,2 vor. Möglicherweise ist ein Herrschaftsplural gemeint; vgl. jedoch zu dem scheinbaren Pluralsuffix Ges-K § 93ss.

316 So K.Budde, Hiob; S.Terrien, Job II, z.St. von zāmīr (zāmar I). Möglich wäre auch eine Ableitung von zāmar III, das das Derivat zimĕrā "Stärke" bildet, so M.H.Pope, Job u.a. z.St.

317 G.Fohrer, Hiob, 470ff; M.H.Pope, Hiob 227f rechnen 35,1-16 zur dritten Rede Elihus; C.Westermann zieht 35,9-14 aus sachlichen Gründen zur 1. Rede Elihus, welche sich auf die These Hiobs, Gott antworte nicht (33,12-13), bezieht; Hiob, 112. S.Terrien, Job II, 233 stellt fest, daß keine evidente Verbindung zwischen 35,2-8 und 9-16 bestehe, auch wenn er eine Umstellung scheut.

318 zāʿaq V 9 und šāʿaq V 12 meinen den lauten Hilferuf und sind häufig im Zusammenhang der Klage gebraucht.

319 Das wird auch von S.R.Driver/G.B.Gray, Job, 306 und G.Fohrer, Hiob, Textanmerkung zu 35,10 angenommen, vgl. auch S.Terrien, Job II, 233.

320 Vgl. Jes 63,11.

321 So E.König, Hiob, 366f; G.Hölscher, Hiob, 85; A.Weiser, Hiob, 230f u.a.

322 Daß die Partizipialformen nicht aus der Tradition des beschreibenden Lobes erklärt werden können, hat F.Crüsemann 123 bestätigt, gegen G.Fohrer, Hiob, 476. Auch die zweite Vershälfte läßt sich gut als Bekenntnis der Zuversicht verstehen.

323 Nicht ganz deutlich ist, ob Elihu eine illegitime Weise des Klagens meint, oder das Klagen der Frevler (V 12f); wahrscheinlich fällt beides für ihn zusammen.

324 Diese allgemeine Tendenz in der Geschichte des Gebets in der Spätzeit hat C.Westermann, Geschichte der Klage, 72ff/296ff aufgezeigt.

325 Denn die Gerichtsankündigung findet sich fast wörtlich in Am 1,4.7.10; 2,5 wieder; Das Gerichtswort ist neben Israel auch gegen Juda gerichtet; vom Schöpfer Israels wird erst bei Deuterojesaja gesprochen, so halten W.R.Harper 324, K.Marti 70 u.a. den ganzen Vers, Th.H.Robinson 34 zumindest seine zweite Hälfte für eine sekundäre Hinzufügung. W.Rudolph, Hosea, 169f entscheidet sich trotz dieser Bedenken für eine hoseanische Verfasserschaft; R.Tournay bringt Hos 8,14 mit der jüdischen Redaktion des Amosbuches in Verbindung 272, was die gleichlautenden Gerichtsankündigungen erklären könnte.

326 Wissen um Gott, 543/191; Wolff verweist besonders auf šākaḥ Hos 2,15; 4,6; 13,6 und die ähnliche Kritik an den Palast- und Festungsbauten in Hos 10,14; 11,6, Hosea 174; 188ff.

327 Die Konsekutivformen haben Nachtragscharakter, so H.W.Wolff, Hosea, 174.

328 Sonst redet Hosea nur von Israel als dem geliebten Sohn, den Jahwe aufgezogen hat (11,1f); vgl. H.W.Wolff, Hosea, 188: "Genau vergleichbare Formulierungen finden sich erst bei Dtjes (51,13; 44,2)".

329 Vgl. dazu C.Westermann, Grundformen, 131f; bes. Hos 9,10-13,11; hier hat jedes Prophetenwort diese Erweiterung, aber auch Am 2,9ff; Jer 2,2ff.

330 Grundformen, 132 A 10.

331 Hosea, XV; vgl. 97; 145; 173 u.ö.

332 Vgl. Hos 4,6; 5,11; dazu H.W.Wolff, Hosea, 97; 145.

333 Vgl. Hos 6,7; 7,13-16 u.ö.; dazu H.W.Wolff, Hosea, 165f; 172-174.

334 V 6a gehört möglicherweise noch dazu, doch ist der Text unsicher, vgl. H.W.Wolff, Hosea, z.St.

335 H.W.Wolff, Hosea, 172-174. Darüber hinaus läßt sich folgender Einzelnachweis führen: zānaḥ V 3 begegnet sehr häufig in der Klage: Ps 43,2; 44,10.24; 60,3.12; 74,1; 77,8; 88,15; 89,39; 108,12; Thr 2,7; vgl. 3,31; hier klagt der Einzelne oder das Volk, daß Jahwe ihn/es verworfen habe oder fragt ihn, warum er ihn/es verstoßen habe. Die Frage "Wie lange?" Hos 8,5 ist ein sicheres Merkmal für die Klage, vgl. Ps 79,5; 80,5; 90,13; 94,3; 6,4; 13,2ff; u.ö.; dazu C.Westermann, Geschichte der Klage, 53/276. Zu Hos 8,12 vgl. Hi 19,15; Jer 15,18; Hi 19,11.

336 Wenn V 14 erst später hinzugekommen sein sollte, könnte das Motiv der Klage Gottes die Einordnung gerade an dieser Stelle bewirkt haben.

337 So Hosea, 174.

338 Ps 10,12; 13,2; 42,10; 77,10; Thr 5,20; Jes 49,14; 1 Sam 1,11; Ps 44,25. Überall wird die Verlassenheit von Gott beklagt oder gebeten, Gott möge nicht vergessen. Daneben begegnet šākaḥ auch in der prophetischen Anklage: Jes 17,10; Jer 13,25; 23,27; Ez 22,12; 23,35; Hos 4,6; 13,6, doch sind die Übergänge zur Klage Gottes z.T. fließend. Der häufige Gebrauch von šākaḥ in den Mahnungen des Dtn (4,9.23.31; 6,12; 8,11.14.19; 9,7; vgl. 32,18) setzt möglicherweise die Verkündigung der Propheten schon voraus.

339 Hos 2,15; 13,6; Jer 2,32; 18,15.

340 Hos 7,7.14-16.

341 H.W.Wolff hat mit Recht darauf hingewiesen, daß šākaḥ bei Hosea der "Konträrbegriff" zu jādaʿ ist, Wissen um Gott, 540/188; Hosea, 49; vgl. Hos 2,10.15; 4,6; 13,4-6. Nun hat H.W.Wolff die da ʿat jhwh der "priesterlichen Thora" zugewiesen, wobei er sich vor allem auf Hos 4,6 stützt, Wissen um Gott, 536ff/184ff; 544ff/193ff. Doch ist es mir zweifelhaft, ob diese Erklärung für alle Belege Gültigkeit hat. Wenn Wolff als Inhalt der da ʿat "die Erinnerungen an die Taten Gottes in der Frühzeit Israels" (547/196) angibt, und dazu noch bemerkt, Israel behaupte "in seinen K l a g e g e b e t e n (Hervorhebung von mir), ein Wissen um Gott zu haben" (547/197; vgl. Hos 8,3 (!); 6,3), dann wird man doch ernsthaft fragen müssen, ob nicht mit da ʿat jhwh konkret der "Rückblick auf Gottes früheres Heilshandeln" in der Klage des Volkes gemeint ist. Diesen Hinweis verdanke ich F.Ahuis, dessen Dissertation über die Psalmenformen bei den Propheten bald in Heidelberg erscheinen wird. Wolffs Bestimmung wird dadurch nicht aufgehoben, da auch die Klagen in den gottesdienstlichen Bereich gehören, mit dem zweifellos vornehmlich die Priester zu tun hatten, aber sie wird dadurch spezifiziert. Wenn diese Vermutung richtig ist, dann wäre ein ganz unmittelbarer Zusammenhang zwischen der Formulierung von Hos 8,14 und dem Rückblick der Klage gegeben.

342 LXX liest egénnēsa, was dem hebr. jālad hif entsprechen würde; MT liest giddalti, was sich als Abschwächung der anstößigen Lesart von LXX viel besser begreifen ließe als die umgekehrte Veränderung, zumal gādal pi gegenüber rūm pil nichts Neues sagt; zur Vorstellung vgl. Jer 2,27; Dtn 32,18. Der einzig sachliche Einwand, den H.Wildberger, Jesaja gegen die Lesart von LXX vorbringt, daß es im AT keine "mit jālad oder hōlîd zusammengesetzte(n) theophoren Eigennamen" gibt, wiegt nicht allzu schwer (8), vgl. die Eigennamen mit dem ebenfalls sexuell gefärbten qānā, dazu u.

343 Ex 4,22; Dtn 14,1; 32,5; Jes 30,9; Jer 3,14; Hos 11,1; vgl. Hos 2,1; vom König 2 Sam 7,14; Ps 2,7; vgl. 89,27f.

344 Sie reicht vom 10. Jh (O.Eißfeldt, Moselied, 24; W.F.Albright, Song of Moses, 339; 346; W.Beyerlin, Richterbuch, 21 über das 9. Jh (G.E.Wright, Lawsuit, 64f) bis in die nachexilische Zeit (G.v.Rad, Deuteronomium, 143f; F.Crüsemann 41f) und später. Zum Stand der Diskussion vgl. F.Crüsemann 41f A 4.

345 P.Winter 45ff scheidet zwischen zwei Liedern; E.Baumann, Moselied 414ff betont dagegen die Einheit.

346 G.E.Wright, Lawsuit, 52ff; W.Beyerlin, Richterbuch, 17f: "Bundesbruch-rîb"; G.v.Rad, Deuteronomium betont den freien Charakter der Gestaltung; F.Crüsemann sieht eine unter weisheitlichem Vorzeichen stehende Mahn- und Trostrede, die von prophetischer Tradition geprägt ist.

347 Z.B. sind für E.Baumann, Moselied 416ff, der die Einheit des Liedes betont, V 5.6.
14b.15a*.18.26f.30f.43 sekundär. Für G.E.Wrights Gattungsbestimmung als Recht-
streit sind V 30-43 nur schwer zu erklären (54ff), er rechnet mit Zufügungen und
W.Beyerlin muß zwei verschiedene Bundesbruch-rîb-Typen annehmen (20).

348 Von Israel wird im sing. gesprochen: V 7a*.b.10-14.15.18; im plur. V 5.6a.7a*.
16.17.19ff. Er-Stil begegnet in V 8-14a.15a*.b.16.17a.19.36f; dazu in der Jahwerede V 20ff; Du-Stil taucht dagegen in V 6b.7.14b.15a*.18 auf. Von den Feinden wird
V 37.38a in der 3.P., V 38b in der 2.P. gesprochen, V 1-19 redet der "Sänger",
V 20ff aber Jahwe. Unklar ist, wo die Jahwerede endet, gehört V 28-33 noch dazu,
dann sind V 30b.31 nicht zu verstehen; sind die Verse 28-33 ein Urteil Israels über
die Feinde, fehlt eine neue Einleitung der Jahwerede, die V 34f wieder einsetzen
würde.

349 Durch die Vielzahl der Kontrastmotive kommt eine geschichtliche Dimension hinein
(7-14); doch unterscheidet sich Dtn 32 von dem z.B. im Eingang recht ähnlichen
Geschichtspsalm (Ps 78), daß nur ein einziges Mal die Folge: Wohltaten Jahwes,
Abfall des Volkes und Zorn Jahwes erzählt wird; daher die Statik, die G.v.Rad von
der Weisheit erklären wollte, Deuteronomium, 143. Im Unterschied zum Rahmen
des Richterbuches (Ri 2), den W.Beyerlin von einem Bundesbruch-rib ableiten
will, wird in Dtn 32 das Eintreffen des Gerichts n i c h t erzählt. Es bleibt bei
dessen Ankündigung.

350 Vgl. R.Bach, Erwählung 26ff, bes. 30, vgl. Hos 9,10; vgl. 13,5f; 2,5; Ez 16,1-14.

351 Füge ein mit LXX (und Sam): wajjōᵓkal ja ᶜᵃqōb wajjiśbaᶜ.

352 MT liest tǣší von šjh, doch ist die Wurzel fraglich, lies mit Sam tašší ᵓ oder tiššǣ
von nšh "vergessen".

353 S.o.39f.

354 V 6a.16f.19.

355 V 4.15.18.30f; vgl. H.Gunkel/J.Begrich, Einleitung, 235.

356 Hos 8,14; Jer 2,27; Jes 1,2(?); Dtn 32,6.15.18(?).

357 Hi 35,10.

358 Hos 8,14; Jer 2,27; Dtn 32,6.15.18 (?).

359 4 Esr 8,4-14; vgl. 8,24.45.

360 S.o.33.

361 S.o.A., A 31.

362 Hi 10,3.8-12; Jer 2,27; Hi 35,10; vgl. Hos 8,14; Jes 1,2; Dtn 32,6.15.18.

363 Ps 22,10f; Jes 64,7; Hi 35,10; vgl. Ps 71,6.

364 Ps 119,73; 138,8; Hi 14,15; vgl. 4 Esr 8,24.45.

365 Hos 8,14; Jes 1,2(?); vgl. auch Dtn 32,6.15.18.

366 Jahwe Subjekt in der 2.P.sing., der Klagende Objekt in der 1.P.sing.: Hi 10,8-12;
Ps 22,10f; Ps 119,73; Jer 2,27; vgl. Hi 35,10; der Klagende Objekt in der 1.P.
plur.: Jes 64,7. Der Klagende bezeichnet sich als "Werk deiner Hände" in Hi 10,3;
Ps 138,8; Hi 14,15; Jes 64,7; vgl. 4 Esr 8,24. Die indirektere Redeweise in 4 Esr
8,14 und Ps 89,48 wurde hinreichend erklärt. Das Suffix der 3.P.sing. in Hos 8,14
folgt aus dem konstatierenden Charakter der Klage Gottes, die sich nicht mehr an

Israel, sondern an ein anderes Forum richtet, vgl. Jes 1,2; aber suff. der 2.P.sing. in Dtn 32,6.18.

367 S.o.4.

368 Wie sich innerhalb des geschichtlichen Redens die Erweiterung der Orakeleinleitung und der Rückblick in der Klage entsprechen, zeigt sehr schön Jes 41,8f: Wie das Volk (Ps 44,2-4; 80,9-12; 85,2-4; 74,2; Jes 63,7-14 oder der Einzelne (Ps 22,5-6; Ex 32,13; Ri 6,13; vgl. Ps 77,15ff) Gott an sein früheres Heilshandeln erinnern konnte, so erinnert jetzt Jahwe das verzagte Israel: "Same Abrahams, den ich liebte, den ich ergriff von den Enden der Erde..."

369 Wie eng auch sonst die Beziehung zwischen beidem ist, kann z.B. die Wurzel ʿzr verdeutlichen, die sowohl in der Einleitung zum Heilsorakel (Jes 44,2) und in dessen Begründung (Jes 41,10.13.14) als auch im Bekenntnis der Zuversicht in der Klage des Einzelnen vorkommt (Ps 27,9; 40,18; 63,8; 70,6; 94,17; 121,1f; pluralisch Ps 33,20; 46,2; 124,8 vgl. auch das Motiv der Bitte Ps 85,17; 79,9). Weitere Beispiele nennt J.Begrich, Heilsorakel, 89f/227ff und kommt zu dem Schluß: "Das zwischen dem Orakel einerseits und der Gewißheit (gemeint ist das Bekenntnis der Zuversicht) und dem Gelübde andererseits Übereinstimmung im Stoffe besteht, ist aus den angeführten Textproben deutlich und bedarf keines näheren Nachweises" 90/228.

370 Es waren wahrscheinlich diese inhaltlichen Differenzen, die bis jetzt verhinderten, daß die Aussagen in den Klagen in stärkerem Maße zur Erklärung der Schöpfungsaussagen der Heilsorakel bei Deuterojesaja hinzugezogen wurden.

371 Jes 44,2; 54,5; vgl. 51,13; 43,7; - Hi 10,8.9; 35,10; Ps 119,73; Hos 8,14; vgl. Dtn 32,6.15.

372 Hi 10,8; Ps 119,73.

373 Ps 138,8(cj); Jes 64,7; Hi 14,15; vgl.jĕgiaʿ kappǣkā Hi 10,3; anders Jes 45,11b.

374 Jes 43,1; Ps 89,48; vgl. in anderem Zusammenhang Jes 43,7; 43,15.

375 Jes 43,1; 44,2.21.24; vgl. 42,6=49,9; in anderem Zusammenhang Jes 43,7.21; 45,11a; - Jes 64,7; dazu ʿāṣab Hi 10,8.

376 Jes 64,7; Hi 10,8 allerdings mit ʿāśā.

377 Ps 119,73; vgl. Dtn 32,6.

378 Die älteren Exegeten faßten die Aussagen der Heilsorakel meist rein geschichtlich auf, so F.Delitzsch, Jesaja, 450; B.Duhm, Jesaja, 321; P.Volz, Jesaja II, 17ff; J.Begrich, Dtjes, 88/92 A 86. G.v.Rad folgen R.Rendtorff, Schöpfungsglaube; C.Stuhlmueller, B.J.van der Merwe, C.Westermann, Dtjes und die meisten der jüngeren Exegeten.

379 Jüngstens wieder Ph.B.Harner: "He is only borrowing the vocabulary of creation faith to depict significant occurrences in history" 301.

380 Gegen Ph.B.Harner 300 A3.

391 Jes 44,2.24; 49,5.

392 Hi 10,12; Ps 22,10f; 4 Esr 8,8ff.

393 Vgl. Ps 71,6.

394 Ps 139 ist ein "Mischpsalm" ganz besonderer Prägung und wurde deswegen bisher nicht genannt, s.u.118ff.LXX und Syr lesen mibbǣtæn, doch ist das verwendete Verb nur schwer auf die Fürsorge nach der Geburt zu beziehen.

395 MT liest das suff. der 3.P.sing.; lies mit BHK, G.Fohrer, Hiob, z.St. das suff. der 1.P.plur.

396 S.u.83-84.

397 Vgl. etwa die ausweglose Diskussion in der Erbsündenlehre über Traducianismus oder Creatianismus.

398 S. dazu C.Westermann, Genesis, 36-39; dort Beispiele und Literatur.

399 Jer 2,27; vgl. Jes 1,2; Dtn 32,18.

400 Dtn 32,18.

401 Dtn 32,6; Ps 139,13; vgl. Gen 14,19.22; das Nomen Ps 104,14; sehr stark hatte M.H.Pope, El in the Ugaritic Texts, 50-54 den sexuellen Unterton betont; das wird etwas abgeschwächt von D.J.McCarthy 398 und F.Stolz 132f; dort weitere Literatur.

402 Jes 64,7; Jer 2,27; Dtn 32,6; vgl. Jer 3,4.19.

403 Vgl. J.Begrich, Heilsorakel, 91/229f; Dtjes, 102/106; H.Graf Reventlow, Jeremia, 32f; C.Westermann, Heilswort, 364; Dtjes, 92 u.ö.

404 Verkündigung Deuterojesajas, 89; 101f; BSt 29, 56f.

405 Vgl. z.B. seine Äußerung BSt 29, 56f: "Denn es muß immer mit der Möglichkeit gerechnet werden, daß Dtjes ... die Gattung des Heilsorakels lediglich .../nachgeahmt hat. In diesem Fall wäre der Hinweis auf den 'Sitz im Leben' für unsere Fragestellung bedeutungslos."

406 S.u.

407 Vgl. J.Begrich, Heilsorakel, 87ff/225ff, insbesondere den ganz engen Zusammenhang zwischen der nominalen Begründung des "Fürchte dich nicht!" und dem Bekenntnis der Zuversicht, das nicht zur Klage des Volkes, sondern des Einzelnen gehört (88f/227); auch die durchgängige Anrede in der 2.P.sg.(!) kann v.Waldow nicht erklären. Er gewinnt seine Belege fast ausschließlich aus der futurischen Fortführung des Heilszuspruches und den Texten, die J.Begrich in seinen Djesstudien zusätzlich dem Heilsorakel zurechnen wollte (Verkündigung Deuterojesajas § 10), jedoch von diesem getrennt werden müssen, vgl. C.Westermann, Heilswort, 371ff.

408 Heilswort, 364.

409 Jes 64,7; Jes 1,2.

410 Ihr allgemeines, die Ich-Du-Beziehung verlassendes Reden von der Erschaffung des Menschen, fiel schon formgeschichtlich auf und konnte jedenfalls z.T. begründet werden, s.o.37, bes. A 298; 299.

411 Füge ein mit 10 Mss, LXX und Syr ko, so auch C.Westermann, z.St.

412 Ketib: wĕjiśrāʾēl lōʾ jēʾāsēf "damit Israel nicht hinweggerafft werde"; Qere: wĕjiśrāʾēl lō jēʾāsēf "damit Israel ihm gesammelt werde", so wenige Mss, Qa, LXX, Aqu und Äth, vgl. Targ. Lies mit BHS læʾǣsōf.

413 Vgl. C.Westermann, Dtjes, 167.

414 Vgl. etwa Jer 15,15-20; vgl. 1,17-19. C.Westermann, Dtjes 171 versteht die Klage des Gottesknechtes als Zusammenfassung der Klagen der Gerichtspropheten überhaupt.

415 Zum Schutz, den Jahwe dem Gottesknecht gewährt hat ("im Schatten seiner Hand barg er mich" V 2), vgl. die ganz ähnlichen Vertrauensaussagen Ps 27,5: 17,8; 31,21; 140,8. ʿabdī-ʾattā begegnet auch in den "normalen" Heilsorakeln, hier auf Israel bezogen, Jes 44,21 in der nominalen Begründung, Jes 41,8.9; 44,1.2 in der Einleitung. Zu dem parallel zur Erwählung stehenden ḥāzaq bějad (42,6) s. Jes 41,9.13; 45,1; vgl. 41,10.

416 Die Nähe von Jer 1,5 zu Jes 49,1b.5 ist schon lange beobachtet worden. So ist sie es, die H.Graf Reventlow bei seiner Auslegung von Jer 1,5 zu dem besonderen Orakel Jes 49,1-6 und zu den anderen Heilsorakeln bei Deuterojesaja führt, Jeremia, 29ff, dort weitere Literatur: sie geht bis in die Einzelzüge, vgl. die parallele Stellung von jasar und natan Jer 1,5; Jes 49,5f und 42,6.

417 Vgl. Jer 1,8.17-19; 15,20; dazu H.Graf Reventlow, Jeremia, 53,64; 72f. Im Einzelnen ist es jedoch noch ungeklärt, wie sich Erwählungszusage, Heilszusage und Klage des Mittlers zueinander verhalten. Reventlow findet eine Verbindung, indem er Klage wie Orakel auf die "Jahweepiphanie" bezieht; doch ist es meiner Meinung nach nicht erlaubt, das "Fürchte dich nicht!" bei einer Gotteserscheinung mit dem des Heilsorakels zu vermengen. In Ri 6,22f, das Reventlow anführt, gehört die Erscheinung zum bestätigenden Zeichen, nicht zur Berufung selber (14ff; beides sind nach W.Richter, Richterbuch, 122-128 zwei literarisch erst sekundär zusammengefügte Einheiten). Die Schutzzusage, die Jeremia erhält, richtet sich wiederum nicht auf die "Todesangst des Offenbarungsempfängers" (54), wie Reventlow meint, sondern auf die Anfeindungen von anderen (ʾal-tīrāʾ mippěnēhæm, V 8).

418 Einige Gründe wurden o.B., A 417 schon angeführt.

419 Vgl. Jeremia, 39; 40f.

420 In gleicher Weise sind die an die Gottesknechtslieder angehängten Ausdeutungen des Amtes auf Israel Jes 42,6 und 49,8 zu erklären; zu ihrem sekundären Charakter s. B.Duhm, C.Westermann z.St.

421 Das zeigen noch die fast durchgängigen Suffixe der 2.P.sing. Sonderfälle sind Hos 8,14; Ps 89,48; 4 Esr 8,14.

422 Jes 43,7.15.20f; 45,11a; ausführlicher in der masch.Diss., 122-125.

423 Partizipien: mit Objekt Jes 43,15; mit suff. 3.P.sing. Jes 45,11a. Perfekta: mit Objekt Jes 43,21; mit suff. 3.P.sing. Jes 43,7; Nomen in cstr.-Verbindung Jes 45,11b.

424 In der Einleitung zu einer "Bestreitung" gegen die Völker Jes 45,11; am Ende eines Heilsorakels 43,7; einer Heilsankündigung 43,21; unsicher 43,15.

425 Jes 43,20f; so ist wohl auch 43,7 zu verstehen.

426 Jes 45,11a.b. Diese Deutung ist wegen der Verderbtheit des Versanfangs nicht ganz sicher, s.o.B., A 23; jedoch mit J.Muilenburg z.St. pō ʿal jadāi auf die Völker zu beziehen, ist wohl kaum möglich.

427 Unklar ist die Funktion in 43,15. Hier ist "Schöpfer Israels" zu einer Ich-Prädikation inmitten einer Vielzahl lobender Prädikate geworden. Formal entspricht die Schöpfungsaussage dem Kriterium für hymnische Herkunft (pt.+obj.). Doch diese zu folgern verbieten schon die suff. der 2.P.plur. der parallelen Prädikate; noch dazu ist der Zusammenhang völlig unsicher, vgl. C.Westermann, Dtjes, 102f.

428 Schöpfungsglaube, 7-9; Zitat 9.

429 Jes 44,24a.b; 45,11-13; 51,13.

430 Jeremia 32. An anderer Stelle möchte Reventlow die "allgemeine Schöpferherrlichkeit" als "Ausweitung" des Schöpfungsmotives der Heilsorakel verstehen (34f). Bei
G.v.Rad verhilft Jes 44,24 faktisch dazu, die Erschaffung des einzelnen Menschen
im Heilsorakel unter den Begriff "Weltschöpfung" (!) zu subsumieren; vgl. auch
P.Volz, Jesaja II, 57 zu 44,24ff und J.Muilenburg zu 51,13: "That the Creator of
Israel ist the Creator of the universe, and that the two great works of God are un-
dissoloubly, is a constant theme of Second Isaiah (40,22; 43,1; 44,24; 45,12)"
509.

431 Dtjes, 197. Die Tatsache der Gattungsmischung wird schon durch den Wechsel von
Du-Anrede und Rede von Jahwe in der 3.P. angezeigt. Zur Heilszusage gehören ursprünglich: "Wer bist du, daß du dich fürchtest" (12b), eine bestreitende Umwand-
lung des "Fürchte dich nicht!", sodann die Prädikate "der dich tröstet" (12a) und
"dein Gott" (15). Sie entsprechen der perfektischen und nominalen Begründung. Der
nominalen Begründung nachgebildet ist "mein Volk bist du" V 16. Die Rettungsankün-
digung V 14 hat im futurischen Teil des Orakels ihre Entsprechung. Die bestreitenden
Elemente liegen in den Frageformen (12.13b) und in den eingestreuten "hymnischen
Partizipien" (13.15) vor; eine ähnliche Formmischung begegnet in Jes 54,4-6.

432 Jes 45,11a.b wird von "Israels Schöpfer" bzw. Israel als Geschöpf Jahwes schon
frei in der 3.P. gesprochen. V 12f ist keine klare hymnische Prädikation mehr,
s.o.9; 19f.

433 Daneben gibt es eine Berührung ganz anderer Art, die dadurch zustande kommt, daß
in Jes 42,5; 45,12 neben der Erschaffung von Himmel und Erde auch die des Menschen auftaucht. Wie sich diese zur Erschaffung des einzelnen Menschen verhält und
wie die Berührungen zu bewerten sind, s.u. 24f bzw. 164.

434 Es gibt noch einen anderen Ausgleichsversuch: Hier werden die Schöpfungsmotive
der Heilsorakel damit erklärt, daß Deuterojesaja den Schöpfungsglauben auch sonst
"vergeschichtlicht" habe. Damit werden Stellen wie Jes 41,4; 43,19; 46,10.11 u.ö.
den Einleitungen der Heilsorakel gleichgeordnet. Das ist aber ganz unmöglich, man
vergleiche nur die durchgängig unbestimmt neutrischen Objekte ("es", "Neues")
dort mit der konkreten Du-Anrede hier! (gegen Ph.B.Harner 300f, bes. A 3;
O.H. Steck 292f).

435 Es gibt bei Deuterojesaja noch einige Schöpfungsmotive im weitesten Sinn, die keiner
der beiden aufgezeigten Traditionen angehören. Zu Jes 51,9f s.u.110ff. Daneben kommt
ein umwandelndes Handeln Jahwes in der Natur (Jes 41,18f; 42,15f; 43,19f; 44,3;
50,2; 51,3) und urgeschichtliche Motive (Jes 54,9f und 54,16) vor; einige Vermutungen dazu in meiner masch. Diss. 119ff.

436 S.o.1ff.

C. Weltschöpfung und Menschenschöpfung, zwei verschiedene Traditionen?

1 Genesis, 33; zum ersten Mal veröffentlicht hat C.Westermann diese These in Religionsgeschichtliche Parallelen, 1965, 493f; dann Genesis, 1966ff, 145; 198; 216;
262; 267; Schöpfer und Schöpfung, 243f.

2 202ff; vgl. C.Westermann, Genesis, 32f; 48f u.ö.

3 Vgl. Genesis, 34; C.Westermann vermutet im Anschluß an A.Erman, Religion, 52, "daß in Ägypten die göttliche Abkunft der Könige die Stelle der Menschenschöpfung einnimmt" Genesis, 49, dazu s.u.69ff.

4 Bisher nur mündlich vorgetragenes Argument C.Westermanns.

5 VI, 1-38; nicht Marduk, sondern Ea erschafft die Menschheit. Wohl versucht das Epos, Marduk so stark wie möglich daran zu beteiligen, Marduk faßt den Entschluß zur Menschenschöpfung, und Ea führt nur die Anweisungen Marduks aus, dennoch hat sich die Menschenschöpfung offenbar einer Usurpation durch den Weltschöpfer Marduk widersetzt. In Z 37f scheint der Dichter darüber zu staunen: "Dieses Werk ist schwierig zu verstehen, nach den kunstvollen Plänen Marduks schuf Ea." Die Menschenschöpfung war offensichtlich eine feste, eigenständige Tradition, die man nicht beliebig ändern konnte.
Das jetzt mit der Weltschöpfung verbindende Motiv der Götterschlachtung (Kingu, Tiamat), hat ursprünglich mit der Weltschöpfung nichts zu tun; es begegnet ohne jede Bezugnahme auf diese schon im Atramḫasīs-Epos I, 204-234; Texte ANET 68, W.G.Lambert/A.R.Millard, Atra-Ḫasīs, 56ff oder Text 7 und 8 bei G.Pettinato, Menschenbild, 101-107.

6 Die jetzt vorliegende Gilgameš-Dichtung hat zweifellos eine komplizierte Vorgeschichte gehabt, die bis jetzt nur in Teilen bekannt ist (vgl. die Hinweise, die S.N. Kramer, Sumerian Mythology, 30ff gibt). So muß es offen bleiben, auf welcher Traditionsstufe das Schicksal des Gilgameš zum Sinnbild der menschlichen Existenz wurde: In der Spannung zwischen Geschaffensein (A.Schott 19; 21) und Todesverhängnis (besonders deutlich in dem altbabylonischen Fragment von B.Meissner III, 1-5; bei Schott 77).

7 Vgl. W.G.Lambert/A.R.Millard, Atra-Ḫasīs, 1969; vgl. dazu die Besprechung von G.Pettinato, OrAn 9, 75ff. V.Maag, Menschenschöpfung hatte noch 1954 den Text BM 92608 als "Geburtsritual" bestimmt und daraus weitreichende Schlüsse über den Ort des Menschenschöpfungsmythos gezogen, auf die sich auch C.Westermann gestützt hat (Genesis, 30f; 32 u.ö.). Der Text ist seit langem bekannt, er wurde 1898 von F.G.Pinches in CT VI,5 und von S.Langdon, PBS X, I, III, 1915 herausgegeben, auch E.A.Speiser, ANET 99f bearbeitet ihn noch als Einzeltext. Inzwischen hat J.Laessøe, BiOr 13 die Zugehörigkeit dieser Tafel zum Atramḫasīs-Epos erkannt (101). Dem sind W.v.Soden, Or NS 26, 306ff und W.G.Lambert/A.R.Millard gefolgt (Siglum E). Damit fällt der direkte Beleg für eine Lokalisierung der Menschenschöpfungsmythen bei der Geburt fort.

8 Vgl. C.Westermann, Genesis, 95-97. Alle Texte, die für die Menschenschöpfungserzählung im mesopotamischen Kulturkreis eine Rolle spielen, sind neu bearbeitet und leicht zugänglich bei G.Pettinato, Menschenbild.

9 Gen 1,26-30 fällt aus dem Gegenüber von Wort- und Tatbericht heraus, Genesis, 198; 216.

10 Genesis, 34: "Von den sogenannten Schöpfungspsalmen kommen manche, wie 104, von der Weltschöpfung, andere, wie Ps 8, von der Menschenschöpfung her... Die Unterscheidung läßt sich bis in das Reden von Schöpfung bei Deuterojesaja und im Hiobbuch verfolgen."

11 In Kanaan-Phönizien sind bisher bis auf eine Reihe hymnischer Prädikationen (s. u.159) keine Gebetstexte, in denen die Schöpfung eine Rolle spielt, gefunden worden. Das hethitische Material läßt einiges erwarten (s.uC.A68), ist aber - für einen Nichtfachmann - noch zu sporadisch zugänglich.

12 Vgl. A.Falkenstein, SAHG, 76; 65-67.

13 Übersetzung nach W.H.Ph.Römer 236; 238; vgl. A.Falkenstein, SAHG, 99.

14 So mündlich G.Pettinato, der darauf hinweist, daß hier mit ù-tu kein für die Mtyhologie charakteristisches Schöpfungsverb auftritt. Das Verb kann einerseits im konkreten Sinn bei der Geburt eines Gottes (A.Falkenstein, SGL I,89), auch bei dem häufigen Topos der Geburt eines Gottes im Gebirge (116), andererseits in sehr abgeblaßtem Sinn bei der Investitur von König und Priester (69; 96f) verwendet werden.

15 A.Falkenstein, SAHG, 110: An läßt Samen ausgehen und setzt (damit) die Menschen auf die Erde.

16 A.Falkenstein, SAHG, 133: Die Menschen brechen wie Gras aus der Erde hervor; zur Vorstellung s. G.Pettinato, Menschenbild, 30-39.

17 Die Abstammung von einem der Hauptgötter ist ein Ruhmestitel, vgl. etwa A.Falkenstein, SAHG, 112; auch 59; 61; 64; 73 und die von A.Falkenstein, SGL I, 89; 116 genannten Belege.

18 A.Falkenstein, SAHG, 255.

19 250; vgl. auch Enūma-elîš VII, 86. Der Hymnus verarbeitet auch sonst Motive des Epos.

20 A.Falkenstein, SAHG, 247.

21 321.

22 344; vgl. die Belege, die W.G.Kunstmann 9 nennt.

23 A.Falkenstein, SAHG, 303f.

24 295.

25 297; vgl. E.Ebeling, Handerhebung, 20f; W.G.Kunstmann 14.

26 E.Ebeling, Handerhebung, 68f; Beschwörungen, 178; 180; A.Falkenstein, SAHG, 336.

27 259.

28 Ähnlich wird das Zusammenkommen von Menschen- und Weltschöpfung in Enuma-elîš VI, 1-35 zu erklären sein.

29 Vgl. dazu C.Westermann, Loben Gottes, 28-34.

30 So nach der Zusammenstellung von W.G.Kunstmann 9.

31 A.Falkenstein, SAHG, 336.

32 Zitiert nach A.Schott 91; vgl. die Klage der Tiamat Enūma-elîš I, 45.

33 Vgl. die Literatur, die H.Graf Reventlow, Jeremia, 37f angibt. Neuestens hat S.M.Paul 184ff wieder auf diesen Tatbestand hingewiesen, allerdings mehr unter dem Gesichtspunkt der Erwählung als dem der Schöpfung (Jes 49,1.5; 42,6). Er nimmt zwei Quellen für Deuterojesaja an: die Königsinschriften und Jer 1,5.

34 S.Langdon/R.Zehnpfund, VAB 4, Nebukadnezar Nr. 1, I, 11ff; vgl. Nr. 7, I, 15f; Nr. 13, I,22; Nr. 20, I, 22. Vor dem Motiv kommt nur noch die mit der 1.P.sing. anhebende Selbstvorstellung des Königs.

35 Nr. 9, I,8ff; vgl. Nr. 16, I,14f; Nr. 19A, I,23.

36 Nr. 15, I,23ff.

37 Nr. 4, II,13ff; vgl. A.Falkenstein, SAHG, 284c; vgl. S.Langdon/R.Zehnpfund, VAB 4, Nr. 28,8f.

38 Nr. 14, III, 35ff.

39 Nr. 15, I,52-72 + II,1ff.

40 184ff; er nennt Belege für Šamaššumukum, Aššurbanipal, Esarhaddon und Sennacherib.

41 Erwählung im Mutterleib bei Aššurrēšiši, Esarhaddon und Šamaššumukum; man wird sie nicht allzuweit von der "Erschaffung im Mutterleib" trennen dürfen.

42 M.Streck, VAB 7,2 I,1ff (S2f); vgl. II,97 (S 20f).

43 A.Falkenstein, SAHG, 293.

44 So deutet A.Falkenstein in SAHG 393; zu einer anderen Deutung führt die Übersetzung von M.Streck, VAB 7,2, 347: hier referiert Nabu, daß Ištar für Aššurbanipal Fürbitte eingelegt habe.

45 A.Falkenstein, Kultlied auf Samsu iluna, 216; 218.

46 Belege gibt A.Falkenstein, 213f.

47 F.Thureau-Dangin, RA 11, 92, II,19; hier soll "Nergal, der Gott, mein Schöpfer" Fluch über den Schänder des Tempels bringen.

48 Th.Jacobsen, Divine Parentage, JNES 2, 120f.

49 CT XXXVI, 26,16-27 bei A.Sjöberg, Or NS 35, 288f.

50 M.J.Seux, s. dumu 392f, z.B. Lipit-Ištar: "je suis le fils aimé d'Enlil" und šu-du 451f, z.B. Ur-Nammu: "oeuvre de Nanna"; dazu W.H.Ph.Römer 55f.

51 Die Texte werden hier leider einseitig nur unter dem Gesichtspunkt der "Königsvergöttlichung" behandelt; sie war von H.Frankfort, Kingship 300f verneint worden, er kann die Aussagen daher nur im übertragenen Sinn verstehen; dem hat sich W.H. Ph.Römer 56f angeschlossen. R.Labat hatte sie im Sinne einer Adoption verstehen wollen (53-69), dagegen betonen Th.Jacobsen, Divine Parentage, 119ff; A.Sjöberg, Or NS 35, 287ff und G.Pettinato, ZA 60, 207f neuerdings wieder die Leiblichkeit des Vorganges. Eine Mittelposition nimmt C.J.Gadd, 45ff ein. Ungeklärt ist die Stellung der "heiligen Hochzeit" in diesem Zusammenhang.

52 Vgl. M.J.Seux: "Inversement, un roi peut appeler une divinité son père ou sa mère" 392 A 72. S. auch die "fromme" Äußerung Gudéas: "Ich habe keinen Vater, mein Vater, der bist du" Cyl. A III,6-8; H.Frankfort, Kingship, 300 meint, die Elternschaft des Gottes drücke zweierlei aus: "intimacy and dependence"; letzteres ist mir aber gar nicht so sicher.

53 181f; er fordert in diesem Zusammenhang eine "social stratification" bei der Behandlung der "mesopotamischen Religion."

54 VT Suppl III, 170-182; vgl. jetzt auch ANET im Suppl der 3. Auflage 589-591 unter der Überschrift "Sumerian Wisdom Text"!

55 Zwischen Göttern s. JJ. van Dijk, SGL II, 58f, Z 18f; vgl. auch ama-ugu-zu "die Mutter, die dich geboren" und Th.J.Jacobsen/S.N.Kramer, Inanna-Bilulu, 172f, Z 40.47. Zwischen König und Menschen bleibt es beim Vergleich, s. A.Falkenstein, Kultlied auf Samsuʾiluna, 217; 219, Z 65f. Nur bei Gilgameš wird ama-ugu auf einen Menschen bezogen, der aber in der Tradition als halbgöttlich gilt, s. S.N.Kramer, Gilgamesh, 14f, Z 83.89f.92.

56 H.Limet: Ab-ba-Éa "le père est Ea" etc; A-tu-dingir "le père, qui m'a engendré"
(193); A-a-dingir-mu "le Père est mon dieu"; ᵈŠará-a-mu "Šara est mon père" etc
(194) vgl. Ba-Ú-am-mu "Ba'uest ma mère" (198). Von den Schöpfungsverben belegt Limet nur Namen mit è "hervorgehen" vgl. "Dumuzi qui sort de l'Abzu" (219),
warum dím und dù "machen" fehlen, kann ich nicht beurteilen; vgl. aber Nr. 138
ti "Leben, beleben" (306ff); Nr. 152 zi "Leben" (318f) und Nr. 115 pad "beim Namen nennen" (289f).

57 A. Ungnad, Nr. 229, 34-36.

58 Nr. 158,14f. Vgl. dazu E.Salonen 49 "Zu meinem Vater, dem sein Gott, sein Er-
schaffer, eine dauernde Schutzgöttin gegeben hat, sprich:..."

59 CAD, Tom. B, Art. banû A, 94 (Text: PBS 7 119,13).

60 G.Boyer 119,3-5 (S 63).

61 S.Langdon, Cassite Seals, 92, Nr. 10; ganz ähnlich Nr. 9 und Nr. 53.

62 A.Falkenstein, SAHG, 325.

63 A.Falkenstein, SAHG, 353.

64 Als echte Schöpfungsaussage wertet z.B. G.Widengren 81 diesen Beleg.

65 W.G.Lambert, Prayers, 59 = A.Falkenstein, SAHG, 271.

66 272.

67 G.Meier, Maqlû, 45; VI,118 = A.Falkenstein, SAHG, 354.

68 Einmal ist sicher Marduk gemeint, E.Ebeling, Handerhebung, 68f, hier (Z 19)
wird Šarpanitum um Fürbitte bei Marduk, "meinem Schöpfer", gebeten. Deutlich
um niedere Götter handelt es sich bei den hethitischen Gulš-Gottheiten, die E.v.
Schuler mit den griechischen Moiren und germanischen Nornen verglichen hat (169).
Diese Schicksal bestimmenden Mächte sind in einem kürzlich von H.Otten/J.Siege-
lová herausgegebenen Beschwörungstext zusammen mit den die Muttergöttin umgebenden MAḪ-Gottheiten als Menschenschöpfer bezeugt (33, Z.15ff), sie tauchen
auch im Zusammenhang der Geburt Ullikummis auf (ANET 122). In der Beschwörung geht es bezeichnenderweise um viele Nachkommen.

69 J.J.Stamm, Namengebung, 139-140. Stamm hat Schwierigkeiten, die Namen "Mein
Gott ist x" unter die Danknamen zu rechnen, da diese sonst vom Vater gesprochen
werden, es hier aber so scheint, als sei das Kind selber der Sprecher (28). Meiner
Meinung nach ist mit dem suff. der 1.P.sing. nur gemeint, daß der Vater sein persönliches Vertrauensverhältnis zu seinem Gott auf das Kind überträgt. Es handelt
sich also eher um "Bekenntnisnamen".

70 So S.M.Paul 185f und von alttestamentlicher Seite vor allem die skandinavische
Schule, Belege bei H.Graf Reventlow, Jeremia, 37f.

71 Vgl. Hos 8,14; Jer 2,27; Jer 1,5.

72 Man muß gegen jede generelle außerisraelitische Herleitung einwenden, daß die
Menschenschöpfungsmotive nie die Vertrauen heischende Funktion in der Verkündi-
gung Deuterojesajas hätten übernehmen können, wenn sie für Israel etwas völlig
Neues gewesen wären.

73 Das hat schon G.Widengren 49; 50 recht klar gesehen.

74 Bei diesem Teil hat mir J.Assman vom ägyptologischen Institut Heidelberg mit vielen wertvollen Hinweisen geholfen.

75 Abd el-Mohsen Bakir 83-91. Der Hymnus stammt aus dem Ende der 18. oder Anfang der 19. Dynastie (um 1300 v.Chr.). Er besteht aus drei Teilen, der erste ist ein mehr mythologisch gehaltenes Sonnenlied; im 3. stark zerstörten Teil geht es wahrscheinlich um das Segenswirken Amon-Res an seiner Kreatur.

76 Vor die Menschenschöpfung ist in Z 15 noch die Erschaffung der Götter eingeschoben; ist das als ein Zeichen dafür zu werten, daß der Hymnus aus verschiedenen Teilen zusammengefügt worden ist?

77 Einführungshymnus aus dem Totenbuch des H(r)wnfr; 19. Dynastie, nach J.Assmann 5.

77a Papyrus Harris Pl. 44,3ff; zitiert nach J.H.Breasted IV, 162; der Hymnus wird im jetzigen Zusammenhang von Ramses III gesprochen, dadurch ist wahrscheinlich auch die Aufnahme königlicher Themen bedingt.

78 Vgl. A.Scharff 43ff; 67ff.

79 Die sogenannte "Urgötterlehre von Hermopolis" und das "Denkmal memphitischer Theologie" gehören schon in den Anfang des Alten Reiches; vgl. E.Otto, Ägypten, 57-61.

80 Die Menschenschöpfung hat in Ägypten überhaupt keine besondere Bedeutung erlangt, s.e.Otto, Mensch als Geschöpf, 335f.

81 J.Assmann hat immerhin schon in dem ersten Band seiner Untersuchung zur ägyptischen Hymnik nachweisen können, daß die Hymnen des Neuen Reiches zum großen Teil auf einer Verbindung zweier ganz verschiedener Traditionen beruhen: auf den alten "liturgischen Sonnenliedern" und den "eulogischen Sonnenhymnen" (4-11); die Untersuchung letzterer steht leider noch aus.

82 IV,2-7 + V,1 (=pCairo 58038) nach Übersetzung von J.A.Wilson in ANET 366.

83 Im Folgenden ist wohl die liebevolle Leitung und die Ernährung gemeint.

84 Nur Welt- und Götterschöpfung begegnet z.b. in einem Hymnus des Neuen Reiches: Papyrus Berlin 3048 IV,3, übersetzt in Quellen des Alten Orients I, 85f.

85 E.Otto, Mensch als Geschöpf, erkennt ebenfalls den Typ der Menschenschöpfung, in dem der "Einzelmensch ein Geschöpf Gottes" ist (341), trennt ihn meiner Meinung nach aber etwas zu stark von der allgemeinen Menschenschöpfung (342).

86 Vgl. insbesondere A.Erman, Denksteine; neu bearbeitet von B.Gunn, The Religion of the Poor, 81-94 und G.Fecht, Literarische Zeugnisse zur "persönlichen Frömmigkeit". Hier haben wir wirklich einmal Gebete unterer sozialer Schichten überliefert, die in ganz erstaunlicher Weise den berichtenden Lobpsalmen des Einzelnen und den individuellen Klagen des Alten Testaments entsprechen. Leider findet sich in keinem Text ein Beleg für ein Schöpfungsmotiv. Vgl. auch E.Otto, Gott als Retter, 9ff; A.Erman, Religion, 139ff und S.Morenz 108ff.

87 S. dazu etwa H.Frankfort, Kingship, 40-45.

88 Stele Cairo 34025; zitiert nach ANET 375f.

89 Stele in der 1. großen Halle des Abu-Simbel-Tempels; zitiert nach J.H.Breasted III, 181.

90 Inschrift in Medinet Habu, bei J.Breasted IV, 48; vom König bei der Übergabe der Kriegsgefangenen zu Amon gesprochen. Man vgl. auch die Klage Ramses II in der

Kadesch-Schlacht (Gedicht):
> Was ist das nun, mein Vater Amon?
> Hat denn ein Vater schon seines Sohnes vergessen?

A.Erman, Literatur, 329. Hier steht zwar nicht direkt das Menschenschöpfungsmotiv und das Vater-Sohn-Motiv könnte auch mehr vergleichend gemeint sein; immerhin steht es deutlich im Kontrast zur Anklage, die für Ägypten eine ganz erstaunliche Wildheit hat.

91 Pl.22,3.11; bei J.H.Breasted IV, 140f.

92 Pl.42,8f; bei J.H.Breasted, IV, 161.

93 C.Westermann, Genesis, 49.

94 H.Ranke II, 227: "Ist der Gott der Vater des Menschen, so kann man auch sagen, daß er ihn 'gemacht', d.h. erzeugt hat."

95 H.Ranke II, 227; vgl. auch E.Otto, Gott als Retter, 9; Mensch als Geschöpf, 341.

96 Stele Turin 153, ediert von G.Maspero 127f. Übersetzt nach der französischen Übersetzung G.Masperos mit Korrekturen J.Assmanns, s. auch Urk. IV, 944.

97 E.Otto hat in Gott als Retter darauf hingewiesen, daß die unmittelbare Gott-Mensch-Beziehung "grundsätzlich in sehr frühe Zeit zurückreichte, aber erst zu einer relativ späten Zeit ihre eigentliche Bedeutung gewann" 20. Allerdings hat er das Reden vom persönlichen Schöper in seinem Aufsatz "Der Mensch als Geschöpf und Bild Gottes in Ägypten" für das Produkt einer späteren Zeit erklärt (341f).

98 G.Roeder 73f; vgl. J.H.Breasted II, 410 ff.

99 Z.B. in dem Beleg 993, J.H.Breasted II, 410.

100 E.Otto, Ägypten, 165.

101 Man denke nur an die Auseinandersetzungen um das Königtum, die relativ kurze Zeit der staatlich-politischen Verfaßtheit und auf der anderen Seite an die starke Bindung der Familie (Vätergeschichte und wieder im Judentum), die einen kaum zu unterschätzenden Faktor für die Tradition (Dtn) und die Rechtsbildung (Sippenrecht) war. Man denke weiter an das religiös gebrochene Verhältnis zum Landbesitz (naḥālā) und an das bewußte Festhalten einiger Gruppen an der nomadischen Lebensform (Rekabiten).

102 C.Westermann, Loben Gottes, 115f; Geschichte der Klage 74f/299; das gilt insbesondere von der Verbindung von Lob und Klage in den akkadischen Beschwörungen.

103 S. dazu oben 62 und unten 152; damit eng zusammen hängt die "Volkstümlichkeit" der Bibel, die ein Mann wie E.Bloch staunend vermerken kann, Atheismus im Christentum, 42ff.

104 Hiermit nehme ich die richtigen Ansätze der religionsphänomenologischen Methode auf, versuche aber zugleich ihre unhaltbaren Auswüchse zu umgehen. Das ist meiner Meinung nach mit Hilfe der formgeschichtlichen Methode möglich. Es war der Fehler der älteren Religionsphänomenologie, rein inhaltlich vorzugehen. Vergleichbar sind Inhalte jedoch nur, wenn sie in vergleichbaren Vorgängen auftauchen und damit in vergleichbare Lebenssituationen (Sitz im Leben) gehören. Die Ähnlichkeit von einander unabhängiger Texte hat in der Geprägtheit durch ähnliche Lebensvorgänge ihren Grund. - Vgl. auch die Nähe einer Vielzahl israelitischer Proverbien zu Sprichwörtern primitiver Kulturen, C.Westermann, Weisheit im Sprichwort, 75ff.

105 Die einzige und nun schon fast klassisch gewordene zusammenfassende Arbeit ist die von F.Heiler, Das Gebet, 1920; sie ist stark phänomenologisch ausgerichtet, nach der Stellung des Gebets im jeweiligen religiösen Kontext wird so gut wie gar nicht gefragt; nicht verwunderlich ist, daß formgeschichtliche Überlegungen fehlen.

106 A.Merensky, Deutsche Arbeit am Njassa-See, 1894, 115 zitiert bei F.Heiler 63.

107 Das Gebet ist in Umschrift der Galla-Sprache überliefert bei P.Paulitzschke, Die Ethnographie Nordostafrikas II, 1896, 44f und E.Cerulli, The Folklore Literature of the Galla of Southern Abyssinia, Havard African Studies 3 (1919) 11-228, 138; zitiert bei W.Schmidt VIII, 43.

108 E.B.Tylor II, 366.

109 E.B.Tylor II, 369f.

110 V.Elwin 248.

111 Auch hier liegt ein Umschrifttext vor: F.F.Magagnotto, Dal Fiume delle Gazelle: il Sentimento religioso tra i Giur, 1926, 56ff; zitiert bei W.Schmidt VIII, 272.

112 J.Tanner, Denkwürdigkeiten über seinen 30jährigen Aufenthalt bei den Indianern Nordamerikas, dt. 1840, 28; zitiert bei E.B.Tylor II, 367 und F.Heiler 90; ich folge Tylor.

113 W.Ringwald 27.

114 W.Müller 269.

115 F.Heiler 60; vgl. auch die ähnlich allgemein gehaltene Klage in Odyssee XX, 201ff.

116 Zum urgeschichtlichen Motiv der mißratenen Schöpfung s. C.Westermann, Genesis, 306ff.

117 Vgl. Ps 89,48(cj): "Hast du zur Nichtigkeit alle Menschen erschaffen?" und die Klagen in 4 Esr 8, s.o.37.

118 Die letzten drei Texte stehen bei W.Radlov, Proben der Volksliteratur der türkischen Stämme Süd-Sibiriens II, 1968, 396; 402; 106; zitiert bei W.Schmidt IX, 583; 585.

119 Die Verselbständigung zur Vertrauensaussage oder zum "Danklied" war selten und unterlag z.T. erheblichen Zweifeln an der Treue der Überlieferung.

120 S.o.76.

121 S.o.76.

122 F.F.Magagnotto 48ff; zitiert bei W.Schmidt VIII, 268f.

123 S.o.74.

124 P.Paulitzschke 40ff, zitiert bei W.Schmidt VII, 48f; ich habe an einigen Stellen stilistisch geglättet.

125 So ist es zu verstehen, daß F.Heiler den ersten Teil des angeführten Textes für eine 'Danksagung' hält (96); er übersieht aber die nachfolgende Klage.

126 E.B.Tylor II, 367f; Tylor rechnet aber schon mit möglichen europäischen Einflüssen.

127 Vgl. den ägyptischen Hymnus pBoulaq 17, IVf; ANET 366.

128 W.Schmidt IX, 177 nach einem russisch verfaßten Reisebericht von A.Kalačev.

129 P.Radin 110.

130 Umso erstaunlicher ist es, daß W.Schmidt, der ein Großteil der angeführten Belege gesammelt hat, auf diesen seine These gründen wollte, daß der Hochgott der Weltschöpfer ist; dagegen bringt F.Horst, Gen 4,26, den Hochgott eng mit dem Menschenschöpfer in Verbindung (71).

131 Jes 42,5; 45,12f; s.o.19f; 24f.

132 So z.B. für das Auftreten individualisierender Tendenzen im Ägypten der Amarnazeit.

133 S.o. 59ff; 69ff; 74ff.

134 Allerdings in Gebeten einer Gemeinschaft. Doch ist die Gruppe noch so klein (Familie, Clan), daß diese Gebete den individuellen Klagen des Alten Testaments sehr viel näher stehen als den Klagen des Volkes.

135 S.o.62ff.

136 Man beachte jedoch die o.70 angeführten Personennamen aus dem Alten Reich!

137 S.o.78ff.

138 Man denke etwa an das Adab-Lied auf Baba (56), an die akkadische Beschwörung, in der das Handeln Marduks mit dem von Vater und Mutter verglichen wird(57) und an den ägyptischen Hymnus pBoulaq 17IV (68). Auch einige Texte aus den primitiven Religionen wären hier zu nennen: 78; 79.

139 Die Weltschöpfung ist in Ägypten nicht deutlich davon abgesetzt, also nicht eindeutig dem Lob der Majestät des Gottes zuzuweisen. Das hängt möglicherweise damit zusammen, daß die Weltschöpfung mit der Erschaffung Ägyptens zusammengedacht wird, sodaß sie von vornherein auf das Segenswirken des Gottes hin offen ist.

140 So am Rande der primitiven Religionen (Altai-Tartaren; Inkas) und in Ägypten, besonders häufig in den Hymnen des Neuen Reiches. Im Gegensatz dazu ist es, soweit ich sehe, in Mesopotamien nicht zu einer Verbindung gekommen. Das hat wahrscheinlich darin seinen Grund, daß es hier erst spät zur Ausbildung einer Weltschöpfungsvorstellung gekommen ist.

141 Sie gilt noch nicht einmal für die Schöpfungsmythen, vgl. das Ineinander von Menschenschöpfung und Geburtsritual im Atramḫasīs-Epos I, 189-247; I,249-305, W.G.Lambert/A.R.Millard, Atra-Ḫasīs, 56-65 und W.G.Lambert, Myth and Ritual, 105; ausführlicher dazu in meiner masch.Diss., 179ff.

142 S.o.45-47.

143 Hi 10,8-11; Ps 139,13; Hi 31,15; Jer 1,5.

144 Ps 22,10; Hi 10,18; Jer 1,5.

145 Hi 31,15; Jer 1,5; Hi 10,8f.

146 Hi 10,10f; Ps 139,13; Ps 22,10f.

147 S.Langdon/R.Zehnpfund, VAB 4, Nr. 15 I,23ff; vgl. auch das Einpflanzen des Samens in den Mutterleib in der Geierstele, obv. IV,9,

148 A.Falkenstein, SAHG, 112.

149 A.Erman, Literatur, 359.

150 J.Warneck, Die Religion der Batak, 35. Vgl. den Bericht,den die Atyoli aus Uganda vom Handeln ihres Gottes im Zusammenhang der Geburt gegeben haben: "Lubanga ... ist es, der das Kind in den Schoß der Mutter setzt und ihm zehn Finger, zwei Hände, zwei Augen und Ohren gibt, während es im Schoß der Mutter weilt. Alles, auch der Mutterschoß und das Schreien des Kindes wurde von ihm gemacht... (W.Schmidt VIII, 306 nach R.Boccassino).

151 F.Heiler 63.

152 W.Schmidt VIII, 272.

153 E.B.Tylor II, 367; F.Heiler 90.

154 W.Ringwald 27.

155 W.Müller 269.

156 W.Schmidt VIII, 142f nach A.Nebel; "Nhialic" soll "Gott" bedeuten, ich habe es un-
übersetzt gelassen.

157 Vgl. weitere kurze Gebete 145f.

158 J.Spieth 86.

159 Z.B. "O du großer Vater Ülgän..." W.Schmidt IX, 177; zwischen beiden Beudeutun-
gen: "Vater, der Väter höchster, wir sind dein armes Volk" aus dem Galla-Gebet,
W.Schmidt VII, 43.

160 J.H.Breasted III, 176f.

161 181.

162 Gebet Ramses II in der Kadešschlacht, A.Erman, Literatur, 329.

163 Jes 64,7; Jer 2,27; Dtn 32,6; Mal 2,10 vgl. Jer 3,4.19.

164 Gegen G.van der Leeuw § 20 "Der Vater" 195-201 der für die Primitiven einseitig
die Autorität des Vaters betont; richtiger schon G.Mensching RGG 3.Aufl., VI,1232f,der
daneben die Seite des Vertrauens sehr viel stärker auszieht, wenn er allerdings das
o.74 zitierte Gebet der Konde anführt, um zu belegen, daß der Vatername die
"Erkenntnis der eigenen Ohnmacht und des totalen Angewiesenseins auf die Gottheit"
ausdrückt, dann ist das eindeutig eine Fehlinterpretation. J.Jeremias, Abba wird
durch einen undifferenzierten Schöpfungsbegriff dazu verleitet, den Vaternamen
ganz auf der Seite der Majestät Jahwes anzusiedeln (16).

165 So explizit in der ägyptischen und sumerischen Königstheologie, vgl. Jer 2,27. Dafür spricht auch, daß der Vatername nur bei der Götter- und Menschenschöpfung
auftritt.

166 Jer 2,27; Dtn 32,18; vgl. auch die Klage der Ištar im Gilgameš-Epos.

167 Daneben begegnen auch Mutter und Großmutter.

168 D.S.Oyler, Nikawng's place in Shilluk Religion, 284f; zitiert bei W.Schmidt VIII,
203.

169 Grammatisch wäre es möglich, den zweiten Relativsatz parallel zum ersten auf
Gott zu beziehen; doch wäre dann das Schöpferhandeln vom Ahnen auf Gott übertragen, denn auch ersterer wird mit "mein Vater" angeredet.

170 So begegnete die kombinierte Geburts-Schöpfungsvorstellung, die ganz eindeutig zur
Erschaffung des Einzelnen gehört, im Sonnenhymnus aus Amarna auf alle Menschen
übertragen, s.o.84. Auch der Vatername begegnet im Bezug auf die Menschheit, vgl. besonders das ugaritische Epitheton Els ʾbʾdm "Vater der Menschheit"
I K 37.43.135.151.278.297 Belege nach R.Rendtorff, El, 287 A 28. Das Epitheton
Els wird vielleicht nicht zufällig im Zusammenhang der Klage Kerets um einen Sohn
verwendet.

171 Zum Ganzen s.o.54.

172 S.o.58f.

173 S.o.67f.

174 S.o. 80.

175 S.o. 56f.

176 S.o. 69.

177 S.o. 78ff.

178 S.o. 59f.

179 S.o. 69f.

180 S.o. 62-65.

181 S.o. 71.

182 S.o. 74-78.

183 S.o. 44.

184 Jes 49,5; Jer 1,5; s.o. 49f.

185 Allerdings sei daran erinnert, daß auch bei dem allgemeinen Typ der Menschenschöpfung oft nicht sicher war, ob die "Schöpfung am Anfang" oder das gegenwärtige Hervorbringen der Generationen gemeint ist, s.o. 56.

186 S.o. 82f.

187 S.o. 58.

188 S.o. 67f.

D. Weltschöpfung und Menschenschöpfung in den Psalmen

1 Ps 8,4.6-8; 19,1f; 22,10f; 24,1f; 33,6-9.15; (36,6-9); 65,7.(12ff); (71,6); 74, 12-17; 75,4; 89,10-13.48; 90,2; 93,1; 94,9; 95,4-5.6; 96,5.10; 100,3; 102,26-28; 103,(14).22; 104; 115,15; 119,73.89-91; 121,2; 124,8; 134,3; 135,7; 136,5-9.25; 138,8; 139,13.15; 145,15f; 146,6; 147,4.8f.(13).15-18; 148,5bf; 149,2; hinzu kommen außerhalb der Psalmen (Dtn 32,6.15.18); 1 Sam 2,8; Neh 9,6; Jes (1,2); 37,16=2 Kön 19,15; Jes 64,7; Jer 2,27; 5,22.(24); 10,12-16; (27,5); 31,35f; 32, 17; 33,2; (33,25f) Hos 8,14; 13,4LXX; Am 4,13; 5,8; 9,5f; Jon 1,9; Sach 12,1 (nicht aufgeführt sind die Belege aus Deuterojesaja und Hiob).

2 Weltschöpfung für sich: Ps 19,1f; 24,1f; 65,7; 74,12-17; 75,4; 90,2; 93,1; 96,5. 10; 102,26-28; 104; 115,15; 121,2; 124,8; 134,3; 135,7; 136,5-9; 146,6; 147; 148,5bf; 1 Sam 2,8; Jes 37,16=2 Kön 19,15; Jer 5,22; 10,12-16; 31,35f; 32,17; 33,2; (33,25f); Hos 13,4LXX; Am 4,13; 5,8; 9,5f; Jon 1,9 (nicht aufgeführt wurde das seine Schöpfung bewahrende und das segnende Handeln Jahwes, s.u. 109. Menschenschöpfung für sich: Ps 22,10f; (71,6); 94,9; 100,3; 138,8; 139,13.15; 149,2; (Dtn 32,6.15.18); (Jes 1,2); 64,7; Jer 2,27; Hos 8,14.

3 In einer ganzen Reihe von Belegen kommen Welt- und Menschenschöpfung zwar in ein und demselben Psalm, aber weit voneinander getrennt vor (Ps 33,6-9/15; 89, 10-13/48; 95,4-5/6; 103,22/(14); 119,89-91/73). In engerem Zusammenhang stehen sie schon Ps 8,4/6-8; direkt in einem Satz miteinander verbunden nur in Neh 9,6 und Sach 12,1.

4 S.o.A., A1.

5 Einleitung, 77.

6   Sie nennen: Ps 8,4-8; 19,1-7; 24,2; 33,6f.9; 65,7; 74,13-17; 89,11-13; 90,2;
    95,4f; 96,5; 102,26; 104; 136,5-9; 146,6; 148,5f; 1 Sam 2,8; Jes 37,16; 40,22.
    28; 42,5; 44,24; 45,18; Jer 10,12; 31,35; 32,17; 33,2; Am 4,13; 5,8; 9,6; Sach
    12,1; Hi 9,8f; 26,7-13; 37,2ff; 38,4ff; Neh 9,6 und noch eine Reihe von Stellen aus
    den apokryphen Schriften. Es fehlen vor allem Ps 135,7 und 147. Die Belege aus
    Deuterojesaja und Hiob brauchen hier nicht zu interessieren. Bei einer Reihe von
    Stellen werden wir formgeschichtlich genauer differenzieren müssen, s.u.110ff;
    122ff; das gilt auch für Ps 8, der auf den ersten Blick als eine sehr gewichtige
    "Ausnahme" erscheint.

7   Loben Gottes, 3.A. 1963, 91ff; 100. Jüngst hat F.Crüsemann versucht, diese Er-
    kenntnis Westermanns zu widerlegen, vgl. 10 A 2; 134; 135 A 1. Er bestreitet, daß
    die polaren Aussagen, wie sie in Ps 113 u.ö. vorliegen f o r m g e s c h i c h t -
    l i c h   irgendeine Relevanz haben könnten. Bestenfalls handele es sich um Motive,
    zudem sei Ps 113 sehr spät anzusetzen (134f). Nun ist nicht jede Kritik, die die
    Textgemäßheit einer Interpretation bestreitet, schon deswegen "methodische Kritik"
    (10 A 2); hier jedenfalls sitzt sie einem Mißverständnis auf. Crüsemann verwech-
    selt das Demonstrationsmodell (Ps 113) mit der sachlichen Aussage. Die Polarität
    des beschreibenden Lobes kommt ja nicht nur in einigen Sätzen thematisch zu Spra-
    che, sondern sie wirkt als Aufbauprinzip dieser Gattung, das die israelitischen
    Psalmen zu weit geschlosseneren Gebilden macht als vergleichbare Texte der orien-
    talischen Umwelt. Diesen Unterschied hat auch H.Gunkel bemerkt, wenn auch nur
    vereinzelt und mehr unter ästhetischem Gesichtswinkel, Einleitung, 70f. Demgegen-
    über ist die Motivaddition, wie sie Crüsemann 136ff vornimmt, forschungsgeschicht-
    lich ein Rückschritt, weil sie nicht die Stellung der Motive im Ganzen des jeweiligen
    Psalms beachtet. Wenn Crüsemann zu Westermanns Beobachtung lapidar fragt: "Ist
    damit eigentlich mehr gesagt, als daß Gottes (des Hohen) Handeln an der Welt (der
    niedrigen) gelobt wird?" (10 A 2), dann gibt er damit nur blaß wieder, was Wester-
    mann selber als Ausgangspunkt der polaren Struktur bestimmt: die in der Rettung
    erfahrene Zuwendung des mächtigen Gottes zu den Bedrängten und Verzweifelten
    (Loben Gottes, 87-91). Das ist aber keine Banalität, sondern die Grunderfahrung
    Israels! Die Richtigkeit der Westermannschen Strukturbestimmung wird sich in der
    Einzelexegese immer wieder erweisen.

8   Loben Gottes, 95.

9   94f.

10 MT liest kannēd "wie zu einem Damm", lies mit LXX, Hier, Targ, Sym und VetLat
    kannōd = kannōʾd im Parallelismus zu den "Kammern", die Masoreten dachten an
    den Exodus; es sind jedoch die himmlischen Wasser gemeint, so H.Gunkel, H.J.
    Kraus, z.St.

11 Das pf. hēfîr bezeichnet hier eine wiederholte Handlung, C.Brockelmann § 41a.

12 V 15.16-18 sind noch zwei verschiedene Erweiterungen; zu V 15 u.s.221.
    V 16-18 kontrastieren die Zuwendung Gottes mit der nutzlosen Macht der Mächtigen.
    V 20-22 sind wahrscheinlich ein Zusatz, so H.Gunkel/J.Begrich, Einleitung, 399f;
    H.Gunkel, Psalmen, 139.

13 F.Crüsemann betont dagegen sehr stark den lockeren Aufbau des Psalms, 129f,
    weil er für ihn eine Mischform aus partizipialen und imperativischen Hymnus ist.
    Zum ganzen s.u.105ff; hier soll nur auf einige Schwierigkeiten seiner Deutung
    hingewiesen werden: Für Crüsemann liegt der Bruch zwischen V 4 und V 5, V 1-4
    rechnet er zum imperativischen Hymnus (obgleich die "Begründung" nominal und
    nicht perfektisch ist), V 5 zum partizipialen Hymnus. Er muß aber zugestehen, daß
    der "stilistische Übergang von der einen hymnischen Stilart zu der anderen durch

eine gewisse inhaltliche Kontinuität überdeckt" ist (131). Also sieht auch er, daß
V 4 und 5 im Aufbau des ganzen Psalms zusammengehören. Weiter wird man kaum
sagen können, daß die Partizipien V 5.7.15 den Hauptteil des Psalms beherrschten,
V 5.9-11.13f.16-19 sind alles invertierte Verbalsätze; V 15 ist syntaktisch und inhaltlich nur eine Parenthese. Auch ist das "Gotteshandeln" V 5 nicht "allgemein-
gültiger" als V 4 (131). Crüsemanns Erklärung des Psalms von rein stilistischen
Merkmalen her, stößt auf so viele Schwierigkeiten und bekommt das Ganze des
Psalms so wenig in den Blick, daß man ernstlich fragen muß, ob eine Anwendung
der formgeschichtlichen Methode, die inhaltliche Gesichtspunkte ganz außer acht
läßt, den Texten wirklich gerecht wird.

14 K.Koch, Schöpfergott. 273ff will die pt. V 5.7 nicht auf Jahwe, sondern auf dabar
beziehen. Das ist grammatisch wohl möglich, formgeschichtlich aber ganz außergewöhnlich und nur mit Textänderungen (er streicht jhwh in V 5.10; s. aber V 8!) zu
erkaufen; ähnlich F.Crüsemann, 131 A1.

15 Vgl. Ps 106,1; 107,1; 118,1-4.29; 1 Chr 16,34; 2 Chr 20,21; Esr 3,11; Jer 33,11.
Wie F.Crüsemann in dieser Formel einen vollständigen "imperativischen Hymnus"
wiederfinden kann, ist mir völlig unbegreiflich (44). Ihm, der so auf stilistische
Merkmale achtet, ist der Unterschied zwischen perfektischer und nominaler "Begründung" letztlich gleichgültig.

15a F.Crüsemann 74ff.

15b "Und die Sterne" streiche aus metrischen Gründen; so H.Gunkel; H.J.Kraus z.St.
Der plur. lĕmæmšēlōt ist durch diese Zufügung entstanden und deswegen in sing.
zu ändern.

15c Er meint, das ganze Korpus des Psalms sei ein Ausbau der imperativischen Lobrufe (vor jedes pt. + lĕ sei also eigentlich immer wieder "Lobet Jahwe" zu ergänzen), die "Durchführung" seien die kleinen litaneiartig wiederholten Sätzchen
(74f). Meiner Meinung nach scheitert diese Auffassung schon daran, daß 19 "Durch-
führungen" nur 8 Lobrufe entsprechen würden. D.h. das Sätzchen "denn ewig (währt)
seine Gnade" ist gar nicht unter dem Gesichtspunkt einer sinnvollen Begründung der
Lobrufe eingefügt, sondern als liturgische Formel einfach schematisch hinter jede
Zeile gesetzt worden, auch wenn damit der Sachzusammenhang gestört wird (so
V 7-9).

16 Die Abfolge pt.-pf.-pt. ist seltsam, Jer 10,13=51,16 stehen stattdessen impf.cs.
Formen. Möglicherweise hängt diese Folge mit der Dreigliedrigkeit des Satzes zusammen (ursprünglich pt.-pf. in Chiasmus?), oder es wurde nur falsch punktiert.

17 MT punktiert mōṣē꜄ vgl. Ges-K 530, richtiger wäre mōṣī꜄.

18 Das gilt für den Eingang und den Schluß des Psalms. In Ordnung ist V 1-4, auch
wenn die doppelte Begründung V 3 und V 4 auffällt. Schwierig wird der Aufbau erst
dadurch, daß V 5 mit einer Art "Bekenntnis" einsetzt: "Denn ich weiß..."; der
Inhalt dieses Wissens ist die Größe Jahwes über alle anderen Götter. So wird das
polare Gegenüber von V 4 und V 5ff durch den Neueinsatz in der 1.P.sing. stark gestört. Ich meine diese Bekenntnisformel als Einfügung eines Späteren erklären zu
müssen, der gegen die Infragestellung der Macht Jahwes, dem entsprechenden Teil
des Psalms besonderen Nachdruck geben wollte (zu V 6 vgl. Ps 115,3b); aus einer
ähnlichen Tendenz scheint die Götzenpolemik V 15-18 = 115,4-8 hinzugekommen zu
sein. Zu den Lobrufen V 19f vgl. Ps 115,12.13a; zur Segensformel V 21 Ps 134,3a.
Die Zusammenfügung so verschiedener Elemente zeigt an, daß der Psalm eine
wechselvolle Geschichte gehabt haben muß.
F.Crüsemann möchte in dem Neuansatz V 5 eine Bestätigung seiner These sehen,

daß imperativischer (1-4) und partizipialer (6-12) Hymnus sekundär zusammengekommen sind (128f). Das wäre eine mögliche Erklärung, wenn Crüsemann die Relativsätze V 8-12 zum partizipialen Hymnus rechnete. Das ist aber nicht der Fall, sondern er ordnet diese Verse wegen ihres spezifisch israelitischen Inhalts dem imperativischen Hymnus zu. Als Bestätigung müssen die pf.-Verbformen herhalten! Dann bleibt aber vom partizipialen Hymnus nur ein einziger Vers (7) übrig!

19   Loben Gottes, 98f; er rechnet hierzu Ps 95A; 100; 145; 148; 150.

20   V 7b-11 sind eine Mahnung, die an das Erbarmen Gottes in der Geschichte anknüpft. Vorbild dürfte dafür die kultische Verbindung von Heilszusage und Gebotsverkündigung gewesen sein, vgl. Ps 81; Jes 48,18f; vgl. dazu C.Westermann, Bezeugung, 356-366. Zum traditionsgeschichtlichen Hintergrund dieser Mahnung vgl. J.Jeremias, Kultprophetie, 126f.

21   gādōl ist eine unschöne Wiederholung und aus metrischen Gründen zu streichen, so auch H.Gunkel, H.J.Kraus z.St.

22   Die zweimalige Relativpartikel will den Bezug auf Jahwe sicherstellen, doch ist sie überflüssig und metrisch störend, sie fehlt in 1 Ms; dl mit H.Gunkel, H.J.Kraus z.St.

23   mæḥqār ist lexikalisch unsicher; 1 Ms und LXX: mærḥaqqē "die Weite". Doch sei auf Hi 38,16 verwiesen, hier steht ḥeqær tĕhōm parallel zu nibkē-jām, hier hat ein Derivat des Stammes ḥqr also die Bedeutung "Tiefe", vgl. Hi 11,7. So wird auch mit mæḥqĕrē-ʾæræṣ im Gegensatz zu tō ʿᾱfōt die "Tiefe der Erde" gemeint sein, und zwar unter dem Gesichtspunkt des Zieles und der Grenze menschlichen Forschens.

24   MT: "denn er ist unser Gott und wir das Volk seines Weidens, Schafe seiner Hand". Der Text ist in Unordnung geraten, vgl. Ps 100,3, wahrscheinlich durch die Anfügung der Mahnung.

25   Ps 24,1f; 1 Sam 2,8; vgl. Ps 74,16; 89,12. Zu "unser Schöpfer" V 6 s.u.121.

26   G.v.Rad, Hiob 38 vertritt die These, daß die Kette der Kreaturen des Himmels und der Erde aus der ägyptischen Listenweisheit entnommen worden ist. W.H.Schmidt, Schöpfungsgeschichte wendet dagegen ein: "doch wollen die Reihenbildungen in allen drei Fällen (sc.Ps 104; 148; 8) nicht der Beobachtung und ordnenden Aufgliederung der Natur, sondern im Hymnus dem Lobe Gottes dienen" 45. Das ist grundsätzlich richtig, doch ist es fraglich, ob die Aufzählung von Schöpfungstaten (Ps 8; 104) mit der von Kreaturen in dieser Welt einfach gleichgesetzt werden kann. Man kann sich doch des Eindrucks einer sachlichen Anordnung nicht erwehren, insbesondere im zweiten Teil, der auch die nächsten Parallelen in der ägyptischen Onomastika hat (G.v.Rad, Hiob 38, 296/265f.). Sicherlich geht es auch in Ps 148 nicht primär um eine Gliederung der Welt, sondern um eine Ausweitung des Lobes auf alle Kreatur. Doch wäre es gut denkbar, daß sich diese Tendenz des Lobes (vgl. etwa Ps 103,20ff) zur konkreten Füllung enzyklopädischer Wissenschaftstraditionen bediente. Auf diese Weise würde das inkongruente Ineinander von sachlicher Anordnung und Struktur des beschreibenden Lobes erklärbar.

27   Gemeint ist das Wasser V 4; vgl. das ganz ähnliche Motiv Jer 5,22. Eine Änderung in den plur. ist nicht nötig. Zum impf. V 6b s. O.Michel, Tempora § 20,4 "negierte Folge".

28   V 14b ist eine Unterschrift, vgl. H.Gunkel, H.J.Kraus z.St.

29 Vgl. Ps 103,20-22 und Ps 19,1-5a. Ps 103,20ff befindet sich auf dem Wege zu Ps
148: auch hier werden Jahwes Boten, Helden, Heere und Diener aufgerufen, Jahwe
zu loben. Das wird zusammengefaßt mit dem Lobruf: Lobet Jahwe, alle seine Werke!
(V 22). Damit sind vor allem die himmlischen Mächte gemeint, mit denen Gott die
Welt regiert. Auch dieser Lobruf schließt sich an einen Satz an (V 19, übrigens der
einzige im ganzen Psalm!), der Jahwe in seiner Majestät lobt.
Ps 19,1-5a steht an Stelle des Lobrufes eine Schilderung des Lobens. Das ist formgeschichtlich gesehen schon eine sekundäre Abwandlung der Form, auch wenn dieser
Psalm einer der ältesten im ganzen AT ist (vgl. H.Gunkel/J.Begrich, Einleitung,
39f). Dieser komplizierte Sachverhalt erklärt sich dadurch, daß dieser Psalm eindeutig aus der kanaanäischen Umwelt aufgenommen worden ist (A.Jirku 631;
M.Dahood, Psalms I, 121) und darum eine spätere traditionsgeschichtliche Stufe
spiegelt als viele israelitische Hymnen. Auch hier ist es die Majestät (kābōd) Jahwes, die von seinen Geschöpfen gepriesen wird (gemeint sind die Geschöpfe der
Weltschöpfung!). Die V 5b-7 halte ich für das Bruchstück eines Sonnenliedes, vgl.
H.Gunkel z.St. Beide Teile sind verbunden durch das Motiv der universalen Aus-
breitung des Gotteslobes.

30 F.Crüsemann will V 5 als Zusatz ausscheiden, 71 A 2, vor allem wegen des zwei-
maligen kī; doch sind seine Argumente keineswegs schlüssig.

31 Es ist fraglich, ob der Psalm zweigliedrig (F.Crüsemann 70f) oder dreigliedrig
(C.Westermann, Loben Gottes, 112) aufzufassen ist. Im ersten Fall wird die Bot-
schaft V 10 den Imperativen untergeordnet, im zweiten Fall erhält sie eigenes Ge-
wicht und steht anstelle einer "Begründung". Deutlich ist, daß die Struktur des
Psalms V 1-6 und 11-13 recht fest ist, wo er sich an die Form des beschreibenden
Lobes, bzw. des eschatologischen Lobliedes anlehnt. Der Mittelteil V 7-10 mit dem
Jahwekönigsruf ist dagegen viel lockerer gebaut.

32 Vgl. die sog. "eschatologischen Loblieder", C.Westermann, Loben Gottes, 108-111;
H.Gunkel/J.Begrich, Einleitung, 344f.

33 F.Crüsemann hat die Herkunft dieser Abwandlung aus der Topik der Heroldsinstruk-
tion gezeigt, 50ff.

34 Auffällig ist die pf.-impf.-Folge bei genau parallelen Schöpfungswerken. Sie taucht
sonst nur in chiastischen Bildungen auf. BHS schlägt vor, kōnānāh zu lesen; dem
ist zu folgen, da auch sonst die Schöpfungstaten mit perfektischen Verben ausgedrückt
werden, wenn sie die Herrschaft des Schöpfers über seine Welt begründen sollen
(konstatierendes pf.): Ps 95,5a.b; 96.5.

35 H.Gunkel, R.Kittel, H.J.Kraus z.St.; C.Westermann, Loben Gottes, 95 A 79.

36 Zum Gründen der Erde auf den unterirdischen Fluten vgl. Ps 136,6; 1 Sam 2,8;
Ps 93,1; 96,10; 75,4. Zu den unterirdischen Strömen vgl. Jes 44,27; Ps 74,15.

37 So H.Gunkel z.St.

38 F.Crüsemann hat seiner Untersuchung ein kurzes Kapitel über die Individualhym-
nen angehängt und damit die Frage, ob es sich hierbei um eine besondere Gattung
handelt oder um eine späte Formmischung von neuem aufgeworfen (285-306). Ich
neige, jedenfalls für den zweiten Typ (Er-Stil), den Crüsemann herausgestellt hat
(Ps 103; 146; 1 Sam 2,1-10; dazu Mischungen Ps 104; 298-304) doch immer noch
letzterer Ansicht zu, da die Texte zu verschieden sind, um eine feste Gruppe zu
bilden. Daß es bei dieser individuellen Neuinterpretation der alten Gattung spezielle
Kreise und auch zeitweise eigene Traditionswege gegeben hat, soll damit nicht ausgeschlossen werden.

39 Vgl. Ps 103,1; 104,1; H.Gunkel/J.Begrich, Einleitung, 39 erklären die Form zu
    Recht als sekundäre Vermischung von imperativischem Aufruf zum Lob und kohor-
    tativer Selbstaufforderung. Das Nebeneinander zweier Einleitungsformeln hat be-
    sonders F.Crüsemann klar herausgestellt, 299 A 4; 301.

40 Vgl. die Mahnung Ps 32,8f, die Makarismen Ps 32,1f; 40,5f und die Sentenzen
    Ps 32,10; 118,9; so auch F.Crüsemann 299. Die Verbindung mit weisheitlichen
    Formen kann sich aus der zweiten Rederichtung des berichtenden Lobes, die auf
    die Umstehenden zielt (vgl. Ps 66,16), ergeben haben.

41 Ps 62,8-11; zur Vergänglichkeitsklage vgl. Ps 90,3.

42 Hi 5,12f; 12,17-25; Ps 33,10.16; 107,40; 1 Sam 2,4; Jes 40,23; 44,25.

43 Die Abfolge der Halbverse ist in Unordnung geraten, 1 V 8b hinter 9a, so auch
    BHS; dabei wird wieder die Topik der theologisierten Weisheit entnommen, vgl.
    Ps 1,6. V 10 ist ein Zusatz, der sich formal (voranstehendes impf. c suff. d.
    2.P.sing.) und inhaltlich (Königsherrschaft Jahwes) vom Vorangehenden abhebt.

44 Vgl. etwa Ps 30,12. Die konkrete Ausformung mit den Verben šāmaḥ und ʿālaz
    könnte auf den Heilszuspruch an die unfruchtbare Frau zurückgehen (Jes 54,1ff);
    vgl. dazu F.Crüsemann, 64f; um die Wende der Not der Kinderlosigkeit geht es ja
    in 1 Sam 1f.

45 Etwa Ps 6,9; vgl. dazu C.Westermann, Geschichte der Klage, 64f/288f.

46 Ps 95,5; 24,1f; s.o. 94f; 96f.

47 Die Textüberlieferung der LXX weicht V 8bff ganz erheblich von MT ab: 8b fehlt
    ganz; 9a hat einen völlig anderen Wortlaut; der Anfang von V 10 wird von der LXX
    wieder überliefert, allerdings mit dem Zusatz kýrios hágios. Dann schiebt die LXX
    eine Mahnung ein, sich nicht eigener Stärke, sondern der Erkenntnis Gottes zu
    rühmen (vgl. Jer 9,23f). Erst nach 6 Verszeilen kommt die LXX wieder zu einem
    Text zurück, der V 10bf MT in etwa entspricht. Das zeigt, daß 1 Sam 2 ab V 8b text-
    lich lange in Bewegung geblieben ist. Man wird daher auch für den Schlußteil kaum
    mit einem festen Aufbau rechnen können, V 9 ähnelt Ps 146,8b.9b.

48 95-114.

49 Jes 51,15; Jer 10,12-16; 31,35-37; 32,18(?); 33,2; Am 4,13; 5,8.(9); 9,6f.

50 S.o.

51 F.Crüsemann 104.

52 105.

53 104.

54 114 A 2.

55 Die Doxologien im Amosbuch, 1929.

56 99-103; Crüsemanns genauere formgeschichtliche Bestimmung hat gegenüber Horst
    u.a. vor allem darin einen Fortschritt gebracht, daß nicht mehr mit dem Ausfall
    einer hymnischen Einleitung gerechnet werden muß (104).

57 Am 4,13. Es ist dabei nicht ganz deutlich, ob man eine Zusammenstellung verschiedener
    "Naturerscheinungen" oder eine zusammenhängende Kosmogonie vor sich hat; im
    zweiten Fall könnte man am ehesten die "Urgötterlehre von Hermopolis" und die
    Reste, die uns von der phönizischen Kosmogonie erhalten sind, zum Vergleich heran-
    ziehen, s. dazu C.Westermann, Genesis, 149f.

58 Am 5,8.

59 Am 9,6. Eine ähnliche Vorstellung in Ps 104, hier ist der "Söller" eine Art Pfahlbau über den Himmelswassern. Eine feste Schale ist der Himmel bei P (z.B. Gen 1,6-8; vgl. Ps 19,2; Himmelspfeiler sind Hi 26,11 erwähnt). In Am 9,6 begegnet bānā als Schöpfungsverb (im AT sonst nur noch Gen 2,22); häufig ist es in Ugarit, vgl. das Epitheton Els "bny bnwt", Belege bei R.Rendtorff, El, 287 A 29; vgl. D.J.Mc Carthy 398f.

60 Am 9,5f.

61 Am 4,13.

62 Joel-Amos, 263f.

63 So z.B. J.D.Watts 35; V.Maag, Heerscharen, 47ff versucht beides unter dem Ge-sichtspunkt der Entmachtung der "Naturgeister" zu verbinden. Diese Deutung geht allein von einem umstrittenen Verständnis der ṣĕbāᵓōt aus und ist von F.Crüsemann 104 A 1 zu Recht zurückgewiesen worden.

64 Obgleich F.Crüsemann schärfer zwischen ursprünglich selbständigem Hymnus und seiner sekundären Anwendung unterscheidet (vgl. 106 A 1), übernimmt er dennoch H.W.Wolffs Verständnis von Am 4,13 (102 A 5). Sein Hinweis darauf, daß die Hö-henheiligtümer "typisch kanaanäische Vorstellungen" voraussetzen (104), erklärt noch nicht, wie Schöpferhandeln und kultische Gegenwart Gottes in bunter Reihe zu-sammengekommen sein können.

65 F.Crüsemann 102 A 5.

66 A.Schwarzenbach meint: "Die Meeresrücken erscheinen geradezu als Fremdkörper in der Aufzählung" 13 A 1; einige Mss und Exegeten (z.B. G.Fohrer, Hiob z.St.) haben die Schwierigkeit gespürt und in ᶜāb geändert; für MT sprechen sich aber P.Dhorme, M.H.Pope, F.Horst, Hiob und S.Terrien, Job II z.St.aus.

67 So jetzt auch J.L.Crenshaw; wenn er die Siegerpose dennoch auf die "canaanite-influenced sanctuaries" bezieht (43), so hat das darin seinen Grund, daß er in 4,13 nicht das Lob des Weltschöpfers, sondern des mächtigen Richters sieht und beweisen will, daß die Vorstellung im AT nur noch metaphorisch verwendet wird (52). Doch kann das nicht überzeugen, vgl. das Lob des Weltschöpfers in Am 5,8; 9,5f und die Schwierigkeiten, in die Crenshaw bei der Interpretation von Hi 9,8 gerät (47f).

68 Vom siegreichen Israel Dtn 32,13; Jes 58,14; vgl. Hab 3,19; von Jahwe, der zum Gericht kommt Mi 1,3.

69 Job, 69.

70 Enūma-eliš IV, 104.129; ANET 67.

71 MT liest ümaggīd lᵉᵓādām mā-śēḥō. Die Wurzel śīḥ in diesem Zusammenhang ("sein Sinnen") ist sprachlich ungewöhnlich, sie meint nämlich ursprünglich nicht "sich mit etwas befassen" (so H.W.Wolff, Joel-Amos, 249, sondern das "laute enthusiastische bzw./emotionsgeladene Reden" (so H.P.Müller 369f); man müßte, wollte man bei MT bleiben, für die nur in Am 4,13 vorkommende Ableitung śēaḥ eine sehr abge-blaßte Sonderbedeutung annehmen, vgl. Th.H.Gaster 24.

72 Die Konjektur F.Horsts, Doxologie, 49/160: "der den Menschen reichlich spendet, was sie begehren bzw. dedürfen" ist durch eine falsche Gattungsbestimmung veran-laßt (Danklied für Regen).

73 ūmĕgaddēl lāʾădāmā śīḥāh; der jetzige Text wäre zu erklären durch Haplographie des Lamed, Dittographie des Mem und falsche Worttrennung; śīḥ kann ursprünglich auch ohne Suffix gestanden haben.

74 śīḥ ist sonst eine in der Wüste oder Steppe wachsende Wildpflanze (Gen 21,15; Hi 30,4.7) und damit im Zusammenhang mit ʾădāmā etwas befremdlich, doch taucht sie auch Gen 2,5 im Schöpfungsgeschehen auf.

75 S.o.24.

76 So schon K.Budde, Amos 1924, 105; F.Horst hatte dagegen geltend gemacht, zum Lobpreis des Weltschöpfers, "der doch 'alles weislich geordnet' hat" passe nicht das Erdbeben und die Trauer der Menschen, Doxologie 46/157. Doch geht Horst dabei von einer christlich übermalten Weltschöpfungsvorstellung aus, wie das Zitat eines Kirchenliedes deutlich macht. Zur Verfügungsgewalt des Weltschöpfers über seine Schöpfung gehört auch, daß er seine Schöpfung in Schrecken versetzen kann, vgl. Hi 9,5f.

77 Etwa in dem Satz: "Der Schöpfer nimmt Wortverbindung zum Menschen auf" Joel-Amos, 264.

78 F.Horst, Doxologie, 47/158 und 49/160; eine Schwierigkeit zeigt sich daran, daß er 46/157 "die Verherrlichung der weltüberlegenen Macht Jahwes überhaupt" als Generalnenner des Hymnus bestimmt hatte.

79 Vgl. das Beim-Namen-Rufen der Sterne Jes 40,26; 147,4.

80 Das Thema "Herr der Geschichte" ist 5,9 wahrscheinlich erst später nachgetragen. Doch ist der Text zu zerstört, um eine sichere Aussage machen zu können.

81 Ähnlich auch F.Crüsemann 114 A 2; er trennt allerdings nicht genügend zwischen Schöpfungshandeln und segnendem Handeln, dazu s.109.

82 Zur Funktion der partizipialen Hymnen im Amosbuch habe ich in meiner masch. Diss. einige Ausführungen gemacht (220-222); hier will ich nur soviel sagen, daß ich die Doxologie-These F.Horsts (Doxologie, 50f/162) stark bezweifle.

83 Jer 10,12-16=51,15-19; 31,35-37; 33,2.

84 Zur Abgrenzung des Abschnittes in dem sekundären und in sich stark geschichteten Kapitel s. F.Crüsemann 111, bes. A 1 und A 2. Höchstens V 10 könnte noch hinzugehören.

85 S. F.Crüsemann 113f.

86 MT liest lĕqōl tittō "auf die Stimme seines Gebens"; der Text ist sicher gestört, er fehlt in LXX. Zu den Lösungsversuchen vgl.F.Crüsemann 111f A 3; ich habe mich seinem Vorschlag angeschlossen, lies mašmīăᶜ.

87 Lies mit dem Qere hāʾāræṣ.

88 Man könnte aufgrund von Prov 3,91f fragen, ob dahinter eine Berührung mit Weisheitstraditionen steht.

89 F.Crüsemann 112 geht darüber zu schnell hinweg; auch wenn nach seiner Konjektur der Vers mit einem pt. einsetzt, so ist doch die Folge impf.cons.-invertiertes pf. und impf.cons. bei gleichem Subjekt höchst ungewöhnlich, zumal eine Handlungsfolge nicht vorliegt.

90 Auch in den sekundären Götzenpolemiken bei Deuterojesaja werden die Götter mit ihren Bildern identifiziert, Jes 41,6-7; 42,17; 44,9-20; 45,16-17.20b; 46,5-7.

91 hakkōl meint wahrscheinlich nicht "das All", sondern faßt die oben beschriebenen Schöpfungswerke zusammen; auch in Jes 44,24; 45,7 war kōl zusammenfassend gebraucht.

92 Textänderung nach LXX; vgl. dazu F.Crüsemann 108 A 1.

93 Vergleichbar wäre nur Jes 45,18, doch kommt dort die Häufung der Verben aufgrund einer Interpretation des Propheten zustande, s.o. 17f.

94 Vgl. P.Volz, Jeremia z.St.

95 Vgl. W.Rudolph, Jeremia, 204; A.Weiser, Jeremia, 296f; J.Bright, Jeremiah, 286f.

96 MT liest das Nomen ḥuqqōt und bezieht es noch auf das Verb der ersten Vershälfte; damit wird aber der Parallelismus, der eindeutig beabsichtigt ist (lẽʾōr jōmām// lẽʾōr laīlā), zerstört, lies ḥōqēq, so P.Volz, W.Rudolph, A.Weiser z.St.; F.Crüsemann 107 A 2.

97 Streiche nẽʾūm jhwh, so die meisten Ausleger.

98 V 37 hat eine neue Einleitung und hängt nur locker mit V 35 zusammen; die LXX liest ihn vor V 35. Mir scheint, daß er eine spätere Bildung analog zu V 36 ist.

99 Lies bārāʾtī statt bẽrītī, wodurch der Parallelismus wiederhergestellt wird. Seltsam jōmām "bei Tage", lies jōm (mit BHK).

100 S.o. 91f.

101 Ps 24,1f; 95,5; 1 Sam 2,8; vgl. Ps 74,16; 89,12.

102 Ps 95,3-5; 96,5; Jer 10,12-16.

103 Ps 33,7; 135,7; 148,6b; Am 5,8b=9,6b; Jer 10,13; Jes 51,15=Jer 31,35 (besonders häufig ist das Himmelsmeer gemeint).

104 Ps 146,6; 1 Sam 2,8.

105 Jer 31,35f.

106 Vgl. 80-82; 152-154.

107 Ps 33,7; 135,7 (pt.-pf.(?)-pt.); Ps 136 (3 mal pt.); vgl. Ps 146; 147; 104.

108 Ps 33,9 (pf.-impf.cons.; 2mal); 33,6 (pf.nif.); 24,2 (pf.-pf.(cj)); Ps 95,5 (2 mal pf.); 148,5bf (pf.-pf.cons.-impf.cons); 96,5 (pf.); 1 Sam 2,8 (impf.cons.).

109 Ps 33; 136; 135; 148; 96A; 95; dazu Ps 147; vgl. Ps 146.

110 Die pf.-impf.-Folge Ps 148,5bf; 33,6.9 erklärt sich aus der Vorstellung der Erschaffung durch ein Befehlswort. In Ps 24,2; 95,5; 96,5 soll die Weltschöpfung die Herrschaft Jahwes über die Welt begründen und steht deswegen im konstatierenden pf., vgl. 1 Sam 2,8.

111 Ps 136,10-22; Jes 44,24-28; vgl. die Relativsätze Ps 135,8-12, die Crüsemann 128f aufgrund der pf. Verbformen dem imperativischen Hymnus zuordnet; doch läßt sich jedes Partizip durch einen Relativsatz substituieren, vgl. Jer 5,22!

112 So eindeutig, wie Crüsemann 84f es darstellt, ist das keineswegs der Fall. Schon die akkadischen Parallelen, die Crüsemann anführt, bieten bei weitem nicht nur partizipiale Konstruktionen (136-150).

113 Vgl. Jes 45,18; 48,12-17.

114 Streiche mit der LXX lāhæm.

115 Es fehlt eine Vershälfte, einige LXX-Mss ergänzen den Text aus Ps 104,14. Etwas ähnliches wird hier gestanden haben.

116 Ps 136,5-9, s.o. 93; 147,4, vgl. Jes 40,26; hier ist der einzige Unterschied, daß der Psalm mit dem Lob der Güte Gottes einsetzt, bevor er zum Lob des Weltschöpfers kommt. Diese Umstellung kann aus aktuellem Anlaß verursacht sein (Rückkehr aus dem Exil, Aufbau Jerusalems). Das Schöpfungsmotiv will auch in Ps 147, wie V 5 zeigt, die Größe Gottes rühmen.

117 Ganz klar in Ps 136. Nicht so deutlich ist die Psalmstruktur von Ps 147; es begegnen drei imp. Aufrufe (V 1.7.12), was völlig ungewöhnlich ist. Am einfachsten ist es, mit LXX in V 1-11 und 12-20 zwei verschiedene Psalmen zu sehen. Ps 147A ist dann ein Imperativpsalm; das Schöpferhandeln V 8-9 gehört zu seinem zweiten Teil, der gewöhnlich die Güte Gottes lobt, vgl. die geschichtliche Zuwendung V 11 (V 10 ist Kontrastmotiv, vgl. Ps 33,16-18) und C.Westermann, Loben Gottes, 98ff. Ps 145 ist ein stark abgewandelter beschreibender Lobpsalm, dessen Struktur durch den Stilzwang des alphabetischen Zeilenanfangs verwischt ist, doch steht unmittelbar vor dem Schöpfungsmotiv das Aufrichten der Gebeugten.

118 Vgl. etwa das Motiv, daß der Weltschöpfer über den Regen verfügt, Ps 135,7 = Jer 10,13; Am 5,8; 9,6; Ps 33,7; Hi 36,27ff.

119 Zur Erschaffung des Himmels kommt der Bau des "Obergemachs" hinzu (V 3a), vgl. Am 9,6. Obergemach, Himmelszelt und Himmelswasser passen eigentlich nicht zusammen und sind vorstellungsmäßig nur dürftig ausgeglichen ("Hochsitz"). Hinzu kommen Motive, die Jahwes Herrschaft am Himmel ausmalen sollen (V 3b.4), sie kommen auch in Theophanievorstellungen vor (vgl. Ps 18,11 = 2 Sam 22,11; Hi 30, 22 und Ps 68,5cj und J.Jeremias, Theophanie, 88f). Die Erschaffung der Erde ist um Chaoskampfmotive erweitert, sie begegnen sonst in der Klage des Volkes, s.u. 110ff; vielleicht ist die Du-Anrede aus einer Übernahme von dort zu erklären; im beschreibenden Lob nur noch Hi 26,11f.

120 Man beachte die inf.cstr. mit lĕ V 14.

121 Es geht in V 10-18 nur um ein einziges Motiv: Jahwe spendet seiner Kreatur Regen, doch in welche Verästelungen wird es verfolgt! Immer wieder geht der "Dichter" zu staunenden Naturschilderungen über, V 12.17.18.

122 Meist wird mit einer rein sachlichen Gliederung gerechnet und diese eng an die Seite von Gen 1 gestellt (H.Gunkel, Psalmen, 453 rechnet mit literarischer Abhängigkeit, vorsichtiger urteilen H.J.Kraus, Psalmen, 709, A.Lauha 18-21; und W.H. Schmidt, Schöpfungsgeschichte, 41f, A 4 weitere Literatur). Ich meine, zu Unrecht. Die Erschaffung von Sonne und Mond nach den Pflanzen erklärt sich nicht aus Gen 1, sondern religionsgeschichtlich: sie wurde notwendig durch die Einarbeitung eines ägyptischen Sonnenliedes, das den Weg der Sonne vom Morgen bis zum Abend zum Inhalt hat, vgl. ANET 370.
Allerdings will und kann meine Erklärung des Psalms nicht alle seine Probleme lösen, sie ist nicht ausschließlich gemeint. Zumindest V 20-30 werden weiter primär religionsgeschichtlich zu erklären sein, weil hier die direktesten Anklänge an ägyptische Hymnen, insbesondere den Atonshymnus vorliegen, vgl. G.Nagel, 395ff und J.Assmann 321f. Doch sind die traditionsgeschichtlichen Zusammenhänge kompliziert und keineswegs restlos geklärt. Sicher ist nur, daß ab V 19ff durch die direkten religionsgeschichtlichen Einflüsse die bis dahin klare Psalmenstruktur verwischt ist (vgl. V 31f). Das braucht aber bei diesem Psalm, der auch sonst deutliche Merkmale einer späten, wahrscheinlich sogar literarischen Abfassung trägt (vgl. den abgewandelten Lobruf V 1.(33f) und die "Weiheformel" V 34a), nicht zu verwundern.

123 Später werden noch Hi 5,10 und 38,39ff hinzukommen, s.u.136; 143f.

124 S.u.168f.

125 S.o.67; Es ist das, was J.Assmann "anthropologische Finalität" des göttlichen Handelns, so auch des Schöpferhandelns nennt (322 u.ö.); Assmann spricht von einem "Leitgedanken der Amarnazeit", er hat aber schon frühere Wurzeln, wie etwa pBoulaq 17 VI,5ff (ANET 366) und Teile der Lehre für Merikare (ANET 417) belegen.

126 Es gibt auf der einen Seite in Ägypten auch Hymnen, denen die "anthropologische Finalität" fehlt, vgl. z.B. Berliner Papyrus 3048, Quellen des Alten Orients I,85f, auf der anderen Seite läßt sich das Motiv von der Majestät des Weltschöpfers nicht auf Kanaan-Phönizien beschränken, vgl. den religionsgeschichtlichen Teil dieser Arbeit.

127 So fehlt in den Belegen der israelitischen Tradition im Unterschied zu Ägypten die Menschenschöpfung (!). Auch die für Ägypten typische Verbindung von Hymnus und Sonnenlied hat bis auf Ps 104 keine Spur in der israelitischen Tradition hinterlassen.

128 Jer 5,22 ist eine relativische Ich-Prädikation; zur Eingrenzung des Meeres vgl. Ps 148,6; 104,9; Hi 38,8-11; vgl. 26,10. Ps 65,7f ist eine partizipiale Er-Prädikation. Die Majestätsfunktion wird Jer 5,22 an der bestreitenden Frage deutlich, Ps 65,7f wird zwar die Stärke des Weltschöpfers explizit beschrieben, aber die Funktion ist im Psalm unklar. Man hat den Eindruck, daß V 7f erst sekundär in den Psalm eingefügt worden ist (V 5.6 beziehen sich unmittelbar auf V 10ff).

129 2.P.pf.V 10.12, fortgeführt mit der 2.P.impf. H.J.Kraus möchte die pf.-impf.-Folge iterativ verstehen, doch ist das wegen des erneuten pf. Einsatzes in V 12, den Kraus übersieht, unwahrscheinlich, vgl. L.Delekat 179 A 1. Es scheint eine einmalige Segenszuwendung gemeint zu sein. Die Frage ist aber wegen der strittigen Gattungsbestimmung noch nicht endgültig zu entscheiden (W.Steark, Lyrik, 86ff; R.Kittel, Psalmen, 240ff, S.Mowinckel, Psalmenstudien II, 137-141: Danklied; H.Gunkel, Psalmen, 272; H.J.Kraus, Psalmen, 452; F.Crüsemann 201f: Hymnus).

130 Genau entsprechende Texte fehlen im AT; ähnlich massive Fruchtbarkeitsvorstellungen begegnen im Segensspruch (Dtn 33,28), den Heilsschilderungen (Hos 2,23f; Jer 31,12-14; Ez 36,29f; Sach 8,11ff; vgl. die Segenszusagen Ps 85,9-14; Joel 2, 21ff) und in den "eschatologischen" Lobliedern bei Deuterojesaja (vgl. zu rāᶜaf Jes 45,8, zu rūᵃᶜ Jes 44,23). Die Vorstellung wird noch drastischer, wenn man mit L.Delekat šûq pil. V 10 mit "geschlechtlich begehren" übersetzt (177 A 5).

131 Vgl. die Dürreklagen Joel 1; Jer 14; Sach 10,1; 1 Kön 8,35 und die Wende der Not durch die Gabe des Regens (1 Kön 8,36; Joel 2,19.21-24; Sach 10,1); sie ist überall wie in Jer 5,24 personal auf Israel bezogen.

132 Der Kohortativ Jer 5,24 meint wahrscheinlich den Entschluß zur Volksklage (vgl. Hos 6,1-3; Mi 7,7) und die Prädikation bezieht sich wahrscheinlich direkt auf entsprechende Bekenntnisse der Zuversicht in Klagen bei Dürrenot (vgl. Jer 14,22). Diese Herleitung ist nicht ganz sicher, doch befinden wir uns, wenn sie richtig ist, in Jer 5,20ff ganz unmittelbar in der Situation der Segenszusage. Israel wird mit dem mächtigen Weltschöpfer gedroht, weil es in der Dürre sich nicht mehr mit seiner Klage zu Jahwe wendet und um Regen bittet.
Ps 65,10ff ist ein konkreter Anlaß nicht so deutlich, s.o.D., A 129. Ein Nachhall der Verbindung von Weltschöpfungs- und Segenshandeln könnte in Ps 36,6-10 vorliegen.

133 Vgl. Joel 2,23; auch der imp.fem. Ps 147,12 erklärt sich wahrscheinlich von hier aus, vgl. F.Crüsemann, 53f.

134 Nachweisen läßt sich eine solche Wandlung in Jes Sir 39,16-18.21.22-25.27/28-31, vgl. C.Westermann, Loben Gottes, 106.

135 Auch an anderer Stelle läßt sich ein weisheitliches Interesse an der "Natur" erkennen, das in das Gotteslob eindringt und seine Struktur mehr und mehr auflöst, vgl. Hi 37, 10f; 38,29f; Jes Sir 43,19.

136 Ps 104,1-9; 147,4; 65,7f; Jer 5,22.

137 Ps 104,10ff; 136,25; 145,15; 147,8f.

138 Er behandelt unter "Le Rappel de la Création dans la Prière d'Israel" zuerst die "lamentations collectives" 50-53, dann "les hymnes" 53-59.

139 So MT; LXX suff. 1.P.plur., gleicht an, so auch H.Schmidt, Psalmen, z.St. D.Michel, Tempora, 180 will malkī als alte Konstruktusform verstehen, vgl. Ps 113, 5-6; Ges-K § 901. Meist wird das sing. suff. auf einen Vorbeter gedeutet, so H.Gunkel, H.J.Kraus z.St.; es ist dann als Bekenntnis der Zuversicht zu verstehen, das eigentlich in die Klage des Einzelnen gehört.

140 MT liest "dem Volk, den Schakalen", was syntaktisch schwierig ist und keinen glatten Sinn ergibt. Was sollen hier plötzlich Wüstentiere? Sehr ansprechend ist daher die Konjektur von J.Löw, die H.J.Kraus, KBL 2.A., BHK, BHS übernommen haben, lies in anderer Trennung lĕ ʿamlĕṣē jam.

141 H.Gunkel konjiziert lĕmāʾōr: "du hast bestimmt zur Leuchte die Sonne"; doch werden entsprechend zu Tag und Nacht in V 16a zwei Objekte des Erschaffens gemeint sein; unter der "Leuchte" ist dann der Mond zu verstehen, so auch H.J.Kraus z.St.

142 bĕśōʾ wird meist als verkürzter inf. von nāśāʾ verstanden, s.Ges-K § 76b; es ist aber durchaus möglich, daß es aus biśʾōn (vgl. Ps 65,8) verschrieben worden ist (so LXX, H.Gunkel, BHK, BHS).

143 2 Mss, LXX und Syr lesen lĕśimĕkā; ihnen folgen H.Gunkel, H.J.Kraus z.St., doch ist das nicht nötig, vgl. zu rinnēn + bĕ Ps 20,6; 33,1.

144 J.Begrich, Dtjes, 168/167 verweist schon auf Sellin; er deutet jedoch Jes 51,9ff als Klage des Einzelnen (des Propheten), erkennt aber, daß der Stoff aus der Volksklage stammt; richtig als Klage des Volkes bestimmen R.Rendtorff, Schöpfungsglaube, 5 A 6; Mythos, 124 und C.Westermann, Dtjes, 194ff die Verse.

145 MT liest ein pt.hif. von ḥāṣēb, das sich sonst nur auf das Aushauen von Steinen bezieht. Wahrscheinlich ist ein pt. von māḥaṣ zu lesen (streiche das Bet); so schon B.Duhm, Jesaja, z.St.; vgl. Hi 26,12; diese Form ist jetzt von Qa belegt.

146 Gegen die Akzente, c BHK, BHS.

147 Einleitung, 77.

148 134f.

149 Z.B. kann H.J.Kraus Ps 74,12-17 ein "hymnisches Mittelstück" nennen, Psalmen, 514; 517.

150 Er unterscheidet einen Typ des Hymnus des Einzelnen im Er-Stil von einem Du-Stil (286-304); für letzteren erkennt er die Nähe zum Klagepsalm des Volkes ausdrücklich an (291f; außer Ex 15 und Ps 8; 77 sind alle Belege, die er für den Jahweanredenden Berichtsstil nennt, Teile von Volksklagen). Es ist mir aber höchst fraglich, ob die vereinzelten Elemente, die auf einen Einzelnen weisen (Ps 74,12; 89,1), die These tragen können, daß es sich um Teile einer individuellen Gattung handelt. Wie diese in eine eindeutig kollektive Gattung gelangen konnten, möchte F.Crüsemann mit Hilfe von Ps 89 erklären: sie hätten ihren ursprünglichen Ort im Klage- und Bittpsalm für den König gehabt (292) und seien von da aus in die Volksklage gelangt (293). Doch hat Ps 89 einen sehr lockeren, von den anderen Klagen des Volkes abweichenden Aufbau. Gerade ihn zum Ausgangspunkt einer dazu noch recht kompli-

zierten traditionsgeschichtlichen Entwicklung zu machen, erscheint mir methodisch einigermaßen fragwürdig.

151 Ansatzweise schon in Loben Gottes, 41f; klar ausgeführt dann in "Vergegenwärtigung der Geschichte in den Psalmen (1963) 254ff/3o6ff.

152 84; er unterscheidet 1. Anspielungen auf Jahwes früheres Heilshandeln im Rahmen der Klage (64-67), 2. die Unterstützung der Bitte durch einen Rückblick auf Jahwes früheres Heilshandeln (69-72) und 3. Die Bitte an Jahwe, seiner früheren Heilstaten zu gedenken (73).

153 76.

154 Vgl. J.Kühlewein 77; diese Form herrscht vor in Ps 44,2b-4; 85,2-4; 77,12-21, verbunden mit impf.-Formen Ps 80,9-12. In Jes 63,7-13 begegnet sehr häufig die 3.P.sing. (vgl. aber V 14!), hier hat sich der Rückblick zu einem Geschichtsbericht verselbständigt.

155 Am starrsten durchgehalten ist die Form in Ps 74,13-17, hier begegnet nur ein einziges impf.(14b), das sich daraus erklärt, daß diese Vershälfte eine Folge zu V 14a ist. Aufgelockerter ist Ps 89,10-13: V 10 begegnet ein pt. und ein invertiertes impf., bis auf die Personalpronimina entspricht der Vers also genau den chiastischen Bildungen, die wir im beschreibenden Lob kennengelernt hatten, s.o.16.
Das impf. V 13b erklärt sich als Inversionsabschluß, s.D.Michel, Tempora, 137ff. Auffallend sind die in beiden Psalmen (74,16a; 89,12a) die Kette perfektischer Verben durchbrechenden Nominalsatzkonstruktionen, dazu u.113.   In Jes 51,9f wird das Personalpronomen der 2. P.fem. mit partizipial formulierten Attributivsätzen weitergeführt; diese Abweichung ist möglicherweise durch die Frageform entstanden.

156 In den 11 in Frage kommenden Verszeilen allein 14 mal (2 davon fem., veranlaßt durch zĕrōăʾ jhwh, Jes 51,9f).

157 Das betont D.Michel, Tempora, 180 meiner Meinung nach etwas zu stark, wenn er sagt: "Hier wird nicht der Vollzug von Handlungen berichtet, sondern hier werden Handlungen zur Präzidierung Jahwes angeführt".

158 154-161.

159 86f.

160 R.Kittel z.St. und C.Westermann, Loben Gottes, 42 erwägen, ob hier ein ehemals selbständiger Hymnus sekundär vorgefügt worden ist; H.Schmidt trennt 89,1-19 von 89,20-52.

161 V 2 ein erweiterter Kohortativ zum Lob; V 6 entweder eine jussivische Aufforderung an den Himmel (C.Westermann) oder eine Schilderung des Lobens (H.Gunkel, H.J.Kraus); beides ist jetzt durch V (3?).4.5 getrennt, die dem geschichtlichen Rückblick vorgreifen (vgl. V 30.37).V.7-9 schieben das Motiv der Unvergleichlichkeit Jahwes im "himmlichen Rat"ein, an das V 15 wieder anklingt, sodaß der "Rückblick" auf das urzeitliche Handeln jetzt nur noch eine Art Beispiel für diese Größe Jahwes ist. Auch der Zusammenhang der Verse nach dem "Rückblick" ist schwierig; V 14 ist analog zu V 12 gebildet, er gehört aber nicht mehr zum Rückblick hinzu, da V 13b einen deutlichen Abschluß bildet (Jubel, Inversion). Auch V 15-19 sind sehr brüchig: V 16-18a reden von Israel in der 3.P.plur.; 18b-19 in der 1.P.plur; V 14-18 reden Jahwe in der 2.P.sing. an, V 19 spricht von ihm in der 3.P. (vgl. das Nebeneinander in V 7.8 und 9). Zu den grammatischen Schwierigkeiten kommt hinzu, daß sich ein klarer Aufbau nicht erkennen läßt.

227

162 Die Weltschöpfung taucht zwar V 13.15 auf, doch gehört sie zu einer anderen Redeform (Bestreitung) und darf nicht einfach zur Klage hinzugenommen werden, so
schon richtig W.Schmidt, Königtum Gottes, 40.

163 So auch später noch vereinzelt, s. Literatur bei J.Jeremias, Theophanie, 91.

164 1893, 99-114. Er nennt Rahab, Leviathan, Behemot und den Drachen im Meer. Durch
die ugaritischen Texte sind jetzt der siebenköpfige Leviathan, Tannin und die flüchtige
(gewundene) Schlange (Hi 26,13) als mythologische Ungeheuer belegt. Hinzu kommen
Jam und Nahar, die Gunkel noch nicht personifiziert kannte (jām personifiziert im AT
Ps 74,13; Jes 51,10(?); Hi 7,12; vielleicht auch Hi 3,8cj; 26,12; vgl. C.Wester-
mann, Genesis, 45); zum Ganzen vgl. die Zusammenstellung bei W.Schmidt, Königtum Gottes, 36f; 42; es fehlt in Ugarit Rahab.

165 Vgl. C.Westermann, Genesis, 43; Th.C.Jacobsen hat jüngst die Vermutung geäußert,
daß der Kampf zwischen dem Sturmgott und dem Meer nordwestsemitischen Ursprungs
und erst sekundär nach Babylonien eingewandert ist (Battle, 107). Er weist mit Recht
darauf hin, daß die hinter dem Mythos, stehende Erfahrung des Seestrums nicht für
Mesopotamien, wohl aber für die Mittelmeerküste Phöniziens eine Realität war. Als
Träger der Überlieferung nimmt er die Akkader oder die Amoriter an. Wenn Jacob-
sen Recht hat, dann wird damit auch von orientalistischer Seite bestätigt, daß die Verbindung von Weltschöpfung und Kampf in Enūma-elîš nicht ursprünglich ist, sondern
das Ergebnis einer Vermischung von Traditionen ganz verschiedener Kulturbereiche.
Überlieferungsgeschichtlich gehört sie damit eindeutig in eine Spätphase.

166 C.H.Gordon, Ugaritic Literature, Texte 68; 51; 67 (= J. Aistleitner, Texte, III AB
A; II AB; I*AB).

167 M.H.Pope, A.S.Kapelrud, C.H.Gordon, J.Gray in der Zusammenstellung von
L.R.Fisher 313-316.

168 Meer, 76.

169 317f; vgl. C.H.Gordon, Ugaritic Literature, 51 IV, 43f.68f; C.Westermann hat auf
die Ähnlichkeit des Baal-Jam-Mythos mit dem ersten Kampf in Enūma-elîš (I,59-
78, bes. 73ff, ANET 61) hingewiesen, Genesis, 40.

170 Vgl. Ps 74,17.

171 318f.

172 Königtum Gottes, 38.

173 So kann er in der Zusammenfassung einräumen: "Eine hebräische Recension, die
das Letztere (sc. eine Schöpfung der Welt aus den Teilen der Ungeheuer) deutlich
aussagte, ist unter den oben angeführten nicht vorhanden" Schöpfung und Chaos, 113.

174 In "Schöpfung und Chaos" versucht sich Gunkel dadurch zu behelfen, daß er in Ps
74,13 für pārar die Bedeutung "spalten" annimmt (85; 113). Doch ist das ganz unmöglich,und Gunkel hat später selbst diese Fehldeutung zurückgenommen, Psalmen,
325.

175 Am klarsten ist das in Ps 104,6-9 der Fall; hier bedecken die Urfluten die Erde und
werden durch Jahwes Schelten vertrieben; hinzu kommt die Eingrenzung der Wasser.
Doch zeigt noch der Stilbruch (Du-Anrede; finite Verbformen statt pt.), daß diese
Verbindung beider Themen wahrscheinlich erst sekundär entstanden ist. Möglicher-
weise ist auch Hi 9,8 Kampfmotiv und Weltschöpfung bewußt eng zusammengestellt;
Hi 7,12 ist das Handeln Jahwes gegen Jam und Tannin zugleich ein ordnendes Handeln.

176 Ps 24,2; 95,5; 1 Sam 2,8.

177 Hi 26,5-14.

178 Schöpfung und Chaos, 88.

179 Mythos, 124.

180 Genesis, 46.

181 Vgl. bes. das Erschüttern der Erde Hi 9,5; Am 9,5; Ps 104,32 und des Himmels Hi 26,12. Ganz ähnliche Motive begegnen in den Epiphanien Jahwes (Ps 18,8=2 Sam 22,8; Ps 77,19; 144,5; Jes 13,13; Joel 2,10; Nah 1,5; Hab 3,6.10), sie lassen sich also bei weitem nicht auf das Lob des Weltschöpfers einschränken.

182 Insbesondere in dem Motivkreis, daß Jahwe das Meer erregen (Jes 51,15=Jer 31,35; vgl. Ps 104,7) und besänftigen kann (Ps 65,8). Ganz ähnliche Aussagen stehen Hi 26,12; Ps 74,13a; 89,10 unmittelbar neben den Kampfestaten Jahwes gegen ein mythologisches Ungeheuer. H.Gunkel hat darum den ganzen Motivkreis dem "Chaoskampf" unterordnen wollen (Schöpfung und Chaos, 91; 97). Doch ist in Hi 26,12; 89,10 ganz sicher kein mythologischer Gegner gemeint (jām mit Artikel!) und man sollte erwarten, daß dem Töten des Ungeheuers ein Besänftigen des Meeres entspricht. Doch steht Hi 26,12 stattdessen das Erregen des Meeres, und Gunkels Versuch zu ändern (er will statt rāgaᶜ "in unruhige Bewegung versetzen" gāᶜar "anschreien" lesen; Schöpfung und Chaos, 36), bestätigt, daß sich der Text gegen eine einlinige Interpretation sträubt. Man wird darum annehmen müssen, daß es einen vom Urzeitkampf unabhängigen Motivkreis "Jahwes Herrschaft über das Meer" gegeben hat, der sich aber leicht mit jenem verbinden konnte. Auch das Motiv, daß Jahwe die Fluten austrocknet (Ps 74,15) kommt sowohl im Zusammenhang des Urzeitkampfes, als auch ganz unabhängig davon vor (Jes 44,27; vgl. auch die Epiphanieschilderungen Ps 18,16=2 Sam 22 16; Jes 50,2; Nah 1,4; Hab 3,9).

183 Das Trockenlegen der Fluten (10a) scheint noch zu den Machtdemonstrationen des Weltschöpfers zu gehören (vgl. Jes 44,27; s.o. 22), es leitet aber schon zu 10b, dem Durchzug der Geretteten, über. Eine ähnliche Verbindung von Kampfmotiven und Schilfmeertradition s. Ex 15,8ff; Ps 77,17-20; 114,3.5.

184 53.

185 Schöpfungsglaube, 143/142f.

186 141f/140.

187 Sie sind darum nicht ohne weiteres dem beschreibenden Lob zuzurechnen, so z.B. H.Gunkel/J.Begrich, Einleitung 77.

188 Vgl. die parallel stehenden Hoheitsmotive Jes 37,16; Jer 32,17; Neh 9,6; Hand in Hand mit dieser Entwicklung kommt es zu einem Anwachsen des Sündenbekenntnisses, Jer 32,23f; Neh 9,16ff.33ff.

189 Vgl. dazu C.Westermann, Geschichte der Klage, 75ff/300ff. Jer 32,17-23; Neh 9 und OrMan sind sicher nachexilisch, Jes 37 könnte aus vorexilischer Zeit stammen. Doch gelten für die Prosagebete andere Entwicklungsgesetze als für die Klagen des Psalters, schon Gen 32,10-13 und 2 Sam 7,18-29 haben einen auffällig devoten Ton. In Neh 9 und Jer 32 kann die Zusammenfügung von Weltschöpfung und Geschichtstaten vom beschreibenden Lob beeinflußt sein; doch bleibt die Verbindung locker (Jer 32, 17ff stehen die ganz anders strukturierten Verse 18f dazwischen, Neh 9,7ff haben mit einer neuen Anrede an); zu einer Beeinflussung von der Prädikation her s.u.A.193

190 Vgl. den auf die Generationenkette ausgeweiteten Erfahrungssatz Ps 90,1, noch allgemeiner ist der Lobsatz Ps 102,13, vgl. dazu Ps 22,4; 92,9; Thr 5,19. Doch ist

weder Ps 90,1 (lānū) noch 102,13 (wěʾattā) die ursprüngliche personale Ausrichtung des Bekenntnisses ganz verloren gegangen. Deswegen kann man die Schöpfungsaussagen nicht direkt dem beschreibenden Lob zurechnen (so z.B. H.J.Kraus, 629).

191 Die Hinfälligkeit der Welt wird Ps 102,27 mit ähnlichen Worten beschrieben wie sonst die Vergänglichkeit des Menschen, zu ʿābar vgl. Ps 144,4; 90,4; zu halaf Ps 90,5.

192 Mehr dazu u.159.

193 Außerhalb dieser Stellengruppe begegnet diese Stilform nur noch Jes 37,16 und Jer 32,17, insbesondere Jes 37,16 ("Gebet Hiskias") könnte von der Jerusalemer Tradition beeinflußt sein. Die noch weitergehende Zusammenordnung von Himmel, Erde und Meer unter ein Schöpfungsverb Neh 9,6 entspringt dagegen wahrscheinlich einem systematischen Interesse.

194 Welche Funktion der Prädikation ursprünglich zukommt, ist noch nicht geklärt, s. auch u.159, bes. A 56.

195 Vgl. dazu J.Jeremias, Kultprophetie, 117-119.

196 S.Mowinckel will vor allem aufgrund dieser Stellen die Weltschöpfung in einem israelitischen Thronbesteigungsfest lokalisieren (Psalmenstudien II, 3; 45 u.ö.), doch in den anderen Thronbesteigungsliedern (Ps 47; 97; 98; 99) fehlt die Weltschöpfung ganz; eine generelle Auseinandersetzung mit seiner Hypothese muß hier unterbleiben, s. H.J.Kraus, Königsherrschaft, 15ff; C.Westermann, Loben Gottes, 110-115.

197 Damit ist die Funktion zwar den Chaoskampfmotiven ähnlich, doch es fehlt völlig deren dramatischer Charakter; zum Feststellen der Erde auf ihre Säulen vgl. 1 Sam 2,8; Ps 24,2; 136,6; anders Ps 104,5ff.

198 Ps 90,2; 102,26f; 119,89-91; Neh 9,6; Or Man 1-6; Sach 12,1; Ps 75,4; 93,1 = 96,10.

199 Gen 14,19; Ps 115,15; 134,3; 121,2; 124,8.

200 Jes 37,16; Jer 32,17; Jon 1,9.

201 S.o.91.

202 S.o. 81ff; Ps 22,10f; 119,73; 138,8; Hi 10,3.8-12; 14,15; 35,10; Jes 64,7; Jer 2,27; vgl. Hos 8,14; Jes 1,2; Dtn 32,6.15.18; - Jes 43,1; 44,2.21.24a; 51,13; 54,5; 49,5; Jer 1,5 persönlich, Jes 42,5; 45,12; Neh 9,6; Sach 12,1 allgemein. Dagegen stammt das allgemeine Reden von der Erschaffung des Menschen in Ps 89,48 und 4 Esr 8,14 aus dem persönlichen Typ, vgl. 4 Esr 8,24.45.

203 S.o.33ff.

204 Ps 22,10f; 71,5f(?); vgl. 89,48.

205 Ps 119,73; 138,8.

206 S.o.33ff.

207 Psalmen, 587; ähnlich A.Weiser z.St.

208 Psalmen, 589; vgl. H.Gunkel/J.Begrich, Einleitung, 227; 238.

209 174/188.

210 175/189.

211 175/189.

212 E.Würthwein deutet das Fluchtmotiv real: "Wenn aber eine Flucht vor Gott überhaupt
erwogen wird, so ist klar, daß die Nähe Jahwes unter Umständen als Bedrohung
empfunden wird" 177/191, jedoch ist meiner Meinung nach nur eine irreale Möglichkeit gemeint. Es handelt sich um ein traditionelles Motiv, das sowohl die Unentrinn-
barkeit vor Gottes Gericht (Am 9,2-4) als auch die Vertrauensbeziehung zwischen
Gott und Mensch ausdrücken kann, vgl. dazu die klagende Abwandlung des Motivs Hi
23,8f, die ein positives Verständnis voraussetzt. Beides liegt wohl auch in der Verwendung des Motivs zwischen dem Pharao und seinem Vasall, El-Amarna-Tafel 264,
14-19 (J.A.Knudtzon, VAB 2,1, 826f). L.Delekat betont zu Recht, daß der Beter
"nicht vor der Strafe Gottes fliehn (will)", sondern "vor der ständigen fürsorglichen
Beaufsichtigung", 254 A 1.

213 V 6.17; V 14a ist möglicherweise eine Glosse, vgl. E.Würthwein 179/193 A 1; der
Vers ist textlich unsicher, er kann aber zeigen, daß ein Späterer beim Lesen von
Ps 139 ein Lob anstimmen konnte. Wenn E.Würthwein ausführt, V 6 "fehlt... zu
sehr das Freudige", sei damit nicht "hymnisch-preisend im eigentlichen Sinne",
sondern "nach Analogie der Doxologien zu verstehen" 177/191, dann wird die Ein-
seitigkeit seiner Interpretation sehr deutlich.

214 Psalmen, 922.

215 Darauf hat erneut richtig J.L.Koole hingewiesen (178), auch wenn ich seiner Interpretation des Psalms gar nicht folgen kann.

216 Ps 26,2.

217 Ps 17,3; Jer 12,3; Hi 23,10..

218 Ps 17,3b-5; 26,1.3-8.10; Jer 12,3; Hi 23,10b-12.

219 Ps 17,2a.(8); 26,1b; vgl. auch Ps 7,2.11; 11,1, wo vom prüfen Jahwes ganz allgemein gesprochen wird (7,12; 11,4).

220 Jer 12,3; l mit W.Rudolph, Jeremia, z.St. den Vers zwischen Jer 11,20a und 20b;
Ps 142,4.

221 Es taucht erst im Schlußteil des Psalms auf (V 21f; vgl. dazu 26,5; 119, 113).

222 L.Delekat spricht von der "ständigen fürsorglichen Beaufsichtigung", 254 A 1;
selbst K.-H.Bernhardt, Gottesvorstellung, der sonst Würthweins Auslegung voll
akzeptiert, hält doch daran fest, daß die Allgegenwartsvorstellung in Ps 139 etwas
"positives" bekommt: "Zugleich gewinnt er (sc. der Beter) Vertrauen in das unbe-
stechliche Urteil des allgegenwärtigen und allwissenden Gottes, der ihn als unschul-
dig erweisen wird" 28; vgl. auch A.Weiser, Psalmen, 557 und neustens auch
R.Kilian 97ff.

223 Neben der unverhältnismäßigen Länge spricht dafür das Fehlen jeglicher gottesdienstlicher Vorstellungen, dagegen tauchen Wörter auf, die besonders in "weisheitlichen"
Teilen des AT begegnen (ḥāqar, millā, nikḥad), vgl. J.L.Koole, 178f. Sein Schluß,
es handele sich um einen Weisheitspsalm, hat jedoch keine genügende Textbasis.

224 Psalmen, 587.

225 V 14a ist textlich unsicher, inhaltlich schwierig und metrisch störend. Sonst ist
immer Jahwe Subjekt des Nachsatzes von ʾōdā, hier ist es das Ich des Beters. Das
ist so ungewöhnlich, daß LXX, Hier, Syr und Targ ändern. Auch die Stellung des
ʾōdā-Satzes ist völlig singulär. Er begegnet sonst nur am Ende einer Klage des Einzelnen (Lobgelübde, Ps 52,11; 35,18; 42,6.12) oder am Anfang eines berichtenden
Lobpsalm des Einzelnen (Ps 9,2; 28,7). Gunkels Umstellung vor V 13 ist nur ein
Notbehelf, da der kohortative Aufruf zum Lob und begründendes kī kaum aus dem beschreibenden Lob erklärt werden können, was er voraussetzt. Ich streiche daher mit

E.Würthwein 179/193 A 1 V 14a als Glosse eines späteren Lesers.

226 MT liest jōda‘at und versteht nafšī als Subjekt; doch fehlt dann ein Objekt, lies jāda‘tā, so auch L.Delekat, 254 A 3 u.a. Die Textverderbnis ist durch den Einschub von V 14a zustande gekommen. G.Gunkel, Psalmen z.St. ändert stattdessen mĕʾōd in mĕʾāz.

227 Lies kaʾašær mit BHS (Haplographie).

228 So auch H.J.Kraus z.St.; E.Würthwein 178/192.

229 Ps 7,10; 26,2; Jer 11,20; vgl. Ps 17,3.

230 Vgl. dazu C.Westermann, Genesis, 36; rāqam ist ein Fachausdruck für "Buntweben". Zum Weben des Menschen im Mutterleib vgl. Hi 10,11.

231 Höchstens Ps 33,15 könnte man in ähnliche Richtung verstehen, wie E.Würthwein es möchte. Allerdings ist hier die Erschaffung des menschlichen Herzens allgemein formuliert. Doch gibt es gewichtige Gründe, daß auch an dieser Stelle, nicht Jahwes richterliches, sondern hilfreiches "Herabsehen vom Himmel" gemeint ist; s.u.121.

232 Nicht vergleichbar sind Hi 7,18 und 31,15: Hi 7,18 wird bāḥan im Sinne der feindlichen Heimsuchung Gottes gebraucht und dabei Ps 8 parodiert. Hi 31,15 steht ein Menschenschöpfungsmotiv zwar in einem Unschuldsbekenntnis, aber es wird nicht für das Verhältnis zwischen Hiob und Gott, sondern zwischen ihm und seinem Knecht (Magd) verwendet: Weil dieser (diese) wie er vom gleichen Gott geschaffen, hat er ihn (sie) trotz des sozialen Unterschiedes nicht verachtet. Dieser Gebrauch des Menschenschöpfungsmotivs gehört in die Weisheit: Prov 17,5a; 22,2; Mal 2,10; Hi 33,6, dazu s.u.139, bes. A 67.

233 Ps 95,6; 100,3, steht ein suff. der 1.P.plur., Ps 149,2 der 3. sing.

234 S.u.50.

235 Ps 95,6 ist der zweite Aufruf zum Lob eines "Imperativpsalms", der den Teil "Zuwendung Jahwes" einzuleiten pflegt, s. C.Westermann, Loben Gottes, 98f. Der stark erweiterte Lobruf Ps 149,1-3 wird ebenfalls mit der Güte Gottes begründet (V 4); allerdings können hier auch schon Hoheitsprädikate hinzutreten (malkām).

236 V 3 ist nicht als Aufruf zum Lob zu verstehen, so H.Gunkel, Psalmen, 432, C.Westermann, Loben Gottes, 98f, sondern als imperativische Abwandlung der "Erkenntnisformel", so F.Crüsemann 68, wie sie auch in der dtn Paränese begegnet, vgl. Dtn 7,9. In dem kī-jhwh hūʾ ʾælōhīm haben wir "die spezifisch deuteronomische Bezeichnung des Erkenntnisinhaltes vor uns" W.Zimmerli, Erkenntnis Gottes, 29/67. V 3b gehört auf die Seite der Güte Gottes, vgl. Ps 95,7.

237 Dieser Sinn ist wegen der eingeschobenen Nominalsätze V 16-18 oft nicht erkannt worden. So möchte H.J.Kraus das Herabsehen vom Himmel als richterliche Tätigkeit Jahwes interpretieren (Psalmen, 264), doch wird davon nichts gesagt, und das Motiv des Herabsehens kann ebensogut die Zuwendung Jahwes bezeichnen (so Ps 102, 20; vgl. Jes 63,15; Ps 80,15).

238 Von den Stellen, an denen das erschaffende Handeln Gottes auf bestimmte Körperteile bezogen ist (Ps 139,13; 94,9; Sach 12,1, vgl. Ex 4,11), ist am ehesten Ps 139 vergleichbar.

239 Vgl. etwa H.Gunkel, H.J.Kraus z.St., S.Mowinckel, Aufbau Ps 8, 253; C.Westermann, Psalter, 78; F.Crüsemann rechnet ihn zu den Jahwe anredenden Hymnen des Einzelnen, 300 A 3.

240 Es fehlt ein imp. Lobruf, stattdessen wird der Psalm durch zwei gleichlautende lobende Ausrufe (in Anrede Jahwes!) gerahmt (V 2a.10), die ohne Parallele sind. Ps 8 wäre auch der einzige Beleg für eine reine Du-Form des beschreibenden Lobes im Psalter.

Erschwert wird die Gattungsbestimmung durch den zerstörten Anfang des Psalms (2b: relativischer Anschluß aber eine imp. Verbform!). Es ist eine unübersehbare Vielzahl von Textverbesserungen vorgelegt worden. Sie brauchen hier nicht diskutiert zu werden, da die wichtigsten von ihnen bei W.H.Schmidt, Gott und Mensch 4ff und F.Crüsemann 289 A 2 ausführlich referiert worden sind.
Auch wenn man mit B.Duhm, Psalmen z.St. V 2b ʾāšīrā-nāʾ liest, hat man damit nur eine kohortative Aufforderung zum Lob gewonnen, wie sie für das berichtende Lob, nicht für das beschreibende charakteristisch ist.

241 S.o.2f.

242 Psalm 8, 320f.

243 F.Crüsemann 195 A 6; zurückhaltender W.H.Schmidt, Gott und Mensch, ·9 A 18; 14 A 31.

244 Gott und Mensch, 14. Zu einer Spätdatierung führt auch die Untersuchung des Sprachschatzes (15); vgl. auch A.Deissler 49.

245 Psalm 8, 320.

246 Gott und Mensch, 7.

247 9. In dieser Interpretation stützt sich W.H.Schmidt z.T. auf W.Schottroff 194f; dieser hatte Ps 8,5 weit von jeder konkreten Gebetssituation abgerückt, weil der Gegenstand des Hymnus das Schöpfungshandeln Gottes sei. Wir haben oben 81ff u.ö. gezeigt, daß die Menschenschöpfung ursprünglich gerade in die konkrete Gebetssituation gehört.

248 Ri 16,28; 1 Sam 1,11; 2 Kön 20,3; Ps 25,6f; 89,48.51; 106,4; Hi 7,7; 10,9 u.ö.

249 Ps 74,2.18.22; Thr 5,1 vgl. dazu W.Schottroff 193ff; W.H.Schmidt, Gott und Mensch, 8f.

250 pāqad in der Bitte: Jer 15,15; Ps 80,15; 106,4.

251 Gen 8,1; 19,29; 30,22; 1 Sam 1,19; Ps 9,13; 78,39; 98,3; 136,23 u.ö.

252 Gen 21,1; 50,24f; 1 Sam 2,21; Ex 4,31; 13,19 u.ö.

253 Ps 88,4-7; 102,4-12; 109,22-24.

254 Vgl. Hi 3,20-23 mit V 11; Hi 7,1f mit 3-5.5-11; Ps 39,6b.7.12 mit 5.6a; s. Hi 14, 1-15; Ps 90,1-12; Jes 40,6b.7.

255 Hiob, 44.

246 Hi 7,7: "Gedenke, daß mein Leben nur ein Hauch ist!" vgl. Ps 13,4b; 28,1b; 102,25; 89,48f; Hi 7,16; 10,20; 14,1-6.7-15.

257 H.Gunkel hat in Ps 144 die "Nachahmung" verschiedener anderer Psalmen, insbesondere Ps 18, sehen wollen; dagegen hat E.Baumann mit Recht darauf aufmerksam gemacht, daß Ps 144 in der Hauptsache kein berichtendes Lob, sondern eine Klage sei (Strukturuntersuchungen II, 148f). Die genaue Gattungsbestimmung des Psalms macht allerdings Schwierigkeiten: Er beginnt mit einem Lobruf, der mit gehäuften Vertrauensprädikaten fortgesetzt wird (1-2). Diese Verse, sowie die Schlußprädikation V 10, die den Psalm auf den König beziehen, könnten am ehesten aus Ps 18 zugefügt worden sein (vgl. 18,3.47.51). Dagegen erklären sich die Ähnlichkeiten der Epiphanievorstellungen (vgl. Ps 144,5-7 mit 18,10-18; exakter ist die Entsprechung zu Ps 104,31!) und das Lobgelübdes (vgl. Ps 114,9 mit 18,50) besser aus einer gemeinsamen Tradition. Sekundär ist wahrscheinlich auch die Segensschilderung (oder Segenswunsch?) V 12-14; schwer zu erklären ist die Wiederholung von V 7.8 in V 11. Doch macht V 3-9 durchaus den Eindruck eines sinnvoll gegliederten Ganzen (vgl. die Anrede in V 3.5.9).

258 Vgl. Hi 15,14; 7,17. ʾænōš (Ps 114,3; 8,5) bezeichnet in der Mehrzahl der Fälle den geringen, sterblichen und hinfälligen Menschen: Hi 7,1Q; 14,19; Ps 103,15; 90,3 im Vergänglichkeitsmotiv der Klage; Ps 9,21; 73,5; Hi 10,4f; 33,12 in anderen Zusammenhängen.

259 Die Verben hāšēb und jādaᶜ sind nicht für den Vorgang der Zuwendung Jahwes spezifisch; immerhin kommt jādaᶜ im Sinn von "Sich-Kümmern-um" im weiteren Umkreis dafür vor (Jer 1,5; Am 3,2; Nah 1,7; Jes 63,16). Dennoch wird man Ps 144, 3 parallel zu Ps 8,5 deuten dürfen.

260 Psalmen, 443.

261 Vgl. Ps 78,39.

262 Ps 103 setzt schon die theologische Entwicklung voraus, daß eine Zuwendung Jahwes nur nach einer Vergebung der Sünden möglich ist (vgl. Jes 40,1f); deswegen rücken in späterer Zeit Vergänglichkeitsklage und Schuldbekenntnis eng zusammen (Hi 15,14; 25,4.6; 4,17).

263 Vgl. Gen 2,7; 3,19. Die Begrenztheit der Geschöpfe als Grund für Jahwes Zuwendung auch Gen 8,21. Zur Polarität vom Geschaffensein und Begrenztsein des Menschen s. C.Westermann, Mensch im Urgeschehen, 242ff.

264 Mit V 6a soll wahrscheinlich auf die Erschaffung des Menschen nach dem Bilde Gottes Gen 1,26f angespielt werden, W.H.Schmidt, Schöpfungsgeschichte, 140ff; C.Westermann, Genesis, 203-218; damit ist nicht eine Aussage über die Stellung des Menschen in der Welt (etwa "Stellvertreter Gottes auf Erden"), sondern, wie C.Westermann gezeigt hat, über das besondere Verhältnis Gottes zu diesem Geschöpf (Genesis, 216ff) gemacht.

265 Das betont W.H.Schmidt, Schöpfungsgeschichte, 140f A 6; Gott und Mensch, 10f. Seine Meinung behält ihre Berechtigung, auch wenn ich seine Ableitung der "Gottesebenbildlichkeit" aus der altorientalischen Königsideologie ablehne.

266 Vgl. Gen 1,28; 2,19f. Mit den Tieren wird das kōl von V 7 nicht eingeschränkt (gegen W.H.Schmidt, Gott und Mensch, 12), sondern die Tiere werden herausgegriffen, weil den Alten das Beherrschen der belebten Kreatur die höchste Errungenschaft des Menschen war, s. C.Westermann, Psalter, 78.

267 A.Lauha 26 und W.H.Schmidt, Gott und Mensch, 12 A 25 lehnen mit Recht eine literarische Abhängigkeit von den Schöpfungserzählungen der Genesis ab, konstatieren aber doch einhellig einen überlieferungsgeschichtlichen Zusammenhang.

268 B.Duhm, Psalmen z.St.; S.Mowinckel, Aufbau Ps 8, 259f u.a. haben schon V 3 auf die Weltschöpfung beziehen wollen, indem sie die Zeile gegen MT anders abtrennten: "Du hast eine Feste (ᶜōz) gegründet um deiner Feinde willen, um den rachgierigen Feind auszurotten." Sie sehen darin eine Anspielung auf den Chaoskampf. Doch bleibt die Vorstellung, daß der Himmel als "Wehrburg" gegen die mythischen Ungeheuer geschaffen ist, völlig singulär. Da keine der Emendationen von V 2b.3 bisher befriedigt, lasse ich die Verse bei meiner Interpretation ganz beiseite.

269 So auch W.H.Schmidt, Gott und Mensch, 6f, doch beschreibt er den Unterschied zu dem in Ps 8,6ff Gesagten nur auf der Ebene des Menschen, nicht auf der des Schöpfungshandelns Gottes. H.J.Kraus kann einmal von den "majestätischen Schaffen und Wirken Gottes" sprechen, ein andermal von der "allzeit gütigen Tat des Schöpfers" sprechen, ohne darüber zu reflektieren, wie sich beides zueinander verhält, Psalmen, 69f

270 So gut W.H.Schmidt, Gott und Mensch, 6f.

271 Die gleiche Abwandlung lag auch bei den Menschenschöpfungsaussagen V 6-9 vor.

272 Man könnte überlegen, ob dem Beter von Ps 8 die Verbindung von Weltschöpfung und Vergänglichkeitsklage schon vorgelegen hat, vgl. Ps 90,2ff; 102,5ff.

273 Das ist auch der Grund, warum eine der beiden Polaritäten der des beschreibenden Lobes entspricht, vgl. C.Westermann, Loben Gottes, 105; 87f.

274 Ps 33,15; 139,13; anders Sach 12,1.

275 Die verwendeten Verben sind ganz besonders in Weisheitstexten zuhause: jāsar Prov 9,7; 19,18; 29,17.19; 31,1; limmēd Prov 5,13; 30,3; Koh 19,9; hōkīäḥ Prov 3,12; 9,7f; 15,12 u.ö.

276 Die Hervorhebung der Erkenntnisfunktionen entspricht der hohen Bedeutung, den diese im Bereich der Erfahrungsweisheit hatten. Sie ist aber nicht ausschließend gemeint.

277 Wenn Jahwe Mose Ex 4,11 vorhält, daß er es ist, der die konstitutiven menschlichen Sinnesorgane schafft, dann sagt er an sich nichts Neues, sondern erinnert an ein allgemein bekanntes Faktum. In der besonderen Situation wird daraus allerdings die Folgerung gezogen, daß Jahwe deswegen über sie verfügen kann.

278 Auf die Schöpfung in der Weisheit kann im Rahmen dieser Arbeit nicht eingegangen werden. Es sei hier nur darauf hingewiesen, daß in der älteren Spruchweisheit nur die Menschenschöpfung begegnet (Prov 14,31; 17,5; 22,2; 29,13; Hi 31,15; 33,6; Mal 2,10; vgl. Prov 16,4.11). Die Weltschöpfung kommt erst in den späteren Weisheitsgedichten in den Blick (Hi 28,23-27; Prov 3,19f; 8,22-31). Es sieht deswegen so aus, als ob wir auch in diesem Traditionsbereich zwei unterschiedlichen Schöpfungstraditionen begegnen.

279 Es verbleiben nur Ps 95,6; 100,3; 149,2; 33,15.

280 Anderer Meinung kann man höchstens im Fall von Ps 139 und 33 sein.

281 Ps 139,13.15; Ps 96,6; 100,3; 149,2.

282 Ps 33,15; Ps 8,6-9. Im zweiten Fall stammen die Motive aus den Schöpfungserzählungen, waren also von Hause aus auf die allgemeine Erschaffung des Menschen bezogen. Jedoch wird damit jetzt die Gebetserhörung erläutert, die ein durch und durch personales Geschehen ist. Die Brücke bildet die Vergänglichkeitsklage, die das persönliche Leid des Einzelnen in eine Aussage über die Nichtigkeit des Menschen auszieht.

283 Als Beispiel sei hier nur auf G.v.Rad, Schöpfungsglaube, 146/146 verwiesen.

284 S.o.125f.

285 S.o.121.

286 S.o.116.

287 S.o.24.

288 Jes 64,7.

289 Ps 102,26ff; Jes 37,16; Ps 121,2.

290 Ps 90,1-2; 124,8.

291 Jes 37,16; vgl. Jer 32,17; Neh 9,6; s.o.116.

292 Ps 90,1-2; 102,26ff; Ps 8,4f; 119,89f(?).

293 Ps 33,15; 95,6; 100,3; 149,2.

294 S.o. 121.

295 Ps 146,6a; 1 Sam 2,8.

296 Ps 74,13-17; 89,10-13; Jes 51,9f; s.o.110ff.

297 Jer 31,35f; (33,25f); Ps 75,4; 93,1=96,10.

298 Ps 75,4 durch die Frevler.

299 Ps 136,25; 104; 145,15f; 147A.

300 Vgl. Ps 33,15.19b; Ps 8,6-9; aber auch Hi 10,12.

301 Vgl. C.Westermann, Genesis, 34.

302 S.o.91.

303 Jes 42,5; 45,12f; Neh 9,6; Sach 12,1; vgl. Jer 27,5.

304 Ps 8; 33; 95.

E. Weltschöpfung und Menschenschöpfung im Buche Hiob

1 Vgl. dazu etwa O.Eißfeldt, Einleitung, 109; differenzierter schon G.Fohrer, Hiob, 50ff; S.Terrien, Job II, 5ff.

2 Vgl. z.B. P.Dhorme, Job, 1926, XC: "Toute une portion de dialogue poétique est consacrée à des doxologies qui ne seraient nullement deplacées dans la bouche d'un Israélite." Er nennt Hi 5,8-18; 9,4-13; 11,7-9; 12,13-25; 25,1-6+26,5-14; dazu 38,4-7 und einige Verse aus den Elihureden. Mit der hymnischen Herkunft der Schöpfungsaussagen im Hiobbuch rechnen neben P.Dhorme B.J.van der Merwe 31; C.Westermann, Hiob, 58-61; G.Fohrer, Hiob, 50f; M.H.Pope, Job, LXVIff u.a.

3 Z.B. K.Budde, Hiob, XXXIff; M.H.Pope, Job, LXVIII.

4 G.Fohrer scheidet z.B. Hi 5,10; 9,5-10; 26,5-14 aus; G.Hölscher, Hiob z.B. Hi 9,8-10 wie vor ihm schon B.Duhm und K.Budde; radikal versucht F.Baumgärtel einen von allen Psalmenanklängen gereinigten Hiobtext herzustellen; sein Scheitern, vgl. C.Westermann, Hiob, 26-31, stellt die Möglichkeit einer literarkritischen Lösung überhaupt in Frage.

5 Hiob, 1-13.

6 9ff, im Anschluß an A.Bentzen und J.Lindblom.

7 Die Polemik G.Fohrers, Hiob, 53 stößt darum weitgehend ins Leere; neben den Psalmenformen ist vor allem die Form des Rechtsstreites zu nennen (L.Köhler; H.Richter), die G.Fohrer stark hervorhebt (Hiob, 50f), aber auch von C.Westermann nicht übersehen wird (Hiob, 4f; 14-25). Auch daß Hiob seine Klagen in einer Zeit erhebt, da die Theologie von "weisheitlichen Denken" stark durchtränkt ist, daß seine Klagen radikaler und für den verfeinerten literarischen Geschmack seiner Zeit formuliert sind, soll nicht bestritten werden, doch machen diese Unterschiede nicht aus dem "Dialog des Tröstens" eine Disputation über ein theologisches Problem, Aufgenommen wurde Westermanns Position u.a. von A.Weiser, Hiob, 9f; O.Kaiser, Einleitung, 310; G.v.Rad, Weisheit, 270ff.

8 Ludlul bēl nēmiqi (Text bei W.G.Lambert, BWL, 21-62; ANET 596-604) hat schon J.Lindblom und A.Bentzen 182f als kombinierten Klage- und Lobpsalm interpretiert (vgl. C.Westermann, Hiob, 8f), noch deutlicher ist die Herkunft von der Klage in dem von S.N.Kramer unter der Überschrift "Man and His God" herausgegebenen sumerischen Text (VT Suppl. 3, 170-182; ANET 589-591); s.o.62f.

9 So S.Terrien, Job II, 101f; A.Weiser, Hiob, 78ff; F.Horst, Hiob, 154ff und das, obgleich man die kurz davor stehende Weltschöpfung Hi 9,5-10 ganz selbstverständlich dem Hymnus zugerechnet hatte!

10 So C.Westermann, Hiob, 61; vgl. 49 und G.Fohrer, Hiob, 202. Die Schwierigkeiten einer solchen Herleitung zeigen sich offenkundig, wenn Fohrer einschränkend bemerkt, der Hymnus werde durch die Bitte V 9a gestört und daran, daß die von ihm genannten Parallelstellen überwiegend in Klagen oder Teilen davon stehen: Ps 22,10; 119,73; 138,8, nur zwei Abwandlungen in Hymnen (Ps 95,6; 100,3), der Rest in anderen Gattungen (Ps 139,13; Dtn 32,6; Koh 11,5; Hi 31,15).

11 S.o.33f;   eine genaue Exegese erübrigt sich hier; vgl. auch Hi 14,15; s.o.35f.

12 S.o.36.

13 Man vgl. etwa das Zitat von A.Dillmann (3.A., 1869, 95): Hiob "erinnert ihn (cs. Gott) an seine Schöpferliebe, näher an den Widerspruch, daß Gott sein eigenes kunstvolles Gebilde grundlos wieder vernichte" mit dem von G.Fohrer: "Hiob weist auf den Widerspruch hin, der zwischen dem Glauben an Gott den Schöpfer... und der leidvollen Erfahrung der Vernichtung durch eben diesen Gott besteht" (Hiob, 215), da hat sich in 100 Jahren nichts geändert, vgl. auch K.Budde, Hiob, 40; B.Duhm, Hiob, 57-59; P.Dhorme, Job, 134; A.Weiser, Hiob, 80; S.Terrien, Job II, 101f; F.Horst, Hiob, 157.

14 Vgl. S.Terrien, Job II, 94; A.Weiser, Hiob, 73f; F.Horst, Hiob, 145.

15 Vgl. S.Terrien, Job II, 94: "il introduit le motif du créateur fidèle pour montrer... que l'attitude hostile du créateur à son égard constitue la plus choquante des incongruités" ähnlich F.Horst, P.Dhorme und A.Weiser z.St.

16 Vgl. G.Fohrer: "...die ursprünglich hymnische Ausdrucksweise des Verses (wird) dazu benutzt, um eine bitter ironische Einsicht Hiobs auszusprechen..., daß er (sc. Gott)...willkürlich Macht ausübt" Hiob, 204; ähnlich K.Budde, B.Duhm, G.Hölscher, S.R.Driver/G.B.Gray z.St. und K.Fullerton 330ff.

17 F.Horst, Hiob, 146; S.Terrien, Job II, 94 A 2; G.Fohrer, Hiob, 205.

18 Vgl. Jes 40,22a.b.23.26 mit Artikel; V 28.29 ohne; Jes 44,26b-28 mit Artikel; 24b.26a ohne.

19 Hiob, 145f.

20 Job II, 94.

21 Ps 18,8=2 Sam 22,8; Ps 77,19; 144,5; Jes 13,13; Jer 4,24; Joel 2,10; Nah 1,5; Hab 3,6.10.

22 Hab 3,10f; Jer 4,23; Joel 2,10; 3,4; 4,15; Jes 13,13; Ez 32,7f.

23 S.o.114.

24 Am 9,5; Ps 104,32; des Himmels Hi 26,11; des Meeres Jes 51,15=Jer 31,35; Hi 26,12; vgl. Ps 104,7.

25 Ps 136,7ff; Jes 40,26; 147,4.

26 Am 4,13; 5,8; Hi 38,12-15; vgl. Ps 74,16.

27 M.H.Pope, Job, 69f; vgl. Enūma-eliš IV, 104.129.136-140; ANET 67; Am 4,13, s.o.100f. Einige Mss lesen ʿāb und denken an den "Wolkenreiter" (vgl. Ps 104,3), so auch G.Fohrer z.St. Hier liegt sicher eine Erleichterung vor, doch selbst nach dieser Lesart ist ein Herrschaftsmotiv gemeint.

28 Hiob, 51.

29 S.Terrien übersetzt V 13 im Anschluß an E.J.Kissane: "Même un dieu ne pourrait
résister à sa colère; sous lui sont prosternés les miliciens de Rahab!" Job II, 95,
vgl. Job I, 979; bezieht also ʾælōăh nicht auf Gott, sondern auf mögliche göttliche
Widersacher, parallel zu den Helfern Rahabs. V 12-15 bilden bei dieser Interpretation einen sehr viel geschlosseneren Gedankengang. Ich stimme ihr zu, meine
Auslegung ist aber nicht davon abhängig; zur Parallelisierung von Chaosungeheuer
und Hiob s. auch Hi 7,12.

30 Der Begriff "anklagende Schilderung" soll dem Tatbestand gerecht werden, daß die
Anklage V 11-24 in der 3.P. von Jahwe spricht. Sie ist wohl daraus zu erklären,
daß Hiob seine Klage den Freunden erzählt, vgl. Thr 1,12-15. Eine zweite Erklärungsmöglichkeit wäre, die 3.P. aus der Form der Feindklage herzuleiten, die auf
Jahwe übertragen worden ist, sie gilt sicher für Hi 16; 17, vielleicht aber auch für
9,17ff. Auch Thr 3,1-20; 2,1-8 erklären sich möglicherweise so. Z.T. mag sich in
dieser Klageform ein gebrochenes Gottesverhältnis dokumentieren. Bedingt durch
die Er-Form der Klage in Hi 9 kann das beschreibende Lob bruchlos in die "anklagende Schilderung" übergehen.

31 Hi 9,28.31.

32 Vgl. Hi 4,17; 15,14; 25,4.

33 S.u.138.

34 Das gilt auch für 9,10, der 5,9 fast wörtlich aufnimmt; ironisch ist auch V 4 ver-
kehrt, wo die Ausdrücke "weises Herz" und "starke Kraft" meist als lobende Attri-
bute Jahwes verstanden werden (casus pendens). Möglicherweise sind sie aber auch
auf den Menschen zu beziehen, vgl. Hi 36,19; 37,24; ḥākām von Gott nur noch Jes
31,2 (so S.Terrien, Job II, 93 A 2); der Sinn wäre dann: Selbst der Weise und Starke kann Gott nicht widerstehen.

35 S.o.133.

36 Hiob, 49.

37 Wenn Hiob in 10,18 fragt: "Warum zogst du mich aus dem Mutterleib", dann wan-
dert das Menschenschöpfungsmotiv zwar direkt in die Klage, doch ist das insofern
ein ganz anderer Fall, als Hiob keine Rettung mehr erwartet, sondern sterben will.
Diese Klage ist eine Abwandlung der altertümlichen Verfluchung der eigenen Geburt,
Hi 3,10f; Jer 20,18.

38 Vgl. Hi 16,19.

39 Partizipien stehen in V 9.10a (mit ha).b.12.13; die finiten Verbformen V 12b.13b.
14 erklären sich hinreichend aus dem Subjektwechsel (korrespondierendes Eintreten, s.o.15f); vgl. F.Crüsemann, 117. Er geht allerdings etwas leicht über
V 15f (impf.cons. mit Jahwe als Subjekt) und V 11 (inf.) hinweg. Mag das letztere
ein Textfehler sein, vgl. LXX und Vulg, so zeigt doch V 15f eine Auflösung des Par-
tizipialstils an, welche die Begrenztheit dieses stilistischen Kriteriums für die
formgeschichtliche Bestimmung vor Augen führt.

40 Vgl. Ps 113,4-9; 1 Sam 2,4-8 u.ö.

41 Dieser Zug wird meiner Meinung nach von C.Westermann, Hiob, 63 zu stark betont.

42 B.Duhm, Hiob, G.Fohrer, Hiob, z.St. Erwogen wird es von F.Crüsemann 116 A
5; C.Westermann, Hiob, 62f. Weder das stilistische Argument (V 10 steht das pt.
mit Artikel, vgl. dazu oben E., A 18, noch das inhaltliche Argument (der Vers hat
mit der Beweisführung nichts zu tun), wird dem traditionsgebundenen Charakter dieser Verse gerecht; so richtig F.Horst, 83. Der inf. V 11 ist im Anschluß an V 9
genauso seltsam wie im Anschluß an V 10, gegen F.Crüsemann, 116 A 5.

43 Ps 104,10ff; 147,7-11; 145,14-16; 136,25.

44 Man kann mit F.Horst erwägen, ob konkret gemeint ist, eine "sakralrichterliche Entscheidung Gottes anzurufen", Hiob, 82. Ob jedoch die aufgenommene Tradition des beschreibenden Lobpsalms die Funktion einer "Doxologie" in einem solchen Prozeß haben kann, wage ich zu bezweifeln. Wenn es darum ginge, daß Hiob sich der Macht Jahwes unterwerfen sollte, müßte man doch verlangen, daß diese im zitierten Lobpsalm mehr im Vordergrund steht. Doch dieser geht vom Erbarmen Gottes aus (V 10f) und kommt wieder zu ihm zurück (V 15f).

45 Die Ansicht C.Westermanns, daß im Dialogteil nur das Lob der Majestät Jahwes aufgenommen sei, (Hiob, 59) bedarf insofern einer Korrektur (vgl. 63), sie gilt nicht für die 1. Eliphasrede.

46 Hi 26,1-4 ist eine persönliche Bestreitung (Du-Anrede), V 5f eine Schilderung der Wirkungen des Handelns Gottes; von ihm ist aber in 26,1-4 gar nicht die Rede. Man könnte in 26,1-4 den Teil einer Hiobrede sehen (so z.B. G.Fohrer z.St.; C.Westermann, Hiob, 65), doch redet Hiob die Freunde sonst nicht im sing. an. G.Hölscher z.St. zieht darum auch 26,1-4 mit zur Bildadrede (hinter 25,1), S.Terrien hält das Stück für ein Fragment einer anderen Freundesrede; am meisten ähnelt es Hi 4,2-4 (Job II, 182 A 3).

47 So P.Dhorme, G.Hölscher, G.Fohrer, S.Terrien, M.H.Pope z.St.; vgl. R.Tournay, RB 64, 325f; unentschieden S.R.Driver/G.B.Gray z.St. Nur K.Budde und A.Weiser halten 26,5ff für eine Hiobrede.

48 Das schlägt C.Westermann, Hiob, 65 A 1 vor.

49 Heraus fällt im überlieferten Text nur V 10. Der Text ist aber gestört: MT liest ḥōq-ḥāg "eine Grenze hat er als Kreis beschrieben"; dafür lesen die meisten Ausleger ḥāq ḥūg "er hat den Horizont eingeritzt" (vgl. Syr, Targ; Prov 8,27), was keine Änderung des Konsonantenbestandes nötig machen würde. Doch ist sowohl die pf.-Form als solche, wie auch die intransitive pf.-Bildung für das transitive ḥāqaq schwierig, vgl. Ges-K § 67aa.bb. Ich meine, es ist einfacher, den Ausfall eines Qoph anzunehmen (Haplographie) und ḥōqēq zu lesen.
Warum F.Crüsemann nur in 26,7.8 hymnische Tradition sieht, ist mir völlig unverständlich. Auch daß Hi 26,7-13 anders in den Kontext eingebaut sei als Hi 9,5-10, kann ich nicht sehen (118f).

50 Was mit ṣāfōn in diesem Zusammenhang gemeint sein soll, ist nicht ganz klar. Meist denkt man an den Götterberg im Norden (vgl. M.H.Pope, Job, 165; S.Terrien, Job II, 184 A 7, dort weitere Literatur). Das Verb nāṭā und der Parallelismus zur Erschaffung der Erde, läßt an eine besondere himmlische Gegend denken, die als pars pro toto stände.

51 Wörtlich: "auf das, was nicht etwas ist".

52 Man könnte hier den Einfluß weisheitlichen Denkens vermuten, vgl. Hi 28,24ff; Prov 8,22ff.

53 S.o.114.

54 Vgl. Jes 51,15; Jer 31,35. H.Gunkels Versuch, V 12a schon zum Chaoskampf hinzuzunehmen, darf als gescheitert gelten, die Schwierigkeiten, in die er führt, zeigt sehr klar die Auslegung von K.Budde: "Aber ebensowenig ist mit 'erregen, aufregen' (sc. für rāgaʾ) etwas anzufangen, sobald man erkannt hat, daß es sich hier um eine kosmologische Schlacht handelt. Es wird nichts weiter übrig bleiben, als sich an die Bedeutung 'beruhigen' zu halten" Hiob, 153, s.o.D., A 182. Die einfachere und textgemäßere Folgerung ist, daß eben noch nicht vom Chaoskampf die Rede ist!

55 Sie begegnet auch in der ugaritischen Mythologie, vgl. O.Kaiser, Meer, 74f; 146ff; zum Wind vgl. Enūma-Eliš IV,94-100 (ANET 67).

56 Wenn G.Fohrer die Funktion der Weltschöpfung an dieser Stelle interpretiert: aus ihr werde "der tröstliche Gedanke entwickelt, daß Gott sogar über die Unterwelt der Toten Macht besitzt" Gottes Antwort, 20, dann macht das nur zu deutlich, daß der Text aus dem Fragment 26,5-13 allein nicht verstanden werden kann.

57 Hiob, 64-66.

58 Hi 9,2 klingt wie ein Einverständnis in eine zuvor geäußerte Meinung (kēn); meist wird es auf 8,3 bezogen, doch ist das eine Verlegenheitslösung. Sachlich näher läge 4,17, doch ist ein Rückbezug über so große Abstände kaum anzunehmen.

59 Die meisten Ausleger wenden sich gegen die Möglichkeit, das Min komperativisch zu verstehen, so z.B. B.Duhm, Hiob, 28; F.Horst, Hiob, 75f.

60 Vgl. dazu die "Schuld-Strafe-Erzählungen" der Urgeschichte (Gen 3; 4; 6-9;11) und C.Westermann, Mensch im Urgeschehen, 236-246; zur Staubgebundenheit der menschlichen Existenz vgl. Gen 2,7; 3,19; Ps 103,14; 104,29 (Glosse); Hi 34,15; Ps 146,4; Koh 3,20; 12,7.

61 B.Duhm, Jesaja 343 hat sehr klar die völlige Verschiedenheit von Hi 4,17ff und Hi 10,3.8-12 erkannt.

62 S.o.137.

63 Hi 15,14; 25,4.

64 Hi 32,22; 36,3; vgl. 33,4; (32,8).

65 Jer 18; Jes 29,16; 45,9f; Röm 9,22. B.Duhm sieht Hi 4,17ff ganz in der Nähe von Jes 45,9f, s. Jesaja, 343.

66 Vergleichbar ist nur Hi 9,13.

67 Vgl. Prov 14,31; 17,5; 22,2; 29,13; auch Mal 2,10; Hi 33,6 und 34,19. Die Menschenschöpfung in dieser sozialen Ausrichtung begegnet sehr schön ausgestaltet auch in der ägyptischen Weisheitslehre des Amen-em-ope, 25.Kap. (ANET 424). Hier begründet die Erschaffung der Menschen durch Gott die Mahnung, nicht die Blinden, Verkrüppelten, Lahmen und Geisteskranken zu hänseln. Gott macht die Armen und die Aufseher, d.h. die sozialen Unterschiede zwischen den Menschen sind gottgewollt, aber gerade deswegen sind sie nie so total, daß ein Mensch den anderen nicht mehr als Menschen behandeln könnte.

68 Vgl. auch die Frage Hi 38,4 und die ironische Unterstellung 38,21. Sonst ist die Urmenschvorstellung Ez 28,11-19; Jes Sir 49,16 und Philo, De opif.mundi, 166ff belegt; vgl. W.Bousset/H.Greßmann, Die Religion des Judentums im späthellenistischen Zeitalter, 352ff.

69 Vgl. z.B. S.Terrien, Job II,191f; C.Westermann, Hiob, 104-107; die umstrittene Frage der Zugehörigkeit zum Dialog kann hier unbeantwortet bleiben.

70 Für die spätere Zeit lassen sich eine ganze Reihe von Berührungspunkten zwischen der Weltschöpfungstradition des beschreibenden Lobes und der Weisheitsdichtung nachweisen, vgl. Ps 104,24; Jer 10,12 mit Prov 3,19f; dazu Hi 38; 36f und Jes Sir 43, s.u.148f; 169.

71 Vgl. Prov 8; Jes Sir 39,12-35; 42,15-43,33; 24; dazu jetzt G.v.Rad, Weisheit, 189ff.

72 Auf das Problem der zwei Gottesreden Hi 38,1-40,2; 40,6-41,26 brauche ich hier nicht einzugehen, da es für die hier behandelte Thematik kaum eine Rolle spielt. Die folgenden statistischen Angaben gehen von einer einzigen Gottesrede aus, zu der Hi 38,1-39,30; 40,2.8-14 gerechnet werden, zur Begründung s.g.Fohrer, Hiob, 36-40.

73 Hiob 38, 293ff/262ff und 298f/268f.

74 Hiob, 85.

75 Gottes Antwort, 10; 16-19.

76 Hiob 38, 293/262.

77 Von den 76 Versen (ohne 38,1-3) sind allein 37 ganz oder teilweise Fragesätze; mitgezählt ist dabei V 8, der mit Vulg, K.Budde, G.Fohrer; A.Weiser u.a. zu einer mī-Frage zu konjizieren ist (mī sāk). Die 3.P.impf.cons. von MT ist in der Gottesrede ganz unmöglich, sie ist wahrscheinlich durch Haplographie des Mem von ʾǣlōhīm V 7 entstanden.
Eine ganz ähnliche Funktion wie die Fragen haben die ironischen Imperative 40,10-13. Hinzu kommen die Aufforderungen, das Erfragte zu beantworten (38,4.18).

78 Temporale Unterordnung: Hi 38,4.7.8b.9-11.30.38.40.41; final-konsekutive: 38,13. 20.26f.34b.35b; 40,14a; relativische: 38,23; 39,6; kausale: 39,11; 40,14b; Objektsatz: 39,12. Die irrealen Bedingungssätze beziehen sich alle auf das Wissen, bzw. das Nichtwissen Hiobs (38,4.5.18); ebenso der irreale Behauptungssatz 38,21. Auch die selbständigen Hauptsätze 38,14f stehen noch in einem lockeren Folgeverhältnis zur Frage.

79 Längere selbständige Schilderungen finden sich nur bei den Tieren in Kap.39: V 3-4. 7-8.13-18.21-25.29-30; ganz ohne Frage ist nur der Abschnitt über das Straußenweibchen 39,13-18; er fehlt in der LXX.

80 So streichen B.Duhm, K.Budde 39,13-18; C.Westermann erwägt, ob nicht der ganze Abschnitt 39,9-30, der die Tiere nicht mehr als Beispiele für das Handeln Gottes anführt, sondern ihre Eigenschaften beschreibt, ein aus der "Naturweisheit" stammender Zusatz ist, Hiob, 91 A 1.

81 Hiob 38, 293/262; s. H.Gunkel/J.Begrich, Einleitung, 54f.

28 S.Hiob 38, 297-299/267-269.

83 Nur Hi 38,6a.19.24.28a wären hier zu nennen; aber auch hier geht es nicht um Fachwissen, sondern um der menschlichen Erkenntnis generell entzogene Dinge.

84 Persönlich, Hiob Subjekt: Hi 38,12.16.17b.18a.22.31.32.33.34.35.39; 39,1.2.10. 11.12.19.20; 40,8.9b; Hiob Objekt: 38,17a; 39,9.10b.26.27; 40,9a; unpersönlich: Hi 38,28; 40,2.

85 Nur scheinbar um ein "Wissen" geht es in dem Abschnitt 38,16-24. Aus diesem nimmt G.v.Rad vorwiegend seine Belege (Hiob 38, 298/268). Doch die Kenntnis der Tiefe, Weite und Höhe der Schöpfung ist doch nur Voraussetzung dazu, die Welt wie Jahwe regieren zu können. Dahinter steht ein Motiv aus dem Gotteslob, Hi 11,7-10. Die ironischen Aufforderungen an Hiob, sein Wissen kundzutun, "wenn er es weiß" (38,4.18; vgl. 38,5.21) könnten aus dem Streitgespräch der Weisen stammen, sind aber hier rein rhethorisch gemeint.

86 Hi 38,5.6b.8a(cj).25.28b.29.36.37.41; 39,5; bis auf 38,37.41 steht das Verb immer im pf., sie zielen also auf Faktizität. Das impf. 38,41 hat möglicherweise iterativen Sinn; 38,37 geht es nicht um ein Faktum, sondern um ein Vermögen.

87 Hi 38,8-11; 39,5f.

88 Hinzu kommen noch die Wo-Fragen: Hi 38,4.19.24. Hi 38,19.24 gehören zu den wenigen "sachlichen" Fragen, s.o.E., A 85. Hi 38,4 nimmt in der Gottesantwort eine gewisse Sonderstellung ein. Wenn Jahwe Hiob fragt, wo er zur Zeit der Schöpfung war, dann spielt er damit auf das Urmenschmotiv an (15,7f; 38,21). Er könnte vielleicht Gott herausfordern, wenn er der himmlische Urmensch wäre, nicht aber, da seine Existenz so begrenzt ist.

89 Jes 41,2.4.26; 43,9; 45,21; hier geht es um die Macht Jahwes in der Geschichte; vgl. auch Hi 37,14-18.

90 Gottes Antwort, 16; vgl. 12; 20.

91 An konkreten Vorgängen ist nur noch die Beschuldigung 38,2 und die Herausforderung, sich für die Bestreitung zu wappnen zu erkennen (V 3).

92 Jes 40,12-31; 44,24-28+45,7; 45,11-13; 45,18; 48,12-17; (51,12-16), s.o.12.

93 S.o.18.

94 Hiob 38, 293ff/262ff.

95 296/265.

96 Vgl. die Überschrift des Onomastikon des Amenemope; zitiert bei W.H.Schmidt, Schöpfungsgeschichte, 35.

97 Vgl. W.H.Schmidt, Schöpfungsgeschichte, 38f.

98 Erst Hi 39,9ff werden die Eigenschaften der Geschöpfe selbst zum Gegenstand der Auseinandersetzung; hier ist jedoch auch die Frageform schon am weitesten aufgelöst, s.o.141.   Anders ist es in Ps 148 und Dan 3,57-88 LXX, die v.Rad ebenfalls zum Vergleich anführt. Hier soll die "ganze" Welt zum Lob aufgerufen werden, es geht also nicht um die Schöpfung, sondern um die Kreaturen. Eine Verwendung von Listen, die die ganze Welt abschreiten, ist darum hier sehr viel eher verständlich, s.o.95, bes. A 26.

99 S.o.141.

100 Hiob 38, 294/263.

101 Die Ordnung wird nur durch 38,36 gestört (Ibis, Hahn); handelt es sich um eine sekundäre Zufügung?

102 Z.B. unterteilt K.Budde, Hiob, 38,16-18.19-21.22-30; G.Fohrer, Hiob, 38,16-21. 22-25; S.Terrien, Job II, 16-21.12-15.22-28.

103 So das Licht 38,19f vgl. V 12 und Schnee/Hagel 38,22 vgl. V 29.30; B.Duhm, Hiob, 184f stellt darum V 19 voran, damit er eine thematische Einheit "Licht" (12-15) erhält; H.Richter 12-14 geht ganz ähnlich vor, er liest V 19f.22f.18.21; dagegen streicht G.Fohrer, Hiob, 492 V 19f. S.Terrien, Job II, liest 12-15 nach 16-21 (248f).

104 Ansatzweise schon K.Budde, Hiob, 243f, der 16-18 unter der Überschrift "Kenntnis der Weltgebiete" faßt, doch läßt er sich wegen der ähnlichen Thematik von V 22-24 und 25ff dazu verführen, diese Verse von dem Abschnitt abzuspalten. Richtig allein C.Westermann, Hiob, 88.

105 S. Hi 11,7-10; C.Westermann hatte das Motiv von Ps 139 und Jes Sir 39,19 zu erklären versucht, Hiob, 90; ich meine, die Parallele Hi 11 steht näher.

106 Hiob, 91; Westermann kann noch ein weiteres Merkmal dafür nennen, daß hinter Hi 38 die Struktur des beschreibenden Lobes steht: Hi 40,10-14 (hinzuzunehmen ist nach einer neuen Untersuchung von E.Ruprecht 209ff mit einiger Sicherheit auch 40,15-41,26) wird das Thema "Herr der Geschichte" entfaltet.

107 Zur Erschaffung der Erde V 4-7 vgl. etwa Jes 40,28; 45,18; 48,13; 51,13.16; Ps 24,2; 102,26; 104,5; zum Eingrenzen des Meeres V 8-11 vgl. Ps 104,8f; 148, 6; Jer 5,22. Zum Heraufführen des Tages (V 12-15) vgl. Am 4,13; 5,8; Ps 74,16. Nicht um Schöpfung geht es in dem Zwischenstück 38,16-24, auch wenn das hier beschriebene Weltbild an Schöpfungsvorstellungen anklingt; der Abschnitt kann hier unberücksichtigt bleiben.

108 Zum Regen V 25-28 s.o. 107;   zu Hagel, Schnee, Eis V 29f vgl. Ps 147,16-18; Hi 37,10f; Jes Sir 43,19f, auch in den Parallelen tritt die Lobstruktur hinter dem Detailinteresse zurück; hierin hönnte man am ehesten Einflüsse der "Naturweisheit" erblicken. Zur Befehlsgewalt über die Sterne V 32-33 vgl. Jes 40,26; Ps 8,4; 136, 7ff; 147,4; Hi 9,7.9; Am 5,8; verwischt ist die Struktur Ps 104,19f; zum Gewitter (V 34-38) sind die Parallelen wieder nicht mehr so eng, vgl. Ps 135,7=Jer 10,13; Am 5,8=9,6; Hi 37,4f.

109 Ps 135,7=Jer 10,13; Am 5,8=9,6; Ps 33,7; Hi 36,27.

110 Hi 5,10; Ps 147,8f; 104,13ff.

111 Ps 104,27f; 145,15f; 147,9.

112 Hiob 38, 293/263.

113 Dabei soll bewußt die Möglichkeit offen gehalten werden, daß andere Elemente weisheitlicher Geistesbeschäfigung auf Hi 38 eingewirkt haben (man denke etwa an das Staunen über die "Natur", das sich in den Zahlensprüchen zeigt), die dem Gotteslob näher gestanden haben als die rein aufzählende ägyptische Listenwissenschaft.

114 Jes 48,13; 51,13.16; Sach 12,1; Ps 24,2; 102,26; 104,5; vgl. Ps 89,12.

115 Hi 38,8b.9.28.29.

116 Ein Berührungspunkt liegt in der Ausweitung des Lobrufes auf die ganze Welt und der listenhaften Erfassung des Weltganzen, Ps 148; Dan 3,57-88 LXX; beidemal wird die Lobstruktur nur zerdehnt, bleibt aber in etwa erhalten. Folgenschwerer sind die Veränderungen da, wo die detaillierte Naturbetrachtung selber in das Gotteslob eindringt, Ps 147B; Hi 36f; Jes Sir 43. Auf der anderen Seite kann die Weltschöpfungstradition in die Weisheitsgedichte eindringen, Prov 3,19f; 8,22-31; Hi 28.

117 Vgl. dazu auch W.H.Schmidt, Schöpfungsgeschichte, 32-39. Für die israelitische Tradition 39-48 unterscheidet er jedoch nicht genau genug zwischen einer Folge von Schöpfungstaten und einer Reihe von Objekten. Andeutungen über das Weiterleben der "hymnischen Partizipien" im "Weisheitsmilieu" auch bei F.C rüsemann 119-121; s.u.169.

118 C.Westermann, Hiob, 90.

119 83f; G.v.Rad, Weisheit 288.

120 Ihre Radikalität, die bis zu einer Vorforderung Gottes zum Rechtsstreit geht (Hi 31, 35-40) schließt das Dazwischentreten eines Mittlers aus. Man vergleiche dazu, daß auch in Ludlul bēl nēmeqi die Zuwendung Marduks im Traum etwas ganz Außergewöhnliches ist; sie hat ihren Grund darin, daß die traditionellen kultischen Riten und Gebete versagen.

121 Vgl. Ez 1,4.28 u.ö.

122 Ähnlich C.Westermann, Hiob, 91f.

123 Vgl. C.Westermann, Hiob, 107ff und die dort angegebene Literatur.

124 MT: "Wenn er sein Herz auf sich wendete" zerstört den Parallelismus, lies mit
2 Mss, Ketib Or, LXX und Syr jāšīb, streiche libbō und ziehe rūḥō zur ersten Vershälfte, so K.Budde, S.Terrien z.St.: anders G.Fohrer, M.H.Pope z.St.

125 S.o.38f.

126 Hi 32,22.

127 Hi 33,4.6; 36,3.

128 Vgl. C.Westermann, Hiob, 113ff; allerdings ist die Anordnung der Elihureden noch
nicht restlos geklärt; so möchte C.Westermann 34,14-16 aus dem Kapitel ausglie-
dern und hinter 37,24 stellen (Ende der von ihm rekonstruierten 3.Rede), Hiob,
111f bes. A 1; doch ist sein positives Argument nach unseren Ergebnissen kaum
noch tragfähig, da 36,22ff vom Weltschöpfer, 34,14f aber vom Menschenschöpfer
handeln. Richtig bleibt aber seine Beobachtung, daß 34,14-16 im Kontext etwas isoliert steht.

129 Diese Verbindung war erst aufgrund einer Annäherung von "protologischer" und
anthropologischer Begrifflichkeit möglich: Hi 33,4 wird Elihu durch die rūaḥ und
nĕšāmā Gottes erschaffen; Hi 32,8 befähigt die rūaḥ und nĕšāmā Gottes zur ver-
ständigen Rede, ohne daß babei auf die Menschenschöpfung rekurriert wäre. Zur Belebung des Menschen bei seiner Erschaffung gehört ursprünglich nur nĕšāmā (Gen 2,
7). rūaḥ, eigentlich die menschliche Vitalität bezeichnend, ist erst seit exilischer
Zeit in diesen Bereich eingewandert (Jes 42,5; 57,16; Sach 12,1:; Hi 27,3; auch
Gen 6,3; 7,22 sind spät; der Übergang wurde wahrscheinlich in exilischen Heilsworten vollzogen, Ez 37; Jes 57,12-21), und rūaḥ nahm etwa um die gleiche Zeit auch
die Bedeutung des "geistigen" Willens- und Aktionszentrums an (Ez 11,5; 20,32;
Jes 19,3; 40,13). Von daher war es möglich, rūaḥ = Lebensodem und rūaḥ = geistige
Potenz miteinander zu kombinieren.

130 Die archaisierende Vorstellung des Abkneifens vom Ton (vgl. die Erschaffung Enkidus,
A.Schott 21) kann doch nicht über die banale Verwendung des Motivs hinwegtäuschen.

131 Vgl. Prov 14,31; 17,5; 22,2; 29,13; Hi 31,15; vgl. Mal 2,10.

132 Die in Hi 36,3 gebrauchte Wurzel pāʿal wird sonst nur noch Jes 45,11 für die Schöpfertätigkeit Gottes benutzt.

133 Wohl wird in der Urgeschichte Gen 1-11 von der Begrenztheit des Menschen durch
den Tod gesprochen (Gen 3,19), auch spekulierte man später darüber, daß der Lebensodem nach dem Tod wieder zu Gott zurückkehrt (Koh 3,19f; 12,7), doch hat
sonst die einmal gegebene nĕšāmā Eigenständigkeit und Konstanz: Sie bleibt dem
Menschen, solange er lebt (Jos 10,40; 11,11.14; Dtn 20,16; 1 Kön 17,17; 15,29;
Ps 150,6). Allein in Ps 104,29, wo eigentlich im Anschluß an ägyptische Vorstellungen das Auf- und Ableben der Vitalität gemeint ist, wird jetzt durch eine Glosse der
Eindruck erweckt, als bestände das Leben aus einer dauernden Abfolge von Tod und
Neuschöpfung. Aber selbst hier bleibt neben dem Entziehen der rūaḥ ihre Gabe.
In der Vorstellung ganz anders, aber in der Funktion ähnlich ist das Menschenschöp-
fungsmotiv Hi 4,17ff.

134 S.o.147.

135 Der Hinweis auf den Weltschöpfer hat nach der Mahnung, die Züchtigung Gottes anzunehmen (36,18-21) keinen Sinn. G.Fohrer hält 36,27-37,13 für einen sekundären
Einschub, C.Westermann stellt 36,22-37,24 zur zweiten Rede Elihus (33,31-33;
35,2-8), Hiob 111f.

136 36,27-33 wechseln sich perfektische und imperfektische Verbformen ab; 37,3-13 herrschen die Imperfekta ganz vor. Das einzige pt. V 5 folgt einer impf.-Form, was früher ganz unmöglich gewesen wäre; vgl. dazu die Vermutungen F.Crüsemanns 121. Auch die Reaktion Elihus (37,1) und die erneute Aufforderung (V 2) zeigen, wie frei die Tradition verändert werden konnte.

137 Nur Ps 147B.

138 Vgl. Ps 135,7=Jer 10,13; Am 5,8=9,6; Ps 33,7; 147,16ff am ausführlichsten Hi 38, 25-30.34-38 (ohne 36), wo die meteorologischen Erscheinungen 10 Verse umfassen; von etwa gleichem Umfang ist Jes Sir 43,13-22.

139 Man vergleiche dagegen die deutlich sachliche Gliederung in Hi 38 und Jes Sir 43.

140 MT liest im ersten Halbvers jādīn, nähme also den Gegensatz von Richten und Nähren in ein und demselben Vers zusammen; doch ist das sehr schroff, lies jāzūn mit vielen Auslegern.

141 Hi 37,9f.

142 Dazu s.o.144.

143 Vergleichbar sind nur der Abschnitt Hi 38,16-24 und Fragen wie Hi 38,6a.

144 Hi 10,3.8-12; 14,15; 35,10.

145 Hi 5,10; 9,5-9; 26,7-13.

146 Weltschöpfung Hi 38f; 34,13; 35,5; 36f; vgl. Hi 7,12; Menschenschöpfung Hi 7,17f; 32,22; 36,3.

147 Weltschöpfung Hi 28,25f; Menschenschöpfung Hi 31,15f; 34,19; 33,4.6; 15,7f; 38, 21; 20,4; 4,17ff; 34,14f.

148 Hi 9,5ff.

149 Hi 5,10; 38,39ff; 36,31.

150 Hi 4,17ff; 34,14f.

151 S.o.105ff.

152 S. die Zusammenfassung zu den einzelnen Abschnitten, o. 135f; 138; 140; 145f.

153 S.o.133.135.

F. Die Geschichte der Menschen- und Weltschöpfungstradition in den Psalmengattungen

1 Eine Geschichte der Welt- und Menschenschöpfung in allen drei Traditionsbahnen zu schreiben, ist bei der jetzigen Forschungslage noch nicht möglich.

2 Vgl. etwa Th.Boman 141f.

3 S.o.17f; 23f.

4 Auch K.H.Bernhardt hat darauf hingewiesen, daß "das verstärkte Auftreten des Schöpfungsgedankens in exilischer und nachexilischer Zeit... nicht einfach auf eine Übernahme babylonischer Schöpfungsvorstellungen zurückgeführt werden kann" Schöpfung, 824.

5 Das wird auch von den meisten Forschern angenommen, vgl. G.v.Rad, Theol. I, 149ff; Th.C.Vriezen 155f; W.Eichrodt, Theol.II, 59f; A.D.Matthews 146f; G.Lambert 254; K.H.Bernhardt, Schöpfung, 823f; allerdings mehr aus allgemeinen religionsgeschichtlichen Erwägungen oder dogmatischen Gründen.

6 Hos 8,14; (Jes 1,2); Jer 2,27; 1,5.

7 Vgl. zum Ganzen o.39f.

8 S.o.40f.

9 Wir hatten eine noch sehr viel stärkere Selektion der Überlieferung in den Hochkulturen des Vorderen Orients vermutet, s.o.62; 70f; 73f.

10 In die Nähe gehört das Vater- Sohn-Verhältnis Hos 11,2ff; vgl. Jes 1,2 und die Liebesbeziehung zwischen Mann und Frau Hos 2,4-17.

11 Zum Folgenden vgl. o.37.

12 Das erweist auch das prophetische Zitat eines Gebets an "Holz" und "Stein" Hab 2, 19; hier geht es ebenfalls eindeutig um das Gebet eines Einzelnen.

13 S.o.45ff; 83ff.

14 Immerhin fand ich jetzt einen mittelassyrischen Text, der die Menschenschöpfung im Geburtsritual bezeugt: "Das Versiegelte hole hervor, das Geschöpf der Götter; das Geschöpf der Menschen möge herauskommen, sehe das helle Licht!" Iraq 31, 33f, Z.48f. Die Erschaffung des Kindes durch Gott und Mensch steht bezeichnenderweise parallel.

15 S.o.83, bes. A 141.

16 S.o.86f.

17 Vgl. die Heilsorakel bei Deuterojesaja; zuvor schon angedeutet in Jer 3,4.19; schwer zu datieren ist Dtn 32,6.15.18.

18 55ff; bes. 127-155.

19 136.

20 128; Zitat ist syntaktisch verändert.

21 143.

22 145.

23 145ff.

24 Auch die Gebete in den akkadischen Beschwörungen weisen ja gegenüber den israelitischen Klagen schon eine Spätform auf (bes. in den "hymnischen Einleitungen"); auch scheint der Teilnehmerkreis weitgehend der Aristokratie zu entstammen, s. R.J.Caplice 351f.

25 Vgl. R.J.Caplice's Charakterisierung: "a group engaged in scribal activity and in the actual professional use the incantations and rituals" 348 und die große Differenzierung, welche die kultischen Berufe im Zweistromland erfahren haben (vgl. dazu E.Gerstenberger 62ff).

26 128.

27 147.

28 Vgl. dazu o.49f.

29 Sie kommt meiner Meinung nach nur dann in Betracht, wenn man Jer 1,5 in die exilische Zeit datiert.

30 1 Chr 8,21. Das auffällig seltene Vorkommen des spezifisch "theologischen" Schöpfungsverbs könnte sich möglicherweise so erklären, daß die Menschenschöpfung abseits der theologischen Reflexion stand.

31 2 Sam 2,18ff; 3,27.30; 23,24 u.ö.; vgl. ʕǎśājāh(ū) 2 Kön 22,12.14 sowie Lachish III 348, Nr. 170; S.Moscati 57, Nr. 16.

32 Jer 29,3; 1 Chr 2,39f; 8,37; 9,43; Esr 10,22.

33 Jer 21,1; 29,25; 37,3; vgl. maʿăśējāhū Jer 35,4 und die Kurzform maʿśāī 1 Chr 9,12.

34 1 Sam 1,1ff; 2,11.20; Ex 6,24 u.ö.

35 1 Chr 15,18.21 vgl. auch die in Elephantine bezeugten Namen qnjh, qnjʾ (bei Noth Nr. 1231; 1232).

36 Gen 46,24; Nu 26,49 P; Bildungen mit dem "Hauptverb" für die Menschenschöpfung sind auffallend selten.

37 2 Sam 8,18ff; 2 Sam 23,30; 1 Kön 8,1ff.

38 1 Chr 4,36 u.ö.; vgl. auch die Präfixkonjugation jibnějā oder jibnijjā 1 Chr 9,8 sowie das pt. pass. bīnūi Neh 9,15 u.ö. Vgl. auch die ganz ähnlich gebildeten Ortsnamen jabněʾēl Jos 15,11; 19,33 und jabnǣ 2 Chr 26,6. Hinzuzunehmen sind wahrscheinlich auch die Verbindungen mit pāʿal, das in den Texten allerdings nur Jes 45, 11 und Hi 36,3 im Zusammenhang der Menschenschöpfung begegnet: ʾælpaʿal 1 Chr 8,11.12.18 u.a., möglicherweise auch einige Namen mit kūn, etwa konjāhū und jěhōjākīn Jer 22,24 bzw. 2 Kön 24,6ff. Ebenso ist es möglich, daß einige Nominalsatznamen mit ʾāb in den Kreis der Menschenschöpfung gehören, so ʾælīʾāb 1 Sam 16,6 u.ö.; jōʾāb 1 Sam 26,6 u.ö. und ʾăbīʾel 1 Sam 9,1; vgl. ʾăbijjāh(ū) 2 Chr 13,20f u.ö. Die Nähe von Vater und Menschenschöpfer war besonders in den primitiven Religionen auffallend gewesen, sie ist aber auch für Israel belegt, s.o.85; auch bei den sumerischen Namen ist die Zusammensetzung mit "Vater" und "Mutter" sehr häufig, s.o.C.,A 56. In ganz ähnlicher Richtung deutet H.J.Kraus, Vatername, 1234 die israelitischen Namen mit ʾāb; anders M.Noth 141f.

39 Die folgenden Belege verdanke ich freundlichen Hinweisen von Herrn H.Schult, Heidelberg. - Z.B. iṣr (F.Gröndahl 146); jbnil (119; vgl. Palais Royal III 261, Sp.2); mlkbn (Palais Royal V 30, 18.18 = Nr. 16 II,3).

40 Z.B. ia-ba-an-ni-del (J.Gelb 159; 161 = Nr. 33741; 33836); ia-ab-ni-dIM (J.Gelb 161 = Nr. 33831); ia-ab-ni-dDagan (H.B.Huffmon 38; vgl. Archives Royales de Mari 9, 78 = Nr. 112,4).

41 Z.B. ʿśʾšmn (Z.S.Harris 135); ʿṣhr (M.Lidzbarski, Krugaufschriften, 65); bʿlpʿl (Corpus Inscriptionum I, 3 Nr. 5686); aus dem 1. oder 2.Jh.v.Chr. pʿlʿštrt und und bnbʿl (lies bānābaʿal; M.Lidzbarski, Ephemeris I, 153; 158).

42 Vgl. Jes 51,15 und F.Crüsemann 105f; zum Ganzen s.o.99ff.

43 114 A 2.

44 Vgl. 1 Kön 18; etwa V 36ff würde man einen Hinweis auf den Weltschöpfer erwarten, doch nichts davon; auch das Dtn läßt nichts vom Handeln des Weltschöpfers verspüren; es bindet vielmehr das segnende Handeln Jahwes an seine Rettungstaten und den Gehorsam Israels. Dazu, daß das Segenshandeln Jahwes an seinem Volk von der Fürsorge des Weltschöpfers für seine Kreaturen geschieden werden muß, s.o.

45 Jer 10,12-16.

46 H.W.Wolff bestimmt die "Amosdoxologien" als "synkretistisches Hymnengut aus dem Bethel-Heiligtum des 7.Jh." Joel-Amos, 136; doch stammt diese Lokalisierung aus einer meiner Meinung nach unzulässigen Verbindung der ursprünglichen Funktion der Texte mit ihrer Verwendung im Amosbuch. Man könnte höchstens fragen, ob diese Verwendung der Weltschöpfungstradition eher an eines der Heiligtümer des Nordreiches als nach Jerusalem weist.

47 H.J.Kraus, Psalmen, 195.

48 S. H.J.Kraus, Psalmen, 194f; 197ff.

49 Vgl. auch Ps 95,1.6.

50 Vgl. Ps 93,3-5; 96,5; 135,5ff; außerhalb des Psalters nur noch Jes 40,26f; Jer 37, 16. Schon von daher wird die enge Zusammenordnung von Weltschöpfung und Monotheismus, die in der Forschung oft vollzogen wurde, in hohem Maße fraglich. Das gleiche gilt für die Verbindung von (Gott-)König, Schöpfer und Weltrichter, die H.J.Kraus, Psalmen, LXVII; 200 als das Charakteristikum der Jerusalemer Theologie beschreibt.

51 Z.B. treten diese bei F.Stolz 167ff zutage: Er bestimmt eine "Tradition" einzig vom Gottesnamen und der Verwendung einzelner Verben her, ohne überhaupt zu fragen, inwieweit bestimmte Vokabeln für die bestimmte Traditionsbereiche spezifisch sein können. Einem solchen Vorgehen kann ich aus methodischen Gründen nicht folgen.

52 Vgl. die Literaturübersicht bei F.Stolz 149 A 1.

53 Dazu vgl. R.Rendtorff, El, 285; 291; F.Stolz 130ff; 150.

54 S.o.116.

55 Vgl. jōšēb hakkĕrūbīm V 16; dazu 1 Sam 4,4; 2 Sam 6,2 u.ö.

56 Die Abgrenzung zwischen Prädikation und Gotteslob ist noch nicht sicher möglich, da die Funktion der Prädikation ungeklärt ist. Will sie primär erhöhen oder differenzieren? Mir scheint aber deutlich zu sein, daß beides nicht einfach in einen Topf geworfen werden kann.

57 Wenn F.Stolz sagt: "Das Alter der verschiedenen Texte spielt keine große Rolle - wesentlich ist das Alter der zur Sprache kommenden Kulttradition" (61), dann macht er es sich doch etwas leicht! Fraglich scheint mir auch, ob man einfach die Epiphanie- und Theophaniemotive dem "Chaoskampf" unterordnen darf (61-63).

58 Gegen O.H.Steck 288f.

59 Zwar begegnet die Verbindung von beidem in Ps 89, der oft vorexilisch datiert wird (vgl. H.J.Kraus, Psalmen, 617), doch ist fraglich, ob diese Datierung auch für seinen nachweislich brüchigen Eingang (V 1-19) gilt.

60 S.o.108; in ähnliche Richtung geht eine Vermutung von W.H.Schmidt, Schöpfungsgeschichte, 45 A 1.

61 Daran ist gegen H.E.v.Waldow festzuhalten, der das Heilsorakel ursprünglich in der Volksklagefeier verankert sehen will, Verkündigung Deuterojesajas, 101, s.o. 48; die gottesdienstliche Situation im Exil ist komplizierter, als v.Waldow sie darstellt (104ff), s. auch u.164.

62 S.o.36f.

63 Vgl. die exilischen Volksklagen Jes 40,27; 51,9f; Thr 5, bes. V 20.22.

64 In Jes 63,16 wird die "Herkunft" von Jahwe gegen die Abstammung von Abraham ausgespielt. Es handelt sich dabei um eine fromme Abwandlung des Menschenschöpfungsmotivs, die an die Äußerung Gudéas Cyl.A III,6-8 (s.o.C., A 52) erinnert. Die Berufung auf Abraham als den Träger der Verheißung hat ursprünglich eine ganz ähnliche Funktion gehabt wie der Appell an den Menschenschöpfer, sie gehört aber in die Volksklage oder in die Fürbitte des Mittlers für das Volk (Ex 32,13; Dtn 9, 27; Ez 33,24; 2 Chr 20,7; vgl. Jes 41,8; Ps 105,42). So wird in Jes 63,16 bewußt der heilsgeschichtliche Rückblick der Volksklage durch den Rückblick auf die eigene Erschaffung der Klage des Einzelnen ersetzt.

65 Man vergleiche auch die strukturell ähnliche Argumentation bei Jeremia und Ezechiel: Jeremia knüpft in Kap.29; 32 an das Segenshandeln Gottes an, das auch nach
   der Katastrophe weitergeht. Ezechiel malt einen Satz der Volksklage, der die Todverfallenheit beklagt (Ez 37,11) zu einem großen visionären Gemälde aus, in dem
   jetzt das rettende Handeln Jahwes als ein neuschaffendes verstanden wird. Auch er
   knüpft dabei an die Menschenschöpfung an (Gabe des Lebensodem Gen 2,7), aber
   nicht in der Psalmen-, sondern in der Erzähltradition.

66 Was in Ps 137,3f von den "Zion"- oder "Jahweliedern" gesagt ist, gilt sicher in besonderem Maße für das beschreibende Lob.

67 Man könnte fragen, ob Deuterojesaja nicht darin ein gewisses Vorbild hatte, daß in
   exilischer Zeit an die Stelle des Rückblickes auf Jahwes geschichtliches Heilshandeln der Rückblick auf seine urzeitlichen Kampfestaten trat. Auch dabei handelt es
   sich wahrscheinlich um einen Versuch, den Zerbruch der geschichtlichen Heilstraditionen zu überwinden.

68 Jes 40,12-31; vgl. bes. V 26; 51,12-16.

69 Jes 44,24-45,7; 48,12-17.

70 Jes 45,11-13 ist, wenn man der gängigen Textrekonstruktion folgt, an Israels Feinde
   gerichtet.

71 Diesen Zug in der Prophetie Deuterojesajas hat G.v.Rad, Theol.II,253f; 263f schön
   herausgearbeitet.

72 Greifbar wird dieser Vorgang in dem Hervortreten des Beschneidungsritus und des
   Sabbatgebotes in exilischer Zeit; hier werden Vorgänge aus der Familienfrömmig-
   keit Bekenntnisakte für die Zugehörigkeit zum Gottesvolk, R.Bach, Exil, 819.

73 Ein Zeugnis dafür ist die Freiheit, mit der Deuterojesaja mit den Traditionen umgeht.

74 Jes 43,7; 43,20f; 43,15; 45,11; vgl. Ps 95,6; 100,3; 149,2.

75 Vgl. Jes 45,11-13 und die neue Ausrichtung, die Deuterojesaja der Weltschöpfung
   Jes 45,18 gibt, s.o.18.

76 Vgl. Jer 27,5; es ist nicht ganz sicher, ob dieses Wort wirklich von Jeremia stammt.

77 Es wird kein Zufall sein, daß es etwa zur gleichen Zeit auch in der Erzählungstradi-
   tion zur Verbindung von Welt- und Menschenschöpfung kommt, vgl. Gen 1-2,4a (P).

78 Vgl. Neh 9,6; Sach 12,1.

79 Ps 22,10f; 71,5f(?); 119,73; 138,8; älter könnten Ps 22 und 71 sein; Ps 119 und
   138 sind sichtbar spät.

80 Vgl. C.Westermann, Geschichte der Klage, 72ff/296ff.

81 Etwas besser erging es der deuterojesajanischen Übertragung der Menschenschöpfung auf Israel; sie begegnet immerhin drei mal im Psalter: Ps 95,6; 100,3; 149,2;
   vgl. auch Dtn 32,6.15.18.

82 S.o.38f.

83 V 14; lies mit K.Budde, G.Fohrer u.a. z.St. wĕhōḥēl statt ūtĕholel.

84 Einen ähnlichen Geist atmet das Gebet 1 QH IX. Wohl sind die ursprünglichen Klage-
   teile noch zu erkennen (V 2-6 Ich-Klage, V 8b.20-22 Feindklage), doch wird die Anklage V 10f sofort durch ein Bekenntnis der Zuversicht (11b-13) und ein Eingeständnis in die Richtigkeit des göttlichen Handelns (V 9) zugedeckt. Auch sonst tritt das
   Bekenntnis der Zuversicht (7f.23-29) auf der einen und das Sündenbekenntnis auf der
   anderen Seite (V 13.14ff) stark hervor. Auf die Seite des Bekenntnisses der Zuver-

sicht gehört auch das Menschenschöpfungsmotiv V 29-36. Es ist stark erweitert und knüpft z.T. an die Erschaffung des Mittlers (zu V 29f vgl. Jer 1,5), z.T. an die Erschaffung des Einzelnen (zu V 31,36 vgl. Ps 22,10f) an. Die Fürsorge mit dem Geschöpf V 31-34 ist religiös ausgebaut, direkt auf Gott übertragen wird nur die Vatervorstellung, im Fall der Mutter wird nur ein Vergleich gewagt. Die direkte Schöpfungsaussage wird zurückgedrängt (explizit nur noch V 36, aber schon verallgemeinert!) und auf die "Söhne der Wahrheit" eingeschränkt. Eine Bitte um Rettung, taucht - soweit der nicht ganz vollständige Text ein Urteil erlaubt - überhaupt nicht mehr auf. Dann ist aber auch hier das Menschenschöpfungsmotiv zu einer Vertrauensäußerung des "Frommen" geworden.

85 S.o.120f.

86 Hi 33,4.6.

87 Hi 33,22; 36,3.

88 1 QH XV,15ff.17ff; IV,31f; I,8f.21.27f; vgl. 1 QH XVIII,11-13.

89 1 QH XV,17b; Text, bzw. die Rekonstruktion nach E.Lohse 166f.

90 Vgl. ᶜāfār in Gen 2,7; 3,19 und die "Schuld-Strafe-Erzählungen", dazu C.Westermann, Arten der Erzählung, 47-58.

91 Vgl. Ps 103,14; 144,3f; 8,5; s.o.124.

92 Hi 4,17ff; 34,14f; Ps 104,27-30 mit der Glosse V 29; diese Linie geht verstärkt weiter in Qumran: 1 QH III, 23f; X,3f; XII,24-27.31.32; XIII,14f; vgl. 1 QH I,21-27; XI,3f; XVIII,11-13; vgl. aber auch die skeptische Reflexion bei Kohelet: Koh 3, 19; 12,7.

93 Bewußt reflektiert wird über diese Polarität in Ps 8.

94 Ps 33; (65); 95A; 96; 135; 136; 147; 148; vgl. auch die beschreibenden Lobpsalmen eines Einzelnen Ps 104; 146; 1 Sam 2.

95 Ps 98; 100; 113; (117); 145; 149; 150.

96 Vgl. Deuterojesajas Interpretation der Weltschöpfungstradition des beschreibenden Lobes 45,18: er bezieht die Erschaffung der Erde auf das Bewohnen durch die Menschen.

97 Hi 9; 26.

98 Ps 74,16f; 89,12f.

99 S.o.114.

100 Jer 32,17; Neh 9,6; s.o.116.

101 Ps 102,26ff; Ps 90,1f; 119,89ff; vgl. auch 1 QH XIII,1-15.

102 Ps 104,10ff; 136,25; 147,8f; Hi 5,10; 38,39ff; vgl. 145,15f.

103 Ps 147A steht die Fürsorge des Weltschöpfers V 8f der Rückführung der Verbannten und dem Wiederaufbau Jerusalems V 2f parallel; vgl. Ps 136.

104 Vgl. auch die vermutete ägyptische Beeinflussung o.108.

105 Prov 3,19f; 8,22ff; Hi 28,24ff.

106 Ps 104,16-18; vgl. auch V 11f.21.23.25.26; Ps 147,15ff; Hi 38f; Hi 36f; Jes Sir 43.

107 Z.B. Hi 26,7.10.

108 S.o.143.

109 Vgl. bes. Ps 147,12ff, in dem die gottesdienstliche Heils- und Segenszusage noch deutlich erkennbar sind; s.o.109.

110 Vgl. Hi 36f; Jes Sir 42,25-43,33.

111 Wie besonders das Chronikwerk zeigt.

112 Ps 75,4.

113 Ps 93,1=96,10.

114 In der alttestamentlichen Forschung wird häufig mit einer Abhängigkeit zwischen Ps 104 und der Weltschöpferungserzählung (Gen 1) gerechnet, doch meine ich diese Ansicht widerlegt zu haben, s.o.108, bes. A 122.

115 So herrscht auch in den Menschenschöpfungserzählungen die fürsorgende Zuwendung des Menschenschöpfers zu seinem Geschöpf vor (Vgl. Gen 2,9f.15; 1,29 mit Hi 10, 12; Ps 22,10f; 4 Esr 8,10-12). Das besondere Vertrauensverhältnis zwischen dem Menschen und seinem Schöpfer, das in der Klage aktualisiert wird, findet in dem Motiv der Gottesebenbildlichkeit der Erzählung (Gen 1,26f; Ps 8,6) seine Entsprechung: auch damit ist gemeint, daß zwischen Gott und Mensch ein Geschehen stattfinden kann (vgl. C.Westermann, Genesis, 217f). Der Unterschied zwischen beiden Traditionskreisen liegt vor allem darin, daß die Erzählungen das besondere Verhältnis zwischen Mensch und Menschenschöpfer gegenüber der Welt entfalten (z.B. Herrschaft über die Tiere: Gen 2,19f; 1,28; Ps 8,7-9), während es in der Klage ganz im Gegenüber zwischen Gott und Mensch bleibt. Der Kontrast von Klage (Not) und Appell an den eigenen Schöpfer findet seine Entsprechung in der die Urzeiterzählungen durchziehenden Spannung zwischen dem Geschaffensein und dem Begrenztsein des Menschen.

G. Schluß

1 Christliche Weisheit, 65.

2 Man möchte die Fragen verneinen, wenn man sieht, daß es wohl eine breite Auslegungstradition zu den Schöpfungserzählungen, nicht aber zur Erzählung von der Sintflut gibt. Ein anderes Beispiel ist die Auslegung des 1. Artikels des Apostolikum durch M.Luther: er interpretiert ihn ganz im Sinn der Menschenschöpfung.

Abkürzungsverzeichnis

ANET

J.B.Pritchard (ed.), Ancient Near Eastern Texts Relating to the Old Testament. With Supplement, 3.A.1969.

BHS

Biblia Hebraica Stuttgartensia, ed. K.Elliger/W.Rudolph, 1968ff.

Biblia Sacra

Biblia Sacra iuxta Vulgatam versionem, ed. R.Weber, 2 Bde, 1969.

CT

Cuneiform Texts from Babylonian Tablets in the British Museum, 1896ff.

Ges-B

W.Gesenius/F.Buhl, Hebräisches und aramäisches Handwörterbuch über das Alte Testament, 17.A.1915 = 1962.

Ges-K

W.Gesenius/E.Kautzsch/G.Bergsträsser, Hebräische Grammatik, 28.A.1909 = 1962.

KBL, 2.A.

L.Köhler/W.Baumgartner, Lexicon in Veteris Testamenti Libros, 2.A.1958.

KBL, 3.A.

L.Köhler/W.Baumgartner, Hebräisches und aramäisches Lexikon zum Alten Testament, 1.Lfg. Aleph-tæbah, 1967.

OrAn

Oriens Antiquus.

PBS

Publications of the Babylonian Section. University Museum. University of Pennsylvania, 1911ff.

Sonstige Abkürzungen nach RGG, 3.A., VI

Literaturverzeichnis

J. Aistleitner,	Die mythologischen und kultischen Texte aus Ras Schamra, Bibliotheca Orientales Hungarica VIII, 1964.
W. F. Albright,	Some Remarks on the Song of Moses in Dtn XXXII, VT 9 (1959) 339-346. Archiv Royales de Mari 9 s. M. Birot.
J. Assmann,	Liturgische Lieder an den Sonnengott. Untersuchungen zur altägyptischen Hymnik I, Münchener Ägyptologische Studien 19, 1969.
R. Bach,	Die Erwählung Israels in der Wüste, Diss. theol. (Masch.) Bonn, 1951; (Erwählung).
R. Bach,	Exil, das babylonische, RGG, 3.A., II, 817-819; (Exil).
A. el-M. Bakir,	A Hym to Amon at Ṭura, Annales du Service des Antiquités de l'Egypte 42 (1943) 83-91.
E. Baumann,	Das Lied Mose's (Dt XXXII,1-43) auf seine gedankliche Geschlossenheit untersucht, VT 6 (1956) 414-424; (Moselied).
E. Baumann,	Strukturuntersuchungen im Psalter II, ZAW 62 (1950) 115-152; (Strukturuntersuchungen II).
H. Baumann,	Schöpfung und Urzeit des Menschen im Mythus der afrikanischen Völker, 1936.
E. Beaucamp,	Dieu de l'univers et dieu de l'histoire. Essai de théologie biblique, Studii Biblici Franciscani 4 (1953/54) 5-116.
F. Baumgärtel,	Der Hiobdialog. Aufriß und Deutung, BWA(N)T 61, 1933.
J. Begrich,	Das priesterliche Heilsorakel, ZAW 52 (1934) 81-92 = Gesammelte Studien zum Alten Testament, ThB 21 (1964) 217-231; (Heilsorakel).
J. Begrich,	Studien zu Deuterojesaja, BWA(N)T 77, 1938 = ThB 20, 1963; (Dtjes).
A. Bentzen,	Introduction to the Old Testament, 2 Bde, 5.A.1959.
K.-H. Bernhardt,	Zur Bedeutung der Schöpfungsvorstellung für die Religion Israels in vorexilischer Zeit, ThLZ 85 (1960) 821-824; (Schöpfung).
K.-H. Bernhardt,	Zur Gottesvorstellung von Ps 139, Kirche, Theologie und Frömmigkeit, Festschr. G. Holtz (1965) 20-31; (Gottesvorstellung).
W. Beyerlin,	Gattung und Herkunft des Rahmens im Richterbuch, Tradition und Situation. Studien zur alttestamentlichen Prophetie, Festschr. A. Weiser (1963) 1-29.
M. Birot,	Textes Administratifs de la Salle 5 du Palais, Archives Royales de Mari 9, 1960.
E. Bloch,	Atheismus im Christentum, 1968.
Th. Boman,	The Biblical Doctrine of Creation, ChQR 165 (1964) 140-151.
W. Bousset/ H. Greßmann,	Die Religion des Judentums im späthellenistischen Zeitalter, 3.A.1927.
G. Boyer,	Contribution à l'histoire juridique de la 1er dynastie babylonienne, 1928.

J.H.Breasted,	Ancient Records of Egypt, 5 Bde, 1962.
J.Bright,	Jeremiah, The Anchor Bible XXI, 1965.
C.Brockelmann,	Hebräische Syntax, 1956.
H.A.Brongers,	De Scheppingstradities bij de Profeten, Diss. theol. Leiden, 1945.
K.Budde,	Das Buch Hiob, HK II,1, 1.A.1896; 2.A.1913.
R.J.Caplice,	Participants in the Namburbi Rituals, CBQ 29 (1967) 346-352.
	Corpus Inscriptionum Semiticarum ab academia inscriptionum et litterarum humanorum conditum atque digestum I,3. Inscrptiones phoenicias, 1962.
J.L.Crenshaw,	"Wĕdōrēk ʿal-bamŏtê ʾāreṣ", CBQ 34 (1972) 39-53.
F.Crüsemann,	Studien zur Formgeschichte von Hymnus und Danklied in Israel, WMANT 32, 1969.
M.Dahood,	Psalms I. 1-50, The Anchor Bible XVI, 1966.
A.Deissler,	Zur Datierung und Situierung der "kosmischen Hymnen" Pss 8, 19, 29, Lex tua Veritas, Festschr. H.Junker (1961) 47-58.
L.Delekat,	Asylie und Schutzorakel am Zionsheiligtum. Eine Untersuchung zu den privaten Feindpsalmen, 1967.
F.Delitzsch,	Biblischer Commentar über den Propheten Jesaja, BC, 2.A.1869.
P.Dhorme,	Le livre de Job, 1926.
A.Dietrich,	Mutter-Erde. Ein Versuch über die Volksreligion, 3.A.1925 = 1967.
J.J.van Dijk,	Sumerische Götterlieder II, 1960; (SGL II).
A. Dillmann,	Hiob, KeH, 3.A.1869.
R.G.Driver,	The Resurrection of Marine and Terrestrial Creatures, JSS 7 (1962) 12-22.
S.R.Driver/ G.B.Gray,	The Book of Job, ICC, 1921.
L.Dürr,	Die Wertung des göttlichen Wortes im Alten Testament und im antiken Orient, MV(Ä)G 42,1,1938.
B.Duhm,	Das Buch Hiob, KHC XVI, 1897; (Hiob).
B.Duhm,	Das Buch Jesaja, HK III,1, 4.A.1922 = 5.A.1968. (Jesaja).
B.Duhm,	Die Psalmen, KHC XIV, 1899; (Psalmen).
E.Ebeling,	Beschwörungen gegen den Feind und den bösen Blick aus dem Zweistromlande, ArOr 17,1 (1949) 172-211; (Beschwörungen).
E.Ebeling,	Die akkadische Gebetsserie "Handerhebung", Deutsche Akademie der Wissenschaften zu Berlin. Institut für Orientforschung 20, 1953; (Handerhebung).
W.Eichrodt,	Theologie des Alten Testaments, Bd I, 6.A. 1959; Bd II,5.A.1964.
O.Eißfeldt,	Einleitung in das Alte Testament unter Einschluß der Apokryphen und Pseudepigraphen sowie der apokryphen- und pseudepigraphenartigen Qumrān-Schriften. Entstehungsgeschichte des Alten Testaments, 3.A.1964; (Einleitung).

O.Eißfeldt, Das Lied Moses Dtn 32,1-43 und das Lehrgedicht Asaphs Ps 78 samt einer Analyse der Umgebung des Moseliedes, BAL 104,5, 1958; (Moselied).

K.Elliger, Deuterojesaja in seinem Verhältnis zu Tritojesaja, BWA(N)T 63, 1933.

A.Erman, Denksteine aus der thebanischen Gräberstadt, SAB 49, 1911; (Denksteine).

A.Erman, Die Literatur der Aegypter. Gedichte, Erzählungen und Lehrbücher aus dem 3. und 2. Jahrtausend, 1923; (Literatur).

A.Erman, Die Religion der Ägypter. Ihr Werden und Vergehen in vier Jahrtausenden, 1934; (Religion).

A.Falkenstein, Sumerische Götterlieder I, AAH hist.-phil.Kl.1959,1, 1959; (SGL I).

A-Falkenstein/
W.von Soden, Sumerische und akkadische Hymnen und Gebete, 1953; (SAHG).

A.Falkenstein, Ein sumerisches Kultlied auf Samsu'iluna, ArOr 17,1 (1949) 212-226; (Kultlied auf Samsu'iluna).

G.Fecht, Literarische Zeugnisse zur "persönlichen Frömmigkeit" in Ägypten, AAH hist.-phil.Kl. 1965,1,1965.

L.R.Fisher, Creation at Ugarit and in the Old Testament, VT 15 (1965) 313-324.

W.Förster, ktízō etc, B. Der Schöpfungsglaube im AT, ThW III (1938) 1004-1015.

G.Fohrer, Das Buch Hiob, KAT XVI, 1963; (Hiob). S.396

G.Fohrer, Gottes Antwort aus dem Sturmwind. Hi 38-41, ThZ 18 (1962) 1-24; (Gottes Antwort).

H.Frankfort, Kingship and the Gods. A Study of Ancient Near Eastern Religion as the Integration of Society & Nature, 3.A.1958.

K.Fullerton, On Job, Chapters 9 and 10, JBL 53 (1934) 321-349.

C.J.Gadd, Ideas of Divine Rule in the Ancient East, Schweich Lectures 1945, 1948.

Th.H.Gaster, An Ancient Hymn in the Prophecies of Amos, Journal of the Manchester Egyptian Oriental Society 19 (1935) 23-26.

I.J.Gelb, La Lingua degli Amoriti, Atti dell'accademia nazionale dei lincei. Rendiconti. Serie VIII, Vol XIII, Fasc. 3-4 (1958) 143-164.

E.Gerstenberger, Der bittende Mensch. Bittritual und Klagelied des Einzelnen im Alten Testament, Habil.theol. (Masch.) Heidelberg, 1971.

H.Gese, Die Krisis der Weisheit bei Koheleth, Les Sagesses du Proche-Orient ancien. Colloque de Strasbourg, mai 1962. Biblithèque des Centres d'Etudes supérieres spécialisés. Travaux du Centre d'Etudes supérieures spécialisé d'Histoire des Religions de Strasbourg (1963) 139-151.

R.W.Gleason, Creation in the Old Testament, Thought 37 (1962) 527-542.

C.H.Gordon, Ugaritic Literature. A Comprehensive Translation of the Poetic and Prose Texts, 1949.

255

H.Greßmann,   Die literarische Analyse Deuterojesajas, ZAW 34 (1914) 254-297.

F.Gröndahl,   Die Personennamen der Texte aus Ugarit, Studia Pohl 1, 1967.

H.Gunkel/   Einleitung in die Psalmen. Die Gattungen der religiösen Lyrik Israels,
J.Begrich,   HK II, Ergänzungsband, 1933 = 1966; (Einleitung).

H.Gunkel,   Die Psalmen, HK II,2, 1926; (Psalmen).

H.Gunkel,   Schöpfung und Chaos in Urzeit und Endzeit. Eine religionsgeschichtliche Untersuchung über Gen 1 und Ap Joh 12, 1895; (Schöpfung).

B.Gunn,   The Religion of the Poor in Ancient Egypt, JEA 3 (1916) 81-94.

Ph.B.Harner,   Creation Faith in Deutero-Isaiah, VT 17 (1967) 298-306.

W.R.Harper,   Amos and Hosea, ICC, 1910.

Z.S.Harris,   A Grammar of the Phoenician Language, AOS 8, 1936.

J.Harvey,   The Prayer of the Creature, Way 6 (1966) 142-147.

F.Heiler,   Das Gebet. Eine religionsgeschichtliche und religionspsychologi-
sche Studie, 2.A.1920.

H.-J.Hermisson,   Diskussionsworte bei Deuterojesaja. Zur theologischen Argumentation des Propheten, EvTh 31 (1971) 665-680.

E.Heßler,   Gott der Schöpfer. Ein Beitrag zur Komposition und Theologie
Deuterojesajas, Diss.theol. (Masch.) Greifswald, 1961; (Gott
der Schöpfer).

E.Heßler,   Die Struktur der Bilder bei Deuterojesaja, EvTh 25 (1965) 349-
369; (Struktur der Bilder).

G.Hölscher,   Das Buch Hiob, HAT XVII, 2.A.1952.

F.Horst,   Die Doxologien im Amosbuch, ZAW 47 (1929) 45-54 = Gottes
Recht. Gesammelte Studien zum Recht im Alten Testament, ThB
12 (1961) 292-314; (Doxologie).

F.Horst,   Hiob. 1. Teilband, BK XVI/1, 1968; (Hiob).

F.Horst,   Die Notiz vom Anfang des Jahwekultes in Genesis 4,26, Libertas
Christiana. Festschr. F.L.Delekat, BEvTh 26 (1957) 68-74;
(Gen 4,26).

H.B.Huffmon,   Amorite Personal Names in the Mari Texts. A Structural and
Lexical Study, 1965.

W.A.Irwin,   Poetic Structure in the Dialog of Job, YNES 5 (1946) 26-39.

E.Jacob,   Théologie de l'Ancien Testament, 1955.

Th.Jacobsen,   The Battle between Marduk and Tiamat, JAOS 88 (1968) 104-108;
(Battle).

Th.Jacobsen,   The Concept of Divine Parentage of the Ruler in the Stele of the
Voltures, YNES 2 (1943) 119-121; (Divine Parentage).

Th.Jacobsen/
S.N.Kramer,   The Myth of Inanna and Bilulu, JNES 12 (1953) 160-188; (Inanna
and Bilulu).

J.Jeremias,   Abba, Abba. Studien zur neutestamentlichen Theologie und Zeitge-
schichte (1966) 15-67.

J.Jeremias,	Kultprophetie und Gerichtsverkündigung in der späten Königszeit Israels, WMANT 35, 1970; (Kultprophetie).
J.Jeremias,	Theophanie. Die Geschichte einer alttestamentlichen Gattung, WMANT 10, 1965; (Theophanie).
A.Jirku,	Die Sprache der Gottheit in der Natur, ThLZ 76 (1951) 631.
O.Kaiser,	Die mythische Bedeutung des Meeres in Ägypten, Ugarit und Israel, BZAW 78, 1959; (Meer).
O.Kaiser,	Einleitung in das Alte Testament. Eine Einführung in ihre Ergebnisse und Probleme, 2.A.1970; (Einleitung).
E.Kautzsch,	Die Apokryphen und Pseudepigraphen des Alten Testaments, 2 Bde, 1900 = 1962.
R.Kilian,	In Gott geborgen. Eine Auslegung des Psalms 139, Bibel und Kirche 26 (1971) 97-102.
R.Kittel,	Die Psalmen, KAT XIII, 3.u.4.A.1922.
J.A.Knudtzon,	Die El-Amarna-Tafeln, VAB 2,1-2, 1907-1915.
K.Koch,	Wort und Einheit des Schöpfergottes in Memphis und Jerusalem, ZThK 62 (1965) 251-293.
L.Köhler,	Deuterojesaja (Jesaja 40-55) stilkritisch untersucht, BZAW 37, 1923; (Dtjes).
L.Köhler,	Kleine Lichter. 50 Bibelstellen erklärt, 1945; (Kleine Lichter).
E.König,	Das Buch Hiob, 1929.
J.L.Koole,	Quelques remarques sur Psaume 139, Studia biblica et semitica, Festschr. Th.C.Vriezen (1966) 176-180.
S.N.Kramer,	Gilgamesh and the Land of Living, JCS 1 (1947) 3-49; (Gilgamesh).
S.N.Kramer,	"Man and His God". A Sumerian Variation on the "Job" Motif, Wisdom in Israel and in the Ancient Near East, Festschr. H.H. Rowly, VT Suppl.3 (1960) 170-182; (Man and His God).
S.N.Kramer,	Sumerian Mythology, 1961.
H.-J.Kraus,	Die Königsherrschaft Gottes im Alten Testament. Untersuchungen zu den Liedern von Jahwes Thronbesteigung, BHTh 13, 1951; (Königsherrschaft).
H.-J.Kraus,	Psalmen, BK XV, 2 Bde, 1960 = 3.A.1966; (Psalmen).
H.-J.Kraus,	Vatername Gottes, II. im AT, RGG, 3.A., VI, 1233-1234; (Vatername).
J.Kühlewein,	Das Reden von Geschichte in den Psalmen, Diss. theol. (Masch.) Heidelberg, 1966.
C.Kuhl,	Vom Hiobbuch und seinen Problemen, ThR 22 (1954) 261-316.
W.G.Kunstmann,	Die Babylonische Gebetsbeschwörung, Leipziger semitistische Studien N.F. 2, 1932 = 1968.
R.Labat,	Le caractère religieux de royauté assyro-babylonienne, 1939.
	Lachish III s. O.Tufnell.
J.Laessøe,	The Atraḫasīs Epic: A Babylonian History of Mankind, BiOr 13 (1956) 90-102.

G. Lambert,   La création dans la Bible, NRTh 75 (1953) 252-281.

W.G. Lambert,   A Middle Assyrian Medical Text, Iraq 31 (1969) 28-39.
A.R. Millard,   Atra-Ḫasīs. The Babylonian Story of the Flood, 1969; (Atra-Ḫasīs).

W.G. Lambert,   Myth and Ritual as conceived by the Babylonians, JSS 13 (1968) 104-112; (Myth and Ritual).

W.G. Lambert,   Three Literary Prayers of the Babylonians, AfO 19 (1959/60) 47-66; (Prayers).

W.G. Lambert,   Babylonian Wisdom Literature, 1960; (BWL).

S. Langdon,   Inscriptions on Cassite Seals, RA 16 (1919) 67-95; (Cassite Seals).

S. Langdon,   Die Neubabylonischen Königsinschriften (übers. v. R. Zehnpfund), VAB 4, 1912; (VAB 4).

A. Lauha,   Die Geschichtsmotive in den alttestamentlichen Psalmen, Suomalaisen Tiedeakatemian Toimituksia, Ser. B, 56,1 (1946) 1-148.

A. Laurentin,   We attah - kai nun. Formule caractéristique des textes jurdiques et liturgiques (à propos de Jean 17,5), Bibl 45 (1964) 168-197; 413-432.

G. van der Leeuw,   Phänomenologie der Religionen, 2.A. 1956.

L. Legrand,   La création, triomphe cosmique de Yahvé, NRTh 93 (1961) 449-470.

M. Lidzbarski,   Ephemeris für semitische Epigraphik, 3 Bde, 1902-1915; (Ephemeris).

M. Lidzbarski,   Phönizische und aramäische Krugaufschriften aus Elephantine, 1912; (Krugaufschriften).

H. Limet,   L'antroponymie sumérienne dans les documents de la 3e dynastie d'Ur, Bibliothèque de la Faculté de Philosophie et Lettres de l'Université de Liège 180, 1968.

J. Lindblom,   Die literarische Gattung der prophetischen Literatur. Eine literargeschichtliche Untersuchung zum Alten Testament, UUÅ Theol. 1, 1924.

E. Lohse (ed.),   Die Texte aus Qumran. Hebräisch und deutsch, mit masoretischer Punktation, Einführung und Anmerkungen, 1964.

V. Maag,   Jahväs Heerscharen, Schweizerische Theologische Umschau 20 (1950) (=Festschr. L. Köhler) 27-52; (Heerscharen).

V. Maag,   Sumerische und Babylonische Mythen von der Erschaffung des Menschen, Asiatische Studien 8 (1954) 85-106; (Menschenschöpfung).

K. Marti,   Das Dodekapropheton, KHC XIII, 1904.

G. Maspero   Rapport sur une Mission en Italie. Recueil de Travaux Relatifs à la Philologie et à l'Archéologie éygptiennes et assyriennes 4 (1882) 125-151.

D.J. McCarthy,   "Creation" Motifs in Ancient Hebrew Poetry, CBQ 29 (1967) 393-406.

G. Meier,   Die assyrische Beschwörungssammlung Maqlû, AfO Bh.2, 1937.

G. Mensching,   Vatername Gottes. I. religionsgeschichtlich, RGG, 3.A., VI, 1232-1233.

258

B.J.van der Merwe, Pentateuchtradisies in die Prediking van Deuterojesaja, 1956.

D.Michel, Tempora und Satzstellungen in den Psalmen, Abhandlungen zur evangelischen Theologie 1, 1960.

S.Morenz, Ägyptische Religion, Die Religion der Menschheit 8, 1960.

S.Moscati, L'epigrafia ebraica antica 1935-1950, Biblica et Orientalia 15, 1951.

S.Mowinckel, Metrischer Aufbau und Textkritik an Ps 8 illustriert, Studia Orientalia, Festschr. J.Pedersen (1953) 250-262; (Aufbau Ps 8).

S.Mowinckel, Die Komposition des Deuterojesajanischen Buches, ZAW 49 (1931) 87-112; (Dtjes).

S.Mowinckel, Zur Komposition des Buches Jeremia, SNVAO Ser. II, 1913,5, 1914; (Komposition).

S.Mowinckel, Psalmenstudien I-VI, 1921-1924 = 2 Bde, 1966.

H.P.Müller, Die hebräische Wurzel śîḫ, VT (1969) 361-371.

W.Müller, Die Religionen der Waldlandindianer Nordamerikas, 1956.

J.Muilenburg, The Book of Isaiah. Chapters 40-66, IntB V (1956) 381-773.

G.Nagel, À propos des rapports du Psaume 104 avec les textes égyptiens, Feschr. A.Bertholet (1950) 395-403.

B.D.Napier, On Creation Faith in the Old Testament, Interpretation 16 (1962) 21-42.

C.R.North, The Second Isaiah, 1964.

M.Noth, Die israelitischen Personennamen im Rahmen der gemeinsemitischen Namengebung, BWA(N)T 46, 1928 = 1966.

J.Nougayrol, Textes accadiens et hourrites des archives est, ouest et centrales, Le Palais Royal d'Ugarit (ed. F.A.Schaeffer) III (=Mission de Ras Shamra VI), 1955.

A.L.Oppenheim, Ancient Mesopotamia. Portrait of a Dead Civilization, 1964.

H.Otten/
J.Siegelová, Die hethitischen Gulš-Gottheiten und die Erschaffung der Menschen, AfO 23 (1970) 32-38.

E.Otto, Ägypten. Der Weg des Pharaonenreiches, 3.A.1958.

E.Otto, Gott als Retter in Ägypten, Tradition und Glaube. Das frühe Christentum in seiner Umwelt, Festschr. K.G.Kuhn (1971) 9-22; (Gott als Retter).

E.Otto, Der Mensch als Geschöpf und Bild Gottes in Ägypten, Probleme biblischer Theologie, Festschr. G.v.Rad (1971) 335-348; (Mensch als Geschöpf).

  Palais Royal III s. J.Nougayrol.

  Palais Royal V s. Ch.Virolleaud.

S.M.Paul, Deutero-Isaiah and Cuneiform Royal Inscriptions, JAOS 88 (1968) 180-186.

R.Pettazzoni, Myths of Beginnings and Creation-Myths, Essays on the History of Religions, Studies in the History of Religions, Numen Suppl.1 (1954) 24-36.

G.Pettinato,	Besprechung: W.H.Ph.Römer, Sumerische 'Königshymnen' der Isin-Zeit, ZA 60 (1970) 206-214; (ZA 60).
G.Pettinato,	Besprechung: W.G.Lambert/A.R.Millard, Atra-Ḫasīs, OrAn 9 (1970) 75-83; (OrAn 9).
G.Pettinato,	Das altorientalische Menschenbild und die sumerischen und akkadischen Schöpfungsmythen, AHH hist.-phil.Kl. 1971,1, 1971; (Menschenbild).
R.H.Pfeiffer,	Introduction in the Old Testament, 2.A.1948.
M.H.Pope,	El in the Ugaritic Texts, VT Suppl.2, 1955.
M.H.Pope,	Job, The Anchor Bible XV, 1965.
M.H.Pope/ W.Röllig,	Syrien. Die Mythologie der Ugariter und Phönizier, Götter und Mythen im vorderen Orient, Wörterbuch der Mythologie I (ed. H.W.Haussig), 1965, 217-312; (Syrien).
J.Prado,	La creación, conservación y gobierno del universo en el libro de Job, Sefarad 11 (1951) 259-288.
G.Quell,	B. Der Vaterbegriff im Alten Testament, G.Schrenk/G.Quell, patér etc, ThW V (1954) 946-1024, 959-974.
G.v.Rad,	Das fünfte Buch Mose. Deuteronomium, ATD 8, 1964; (Deuteronomium).
G.v.Rad,	Hiob 38 und die altägyptische Weisheit, Wisdom in Israel and in the Ancient Near East, Festschr. H.H.Rowly, VT Suppl.3 (1960) 293-301 = Gesammelte Studien zum Alten Testament, ThB 8 (2.A.1961) 262-271; (Hiob 38).
G.v.Rad,	Das theologische Problem des alttestamentlichen Schöpfungsglaubens, BZAW 66 (1936) 138-147 = Gesammelte Studien zum Alten Testament, ThB 8 (2.A.1961) 136-147; (Schöpfungsglaube).
G.v.Rad,	Theologie des Alten Testaments, Bd I, 5.A.1966; Bd II, 4.A.1965; (Theol.I/II).
G.v.Rad,	Weisheit in Israel, 1970; (Weisheit).
G.v.Rad,	Christliche Weisheit? 1845-1970. Almanach. 125 Jahre Chr.Kaiser Verlag (1970) 60-65; (Christliche Weisheit).
P.Radin,	Gott und Mensch in der primitiven Welt, 1953.
H.Ranke,	Die Ägyptischen Personennamen, Bd I, 1935; Bd II, 1952.
R.Rendtorff,	El, Baʿal und Jahwe. Erwägungen zum Verhältnis von kanaanäischer und israelitischer Religion, ZAW 78 (1966) 277-291; (El).
R.Rendtorff,	Kult, Mythos und Geschichte im Alten Israel, Sammlung und Sendung. Vom Auftrag der Kirche in der Welt, Festschr. H.Rendtorff (1958) 121-129; (Mythos).
R.Rendtorff,	Die theologische Stellung des Schöpfungsglaubens bei Deuterojesaja, ZThK 51 (1954) 3-13; (Schöpfungsglaube).
H.Graf Reventlow,	Liturgie und prophetisches Ich bei Jeremia, 1963; (Jeremia).
H.Graf Reventlow,	Der Psalm 8, Poetica 1 (1967) 304-332; (Psalm 8).
H.Richter,	Die Naturweisheit des Alten Testaments im Buche Hiob, ZAW 70 (1958) 1-20.

W.Richter,   Traditionsgeschichtliche Untersuchungen zum Richterbuch, BBB 18, 2.A.1966.

W.Ringwald,   Die Religion der Akanstämme und das Problem ihrer Bekehrung. Eine religions- und missionsgeschichtliche Untersuchung, 1952.

B.Rigaux,   Création et recréation du monde et de l'homme, Humanités Chrétiennes 5 (1962) 415-431; 6 (1963) 29-42.

Th.H.Robinson,   Die zwölf Propheten. Hosea bis Micha, HAT I, 14, 2.A.1954.

G.Roeder,   Urkunden zur Religion des Alten Ägypten, Religiöse Stimmen der Völker 4, 1915.

W.H.Ph.Römer,   Sumerische 'Königshymnen' der Isin-Zeit, Documenta et Monumenta Orientis Antiqui XIII, 1965.

W.Rudolph,   Hosea, KAT XIII, 1, 1966.

W.Rudolph,   Jeremia, HAT 1, 12, 3.A.1968.

E.Ruprecht,   Das Nilpferd im Hiobbuch. Beobachtungen zu der sogenannten zweiten Gottesrede, VT 21 (1971) 209-231.

E.Salonen,   Die Gruß- und Höflichkeitsformeln in babylonisch-assyrischen Briefen, StOr 38, 1967.

A.Scharff,   Aegyptische Sonnenlieder, 1922.

H.Schmidt,   Die Psalmen, HAT I, 15, 1934.

W.Schmidt,   Der Ursprung der Gottesidee. Eine historisch-kritische und positive Studie, 12 Bde, 1915-1955.

W.Schmidt,   Königtum Gottes in Ugarit und Israel, BZAW 80, 1961; (Königtum Gottes).

W.H.Schmidt,   Gott und Mensch in Ps 8, ThZ 25 (1969) 1-15; (Gott und Mensch).

W.H.Schmidt,   Die Schöpfungsgeschichte der Priesterschrift. Zur Überlieferungsgeschichte von Genesis 1, 1-2, 4a und 2, 4b-3, 24, WMANT 17, 2.A. 1967; (Schöpfungsgeschichte).

     Die Schöpfungsmythen. Ägypter, Sumerer, Hurriter, Hethiter, Kanaaniter und Israeliten (frz. La naissance du monde, 1959), Quellen des Alten Orients I, 1964.

A.Schott/
W.v.Soden   Das Gilgamesch-Epos, 1958.

W.Schottroff,   "Gedenken" im alten Orient und im Alten Testament. Die Wurzel zakar im semitischen Sprachkreis, WMANT 15, 1964.

E.v.Schuler,   Kleinasien. Die Mythologie der Hethiter und Hurriter, Götter und Mythen im vorderen Orient, Wörterbuch der Myhtologie I (ed. H.W.Haussig), 1965, 141-216.

A.Schwarzenbach,   Die geographische Terminologie im Hebräischen des Alten Testaments, 1964.

M.Sekine,   Schöpfung und Erlösung im Buche Hiob, Von Ugarit nach Qumran. Beiträge zur alttestamentlichen und altorientalischen Forschung, Festschr. O.Eißfeldt, BZAW 77 (1958) 213-223.

M.J.Seux,   Epithètes Royales akkadiennes et sumériennes, 1967.

A.Sjöberg,	Besprechung: W.H.Ph.Römer, Sumerische 'Königshymnen' der Isin-Zeit, Or NS 35 (1966) 268-304.
W.v.Soden,	Zu einigen altbabylonischen Dichtungen, Or NS 26 (1957) 306-320.
J.Spieth,	Die Religion der Eweer in Südtogo, QRG III, 10, 1911.
W.Staerk,	Lyrik (Psalmen, Hoheslied und Verwandtes), SAT III,1, 1911.
J.J.Stamm,	Die Akkadische Namengebung, MV(Ä)G 44, 1939 = 1968; (Namengebung).
J.J.Stamm,	Berit am bei Deuterojesaja, Probleme biblischer Theologie, Festschr. G.v.Rad, 1971, 510-524; (Berît ᶜam).
O.H.Steck,	Deuterojesaja als theologischer Denker, KuD 15 (1969) 280-293.
M.Streck,	Assurbanipal und die letzten assyrischen Könige bis zum Untergang Ninives, VAB 7,2, 1916.
F.Stolz,	Strukturen und Figuren im Kult von Jerusalem. Studien zur altorientalischen und frühisraelitischen Religion, BZAW 118, 1970.
F.Strothmann,	Die Anschauungen von der Weltschöpfung im Alten Testament und in der ägyptischen, babylonisch-assyrischen und phönizischen Religion, Diss.theol.(Masch.) Münster 1932, Teilabdruck 1933.
C.Stuhlmueller,	The Theology of Creation in Second Isaias, CBQ 21 (1959) 429-467.
S.Terrien,	The Book of Job, IntB III (1954) 875-1198; (Job I).
S.Terrien,	Job, Commentaire de l'Ancien Testament XIII, 1963; (Job II).
F.Thureau-Dangin,	Notes Assyriologiques, RA 11 (1914) 88-104.
R.Tournay,	Besprechung: H.W.Wolff, Dodekapropheton 1, RB 69 (1962) 271-274; (RB 69).
R.Tournay,	L'ordre primitif des Chapitres XXIV-XXVIII du livre de Job, RB 64 (1957) 325-334; (RB 64).
O.Tuffnell (u.a.),	Lachish III (Tell ed-Duweir). The Iron Age. Text, The Wellcome-Marston Archaeological Research Expedition to the Near East, 1953.
E.B.Tylor,	Die Anfänge der Cultur. Untersuchungen über die Entwicklung der Mythologie, Philosophie, Religion, Kunst und Sitte (engl. Primitive, Culture, 2 Bde, 1871; übers.v. J.W.Spengel/F.Poske) 2 Bde, 1873.
A.Ungnad,	Babylonische Briefe auf der Zeit der Hammurapi-Dynastie, VAB 6, 1914.
Ch.Virolleaud,	Textes en cunéiformes alphabetiques des archives sud, sud-ouest et du petit palais, Le Palais Royal d'Ugarit (ed. F.A.Schaeffer) V (=Mission de Ras Shamra XI), 1965.
P.Volz,	Jesaja II, KAT IX,2, 1932.
P.Volz,	Der Prophet Jeremia, KAT X, 1922; (Jeremia).
Th.C.Vriezen,	Theologie des Alten Testaments in Grundzügen, 1957.
H.E.v.Waldow,	Anlaß und Hintergrund der Verkündigung des Deuterojesaja, Diss. theol.Bonn, 1953; (Verkündigung Deuterojesajas).
H.E.v.Waldow,	... "denn ich erlöse dich", BSt 29, 1960; (BSt 29).

J.Warneck,	Die Religion der Batak. Ein Paradigma für die Animistischen Religionen des Indischen Archipels, QRG I,12, 1909.
J.D.W.Watts,	An Old Hymn Preserved in the Book of Amos, JNES 15 (1956) 33-39.
A.Weiser,	Das Buch Hiob, ATD 13, 5.A.1968; (Hiob).
A.Weiser,	Das Buch der zwölf kleinen Propheten 1. Hosea, Joel, Amos, Obadja, Jona, Micha, ATD 24, 5.A.1967; (Kleine Propheten).
A.Weiser,	Das Buch des Propheten Jeremia, ATD 20/21, 3.A.1959; (Jeremia).
A.Weiser,	Die Psalmen, ATD 14/15, 7.A.1966; (Psalmen).
C.Westermann,	Arten der Erzählung in der Genesis, Forschung am alten Testament, ThB 24 (1964) 9-91; (Arten der Erzählung).
C.Westermann,	Der Aufbau des Buches Hiob, BHTh 23, 1956; (Hiob).
C.Westermann,	Das Buch Jesaja. Kap.40-66, ATD 19, 1966; (Dtjes).
C.Westermann,	Genesis, BK I, 1966ff.
C.Westermann,	Grundformen prophetischer Rede, 2.A.1964;(Grundformen).
C.Westermann,	Das Heilswort bei Deuterojesaja, EvTh 24 (1964) 355-373; (Heilswort).
C.Westermann,	Jesaja 48 und die 'Bezeugung gegen Israel', Studia biblica et semitica, Festschr. Th.C.Vriezen (1966) 356-366; (Bezeugung).
C.Westermann,	Das Loben Gottes in den Psalmen, 3.A.1963; (Loben Gottes).
C.Westermann,	Der Mensch im Urgeschehen, Calwer Predigthilfen I. Die alttestamentlichen Texte der dritten Reihe (3 1967) 118-134; (Psalm 22). KuD 13 (1967) 231-246; (Mensch im Urgeschehen).
C.Westermann,	Psalm 22. Karfreitag, Calwer Predigthilfen I. Die alttestamentlichen Texte der dritten Reihe (3.A.1967) 118-134; (Psalm 22).
C.Westermann,	Psalm 90. Altjahrsabend, Calwer Predigthilfen III. Die alttestamentlichen Texte der fünften Reihe (2 1965) 47-56; gekürzte Fassung in Forschung am alten Testament, ThB 24 (1964) 344-350.
C.Westermann,	Der Psalter, 1967; (Psalter).
C.Westermann,	Das Reden von Schöpfer und Schöpfung im Alten Testament, Das ferne und nahe Wort, Festschr. L.Rost (1967) 238-244; (Schöpfer und Schöpfung).
C.Westermann,	Der Segen in der Bibel und im Handeln der Kirche, 1968; (Segen).
C.Westermann,	Sinn und Grenze religionsgeschichtlicher Parallelen, ThLZ 90 (1965) 489-496; (Religionsgeschichtliche Parallelen).
C.Westermann,	Sprache und Struktur der Prophetie Deuterojesajas, Forschung am alten Testament, ThB 24 (1964) 92-170; (Sprache und Struktur).
C.Westermann,	Struktur und Geschichte der Klage im Alten Testament, ZAW 66 (1954) 44-80 = Forschung am alten Testament, ThB 24 (1964) 266-305; (Geschichte der Klage).
C.Westermann,	Vergegenwärtigung der Geschichte in den Psalmen, Zwischenstation, Festschr. K.Kupisch (1953) 253-280 = Forschung am alten Testament, ThB 24 (1924) 306-335; (Vergegenwärtigung).

C.Westermann,   Weisheit im Sprichwort, Schalom. Studien zu Glaube und Geschichte Israels, Festschr. A.Jepsen, Aufsätze und Vorträge zur Theologie und Religionswissenschaft 51 (1971) 73-85.

G.Widengren,   The Accadian and Hebrew Psalms of Lamentation as Religious Documents. A Comperative Study, 1937.

H.Wildberger,   Jesaja, BK X, 1965ff.

P.Winter,   Der Begriff "Söhne Gottes" im Moselied Dtn 32,1-43, ZAW 67 (1955) 40-48.

H.W.Wolff,   Dodekapropheton 1. Hosea, BK XIV/1, 1961; (Hosea).

H.W.Wolff,   Dodekapropheton 2. Joel und Amos, BK XIV/2 (1969; (Joel-Amos).

H.W.Wolff,   "Wissen um Gott" als Urform von Theologie, EvTh 12 (1952/53) 533-554 = Gesammelte Studien zum Alten Testament, ThB 22 (1964) 182-205; (Wissen um Gott).

H.W.Wolff,   Das Zitat im Prophetenspruch. Eine Studie zur prophetischen Verkündigungsweise, EvTh Bh. 4, 1937 = Gesammelte Studien zum Alten Testament, ThB 22 (1964) 36-129; (Zitat).

G.E.Wright,   The Lawsuit of God. A Form-Critical Study of Deuteronomy 32, Israel's Prophetic Heritage, Essays in Honor of J.Muilenburg (1962) 26-67.

E.Würthwein,   Erwägungen zu Ps CXXXIX, VT 7 (1957) 165-182 = Wort und Existenz. Studien zum Alten Testament (1970) 179-196.

W.Zimmerli,   Erkenntnis Gottes nach dem Buche Ezechiel. Eine theologische Studie, AThANT 27, 1954 = Gottes Offenbarung, Gesammelte Aufsätze, ThB 19 (2.A.1969) 41-119; (Erkenntnis Gottes).

W.Zimmerli,   Ich bin Jahwe, Geschichte und Altes Testament, Festschr. A.Alt, BHTh 16 (1953) 179-209 = Gottes Offenbarung, Gesammelte Aufsätze, ThB 19 (2.A.1969) 11-40; (Ich bin Jahwe).

GENERAL BOOKBINDING CO.

78   IOINY2   4   340   A   6719

QUALITY CONTROL MARK